Les Clés du bonheur

Photo de la couverture:
Patrice Puiberneau

Maquette de la couverture:
France Lafond

Composition et mise en page: Helvetigraf enr., Québec

Dépôt légal:
3e trimestre 1983

ISBN 2-89111-158-3

Michèle Morgan

Les Clés du bonheur

DU MÊME AUTEUR :

Dialogue avec l'âme sœur, Libre Expression, 1990.
Pourquoi pas le bonheur ?, Libre Expression, 1979.

à IRMINGARD,
avec amour et reconnaissance

Table des matières

Avant-propos

Il y a quatre ans, chers lecteurs, je vous lançais un merveilleux défi par le biais de mon premier livre, *Pourquoi pas le bonheur?* espérant que vous y puiseriez suffisamment d'informations, de confiance, de courage et de persévérance pour entreprendre une nouvelle phase de votre vie: la phase bonheur.

Et, je vous le dis immédiatement, vous avez admirablement bien répondu à mon appel puisque des centaines de témoignages verbaux ou écrits me sont parvenus comme un doux chant de reconnaissance et d'espoir.

Par ailleurs, si plusieurs d'entre vous m'ont chaleureusement remerciée depuis ce temps, je dois, à mon tour, vous exprimer toute ma reconnaissance car vous m'avez réservé le plus beau cadeau que l'on puisse offrir à une personne désireuse de partager une expérience de vie: celui de mettre en pratique la technique proposée et de la recommander à ses meilleurs amis.

Pouvais-je souhaiter une preuve plus concrète de l'utilité de mon travail? Un tel témoignage réchauffe le cœur parfois exposé à ce vent glacial de tristesse qu'entraînent souvent dans leur sillage les intempéries de la vie.

Sachez également que ce livre a été la source de nombreux défis relevés par amour pour tous les êtres humains réellement soucieux d'évoluer et d'être heureux.

Et puisque vous me l'avez si souvent demandé, et avec tant de gentillesse, je me devais de poursuivre cette route à travers ce deuxième livre qui sera l'occasion, je l'espère, de faire un nouveau pas vers le bonheur et l'apprentissage de la sérénité.

Comme le premier livre, celui-ci est simple et contient de nombreuses informations sans doute «subjectives» car totalement vécues par l'auteur. Il est également le reflet de certaines expériences et opinions de personnes chères dont le témoignage représente une grande valeur; d'une part, ces témoignages me permettent d'approfondir mes connaissances et, d'autre part, de réaliser que je ne suis pas seule au monde à utiliser avec succès et de façon consciente mes ressources physiques, intellectuelles et spirituelles pour jouir d'une véritable paix intérieure et vivre en harmonie avec le reste de l'univers.

J'ai mis du temps à me décider à faire cette pause: ma vie est si bien remplie et si intéressante que le temps s'écoule à une vitesse insoupçonnée. Mais aujourd'hui cela s'impose: j'ai envie de partager cette vie et ces magnifiques expériences que mon cœur refuse de conserver en vase clos ou pour le bénéfice de quelques personnes seulement.

Une énergie sans cesse croissante m'habite et me pousse vers cette communication avec tous les gens, jeunes ou moins jeunes. J'ai l'inébranlable conviction que chaque être humain possède en lui cette étincelle de lumière et de vérité qui doit un jour s'embraser au grand feu de l'Amour et de la Connaissance.

Je suis également persuadée que la seule et unique façon d'ÊTRE HEUREUX est d'apprendre, pas à pas, à se connaître pour ensuite mettre tout son potentiel au service de cette lumière et de cette vérité.

N'allez pas croire que je suis une personne mystique ou mystérieuse comme certaines personnes refusant d'évoluer pourraient me percevoir; n'allez pas croire non plus que ce débordement de bonheur qui me caractérise est exempt d'expériences difficiles et de nuages sombres car je suis encore bel et bien vivante sur cette terre où je dois séjourner tant et aussi longtemps que mon passage n'y aura pris tout son sens.

Cependant, et j'insiste sur ce point, plus nous devenons conscients de la raison pour laquelle nous sommes ici-bas, avec ce corps et cette intelligence, plus nous décidons fermement de les utiliser pour atteindre le plus haut degré d'évolution de notre esprit. Et le plus merveilleux de toute l'histoire vient du fait que cette aspiration vers notre évolution spirituelle peut et doit être compatible avec le bonheur physique et mental.

Votre vie doit être une aventure, une suite de riches expériences, une occasion privilégiée de vous fixer de nombreux objectifs et d'être une personne satisfaite lorsque ces objectifs sont atteints.

Chaque jour doit vous apporter un triomphe spirituel comme un brillant soleil perçant à travers les nuages.

Mon but, en écrivant ce livre, est de vous aider à sortir de la brume, à disperser les nuages en me rendant au cœur de votre être, vous redonnant une franche gaieté, une confiance totale dans votre possibilité de réussite et de rayonnement tant intérieur qu'extérieur.

Je ne vous donne que quelques exemples et possibilités de cheminement, lesquels peuvent varier à l'infini d'une personne à une autre. Mais attention! Si les chemins peuvent différer, les grandes lois de la création, elles, demeurent immuables et la seule et unique façon pour chaque être humain d'atteindre la paix et la sérénité est d'apprendre à connaître ces lois et de vivre en harmonie avec elles. Nous faisons partie d'un grand orchestre dont le chef est notre Créateur et nous devons canaliser au plus vite nos énergies pour arriver à maîtriser nos partitions pour que bientôt les notes discordantes soient à jamais oubliées et que tous nous profitions pleinement de la symphonie cosmique qui n'attend que notre bon vouloir.

PREMIÈRE PARTIE

Introduction

Pourquoi pas le bonheur? publié en 1979 et lu par des milliers de personnes qui ont expérimenté avec succès ma technique de programmation du subconscient vous invitait à utiliser votre subconscient comme outil de travail à l'élaboration du bonheur. Vous pouvez vous demander si la programmation du subconscient fonctionne réellement et vous aide à atteindre vos objectifs.

Cette technique, qui consiste à inscrire vos objectifs sur des cartes que j'appelle fiches-messages et à les relire une ou deux fois par jour durant une période de vingt et un jours[1], s'est révélée très efficace si j'en juge d'après les centaines de témoignages reçus à cet effet depuis quatre ans.

La technique de programmation du subconscient a déjà aidé un très grand nombre de personnes à réorienter leurs énergies et à transformer leur agressivité en activité positive; des hommes d'affaires l'ont appliquée avec succès, de même que des éducateurs, des mères de famille, pour elles-mêmes et pour leurs

1. Période maximale que prend le subconscient pour assimiler un message auquel il donnera suite tôt ou tard en vous suggérant la solution la mieux adaptée à vos besoins.

enfants, des étudiants, des thérapeutes et même des groupes à caractère plus spirituel. Chacun l'utilise pour ses propres besoins.

Des personnes atteintes de maladies chroniques depuis de nombreuses années m'ont écrit pour me parler avec joie de leur santé retrouvée. Des femmes qui se croyaient stériles ont réussi à résoudre leurs problèmes physiques ou mentaux et sont devenues enceintes quelque temps après avoir commencé à utiliser leur subconscient de façon consciente et voulue. L'une d'entre elles m'a même envoyé la photographie de son joli poupon afin de me remercier. Des gens ont trouvé un emploi après des années de chômage, d'autres ont vu leur chiffre d'affaires s'élever comme par magie, etc. Et tous les adeptes de cette technique ont retrouvé une paix intérieure, un bien-être physique et mental depuis longtemps recherché.

La technique de programmation du subconscient fonctionne parce qu'elle constitue une base. Malgré son apparente simplicité, elle parvient à modifier en profondeur l'individu, à redonner un sens à sa vie en le guidant de façon progressive et sûre à travers la confusion et la complexité de la vie moderne et en l'aidant à définir clairement ses objectifs. Elle conduit chaque personne à une authentique satisfaction basée sur la réalisation de soi.

En un sens, l'utilisation du subsconscient est comparable à une expérience cinématographique. On est confortablement assis et on surveille ce qui va arriver. Et que va-t-il se produire dans ce film? Cela ne dépend que de vous et de vous seul. Vous êtes producteur, coproducteur, directeur, réalisateur et acteur principal. Vous êtes également et surtout le scénariste de ce film, c'est-à-dire celui qui en écrit l'histoire. Vous en êtes aussi le spectateur et le critique, celui qui juge de la qualité, de la beauté et de la réussite de ce film.

L'histoire qui se déroule sous vos yeux, c'est votre histoire. Reflète-t-elle le bonheur ou la misère? le succès ou l'échec? le rire ou les pleurs? Vous seul pouvez en décider. C'est votre choix à vous, vous en êtes la force dominante.

Que vous soyez jeunes ou plus âgés, que votre film en soit encore au générique, au cœur de l'action principale ou même à l'approche du dénouement, j'ai bon espoir que vous profiterez de cette chance exceptionnelle, de cette occasion unique pour vous estimer à votre réelle valeur en utilisant ce puissant outil afin de réaliser une performance on ne peut plus brillante.

Sans aucun doute, c'est l'image que vous avez de vous-mêmes qui vous élèvera ou vous conduira à des états dépressifs. Vous ne pouvez voir concrètement cette image, ou la toucher, mais elle n'en est pas moins réelle. C'est le portrait, vrai ou faux, que vous vous faites de vous-mêmes, qui vous conduit inexorablement vers des expériences positives ou négatives, et cela à chaque jour de votre vie. Ce portrait est d'une importance capitale étant donné que toute votre personnalité et vos agissements en sont le reflet. Autrement dit, si vous vous percevez comme une personne belle, heureuse et chanceuse, vous êtes immanquablement sur la voie du bonheur, de la réussite et du plaisir; si, au contraire, vous vous percevez comme une personne inférieure et indigne, vous échouerez avant même d'avoir débuté.

Vous pensez peut-être avoir moins de ressources que les autres. Vous croyez ne rien faire de bien. Vous tournez en rond, vous allez, découragés, accumulant défaite après défaite, multipliant les échecs... Et vous vous demandez: «Y a-t-il de l'espoir pour moi également?» Ma réponse est affirmative, même en ces temps difficiles où le négatif nous entoure, tente de s'infiltrer dans notre pensée et notre corps et y réussit trop souvent. Oui, il y a de l'espoir si vous décidez de changer l'image que vous vous faites de vous-mêmes, si vous acceptez d'oublier ce sombre cliché qui vous abat physiquement et moralement et d'y substituer un portrait brillant et coloré.

La première étape, le but sur lequel nous devons concentrer toutes nos énergies, reste la transformation de l'image de soi. Et c'est d'abord en soi, dans le théâtre de notre pensée, qu'il faut travailler à changer cette image, luttant sans relâche pour utiliser le pouvoir de cette image de façon constructive en abandonnant, une fois pour toutes, les souvenirs d'échecs antérieurs pour laisser place à un monde de nouvelles possibilités.

Si les éléments négatifs sont trop nombreux et tenaces, je propose dans *Pourquoi pas le bonheur?* un genre de ménage du subconscient que j'ai appelé le décodage. Ce procédé enlève de façon progressive les blocages au niveau du subconscient tout simplement en envoyant, en ce sens, un message quotidien au subconscient. Ce décodage contribue également à atteindre plus rapidement les objectifs programmés car, libéré de ses entraves, le subconscient devient ainsi un outil entièrement au service de la pensée positive.

Le début de ce voyage à la découverte de notre monde intérieur vise donc l'établissement d'une image de soi solide et positive, quelles que soient nos expériences. C'est une condition essentielle à la poursuite de ce voyage. Cette image de soi modifiée par notre bon vouloir nous offre la possibilité de rendre nos vies plus riches, plus remplies et plus heureuses.

Lorsque j'ai écrit *Pourquoi pas le bonheur?* j'ambitionnais de faire connaître au plus grand nombre de personnes possible cette merveilleuse découverte de la programmation du subconscient qui me semblait et me semble toujours un élixir de jeunesse. J'ai donc écrit ce livre pour garder vivante cette jeunesse en chacun de nous car trop de gens, autour de moi, avaient perdu confiance dans le sens de la vie et gaspillaient leur temps et leur énergie dans l'inquiétude et la dépression. Trop de gens vieillissent sans réaliser la possibilité de conserver une éternelle jeunesse intérieure. Plusieurs se sont malheureusement suicidés — spirituellement, non physiquement — car lorsque le corps vit sans la conscience de l'esprit, il s'agit d'une forme de suicide, et c'est fréquent aujourd'hui. C'est aussi l'une des plus grandes tragédies de notre temps: la perte de la conscience de ce que nous sommes, le suicide spirituel.

La programmation du subconscient représentait et représente toujours un moyen de se battre contre cette mort spirituelle. C'est le précieux outil qui m'a permis d'orienter ma pensée vers un but productif malgré certains sentiments négatifs. J'ai vécu des moments d'obscurité, de tristesse et de frustration. J'ai aussi éprouvé à certains jours le sentiment que la vie ne veut plus rien dire et eu l'impression que je ne valais absolument rien. Mais après avoir découvert le livre du docteur Maxwell Maltz intitulé *La Psycho-cybernétique* j'ai voulu me battre, entrer en contact avec le meilleur côté de moi-même et repousser tous ces sentiments négatifs. J'ai refusé le suicide spirituel pour faire place à l'éternelle jeunesse.

J'ai fait des erreurs, j'en fais encore et en ferai probablement tout au long de mon existence. Et alors! Me reprenant à chaque fois, ma décision est de faire de chaque journée une aventure, une expérience de vie, une bataille pour la pensée positive. C'est de là qu'est né mon premier livre.

Depuis, je ne suis pas restée inactive: travail, voyages, rencontres, communications de toutes sortes. J'ai lu avec intérêt plusieurs écrits sur la pensée positive, le subconscient, la santé physique et mentale et j'ai rencontré des centaines de personnes étudiant ces questions. Toutes ces activités ont renforcé ma conviction que la meilleure façon d'être heureux, d'accéder au bonheur, est de devenir un «professionnel» dans l'art de vivre. Cela prend du temps et de la pratique, mais c'est le plus intéressant et le plus grand défi à relever.

Devenir un professionnel dans l'art de vivre, ça signifie être le gagnant d'une bataille: celle de laisser «le petit moi» pour devenir «le grand moi» ou encore celle de quitter «le vieil homme» pour le remplacer par «l'homme nouveau».

Cela exige beaucoup de détermination au départ: passer à l'action dès aujourd'hui, avoir la conviction qu'on réussira malgré tout, vivre le présent tout en bâtissant l'avenir, se sentir adéquat, se fixer des buts à court, à moyen et à long terme, se tenir actif physiquement et mentalement. Évidemment, de tels principes se développent graduellement par l'effet de nos résolutions en ce sens.

Cela exige que nous soyons prêts à consacrer quelques minutes chaque jour à l'atteinte de cet objectif, quelques minutes durant lesquelles nous rebâtissons une image de nous-mêmes qui soit positive et belle. Nous transmettons à notre subconscient des messages ou résolutions de façon constante et régulière et nous réalisons soudain que nous sommes réellement devenus cette personne dont nous avons élaboré l'image de façon constante.

Rien n'est mystérieux ou magique, mais tout simplement la mise en pratique d'un procédé naturel qui existe en chacun de nous. Tous les êtres humains qui sont devenus des «professionnels» dans l'art de vivre, des exemples de réussite, vous diront qu'à la base de cette réussite a existé une pensée positive, une image de soi reflétant le succès.

Personne n'a jamais réussi quoi que ce soit avec une pensée négative. Cela est impossible et contraire aux lois naturelles nous régissant. Toute idée négative sur vous-mêmes ou sur les événements de votre vie entraînera à coup sûr un résultat négatif. Jamais on ne dira ni ne répétera assez cette pensée si l'on veut qu'elle soit enfin comprise et assimilée. Chaque jour nous fournit la preuve que nous ne la comprenons pas réellement puisque nous nous permettons d'entretenir tant de pensées négatives concernant notre santé, notre apparence, notre travail, notre potentiel, nos relations avec les gens, notre aisance financière, retardant d'autant la réalisation de nos objectifs positifs.

C'est un peu comme si nous conduisions une automobile avec l'idée de nous rendre à un endroit mais choisissions la route la plus longue, parsemée d'embûches et multipliant les détours. Chaque pensée négative est un freinage inutile qui risque même de causer des accidents.

Nous vivons à l'ère de la révolution électronique et nombreux sont ceux qui rêvent de s'acheter un ordinateur. Or, nous possédons tous un merveilleux ordinateur, un modèle des plus perfectionnés dont le Créateur nous a munis: notre subconscient. Il n'attend que nos directives pour être programmé au service de notre esprit et pour participer activement à notre évolution.

Dans *Pourquoi pas le bonheur?* je vous ai parlé de ma technique de programmation du subconscient afin de vous aider à fixer et à atteindre vos objectifs. Cette technique est simple, facile à mettre en pratique et très efficace. Avec *Les Clés du bonheur*, je vais encore fournir quelques illustrations concrètes d'utilisation du subconscient dans ma propre vie ou dans celle d'autres personnes ayant bien voulu me faire part de leur expérience en ce domaine. Je vais également aborder brièvement trois grands objectifs applicables à tous les individus aspirant au bonheur; la mise en forme physique, la mise en forme psychologique et la mise en forme spirituelle. La réalisation de ces objectifs permet certainement une vie des plus intéressantes et enrichissantes. De ces trois grands objectifs découlent, bien sûr, une multitude de sous-objectifs qu'il vous appartient de déterminer selon vos besoins personnels.

Les Clés du bonheur fera également référence à plusieurs reprises au Message du Graal. Le Message du Graal est une œuvre littéraire intitulée *Dans la Lumière de la Vérité* écrite par Abd-Ru-Shin dont le nom civil est Oskar Ernst Bernhardt et qui vit le jour le 18 avril 1875 à Bischofswerda (pays de Saxe). Cette œuvre fut d'abord publiée en langue allemande et la traduction française a paru en trois volumes aux éditions françaises du Graal.

Entre tous les ouvrages didactiques qui, de nos jours, traitent de sujets d'ordre spirituel, cette œuvre tient une place toute particulière. Toute tentative de la cataloguer est vaine: elle fait éclater tous les cadres dogmatiques et traditionnels tellement son élévation est sublime, le champ qu'elle couvre, incommensurable, et la Vérité qu'elle véhicule, profonde.

C'est dans les termes suivants qu'Abd-Ru-Shin précise le but et la nature de son Message:

> «Ce que je veux... c'est combler les lacunes qui, dans des âmes humaines, sont autant de questions brûlantes restées sans réponse jusqu'à ce jour et qui tourmentent chaque penseur sérieux, s'il cherche sincèrement la vérité.
>
> «Je ne m'adresse ni aux Églises ni aux partis, ni aux ordres, aux sectes et aux sociétés, mais uniquement et en toute simplicité à l'homme lui-même. Loin de moi l'idée de renverser quelque chose d'existant; car je construis, je réponds à des

questions non résolues jusqu'ici et que chacun porte nécessairement en lui dès qu'il réfléchit tant soit peu.»

Lorsque je vous ai parlé de ma technique de programmation du subconscient, vous avez réalisé sans doute que j'utilise cette technique dans toutes les sphères de ma vie puisqu'elle s'avère efficace pour l'atteinte d'objectifs de tout genre.

Loin de rejeter d'autres techniques ou d'autres façons pour atteindre tel ou tel but, il m'a toutefois semblé que celle-ci correspondait exactement à mes besoins.

Il en est de même avec le Message du Graal qui représente actuellement une avenue privilégiée par rapport à tous les autres écrits traitant de l'Homme et de la Création. D'autres écrits ont auparavant retenu mon attention et leur valeur ne fait pas de doute dans ma pensée. Pierre Teilhard de Chardin, saint Jean de la Croix, Krishnamurti, Pascal, Lanza del Vasto, Alain, Richard Bach, Khalil Gibran, Jacques Languirand et Placide Gaboury sans oublier, bien sûr, les quatre évangélistes par lesquels le message du Christ nous est partiellement parvenu, et encore plusieurs autres penseurs m'ont donné l'occasion de faire un pas de plus vers une connaissance approfondie de l'Homme.

Le Message du Graal tient une place particulière pour plusieurs raisons: d'abord cette œuvre m'apparaît comme la plus complète malgré sa grande simplicité lorsqu'elle traite de thèmes aussi vastes que l'Homme et la Création. Il n'est point nécessaire d'être grand érudit pour comprendre cet écrit, il suffit d'ouvrir son esprit et d'être réceptif.

Ma première lecture de cette œuvre, il y a un peu plus de trois ans, m'a permis de retrouver plusieurs concepts et notions que je considérais et considère tou jours comme réalistes et véridiques. D'autres concepts plus nouveaux sur les rapports entre les êtres humains m'apparurent, lors de cette première lecture, intéressants et dignes d'attention. Une observation constante de mon environnement me permet de conclure, depuis, que ces concepts reflètent la réalité humaine dans ses moindres agissements. Je ne peux que m'émerveiller de la justesse des propos contenus dans cette œuvre. Chaque nouvelle journée m'apporte des exemples concrets et vivants des explications contenues dans le Message du Graal.

J'ajouterais, et c'est le plus important, que cette œuvre fournit une véritable clé du bonheur car elle énonce non seulement des concepts théoriques mais explique aussi comment nous pouvons accélérer notre évolution après avoir réellement compris le sens de notre vie.

Je privilégie donc cette œuvre qui m'a non seulement amenée à réfléchir sur certaines questions mais m'a également fourni les outils pour agir et mettre en pratique les principes d'évolution.

Je continue à faire quotidiennement des programmations ou résolutions mais j'ai ajouté à cette technique une lecture assidue du Message du Graal comme livres de référence et d'inspiration.

Et comme vous serez en mesure de le constater avec *Les Clés du bonheur*, cette façon de procéder m'a beaucoup mûrie tout en m'apportant sans cesse de nouvelles expériences, toutes plus enrichissantes les unes que les autres.

Pour mieux illustrer l'utilisation du subconscient, je vous ai fourni dans mon premier livre quelques exemples de programmations. Plusieurs personnes m'ont demandé si ces programmations, telles que mon souci de développement personnel, mes projets de carrière, le désir de maîtriser la langue anglaise, ma programmation à l'effet de rencontrer Monsieur Michel Jasmin, celle de retrouver ma maison familiale ou encore celle de publier les contes de mon grand-père se sont effectivement réalisées.

D'autres personnes se demandent si mes réussites de programmations telles que l'atteinte de mon poids idéal, ma victoire sur la cigarette et la multiplication d'intéressantes rencontres dans ma vie ont duré ou n'ont été que temporaires.

Je pense que les prochains exemples témoigneront d'eux-mêmes de l'efficacité de la programmation du subconscient!

La programmation: un outil efficace

La vie est un éternel recommencement qui nous donne parfois l'impression que, malgré nos efforts, nous sommes obligés de reprendre sans cesse la poursuite de tel ou tel objectif.

Cette impression s'estompe graduellement en ce qui me concerne puisque je constate avec joie que certains problèmes semblent réellement passés et trépassés.

Le poids idéal et la cigarette, par exemple, sont bel et bien contrôlés sans que je sois obligée de faire de nouvelles programmations à ces sujets.

Il est cependant naturel et bien légitime de vouloir améliorer et conserver notre enveloppe physique tant que nous vivons. La programmation du subconscient contribue à l'atteinte de cet objectif puisqu'elle nous conduit vers les personnes, les techniques ou les produits susceptibles de nous aider. J'ai, par exemple, rencontré dernièrement une dame originaire de Roumanie qui connaît mille trucs naturels pour soigner la peau du visage et maîtrise aussi l'art du massage corporel comme on n'en fait plus de nos jours.

Revenue d'un voyage en Europe qui dura un peu plus d'un mois, j'avais quelques problèmes de peau dus aux changements d'alimentation, de température et de rythme de vie. Comme par magie cette dame a rétabli ma peau alors que certaines personnes traînent ce genre de problème durant des mois après leur retour. Encore une fois on peut penser à une «coïncidence» ou à un «hasard», mais, comme je le mentionnais dans *Pourquoi pas le bonheur*? les coïncidences et les hasards se multiplient tellement dans ma vie pour m'apporter juste au bon moment ce dont j'ai besoin, même pour des petits problèmes secondaires, que je ne peux faire autrement que de croire qu'il s'agit de réponses à mes programmations.

Cependant, dès qu'un tel problème se présente, si minime soit-il, je prends la peine de réfléchir au changement désiré, de rédiger ma programmation sur une fiche et de relire cette programmation au moins une fois par jour durant vingt et un jours.

Vous ne pouvez vous imaginer le nombre et la variété de programmations sur lesquelles mon subconscient est employé chaque jour. Cela représente vraiment une forme de jeu et une habitude maintenant devenue automatique.

Certaines programmations mettent plus de temps à se réaliser mais quelques-unes sont parfois complétées dans un temps record! Quant aux autres, non encore réalisées, je ne désespère pas car je sais que, tôt ou tard, se présentera une solution. Prenez, par exemple, le cas de ma maison familiale. Je vous expliquais dans mon premier livre que cette fameuse maison, où je vécus mon enfance et mon adolescence, avait dû être cédée à des tiers car ma mère ne possédait pas les moyens financiers pour en assurer l'entretien. Je programmai donc avec elle que cette maison nous revienne d'une manière ou d'une autre, en espérant gagner le gros lot ou encore un salaire tel que je puisse moi-même la racheter.

Quelles ne furent pas ma surprise et ma joie à Noël dernier, soit quelque trois ans après ma programmation, d'apprendre que l'un de mes frères venait de se porter acquéreur de cette maison! Quelle joie aussi pour ma mère qui m'a d'ailleurs informée dernièrement que mon frère a entièrement rénové, embelli et rajeuni maison et terrain!

Vous voyez qu'avec un peu de foi et de patience, l'on finit toujours par avoir de bons résultats. À ce propos, cela me fait penser à un commentaire d'une personne qui assistait à l'une de mes conférences. Ce monsieur mentionnait qu'il programmait son subconscient depuis des années sans même le savoir. En lisant *Pourquoi pas le bonheur?* il avait réalisé que cette chance innée qu'on lui avait toujours attribuée n'était en réalité que la pensée positive ajoutée à une ténacité dans la poursuite de ses objectifs. Il ajouta que, selon ses expériences personnelles, il fallait un maximum de cinq ans pour obtenir quelque chose de matériel dont le coût était relativement élevé. Quant aux choses d'ordre moral, intellectuel ou spirituel, il est plus difficile de fixer un temps défini pour leur réalisation complète. Mais je sais, par expérience, que dès le début de la programmation il se produit déjà des transformations, si minimes soient-elles.

C'est un peu comme un enfant qui grandit. Vous le voyez à l'âge de sept ans, grand et fier, et n'avez pourtant pas réalisé, à chacune des journées de sa vie, que la transformation s'opérait. C'est le miracle de la vie, c'est également le miracle de l'utilisation du subconscient: vous poursuivez calmement votre objectif, attendant avec conviction et détermination, et tout à coup le résultat est là devant vous et souvent encore plus merveilleux que vous ne l'auriez imaginé.

Développement personnel et carrière

La parution de *Pourquoi pas le bonheur?* a, sans l'ombre d'un doute, été un point tournant de ma vie. Tant du point de vue intellectuel qu'affectif, la chance unique d'avoir publié un livre, et précisément ce livre, m'a comblée.

Loin d'imaginer l'ampleur que prendrait ma démarche en écrivant, je croyais tout au plus pouvoir aider quelques personnes à s'en sortir, tout comme je l'avais fait, et ouvrir au meilleur de ma connaissance et de mon expérience quelques portes afin d'apporter une certaine contribution au bonheur de mes semblables.

J'étais par ailleurs profondément convaincue de l'efficacité de ma technique et entretenais au fond du cœur l'espoir légitime de réussir à convaincre le plus grand nombre de personnes d'apprendre à devenir heureuses si elles ne l'étaient déjà et d'utiliser efficacement leur subconscient dans tous les cas.

Dès la parution de mon livre, je sentis que les choses se déroulaient bien. Ma programmation précédemment mentionnée à l'effet de rencontrer Monsieur Michel Jasmin ne tarda pas à se réaliser puisque j'eus le plaisir de présenter *Pourquoi pas le bonheur?* à l'émission «Bonsoir le monde», le jour même de sa publication officielle.

Par la suite, la chance me fut offerte à plusieurs occasions d'être interviewée à quelques stations radiophoniques de même qu'à différentes chaînes de télévision. J'acceptai même d'accorder une entrevue à la chaîne anglaise de notre télévision nationale, sachant que cette émission serait transmise en même temps à travers tout le Canada et, par la suite, aux États-Unis. Au début, radio et télévision m'impressionnaient évidemment un peu, mais je réalisai très rapidement que mes craintes étaient injustifiées. Les véritables professionnels de ces médias d'information me reçurent toujours avec sympathie et facilitèrent ma participation à leurs émissions.

Ces intéressantes rencontres me permirent de conclure que les personnes les plus qualifiées et les plus compétentes savent demeurer simples et à la portée de tout le monde. Inversement, je constatai que les gens les plus prétentieux, dans ce domaine comme dans les autres, sont ceux qui en connaissent le moins et qui sentent le besoin d'écraser d'autres personnes pour se valoriser elles-mêmes. Je réalisai également que la première loi cosmique, soit «J'ai la simplicité d'un enfant», mentionnée et expliquée dans mon premier livre, trouvait toute sa raison d'être et son efficacité dans de telles circonstances.

On m'invita à donner une première conférence quelques mois après la sortie de mon livre et j'acceptai malgré ma totale inexpérience dans ce domaine. Je comptais sur l'indulgence de l'auditoire et, bien entendu, sur la force de mon subconscient pour traverser avec succès cette nouvelle expérience.

Une centaine de personnes assistèrent à cette première conférence que je donnai un peu timidement mais avec grande joie. Certaines personnes manifestèrent leur appréciation et j'en fus très touchée. Il ne faut jamais craindre de féliciter ou de remercier quelqu'un de sa performance, que ce soit dans les arts ou dans toute autre discipline, et ce, même si l'exécutant nous apparaît chevronné et sûr de lui; en effet, au fond de chaque être humain y compris le plus expérimenté, existe une crainte de ne pas être à la hauteur ou de ne pas offrir ce que les gens attendent de lui.

La satisfaction manifestée est toujours hautement appréciée et je dirais même attendue de cet exécutant; elle lui permet de poursuivre avec confiance sa tâche, lui fournit de l'énergie pour se renouveler et une motivation supplémentaire pour garder la communication avec son public.

Une semaine plus tard, je me rendais à Québec pour une deuxième conférence, laquelle m'a semblé plus réussie que la première.

Ma plus grande joie, à chacune de ces conférences, fut de constater, au cours des périodes de questions de l'auditoire, à quel point la plupart des gens pratiquaient déjà la programmation du subconscient sans en avoir parfaitement conscience. De nombreux témoignages de réussites de programmations avec ou sans ma technique augmentèrent ma confiance dans cette fameuse utilisation du subconscient.

Je pris conscience également, lors de ces deux conférences, du grand besoin de communication et d'échanges sur la vie et le bonheur qu'on retrouve chez la plupart des gens. On dit que les gens heureux n'ont pas d'histoire mais, à force d'entendre des histoires malheureuses à longueur de journée, n'est-il pas sain de penser et de dire POSITIF à l'occasion? Il ne faut surtout pas oublier que nous enregistrons tout ce que nous percevons au cours d'une journée et que plus nous décidons de nourrir nos pensées de «bon» et de «vrai», correspondant à un idéal d'être humain que la réalité quotidienne ne nous offre malheureusement que trop rarement, plus nous augmentons nos chances de bonheur.

Je sentais qu'au fond de chaque être humain, homme ou femme, riche ou pauvre, jeune ou âgé, se retrouvent le drame de l'existence, la recherche de la connaissance et de l'identité de même que le désir de trouver le sens de la vie et de la mort.

Ainsi je n'étais pas seule. Médecins, ouvriers, mères de famille, avocats, étudiants, artistes, ingénieurs et nombre d'autres se joignaient à moi pour découvrir le bonheur et la paix intérieure. Quel soulagement!

Mais ce fameux subconscient, outil fort merveilleux que j'avais appris à utiliser si efficacement et que je présentais maintenant au public, jusqu'où pouvait-il nous conduire? Convaincue d'un bonheur toujours grandissant et débordée d'activités de toutes sortes, je laissai cette question sans réponse précise, persuadée qu'en temps et lieu tout s'éclaircirait; guidée par une force vivante et sans cesse renouvelée, j'acceptai patiemment et consciencieusement les résultats de mon entreprise.

Je dois mentionner ici le soutien chaleureux de mon compagnon à cette époque, sans lequel cette nouvelle orientation se serait révélée beaucoup plus ardue. Sa présence continuelle, sa disponibilité, de même que ses critiques des plus constructives, m'ont permis de développer certaines facultés jusqu'alors insoupçonnées. Plus d'une fois ses encouragements m'aidèrent à franchir un pas que la peur, la timidité ou l'indécision m'empêchaient de franchir. Plus d'une fois son enthousiasme me stimula en me donnant de nouvelles idées pour la réalisation de mes objectifs. Je tiens à le remercier publiquement car il a grandement contribué à la réussite de *Pourquoi pas le bonheur?* De plus, l'exemple de sa vie professionnelle, de son ardeur au travail et de sa disponibilité auprès des gens m'a beaucoup inspirée dans mon propre travail.

Cet exemple vécu peut et devrait s'appliquer à tous les couples, quel que soit le travail ou la profession de chaque partenaire. Il me semble fondamental que chaque individu désirant vivre avec une autre personne prenne conscience du potentiel de cette personne et apporte tout le soutien nécessaire à la réalisation des objectifs de son conjoint. Cette attitude est, à mon avis, la plus grande preuve d'amour vivant sur cette terre. Il arrive malheureusement trop souvent que ce soutien ne soit qu'à sens unique et qu'une des deux personnes n'ait pas l'espace voulu pour se réaliser. Cela devient vite source de frustration et générateur de rupture. Comme le dit si bien ma chère maman: «Il faut vivre et laisser vivre», ainsi tout le monde est content.

Mais revenons donc à *Pourquoi pas le bonheur?* et à ses conséquences. Quelques mois après sa publication, je reçus une troisième invitation à donner une conférence. La demande me parvint d'une charmante dame, citoyenne de la ville québécoise d'East Broughton. Après les ententes d'usage, je pars donc confiante et rassurée par le «succès» de mes deux précédentes conférences. Il y aurait sans doute une centaine de personnes et tout se passerait très bien...

Quelle ne fut pas ma surprise en arrivant au cinéma d'East Brougthon loué pour l'occasion! Environ quatre à cinq cents personnes attendaient la conférencière. J'en avais la chair de poule. Un peu plus et je rebroussais chemin.

Je réfléchis quelques instants et me dis que si je m'étais rendue jusque-là j'avais sûrement quelque chose à y faire.

Nous devons réaliser que les expériences que nous vivons sont le fruit de notre cheminement et que nous avons les ressources pour y survivre. Trop souvent nous nous sous-estimons et croyons ne pas être en mesure de réaliser telle ou telle chose.

Eh bien, cette fois je dus mettre en pratique ce que je prêche et plonger avec confiance car cela m'apparaissait vraiment un peu trop pour mes capacités.

Il faut dire qu'un accueil chaleureux m'aida à me relaxer mais, pour être honnête avec vous, je dois vous avouer que les toutes premières minutes me mirent au supplice. Je voyais tous ces gens devant moi qui attendaient... je me sentais si petite et avais tellement peur de décevoir.

Mais tout à coup je décidai d'oublier ce fameux «moi» et je me dis qu'il fallait à tout prix être un «instrument» par lequel certains messages passeraient pour aider les gens qui en avaient besoin. Je décidai d'être la plus simple possible et d'offrir à mon auditoire ma jeune mais vivante expérience de l'utilisation de mon subconscient.

Cette soirée demeure inoubliable. La présence et l'intérêt des gens d'East Broughton permirent une intense communication avec ces auditeurs attentifs et de très bons échanges en fin de soirée. Je dois également souligner la délicatesse avec laquelle les organisateurs de cette conférence nous reçurent, mon compagnon et moi, nous offrant même un souvenir en guise d'amitié.

Il suffit parfois de si peu dans la vie pour améliorer la communication et générer l'harmonie autour de soi. Si chaque personne avait la présence d'esprit de songer à cette petite attention ou même à cette simple parole d'amitié, les répercussions positives naîtraient à l'échelle mondiale. Le fondement de la paix, de l'amour et de l'harmonie réside en chaque individu, prenons-en conscience avant qu'il ne soit trop tard.

Par la suite, je refusai plusieurs invitations car il fallait faire des choix. D'une part, une possibilité de travailler à temps plein à la diffusion de mon livre, de la pensée positive et de l'utilisation du subconscient, d'autre part, mettre en pratique ma théorie et continuer de suivre les voies de l'évolution et de l'utilisation maximale de toutes mes ressources.

N'avais-je pas justement programmé l'emploi idéal et la possibilité de mettre à profit ma formation et l'expérience professionnelle acquise ces dernières années? N'était-ce pas plus sage de vivre concrètement ma théorie d'utilisation du subconscient que d'en parler si souvent et à plein temps? Il m'a semblé que oui et, sauf quelques sauts ici et là à l'improviste, je me consacrai à ma tâche quotidienne espérant toujours un avancement lorsque j'y serais prête.

Mon évolution concernant l'emploi idéal est également intéressante et digne de mention.

Après quelque sept années au même bureau, je décidai, conformément aux termes de ma convention collective, de prendre une année sabbatique.

Cette décision assez hâtive me poussa à rechercher pour cette année sabbatique une nouvelle occupation utile, agréable et rémunératrice (il faut bien être réaliste) afin que ces douze mois me soient profitables à tous points de vue.

Après avoir programmé cette nouvelle occupation dont je n'avais pas la moindre idée d'une part, il me fallait également envisager le retour au travail régulier, après un an, d'autre part.

J'optai en tout premier lieu pour établir un bilan de ma formation, de mon expérience et de mes aspirations afin de faciliter cette double orientation à court et à moyen termes. Il est toujours très efficace de s'asseoir, crayon à la main, et d'inscrire très clairement ce que nous sommes et ce que nous attendons de la vie. Cette simple démarche me procura comme par magie les deux emplois en question.

Premièrement, je devais songer sérieusement à ma future orientation au sein de la Fonction publique québécoise. Appréciant certains avantages marginaux, je désirais néanmoins maximiser l'utilisation de tout mon potentiel et œuvrer dans un secteur où mes connaissances juridiques alliées à mon expérience administrative de même qu'à mes préoccupations à caractère social et humanitaire pourraient s'avérer rentables tant pour moi-même que pour mon éventuel employeur.

Il me semblait tout à fait normal et légitime d'entretenir une telle aspiration et, sans tarder, je rédigai une offre de service précisant tous ces points. Je fis parvenir ce document à une «banque» de mutation et/ou affectation[1] en espérant qu'en l'espace d'une année je trouverais sûrement ce fameux emploi idéal tant recherché.

Moins d'un mois après ma démarche, je recevais un appel téléphonique m'invitant à passer une entrevue. Mon année sabbatique non débutée, je recevais déjà une offre pour un nouvel emploi. Cette fois, je trouvais que le subconscient allait un peu trop vite en affaires. Et pourtant, déjà séduite par l'idée de ce nouveau travail, j'acceptai de me rendre à cette entrevue.

Jamais je ne vécus une entrevue plus positive. Le dynamisme et la ferme volonté de l'interviewer, en l'occurrence mon futur patron, me plurent immédiate-

1. Mutation et/ou affectation: changement de service à l'intérieur de la Fonction publique.

ment et je me portai d'emblée candidate si, évidemment, celui-ci acceptait mes services.

Plus il parlait du service qu'il dirigeait, plus je me félicitais d'avoir rédigé une offre de service mentionnant ma formation et mes intérêts. Sans aucun doute cette démarche de ma part me conduisit à cet endroit. D'ailleurs il me confirma lui-même cette impression en mentionnant qu'il avait retenu ma candidature à cause de certains éléments précis de mon offre de service.

Enfin, curieux «hasard», le bureau en question se trouvait à un endroit où j'avais si longtemps rêvé de travailler à cause de sa beauté et de sa facilité d'accès. L'une de mes amies y avait d'ailleurs travaillé quelque temps et lorsque je l'y avais rencontrée, je me «voyais» très bien m'y installer moi-même. Je me rappelle même avoir dit à cette amie que cet endroit correspondait exactement à mes goûts comme contexte physique de travail.

Tous ces aspects positifs, réponses à mes aspirations et à mes programmations, m'indiquèrent de remettre, sans hésitation, mon année sabbatique à plus tard et je quittai mon futur patron en lui montrant mon enthousiasme et mon espérance d'être engagée à ce service.

N'attendant une réponse que plusieurs semaines après cette entrevue, j'entrepris aussitôt de trouver «l'emploi-au-cas-où» l'année sabbatique débuterait à court terme.

Quelques jours plus tard, un projet d'émission radiophonique sur le bonheur était né. Mais du projet à l'émission, que de pas à franchir lorsque vous ne connaissez personne dans le milieu et que votre expérience se résume à quelques entrevues çà et là pour la promotion de votre livre.

Mon intuition me suggéra d'envoyer copie de mon projet à quelques stations radiophoniques afin de sonder le terrain. Sans nouvelles après deux semaines, je décidai de briser la glace en téléphonant moi-même à un directeur de programmation; qu'avais-je à perdre?

Le premier contact, quoique chaleureux, n'annonçait rien de positif. Le monsieur, très poliment d'ailleurs, me laissa en quelque sorte entendre que mon projet lui semblait sympathique mais pas plus.

Au fond il ne croyait pas à la nécessité et à la rentabilité d'une telle émission chez lui ou ailleurs. J'insistai tant et si bien qu'il décida de le soumettre à une des recherchistes afin d'en considérer la valeur et la possibilité de réalisation.

Une semaine plus tard, toujours sans nouvelles, je décide de revenir à la charge. Comme je vous le mentionnais déjà au début de ce livre et dans *Pourquoi pas le bonheur?* je n'abandonne jamais lorsque je crois au bien-fondé de mon objectif et que mon subconscient ne m'en indique pas, par des signes évidents, le contraire.

Cette fois, le monsieur me semble plus ouvert mais encore réticent. Pour vaincre sa résistance, il m'apparaît soudain qu'une rencontre s'impose. Sans trop insister sur mon projet, je lui propose donc cette rencontre afin d'obtenir des renseignements sur le travail d'animatrice de radio et lui demande de me faire profiter de sa vaste expérience dans le domaine par de simples conseils de base. En réalité ma demande était tout à fait sincère, croyant que mon projet n'était peut-être pas encore suffisamment mûri pour être réalisé à court terme.

L'entrevue, très agréable par ailleurs, se termina par une offre d'essai en circuit fermé. Une émission simulée déciderait de l'acceptation ou du refus de diffuser l'émission. Quelque peu modifié par le directeur de la programmation lui-même, mon projet n'en gardait pas moins sa saveur initiale, soit une émission avec ligne ouverte sur le bonheur et ses manifestations.

Une semaine plus tard, ayant passé avec succès l'épreuve et secondée par un coanimateur charmant et expérimenté, débutait l'émission «De bonne heure, de bonne humeur» au cours de laquelle, durant six mois, j'eus le plaisir de m'entretenir avec de nombreux auditeurs et nombreuses auditrices de tous âges, de toutes occupations et préoccupations.

Cette expérience mémorable marque certes une étape importante dans mon évolution: ponctualité, attention, disponibilité, bonne humeur malgré les petits problèmes de la vie personnelle sont à l'ordre du jour lorsque vous travaillez à la radio et particulièrement lorsque vous animez une ligne ouverte sur le bonheur.

Encore une fois je dois souligner le travail et la personnalité de mon coanimateur, dont la «joie de vivre» et le «positivisme» (2e et 6e lois cosmiques) furent en grande partie à l'origine de la réussite de l'émission. Grâce à lui, je pus travailler à l'aise et libérée de toutes contraintes techniques, vu sa grande compétence ajoutée à sa longue expérience; grâce à lui, également, je compris que la stabilité d'humeur est nécessaire à ce genre de travail.

Vous devez sûrement vous étonner que l'auteur d'un livre sur la pensée positive doive être encouragé à garder sa joie de vivre à tous moments. En fait, sachez que l'auteur de ce livre a été et demeure «parfois» une personne émotive devant travailler sur sa bonne humeur et son équilibre; cette personne a également besoin comme vous, à l'occasion, d'encouragements et de soutien moral. Si je n'avais jamais eu de problèmes à ce niveau, aurais-je tant cherché? Si ma bonne humeur et ma joie de vivre avaient été constantes, comprendrais-je les gens anxieux et malheureux?

Je suis tout ce que vous êtes ou pouvez être: parfois heureuse, parfois anxieuse, dépressive, euphorique ou découragée pour quelques minutes. Mais la grande différence depuis ma découverte du subconscient réside dans le fait qu'aucun de ces états ne me désespère vraiment ou ne m'inspire la panique comme autrefois. Au fond de moi vit une paix réelle et profonde que toutes manifestations superficielles de caractère, de tempérament ou d'émotion ne peuvent altérer.

Et, merveille des merveilles, cette paix intérieure n'a cessé de grandir au fil des années malgré toutes les expériences difficiles à traverser. Le facteur le plus important de cette croissance prend lui-même sa source dans une vie spirituelle toujours plus intense et gratifiante.

Et c'est ainsi que, tout en préparant une éventuelle année sabbatique et en animant une émission radiophonique hebdomadaire, me tomba du ciel, un beau matin, la nouvelle que j'avais été acceptée à un nouveau poste au sein de la Fonction publique.

Une réalité nouvelle s'imposa dès lors dans ma vie: d'abord un éloignement de presque trois mois pour un stage de formation à Québec. De nouvelles notions à assimiler, de nouveaux collègues de travail à connaître, quel programme! Mais lentement et sûrement, tout finit par s'arranger et rentrer dans l'ordre. Non sans efforts et volonté, bien sûr, mais combien facilité par le travail inlassable du subconscient.

Ah! que de fois mes petites fiches ne me dépannèrent-elles pas comme «par miracle» dans les moments difficiles! Il serait évidemment trop long d'énumérer chaque détail de mon processus d'intégration mais je peux vous avouer franchement l'impression générale laissée par ce cheminement: contrairement à toutes les autres fois où j'avais débuté dans un emploi et où il me semblait porter le poids du monde, je me sentis cette fois comme installée sur un *tapis magique.* Était-ce le fait de prendre l'avion deux fois par semaine? J'en doute. C'était plutôt comme si un ou plusieurs guides, après avoir soigneusement préparé mon chemin, m'indiquaient, dans les plus menus détails, la méthode de travail à développer, le mot à employer, la question à poser, l'attitude à prendre... etc.

Plus d'une fois également me furent épargnées des erreurs grâce à l'intervention opportune d'une tierce personne ou d'un écrit arrivé sur mon bureau au bon moment.

Dans ce domaine, comme dans les autres, je ne crois pas au hasard car trop de signes évidents ont éclairé mon parcours.

Je termine ces quelques idées touchant l'emploi idéal en encourageant chaque individu à viser haut puisque j'ai maintenant la preuve irréfutable que l'aide vient en temps et lieu si nous acceptons réellement de développer nos ressources.

Vous vous souvenez certainement, si vous avez lu *Pourquoi pas le bonheur?* de ma préoccupation au sujet de la langue anglaise. Laissez-moi donc vous exposer brièvement ma progression dans ce domaine.

Je dois d'abord vous dire que la possibilité de parler et de comprendre l'anglais, loin d'être un luxe, est maintenant une nécessité dans mon travail quotidien.

Évidemment, les premières expériences me semblèrent difficiles et exigeantes. Je devais et dois encore non seulement participer aux débats comme je l'avais déjà fait à mon ancien travail, mais c'est moi qui dois «mener» ces débats en tant que présidente.

À l'instar de plusieurs personnes, je réalisai que mon principal handicap était fait de beaucoup de crainte et d'un peu d'orgueil. Mais graduellement (je n'avais pas le choix) j'appris à travailler en anglais tout aussi aisément qu'en français.

Prise au feu de l'action, désireuse de bien comprendre les gens et d'expliquer correctement et complètement certains points, je vécus l'immersion totale sans perdre de plumes ou le nord. Réalisant que dans mon domaine comme dans tout domaine spécialisé il existe un vocabulaire technique, je compris rapidement que mon travail en anglais ne serait facilité qu'avec la maîtrise de ce vocabulaire. En fait, c'est la partie la plus facile puisque ces termes reviennent fréquemment dans tous les dossiers. Une fois cette terminologie acquise, une assurance grandissante s'installe et fait surgir à votre mémoire tous les mots dont vous avez besoin. Et si le mot ne vient pas ou que la compréhension de ce qui vient d'être exposé n'est pas totale, il faut absolument, et j'insiste sur ce point, apprendre à faire un acte d'humilité et demander à quelqu'un de vous aider. Personne n'est parfait et en acceptant cette réalité nous augmentons nos chances de le devenir «éventuellement» ou du moins «dès maintenant» d'améliorer grandement notre rendement et notre savoir.

Je suis donc fort aise aujourd'hui d'avoir programmé la connaissance de la langue anglaise d'autant plus que je réalise, à ma grande satisfaction, que cette langue est très proche de la langue allemande, langue que j'aimerais également parler un jour.

Un récent voyage m'a aussi permis de constater mes progrès dans la pratique de la langue anglaise puisque durant deux semaines je n'ai utilisé que cette langue pour communiquer avec les gens. De plus j'ai rencontré, lors de ce voyage, mon nouveau compagnon avec lequel je converse presque toujours en anglais. Je peux vous dire que cette réalisation dépasse toutes mes espérances!

La programmation: un moyen de développer l'intuition

Comme je le mentionnais précédemment, il m'a été donné d'agir à titre de conférencière invitée pour expliquer ma technique d'utilisation du subconscient et pour répondre aux nombreuses questions des participants, et j'ai également reçu, avec joie d'ailleurs, un volumineux courrier sur le sujet.

Ayant réalisé que certaines questions reviennent fréquemment, je crois devoir aujourd'hui y répondre publiquement afin que certains points soient discutés de façon plus explicite.

Je vais également vous communiquer des exemples de réussite de programmation vécues par des gens qui n 'avaient aucune expérience sur la question et qui, en peu de temps, ont mis en pratique les principes énoncés dans *Pourquoi pas le bonheur?*

Au Québec, comme à plusieurs endroits dans le monde, nous nous acheminons lentement vers la structuration de cours et de groupes de travail sur la recherche de l'épanouissement personnel appelés à connaître une grande expansion au cours des prochaines années. Ces cours et ces groupes existent déjà à certains endroits mais ne répondent pas encore à la demande toujours croissante des gens.

Chacun doit faire sa part afin de promulguer la connaissance selon ses propres moyens.

Pour ma part, j'écris et j'ai animé quelques mois une émission radiophonique. À l'occasion, j'accepte également des rencontres avec ces groupes mais je prie chaque personne de collaborer au mieux de ses ressources pour projeter son «phare» au milieu de la grande nuit de la recherche et de l'incertitude.

Il y a beaucoup de gens, autour de vous, qui attendent avec anxiété une bonne parole ou un bon geste pour repartir à neuf.

N'oubliez jamais les durs moments au cours desquels vous avez personnellement lutté et où l'on vous a tendu la main. Tendez à votre tour la main à ceux et celles qui cherchent sincèrement.

Plusieurs personnes m'ont interrogée pour savoir où je situe le subconscient et pourquoi j'utilise le mot programmation. Voici: comme je vous le mentionnais dans *Pourquoi pas le bonheur?* ma technique de programmation du subconscient, basée sur une expérience vécue et réussie, était en quelque sorte un manuel d'instructions pour vous aider à employer de façon efficace une merveilleuse possibilité dont je n'arrivais pas à comprendre complètement la complexité.

Les chercheurs qui m'avaient guidée dans ma quête du bonheur, et plus particulièrement le docteur Maxwell Maltz (auteur du livre *Psychocybernetics)*, utilisaient ce terme très à la mode, le «subconscient», et comparaient ce dernier à un genre d'ordinateur à notre service et en communication 24 heures sur 24 avec ce qu'ils nommaient l'intelligence universelle ou la mémoire infinie ou autre chose du même genre. D'où, pour moi, l'utilisation des termes «programmation du subconscient».

Évidemment, beaucoup de choses m'échappaient dans tout le processus et je vous en avais d'ailleurs fait part en vous disant que même si nous ne comprenions pas entièrement la complexité de la main (à moins d'être spécialiste) nous l'utilisions chaque jour de notre vie. Alors, vous disais-je, pourquoi ne pas agir ainsi avec l'utilisation du subconscient puisque les résultats sont tellement fantastiques? Et c'est effectivement ce que j'ai fait et que plusieurs personnes font avec confiance puisque cela fonctionne merveilleusement bien!

Tout en continuant à atteindre mes objectifs programmés, j'ai cependant fait un pas de plus dans la compréhension du processus qui nous permet d'obtenir si vite et comme par magie ce que nous désirons.

En réalité la «programmation du subconscient» telle que je l'ai développée et pratiquée me semble aujourd'hui tout simplement une utilisation consciente et volontaire d'un outil mis à la disposition de tous les êtres humains, soit l'INTUITION.

Mal connue, l'intuition a parfois mauvaise réputation en ce sens qu'elle s'oppose, pour certains, trop directement à l'intelligence. Mais il n'en est pas ainsi puisque l'intelligence et l'intuition sont toutes deux des facultés de l'être humain, lesquelles, subordonnées à l'esprit de cet être humain, doivent travailler ensemble et non l'une contre l'autre. De toute façon, il en était de même pour la connaissance du subconscient dont certains intellectuels refusaient également de reconnaître l'existence. Des chercheurs tels que Freud et Jung en savent quelque chose, ayant été vertement critiqués du temps de leurs découvertes.

Mais aujourd'hui toutes ces notions doivent être reconnues et placées à leur vraie place afin que chaque être humain prenne lui-même sa destinée en main au lieu d'être manipulé par ceux et celles qui auraient le privilège d'avoir ces connaissances. Il faut également que l'être humain, en mettant les choses à leur place, rende à César ce qui appartient à César, et à Dieu ce qui appartient à Dieu. Il ne faut pas être présomptueux et se croire tout-puissant; par contre, il faut réaliser que l'homme est doté de tous les outils nécessaires pour puiser à même une force et une énergie qui fluent sans cesse à travers la création. Cette force et cette énergie ne sont ni bonnes ni mauvaises, elles sont neutres. C'est seulement en employant cette force et cette énergie que l'être humain est en mesure de former ses œuvres et ses actes. Cependant, quoique cette force et cette énergie soient neutres, l'homme, par sa faculté de penser, peut les orienter et les transformer en actions positives ou négatives.

Ma technique de programmation du subconscient est donc une façon de développer et d'utiliser l'intuition en nous reliant à des centrales positives de pensée desquelles nous provient l'inspiration suivie de la réalisation de nos objectifs par des moyens qui dépassent souvent nos espérances.

Il existe quand même une utilisation du subconscient quelque peu différente de ma technique, mais cette autre forme d'utilisation est comparable à l'autosuggestion. Elle n'est pas mauvaise en soi mais nous laisse tout de même très limités par rapport aux réalisations puisqu'elle ne puise sa force qu'en nous-mêmes; et comme nous savons que si nous refusons la liaison avec le reste de l'univers et la force de la création entière nous sommes très limités et impuissants, il nous faut donc, pour obtenir ce que nous voulons, puiser à l'unique source de la vie.

Le Message du Graal apporte un tout nouvel éclairage concernant l'intuition par rapport à l'intelligence; il y est question entre autres du cervelet comme siège de l'intuition et du développement du cerveau à travers l'évolution de l'homme, développement parfois au détriment de l'intuition. Mais la connaissance de cette situation doit nous permettre d'aspirer à nouveau à l'équilibre et à l'harmonie en développant consciemment notre intuition pour permettre l'essor de notre esprit.

Cette connaissance doit donc nous permettre également d'atteindre le bien-être physique, mental et spirituel puisqu'un tel bien-être est impensable sans harmonie.

En plus de nous permettre d'atteindre nos objectifs de bonheur, l'intuition nous amène aussi, et cela est fondamental pour notre évolution, à la connaissance des lois de la création.

Enfin, et c'est la grâce que je vous souhaite, elle vous mène directement à la conviction de l'existence du Créateur envers qui vous déborderez de reconnaissance lorsque vous commencerez à percevoir votre «être» dans cette grande œuvre de la Création.

La programmation: à la portée de tous

Comme je le mentionnais précédemment, j'ai reçu un volumineux courrier à la suite de la parution de mon livre, courrier me démontrant l'appréciation et la compréhension de mes lecteurs et lectrices.

Quelques extraits de lettres choisis à titre d'exemples vous apporteront, je l'espère, une stimulation supplémentaire pour faire aussi le premier pas vers le bonheur et la sérénité.

Toutes ces lettres reçues m'ont aussi permis de réaliser qu'il n'y a pas d'âge ou de profession pour mettre en pratique la théorie de la programmation du subconscient.

Madame Colette Maher, professeur de yoga bien connue des gens de Québec, m'écrivait:

> «J'utilise votre théorie dans mes cours et je recommande constamment votre livre à mes élèves; c'est pour eux une merveilleuse thérapie menant au bonheur, pourquoi pas?»

Nul doute que la technique de la programmation du subconscient alliée à celle du yoga produise des résultats fantastiques!

Une autre thérapeute, le docteur Solange Moreno, médecin attaché à l'hôpital Bichat de Paris, se sert de la programmation du subconscient pour aider ses patients. Elle dit:

«Il fait à présent partie de mes prescriptions et une cinquantaine de personnes travaillent et programment selon vos indications. Votre livre renferme tout ce que je répète au cours de mes consultations.»

Pour Johanne Vaudry, de Laval, *Pourquoi pas le bonheur?* apporte une «philosophie positive et surtout pratiquement applicable à la vie de tous les jours». De plus Johanne et sa mère aiment partager leur découverte:

«Et toutes les deux, chacune de notre côté, à l'occasion du Temps des Fêtes, de vœux d'anniversaire et même de souhaits de santé, nous l'avons offert en cadeau à des personnes pour qui nous avons beaucoup d'affection, parce que, vois-tu, c'est une expérience que l'on a envie de partager avec des êtres chers, entre autres.»

Quel bel exemple d'amour ces personnes nous donnent-elles; elles ont compris que c'est en donnant que l'on reçoit le plus!

Quant à Lucile, de Saint-Léonard, elle semble enchantée des résultats si rapides.

Elle m'écrit:

«Je tiens à vous remercier pour le don que vous m'avez fait en écrivant *Pourquoi pas le bonheur?* Je ne fais que commencer à l'utiliser et j'obtiens des résultats depuis si longtemps désirés et avec une telle rapidité, c'est stupéfiant!»

Eh oui, lorsque nous débutons sur le chemin de la pensée positive, nous sommes vraiment stupéfaits... et peu à peu la stupéfaction fait place à l'émerveillement et à la reconnaissance.

Pour sa part, Jeannine Le Mentec Bellec me soulignait la facilité et le réalisme du livre:

> «Il est tellement facile à comprendre et même une personne n'aimant pas la lecture plonge tête baissée dans ce tourbillon de réalité.»

Et cette réalité, comme j'ai pu le constater en recevant ces très belles lettres, touche également le cœur de la gent masculine. Quelle joie de réaliser qu'un grand nombre d'hommes recherchent aussi le bonheur et la réalisation de soi par la pensée positive.

Un collègue de travail m'écrivait ses commentaires encourageants:

> «Il apporte une bouffée d'air frais dans une société qui oublie trop souvent les notions d'amour du prochain et de partage du bonheur.»

Marcel J. m'a également écrit une très belle pensée:

> «Vous venez de confirmer par votre réalisation la règle d'OR: toute personne peut changer radicalement sa vie en changeant d'attitude.»

Plusieurs personnes m'ont fait part qu'elles avaient l'impression de me connaître car elles se reconnaissaient très souvent à travers les lignes. La recherche d'être bien dans sa peau, les cours de danse, de yoga, de conditionnement physique, le désir d'apprendre une autre langue, un goût pour l'alimentation naturelle, le désir de se sentir utile et productif, le besoin d'approfondir le sens de l'amour et de la vie et encore bien d'autres sujets nous rapprochent les uns des autres et nous permettent aussi une entraide mutuelle.

Une autre lectrice, Monic, a voulu, elle aussi, faire partager sa découverte.

> «Ton livre a été pour moi le phare au milieu de ma nuit. Mon bonheur d'aujourd'hui, je le partage. Il y a quelques semaines j'en ai donné un à mon grand garçon qui est au loin. Ce matin au téléphone il me disait que c'était sa boussole en plein désert.»

Comme vous pouvez le constater à la lecture de ces témoignages, le bonheur est à la portée de tout le monde. Mon travail consiste à ériger un pont entre ce bonheur et vous. Mais vous seul pouvez traverser ce pont; vous seul pouvez prendre la décision de faire le premier pas pour devenir une personne heureuse.

Cependant, vous aurez parfois l'impression que le bonheur court après vous car de nombreuses occasions, pour vous permettre d'avancer, surviendront au cours de votre vie. Ne laissez pas passer toutes les chances et soyez attentifs à ces possibilités.

Ghislaine, par exemple, m'écrivait avoir effectué un long détour avant d'arriver à lire *Pourquoi pas le bonheur?* N'ayant pas mon livre, bien qu'elle en eût entendu parler à ses cours sur la pensée positive, il lui tomba «par hasard» un beau jour dans les mains. Et pourtant elle dit maintenant:

> «Je l'ai lu et c'était exactement le genre de lecture qui m'intéresse dans ce domaine. Ton livre est concret, moderne, bien varié et il m'a convaincue.»

Puisse *Les Clés du bonheur* ouvrir autant de portes afin que tout ce qui est enfermé soit à jamais libéré des entraves passées et s'épanouisse maintenant en toute sérénité. Aujourd'hui est le premier jour du restant de votre vie!

La programmation: ses avantages et ses conséquences

Des centaines d'autres lettres et de nombreuses rencontres m'ont fait réaliser que la plupart des gens se posent les mêmes questions au sujet de la programmation du subconscient.

Ainsi, par exemple, est-ce qu'il est nécessaire de faire le décodage ou pouvons-nous faire simultanément décodage et programmation?

D'abord, précisons: rien n'est nécessaire, tout est une question de choix sur la qualité de vie désirée. Le décodage n'est pas plus nécessaire que la programmation (ou utilisation de son subconscient) pour «exister»; par ailleurs, si l'on veut vivre pleinement, en réduisant au minimum les obstacles au bonheur, en se débarrassant de tout le négatif accumulé depuis le moment de notre conception, le décodage est un outil qui s'avère très efficace chez la majorité des gens.

Depuis la sortie de mon livre je ne cesse de recevoir des témoignages à ce sujet. Je tiens cependant, à la suite de ces nombreux témoignages, à vous informer et à vous rassurer quant aux effets secondaires du décodage parfois désagréables et difficiles à vivre: maux de tête, malaises inexplicables, cauchemars, insomnies, etc. sont monnaie courante durant cette période.

Mais consolez-vous en vous disant que ces symptômes ne sont que passagers et que vous vous sentirez d'autant plus libéré par la suite. Quant aux personnes qui traversent cette thérapie du décodage sans réaction particulière, il n'en demeure pas moins que le travail se fait «à notre insu» comme d'ailleurs nous avons très souvent été conditionnés à notre insu.

Afin de vous faire mieux comprendre l'utilité du décodage par rapport à la programmations, je vous donne l'exemple simple et imagé d'une personne qui déciderait, par suite d'un gain de capital, de transformer sa maison plus ou moins bien entretenue, avec un mobilier douteux et mal agencé. Cette personne peut tout simplement se procurer de nouveaux meubles de qualité qu'elle installera dans cette maison toujours mal entretenue; par contre, elle peut aussi préparer la maison (ménage, peinture, mise en ordre des appareils ménagers, etc.) avant de procéder à la nouvelle décoration de son intérieur.

Votre capital c'est «vous» (corps, intellect et esprit) que vous venez de découvrir. Dès lors, vous pouvez «programmer» (acheter) tous les bonheurs dont vous avez envie. Mais ne serait-il pas plus intéressant et efficace de préparer un terrain adéquat et ouvert à tous ces bonheurs? Cette préparation, vous pouvez la faire par le décodage. Rien ne vous empêche d'aller magasiner pour choisir vos nouveaux meubles en même temps que s'effectue le ménage. Je veux dire ici qu'il n'est pas nécessaire d'avoir terminé le décodage pour commencer vos programmations. De toute façon, vous avez déjà, malgré tous ces blocages, réussi plusieurs programmations sans savoir de façon consciente que votre attitude positive doublée de ténacité (d'après le docteur Maltz un maximum de vingt et un jours) n'était en réalité que ce phénomène très simple mais tellement merveilleux de la programmation.

Alors imaginez les résultats prodigieux qui vous attendent lorsque vous rendrez le terrain propice et commencerez résolument à utiliser tout votre potentiel pour programmer volontairement, consciemment, de façon rationnelle et systématique.

Toujours au sujet du décodage, comment se fait-il que l'on puisse se débarrasser de tout le négatif alors que, selon la grande loi de la «réciprocité des effets», nous devons assumer la conséquence de nos choix passés (karma)?

Voici: en faisant le décodage, nous nous débarrassons de tous les éléments négatifs dont nous ne sommes pas responsables et qui ont été emmagasinés non par notre volonté consciente et par notre choix libre et volontaire (comme nous le faisons en programmant ou en priant) mais involontairement, par manque de connaissance et d'expérience.

Ce ménage du subconscient n'enlève aucunement la responsabilité de chacun de répondre de ses choix antérieurs (dans cette vie ou dans une autre) mais permet au contraire de voir plus clair dans le pourquoi de ce qui nous arrive et des expériences que nous avons à vivre.

Certaines expériences «négatives» ne sont absolument pas nécessaires pour notre évolution et proviennent d'un enchevêtrement de mauvaises informations ou influences placées à notre insu dans notre subconscient. À nous de nous en débarrasser. Par ailleurs, certaines expériences «difficiles» sont nécessaires voire obligatoires pour dénouer certains points demeurés obscurs et perdus à travers un amoncellement de choses inutiles et stagnantes en nous. À nous de nous épurer! Une fois débarrassés de choses dont nous ne sommes pas responsables, la Vérité nous saute aux yeux et nous comprenons, dès lors, que notre cheminement est bel et bien le résultat des choix que nous avons faits, c'est-à-dire le résultat de l'utilisation de notre libre arbitre.

Mais ce qui est merveilleux, c'est également la découverte que nous pouvons opter pour une nouvelle orientation et couper à tout jamais ces «fils»[1] qui nous reliaient à des «centrales négatives» même si nous avions nous-mêmes tissé ces «fils». Et ne croyez pas qu'il est beaucoup plus difficile de se débarrasser du négatif dont nous sommes responsables que de celui dont nous ne sommes pas responsables. Il suffit parfois d'une simple bonne pensée ou d'une bonne action, avec un regret sincère, et du bon vouloir de garder le droit chemin, pour être libérés.

Mais j'insiste quand même sur le «ménage préalable» du subconscient afin d'y voir un peu plus clair entre le vrai et le faux, le réel et l'imaginaire.

Une question très souvent posée concerne le nombre de programmations à faire en même temps. Doit-on en faire une seule ou plusieurs à la fois?

Non seulement nous pouvons mais nous devons faire plusieurs programmations à la fois et ceci pour deux raisons: la première est que notre subconscient a une capacité de travail illimitée et que si nous ne le prenons pas nous-mêmes en main, les autres se chargent de le faire. Autant donner nos propres directives et obtenir ainsi ce que nous désirons vraiment. En second lieu, et ceci est très important, «l'effort conscient» empêche ou ralentit considérablement le travail du subconscient. Par conséquent, si je ne fais qu'une seule programmation ou seulement quelques-unes je risque de m'y attarder et de développer une obsession à ce sujet; au contraire, en programmant simultanément plusieurs choses de différentes natures (personnelle-

1. Fils: le mot fil au pluriel dans le sens d'un fil pour coudre.

ment j'ai toujours plusieurs programmations en marche: une trentaine) je les oublie «plus ou moins» le reste de la journée, ce qui a pour résultat une réalisation plus rapide et plus facile de toutes mes aspirations. Cela ne veut pas dire qu'une seule programmation ne peut réussir si la personne est suffisamment occupée et capable d'oublier momentanément son «désir» mais cela est quand même assez difficile pour la plupart d'entre nous. Je vous conseille donc de vous fixer plus d'un objectif et à différents niveaux: physique, intellectuel et spirituel. Vous mettrez ainsi toutes les chances de votre côté et du fait que vous programmez plusieurs choses, certaines réussiront plus rapidement et parfois par des moyens si inattendus que vous en verrez votre confiance et votre espoir renforcés.

Dans *Pourquoi pas le bonheur?*, j'insiste beaucoup sur la nécessité de la détente et de la relaxation. J'y attache une grande importance comme discipline quotidienne à acquérir. On m'a demandé à quelques reprises s'il est nécessaire de faire nos programmations en même temps ou tout de suite après une période de détente.

La relaxation quotidienne favorise le bien-être et accélère la prise de conscience des réponses faisant suite à nos programmations. Cependant, je n'ai personnellement jamais senti l'obligation de synchroniser ma période de détente avec celle de mes programmations. Ces dernières années j'ai, la plupart du temps, lu mes programmations dans le métro et dans l'autobus, matin et soir, en allant à mon travail, ou en revenant chez moi.

Quant à la relaxation, je choisissais presque toujours l'heure précédant le dernier repas de la journée ou encore l'heure précédant la période de sommeil le soir.

Par contre, plusieurs personnes m'ont fait part de cette idée qu'il fallait combiner la période de détente (lorsque nous atteignons les ondes ALPHA) et la période de programmation. Selon ces personnes, programmer en état de relaxation nous assure des résultats plus rapides et plus efficaces. Je ne saurais contredire cette théorie ou y adhérer complètement, ne l'ayant pas appliquée moi-même de façon rigoureuse, mais il me semble en tout cas qu'il s'agit d'une façon agréable de faire ses programmations de même qu'une façon de nous assurer de ne pas négliger notre période de détente. Elle permet aussi une meilleure visualisation des résultats à atteindre.

Un jour, une amie me demande, à ma grande surprise, si je n'avais pas hésité quelque peu avant de communiquer à tout le monde ma grande découverte de l'utilisation du subconscient car, disait-elle, je devais penser que certaines personnes se serviraient sûrement de cette technique à de mauvais desseins.

Ce commentaire triste mais réaliste me fit réfléchir pour ensuite m'amener à me poser la question suivante: que se passe-t-il si une personne utilise son subconscient en programmant quelque chose de mauvais pour elle ou pour d'autres personnes?

Cette situation est malheureusement très fréquente même si la personne n'est pas toujours de mauvaise foi. Cependant, il se peut également qu'une telle personne soit réellement malintentionnée et désire utiliser les forces du subconscient pour atteindre ses fins et en faisant volontairement du tort à quelqu'un d'autre. Voici le résultat de telles programmations.

Dans le premier cas, où la personne est de bonne foi, le subconscient se met au travail et comme il choisit toujours la meilleure solution pour notre propre évolution, il fait parvenir au conscient de cette personne des indications claires et précises à l'effet qu'il ne s'agit pas d'une bonne chose pour elle ou pour les autres.

Jamais, à ma connaissance, une programmation ne demeure sans réponse, mais souvent nous agissons comme l'autruche qui se cache la tête dans le sable afin de ne pas voir ou entendre «sur le coup». Mais si nous avons suffisamment confiance, nous nous laissons alors guider par notre intuition et nous atteignons un résultat encore meilleur que ce que nous demandions.

Par exemple, prenez une personne qui «programme» pour partager sa vie avec quelqu'un en particulier. Je parle d'expérience, m'étant entêtée à plusieurs reprises et pendant de longues années à vouloir à tout prix cheminer avec telle ou telle personne. À ce moment, une foule d'indications et d'événements se produisent pour nous montrer que l'on fait fausse route. Je ne parle pas de conflits et de discussions tout à fait normaux et prévisibles dans une vie de couple mais de manifestations évidentes que les deux personnes ne sont pas en harmonie et n'ont pas le même idéal. Il s'agit alors de conserver son enthousiasme et son espoir de rencontrer le compagnon ou la compagne idéal ou adéquat mais en laissant au subconscient le soin de nous rendre réceptif à la bonne personne que nous ne connaissons peut-être pas.

Dès lors, la loi des affinités fait en sorte que nous rencontrions quelqu'un de plus approprié et avec lequel la communication sera plus saine et plus propice à l'évolution personnelle de chaque personne. Cependant, tant que nous ne faisons pas suffisamment confiance à notre intuition, tant que nous ne nous mettons pas dans un état de réceptivité, nous continuons à tourner en rond et croyons que la «programmation» n'a pas marché.

Je l'ai déjà dit et je le répète: la programmation fonctionne toujours autant que votre respiration ou bien vous êtes mort! Mais il s'agit d'en PRENDRE CONSCIENCE et D'ÉCOUTER ATTENTIVEMENT LES RÉPONSES.

Si vous sentez de la fumée et qu'il vous vienne à l'idée que le feu est pris en quelque part,libre à vous d'y rester et de brûler. Par contre, il est plus sage d'éteindre le feu si cela est possible ou d'aller ailleurs pour être heureux. Et n'allez surtout pas penser que c'est trop pénible d'abandonner l'objet précis de sa programmation qui s'avère erroné car il n'y a plus aucune frustration possible là où il y a compréhension réelle de la situation et espérance d'amélioration en obtenant autre chose de mieux. Parfois, nos émotions nous ébranlent quelque peu et cela est normal. Mais on finit toujours par passer à travers et l'on en ressort grandi et renforcé.

Vous pouvez appliquer cet exemple à tout ce que vous désirez et qui serait de façon évidente susceptible de nuire à votre évolution. Pour le reste, tant que je n'ai pas d'indications contraires à l'effet que c'est mauvais pour moi ou pour les autres, je n'abandonne pas même si la réalisation n'est pas super-rapide.

Dans le second cas, où la personne est malintentionnée, je vous réfère encore à la loi de la réciprocité des effets ou la loi de retour comme je la nommais dans mon premier livre.

Il est évident, dès lors, que la personne peut se faire du mal ou en faire à d'autres qui ne se protègent pas assez ou sont très vulnérables. Cependant, cette personne doit assumer l'entière responsabilité de son geste et la réussite de la programmation sera on ne peut plus vaine car elle devra en payer un prix fort élevé au bout de la ligne. Et quel est le bout de la ligne? me direz-vous. Ça, nous en parlerons un peu plus loin.

Néanmoins, puisque malheureusement il existe en fait des gens qui utilisent ainsi leur libre arbitre et optent volontairement pour être au service des ténèbres ou du mal, il est très urgent que chaque personne sincère se prenne en main et dirige elle-même son cheminement en se mettant à l'abri de telles forces négatives. Et j'aime autant vous dire qu'en règle générale les êtres qui se vouent au mal connaissent rapidement les trucs pour atteindre leurs fins, mais ils démontrent quand même un manque de connaissance et d'évolution puisque les perdants à long terme seront toujours «eux-mêmes». Quelle sottise de leur part!

En effet, la loi de la réciprocité des effets fera en sorte qu'ils récolteront, tôt ou tard, peines et troubles car ils n'auront semé que du mal (négatif). Ils se lamenteront peut-être mais sauront bien au fond d'eux-mêmes qu'ils ne reçoivent que ce qu'ils méritent.

Parlons maintenant de la durée de la programmation. Il semble exister une certaine confusion à ce sujet car plusieurs personnes me disent qu'elles n'ont pas obtenu de résultat au bout de la durée de leur programmation, soit vingt et un jours. Ces personnes confondent de toute évidence la programmation comme telle et sa réalisation.

En effet, la durée de la programmation est une chose, la durée de la réalisation complète de l'objectif visé en est une autre.

La durée de vingt et un jours est, selon les observations des chercheurs dans ce domaine, la durée «maximum» pour que votre subconscient enregistre le message et se mette au travail pour rechercher la solution idéale visant la réalisation de l'objectif.

Certaines programmations se réalisent parfois avant les vingt et un jours, d'autres à vingt et un jours exactement et certaines mettent plus de temps. Mais quelle que soit la situation, nous pouvons considérer qu'après vingt et un jours les données sont assimilées dans «l'ordinateur» et qu'un jour ou l'autre une réponse va se présenter.

Nous pouvons, bien sûr, continuer une même programmation plus de vingt et un jours si nous n'avons pas encore atteint notre but, mais attention! il ne faut pas que cet objectif devienne une obsession et accapare notre conscient. Par expérience, je crois qu'il vaut mieux mettre de côté cette programmation un certain temps, question de se relaxer et de ne pas s'accrocher, puis la reprendre un peu plus tard si nous en avons l'intuition.

Nous pouvons également demander une indication claire et précise de ce qui se passe et du pourquoi de cette lenteur dans la réalisation.

Je vous donne un exemple vécu par une lectrice: elle veut retourner sur le marché du travail après quinze ans de vie de «femme au foyer». Ses enfants vont à l'école et elle aimerait bien avoir une vie sociale et professionnelle à elle. Cependant, elle ne sait pas exactement le genre de travail qu'elle aimerait faire et demande à son subconscient de lui trouver l'emploi idéal.

Chaque fois qu'une occasion se présente, elle fait une demande d'emploi mais la chance ne lui sourit pas. Découragée, elle m'écrit et me demande pourquoi sa programmation ne «marche pas» après quelques mois.

Je lui conseille de rester calme et de considérer qu'elle n'est pas si pressée ou obligée de travailler mais qu'il s'agit d'un choix; néanmoins, je lui explique que ce choix doit contribuer à son bonheur et qu'elle doit trouver avec l'aide de son subconscient le pourquoi de son échec «actuel et temporaire» à se trouver un emploi.

Une semaine plus tard, cette dame s'inscrivait à un cours de relations humaines et m'avouait que ce cours lui avait été proposé à peine dix jours après le début de sa programmation pour trouver l'emploi idéal.

Elle avait tout simplement refusé car son but était de travailler et non de s'inscrire et de suivre un cours.

Elle changea d'idée à la suite de ma lettre, et pour son plus grand bonheur, car, quelques mois plus tard, elle hésitait entre trois emplois proposés.

Ce cours de relations humaines était, en réalité, le prérequis nécessaire, pour elle, au marché du travail. Il lui avait donné l'assurance et la communication qu'elle avait perdues au cours des années où elle était demeurée à la maison. Il ne suffisait que d'un petit coup de pouce que son subconscient avait tout de suite repéré mais qu'elle avait refusé à prime abord.

Voici un autre cas intéressant: une jeune femme de vingt ans très jolie mais très timide et complexée n'est jamais sortie de façon régulière avec un garçon, trouvant toujours le moyen de s'esquiver ou de faire croire qu'elle était déjà engagée.

En lisant *Pourquoi pas le bonheur?* cette jeune femme rayonnait de joie et croyait fermement régler son problème par la programmation du subconscient. Mais voici quel était son problème: elle se croyait trop maigre et, par conséquent, non attirante sexuellement et avait entrepris de se programmer pour prendre du poids. Ceux et celles qui veulent maigrir seront très surpris d'autant plus que cette personne était très bien équilibrée physiquement et très belle à regarder. Mais lorsque nous avons une idée bien ancrée, il est parfois difficile d'en changer sans l'aide de notre subconscient.

Lorsqu'elle me confia sa déception et son doute quant à l'efficacité de la «programmation», je lui demandai de s'arrêter quelques minutes et de réfléchir à ce qu'elle désirait réellement: grossir ou être jolie et attirante? grossir ou rencontrer un compagnon avec lequel elle aurait une communication profonde et agréable? grossir ou être en santé et bien dans sa peau?

Elle reprit confiance et refit de nouvelles programmations. Sans aucune nouvelle de cette personne pendant quelques mois, je la revis au Salon du Livre accompagnée d'un jeune homme charmant et, toute mince qu'elle était demeurée, elle rayonnait de bonheur. Elle me remit une lettre pour me remercier et pour me raconter ses succès dans l'utilisation de son subconscient.

Elle avait changé de coiffure, ce qui lui arrondissait le visage et lui donnait un petit air espiègle. Elle portait des vêtements appropriés à sa taille et réalisait qu'elle pouvait se permettre des tissus et des couleurs très variés et même très fantaisistes avec son «look» de mannequin. Elle avait rencontré un gars formidable qui ne cessait de lui dire à quel point son style lui plaisait et, qui mieux est, la mère et les sœurs de ce garçon, ayant toujours eu des problèmes de poids, lui avaient confié à quel point elles la trouvaient «chanceuse» d'être si mince. Enfin, elle avait réalisé que la vraie beauté réside à l'intérieur de soi et qu'une personne capable de s'accepter et de s'aimer projette toujours une image agréable indépendamment de ses formes.

Ces exemples nous prouvent qu'il faut d'abord réfléchir à ce que l'on désire réellement et demeurer réceptifs aux messages que nous envoie notre subconscient.

N'oubliez pas que votre conscient fixe l'objectif à atteindre et que votre subconscient, lui, trouve les moyens (très souvent imprévus) pour y parvenir.

Il m'a été demandé quelquefois s'il est possible que certaines programmations mettent plus de temps à se réaliser à cause du fait que la personne n'aurait absolument rien ressenti durant la période de «décodage».

Tout est possible puisqu'il n'y a pas deux personnes qui réagissent exactement de la même façon.

Cependant, mon expérience personnelle ainsi que l'expérience de très nombreuses personnes ayant fait le décodage m'amènent à conclure que ce «ménage du subconscient» est toujours efficace et apporte des répercussions à court, à moyen et à long termes même si les manifestations spontanées ne sont pas très évidentes chez certaines personnes.

Tout comme la psychanalyse, ce fameux décodage n'amène pas toujours au «conscient» les problèmes enfouis dans le «subconscient» et qui vous empêchaient d'être bien dans votre tête et dans votre peau. Et personnellement je crois qu'il serait inutile et très fatigant d'avoir à vivre consciemment toutes ces choses négatives dont nous demandons à être débarrassés par le décodage.

De toute manière, vous devenez par la suite progressivement «conscients» des éléments négatifs résultant de votre cheminement «volontaire» antérieur et , croyez-moi, cela est amplement suffisant et tient vraiment occupé qui veut entreprendre d'atteindre un plus haut degré d'évolution, au-delà du bien-être matériel.

Et pourtant chez certaines personnes le subconscient provoque un tel remue-ménage immédiat qu'elles ont réellement l'impression de «renaître».

Quelques exemples m'ont beaucoup touchée et démontrent à quel point cette technique, si simple soit-elle, peut vous aider à atteindre de profondes racines apparemment hors de portée.

Une personne de 36 ans lit *Pourquoi pas le bonheur?* et entreprend de se décoder. Elle est relativement heureuse mais, comme tout le monde, veut améliorer son bien-être physique et mental.

Chaque nouvelle journée de décodage lui semble plus pénible psychologiquement, sans compter les nombreux problèmes physiques qui l'assaillent tels que maux de tête, maux de cœur, étourdissements, etc.

Elle a envie de laisser tomber mais, fort heureusement, décide de persévérer, se disant que ces malaises prouvent qu'il se passe efficacement quelque chose en elle. Et voilà qu'elle est rendue à la journée de décodage concernant le troisième mois de grossesse durant lequel sa mère la portait; elle se couche le soir venu et s'éveille en sursaut, après quelques heures de sommeil, à la suite d'un terrible cauchemar: un être qu'elle ne reconnaît pas s'approche d'elle et semble rempli d'agressivité et même de haine. Il veut la tuer. Après quelques minutes d'éveil, elle se couche à nouveau, se rendort pour se réveiller encore une fois après un cauchemar identique au premier.

Il lui semble alors qu'elle refuse de voir qui est cet être qui veut la tuer.

Troisième retour au sommeil, troisième cauchemar identique qu'elle poursuit cette fois en reconnaissant son père maintenant décédé et avec lequel elle s'entendait pourtant assez bien.

Très perplexe le lendemain matin, elle cherche à interpréter son rêve et décide de téléphoner à sa mère pour le lui raconter. Eh bien! croyez-le ou non, pour la première fois de sa vie, cette jeune femme de 36 ans apprit que sa mère avait épousé son père alors qu'elle était enceinte d'elle, que son père avait justement appris la grossesse à trois mois et qu'il n'avait pas accepté d'emblée la situation.

Il avait d'abord voulu que sa femme se fasse avorter et refusait catégoriquement le bébé. Par la suite, il avait accepté la situation mais l'enfant, elle, avait probablement enregistré le message négatif par le biais de sa mère.

Cette expérience nous prouve donc d'abord qu'il est exact de penser qu'avant la naissance nous «enregistrons» certaines informations et qu'il est possible par la suite de nous en libérer si elles nous causent des problèmes même à notre insu.

Certaines personnes ont aussi découvert au cours de leur décodage des événements de leur enfance ou de leur adolescence dont ils ne se souvenaient que très vaguement mais dont ils n'avaient pas constaté les répercussions.

Quelqu'un m'a raconté que, pour lui, le décodage s'était révélé un outil très efficace pour se libérer d'un problème qu'il traînait depuis des années: marié à une femme charmante qu'il aime d'ailleurs beaucoup, père de quatre enfants intelligents et en bonne santé et exerçant avec succès la profession de son choix, il avait toujours eu de graves problèmes à vivre une vie sexuelle «normale», souffrant malgré lui de culpabilité et de remords lorsqu'il vivait des moments d'intimité physique.

Il savait que son problème découlait de l'adolescence où il avait été pris «en flagrant délit» lors de sa première expérience sexuelle.

On l'avait, à l'époque, si bien sermonné sur les dangers des relations physiques (maladie, impuissance, folie, etc.) avant le mariage qu'il avait par la suite refréné ses impulsions pendant plusieurs mois.

Il avait cependant succombé à son désir à quelques autres reprises mais avec le résultat d'une croissance de culpabilité toujours proportionnelle au plaisir de la chair.

Il comprenait rationnellement son problème mais n'arrivait pas à s'en débarrasser. Son subconscient fit ce travail au cours du décodage et il réalisa qu'il avait droit au plaisir du corps si ce plaisir était en accord avec la pureté d'intention et la franchise du cœur.

Le décodage peut en effet nous libérer de nombreux blocages au niveau du subconscient. Si, au contraire, les problèmes semblent demeurer, ne vous découragez pas. L'expérience m'a convaincue que les problèmes qui restent sont ceux pour lesquels nous avons une responsabilité de par la loi de la rétroactivité des effets (nous récoltons ce que nous avons semé) et que nous devons dénouer *un à un* avec tous les outils mis à notre disposition.

Il s'ensuit alors un grand bien-être non parce que nous sommes à l'abri de tout problème mais parce que nous assumons ceux-ci en pleine connaissance et aussi avec le désir sincère de vaincre nos mauvais penchants pour laisser s'épanouir en nous la fine fleur de notre être: notre intuition.

Et il s'ensuit également un bien-être physique et mental grandissants, fruit de l'harmonie qui règne en nous.

La sécurité financière est un sujet qui préoccupe beaucoup de monde. Chaque personne rêve de posséder suffisamment d'argent pour satisfaire ses besoins essentiels et même, pourquoi pas, se payer un peu d'extra. La programmation du subconscient a aidé plus d'une fois des gens à se procurer cette aisance monétaire qu'ils n'avaient jamais eue ni même envisagée auparavant.

Par contre, certains pensent que la seule façon de devenir riche consiste à gagner le gros lot à la loterie. Cela arrive parfois et je me souviens d'ailleurs d'une dame qui téléphona durant l'émission radiophonique que j'animais pour nous faire part de la chance qu'elle avait eue d'avoir gagné 25 000 $ à la loterie. Elle avait lu *Pourquoi pas le bonheur?* dans lequel je mentionnais que si nous n'achetons jamais de billet nous sommes assurés de ne jamais gagner, et, pour une première fois, cette dame s'était procuré ce billet de loterie qui lui porta chance assurément.

Cependant, en règle générale, nous pouvons augmenter notre compte en banque par des moyens aussi efficaces mais beaucoup moins spectaculaires.

Mais que répondre à celui ou à celle qui veut savoir pourquoi sa programmation à l'effet de gagner le «gros lot» à la loterie n'a pas produit le résultat escompté?

D'une part parce que consciemment ou inconsciemment, tous ceux et celles qui achètent des billets «programment» pour être gagnants. Il s'agit du même phénomène au sujet d'un poste précis de travail. Tous ceux et celles qui postulent désirent cet emploi.

D'autre part, il s'agit encore une fois d'une programmation quelque peu faussée en ce sens que le but n'est pas réellement de gagner à la loterie mais plutôt de posséder une somme d'argent.

Arrêtons-nous sérieusement avant de rédiger nos objectifs et faisons en sorte qu'ils soient réels et correspondent exactement à nos attentes.

Le même phénomène se répète lorsque nous recherchons un compagnon ou une compagne, ou un emploi ou une maison, etc. Pensons plus globalement; le subconscient se charge des détails. D'ailleurs, ses données sur n'importe quel sujet sont toujours plus nombreuses que celles du conscient et, comme je l'ai déjà mentionné (et expérimenté), il nous conduit très souvent à des résultats encore meilleurs que ceux qui sont escomptés.

La loterie est une façon de gagner rapidement une importante somme d'argent mais psychologiquement pas toujours la meilleure si l'on en croit les reportages faits sur les «heureux» gagnants. Souvent, la personne n'est pas suffisamment préparée et mûre pour devenir d'un seul coup financièrement riche et il s'ensuit plus de mal que de bien.

Par contre, chaque individu peut espérer légitimement améliorer sa qualité de vie en disposant de meilleures ressources matérielles. Nous avons plus d'un moyen à notre portée pour utiliser honnêtement notre potentiel et augmenter nos revenus, mais ne le réalisons pas la plupart du temps.

En ce sens, le subconscient est le meilleur «informateur» de ces moyens personnels d'augmenter notre productivité en même temps que notre compte en banque, et toujours en pensant à notre évolution. Finalement, il est beaucoup plus agréable de mériter ses avoirs en utilisant ses ressources personnelles. Il s'agit alors d'un échange réciproque et chacun y trouve satisfaction.

Un autre problème qui tracasse beaucoup de gens, et particulièrement les femmes, réside dans la recherche de la beauté pour plaire et être aimé. Et que vient faire le subconscient dans cette recherche?

En premier lieu, le subconscient vous aidera à trouver toute l'assistance technique nécessaire pour remédier dans la mesure du possible à vos problèmes ou déficiences. Il y a toujours quelque chose ou quelqu'un qui possède une partie de la solution à vos problèmes de cet ordre.

Je dis une partie car, en second lieu, le subconscient vous amènera graduellement à réaliser que si vous vous sentez merveilleux et beau, vous projetterez une image merveilleuse et belle.

Vous pouvez rechercher une fontaine de Jouvence dans les instituts de beauté, mais vous ne trouverez jamais la beauté réelle ailleurs qu'en vous-mêmes. Si vous éprouvez du ressentiment, de la jalousie, de la mesquinerie ou de la cruauté, il y a de bonnes chances que vous soyez laid pas seulement aux yeux des autres mais à vos propres yeux également, et cela même si vous êtes physiquement attirant.

La beauté extérieure représente une certaine valeur et tous nous voulons conserver une belle apparence le plus longtemps possible. Nous devons réaliser cependant que la beauté intérieure est de beaucoup plus importante que la beauté extérieure, parce que nous vieillissons, qu'on le veuille ou non, et que la beauté intérieure demeure éternellement jeune même à un âge avancé.

Qu'est-ce que la beauté intérieure sinon partager votre bonheur et votre chance avec les autres, vous accepter tel que vous êtes, ne pas essayer d'être quelqu'un d'autre.

La beauté intérieure c'est aussi pardonner aux autres et vous pardonner à vous-mêmes les erreurs qui se sont produites hier, voir le bon côté de votre personnalité et de celle du voisin, envisager le meilleur tout en recherchant votre propre estime et le respect des autres. Ce sont ces qualités qui vous donneront une beauté durable, qui vous feront vous sentir beau et paraître encore plus beau. Une beauté que chaque personne peut atteindre à n'importe quel âge, même si elle ne possède pas les rigoureux critères de beauté de la mode vantée à la télévision ou dans les revues.

Ne serait-ce pas merveilleux si, désormais, la télévision, le cinéma ou les revues se faisaient les propagandistes de la beauté intérieure?

J'aimerais maintenant aborder une autre question ou préoccupation de nombreuses personnes qui, soucieuses de comprendre le sens de la vie et désireuses d'investir leur temps et leur énergie dans leur évolution et non dans des futilités, se heurtent malheureusement à leur entourage et plus particulièrement à leur partenaire qui se moque de ces choses.

Que faire pour améliorer la communication à ce sujet?

Il vous faut d'abord respecter le partenaire et ne pas imposer de force votre connaissance. Le plus important est que vous puissiez continuer votre propre évolution et le fait que vous soyez plus heureux ou heureuse vous rendra automatiquement plus disponible à l'autre.

Vous pouvez cependant utiliser votre subconscient pour «impliquer» mentalement votre conjoint et lui faire parvenir le message de votre désir. En parler ouvertement crée souvent des conflits et heurte l'orgueil de l'autre personne.

En visualisant l'autre comme un être très réceptif et très positif, s'intéressant graduellement à une connaissance plus approfondie de l'être humain, on gagne du terrain plus facilement. Mais il faut toujours considérer la liberté qu'a chacun d'accepter ou de refuser d'avancer, dans un sens ou un autre.

Le rythme varie d'un individu à un autre et si l'on aime réellement quelqu'un l'on doit lui offrir un verre d'eau et non lui en verser un sceau sur la tête.

En programmant pour qu'un être cher s'ouvre à nos idées, il se produit très fréquemment un phénomène intéressant: nous demeurons silencieux après avoir réalisé que la communication semblait impossible pour le moment. Nous rédigeons des programmations en imaginant que cette personne est tout à coup transformée et intéressée à en savoir plus long.

Très souvent par l'intermédiaire d'une autre personne, ou d'un livre, ou d'une émission de télévision, ou de toute autre façon, le message passe. D'ailleurs comme le dit l'adage: «Personne n'est prophète dans son pays»... Mais peu importe puisque le travail s'accomplit quand même.

Il se passe également que nous devenons nous-mêmes plus compréhensifs au point de vue de l'autre personne qui possède sûrement un bout de vérité. Lorsque nous sommes convaincus de quelque chose, nous avons tous tendance à vouloir que l'autre nous écoute, mais prenons-nous le temps de comprendre les arguments qui nous sont servis? Nous avons toujours beaucoup à apprendre des autres et particulièrement des gens qui ne partagent pas notre opinion. Ils nous permettent de voir l'autre côté de la médaille et d'approfondir nos connaissances.

N'ayons pas peur d'être confrontés avec des idées contraires aux nôtres, cela ne peut qu'accroître notre savoir et nos convictions.

Et puis si la personne ne réagit pas très rapidement, soyez assuré qu'il en reste quand même quelque chose. Un jour, vous serez tout à fait surpris de l'impact de vos programmations sur cette personne.

Patience et longueur de temps font plus que force et rage.

La programmation et l'enfant

Si quelques-uns éprouvent des difficultés avec leur conjoint, d'autres cherchent toutes les solutions pour résoudre les problèmes en relation avec l'éducation de leurs enfants. Peut-être vous demandez-vous si on peut utiliser la technique de la programmation avec les enfants, même s'ils n'en comprennent pas entièrement le processus. Ma réponse est tout à fait affirmative car, d'après les témoignages reçus, cette technique est très efficace; plusieurs personnes m'ont fait part de leurs expériences et je ne peux que me réjouir des excellents résultats obtenus.

Premièrement, plus un individu apprend jeune à exploiter son potentiel, plus il a de chances d'être heureux dans la vie et d'être bien dans sa tête et dans son corps.

Deuxièmement, nous devons expliquer aux enfants qui ils sont tout en leur communiquant des principes d'honnêteté et de justice afin qu'ils soient en mesure de se fixer une échelle de valeurs le plus tôt possible.

L'enfant a moins d'inhibitions et de réticences et, par le fait même, est plus vulnérable à toute idéologie qui lui est communiquée. Si vous ne lui faites pas connaître la réalité, il devra nécessairement la découvrir un jour ou l'autre après avoir attrapé ici et là toutes sortes d'informations tantôt vraies, tantôt fausses.

La technique de la programmation ne règle pas tout et surtout ne supplée aucunement à la responsabilité des parents et des éducateurs. Cependant, elle a aidé plusieurs enfants à devenir plus calmes, à améliorer leurs résultats scolaires et à se faire des amis. Elle a également facilité le travail, de certains médecins qui soignaient des enfants gravement atteints physiquement: fiers de leurs petites cartes de programmation, ces enfants se sont montrés plus confiants et plus coopératifs qu'ils ne l'avaient jamais été auparavant.

On ne réalise pas suffisamment que l'enfant est un être humain à part entière qui s'achemine vers son autonomie et sa maturité. Lorsqu'on le considère sous cet aspect avec amour et respect, il le sent et peut se transformer à vue d'œil.

Je vous cite encore un exemple: la maman d'une fillette fort agitée et malcommode ne pouvait plus sortir le soir. La faire garder devenait une aventure dramatique. Tout s'orientait vers la catastrophe: plus l'enfant était nerveuse, plus la mère était fatiguée et intolérante, et vice versa. Comme elle me l'a elle-même confié, c'était presque l'enfer à la maison et son époux, après de longues journées de travail, n'avait, malgré sa bonne volonté, plus le courage et l'envie de rentrer à la maison.

Cette dame lisait depuis quelques années des livres sur le subconscient mais n'avait jamais su exactement comment l'utiliser. Elle commença par faire le décodage car elle sentait qu'elle en avait besoin.

Elle entreprit ensuite de se mettre en forme physiquement tout en programmant le détachement émotif vis-à-vis de sa fille. Elle réalisait tout à coup qu'elle l'aimait mais était trop possessive à son endroit. Elle avait craint de ne pas avoir d'enfants à cause de certains troubles hormonaux et la venue de cette petite fille avait été pour elle un grand soulagement et une forme de réalisation.

Revenue sur la bonne voie et réalisant qu'un enfant ne nous «appartient» pas et qu'il n'est pas la raison ultime de notre existence, elle décida de permettre à sa petite fille de s'épanouir librement et selon sa propre personnalité. Elle lui expliqua tout simplement que nous devons être heureux et qu'il y a plusieurs moyens pour le devenir. Elle lui prépara des fiches-messages à lire chaque jour.

Sur une fiche elle écrivit:

«Je suis une petite fille heureuse et j'aime beaucoup mes parents.»

Sur une deuxième:

«Maman emploie une gardienne très gentille et elle peut sortir avec papa afin de se distraire et se reposer; je sais que papa et maman vont revenir à la maison et nous serons tous heureux.»

Sur une troisième:

«J'aime beaucoup aller à l'école et je me fais beaucoup d'amis.»

Et ainsi de suite. Eh bien, après quelques semaines seulement, la transformation était presque miraculeuse. Non seulement la petite fille acceptait les sorties de ses parents, réussissait mieux en classe et s'entendait bien avec ses amis, mais elle commença en plus à vouloir aider sa mère à la maison.

Cette dame attend un second enfant et continue d'utiliser son subconscient pour elle-même et sa petite famille.

L'utilisation du subconscient s'est également révélée très utile auprès d'enfants dont les parents sont séparés ou divorcés, tant pour les parents eux-mêmes que pour les nouveaux conjoints de ces personnes.

Ces situations ne sont certes pas faciles mais sûrement moins dramatiques qu'autrefois où deux personnes persistaient à vivre ensemble «à cause des enfants» et attribuaient inconsciemment, à la longue, tous leurs malheurs à ces mêmes enfants.

Aujourd'hui les couples mal assortis se séparent (après une réflexion sérieuse de préférence) mais développent souvent un sentiment de culpabilité vite ressenti et même utilisé par leurs enfants. Il s'agit donc de mettre les choses bien au clair et de permettre à tout le monde de respirer librement, en conservant à chacun une place valable: sa place.

Facile à énoncer mais difficile à réaliser dans un imbroglio d'émotions, d'inquiétudes et d'insécurité.

Plusieurs personnes, parents ou enfants, ont besoin d'une aide expérimentée dans les cas de séparation ou de divorce. Qu'on fasse appel à un psychologue ou à un prêtre, à la thérapie de couples ou à des échanges entre amis, l'utilisation du subconscient reste toujours un atout supplémentaire car, d'une part, il nous conduit vers la bonne personne ou la bonne information et surtout, d'autre part, nous fait envisager cette situation avec lucidité malgré son côté dramatique.

Il n'y a hélas pas de recette uniforme et infaillible pour guérir une blessure affective, refaire des alliances apparemment rompues, nouer des liens impossibles à cause de l'agressivité ou du sentiment de rejet développés par certaines gens. Mais il s'agit parfois de seulement toucher une corde sensible pour que le vent tourne très rapidement. Je connais même des cas où l'ex-conjoint (ou conjointe) est devenu ami avec le nouveau conjoint sans rancœur ni animosité.

L'utilisation du subconscient nous amène toujours à réaliser que nous ne pouvons pas posséder qui que ce soit à part nous-mêmes. Il permet d'atteindre un degré d'autonomie tout en continuant d'aimer les autres. Il fait en sorte que tous nos choix soient orientés vers notre propre évolution en respectant l'évolution des autres et que cette responsabilité nous apparaisse évidente.

L'on peut imaginer que la naissance d'un enfant est l'incarnation physique d'un esprit qui se réalise avec la volonté de cet esprit et le concours de ses deux parents. Une fois cette réalité perçue, les parents sont pleinement conscients que leur devoir est d'apporter soutien matériel et moral à leur enfant mais réalisent également que cet enfant possède sa propre identité et son libre arbitre et qu'ils ne peuvent entraver ses choix personnels.

Par contre, il faut bien comprendre le sens d'«élever» des enfants: laisser un enfant s'épanouir ne veut pas dire céder à tous ses caprices, mais être en mesure, lorsque l'occasion se présente, de lui indiquer ce qu'il fait de mal en lui expliquant la raison de notre attitude et la bonne route à suivre.

À leur tour les enfants ne doivent pas entraver l'évolution de leurs parents puisqu'il s'agit de leur propre choix. Le très jeune enfant ne réalise pas ce choix et, malheureusement, plusieurs adultes non plus.

Mais toutes les personnes ayant fait une certaine recherche sur leur vie intérieure ont constaté cette réalité et la tiennent maintenant pour évidente quelle que soit leur situation (problèmes personnels) ou celle de leurs parents.

N'ayant pas encore le bonheur d'avoir des enfants, je m'intéresse néanmoins à cette question depuis fort longtemps. J'ai lu de nombreux traités sur la psychologie de l'enfant et j'apprends aussi beaucoup des personnes qui ont à cœur d'offrir à leurs enfants le meilleur d'elles-mêmes.

On préconise de nombreuses théories touchant l'éducation des enfants, mais il faut se rappeler que le grand principe, à la portée de tous, reste l'amour. C'est bien ce qui incite les deux parents à bien se préparer physiquement et moralement avant la naissance de l'enfant. L'amour est aussi le facteur qui permet aux parents de considérer leur enfant comme une personne unique, avec sa personnalité, ses besoins et ses goûts. L'amour favorise l'adaptabilité des parents à chacun de leurs enfants; cela ne veut pas dire être manipulés ou céder au moindre caprice, mais tout simplement réaliser qu'il ne faut pas imposer de cadres trop rigides à ces enfants qui découvrent la vie. Un encadrement juste assorti d'une certaine souplesse permet une meilleure communication qu'une rigidité excessive. N'oublions pas que nous avons beaucoup à apprendre de l'enfant, tout autant qu'il a à apprendre de nous.

Vous avez été en mesure de constater que la programmation du subconscient est un outil utile et efficace dont chaque individu peut se servir selon son intuition et pour ses besoins personnels.

La découverte de cette possibilité fut d'une très grande importance dans ma vie: elle a directement contribué à ma transformation physique et mentale. Mieux encore, elle m'a permis de faire le premier pas vers une connaissance encore plus profonde d'où me vient la conviction.

Cette connaissance m'apparaît tellement fondamentale pour poursuivre mon évolution en tant qu'être humain que je ne saurais écrire ce deuxième livre sans essayer de vous transmettre le point le plus important de cette connaissance, soit ma certitude de l'existence de l'esprit en chaque être humain.

Sans reprendre toutes les explications concernant le fonctionnement de l'être humain, permettez-moi de résumer quelques notions au profit de ceux et celles qui abordent cette question pour la première fois et d'ajouter également quelques précisions à mon premier exposé sur le sujet.

Encore devrais-je ajouter que les notions contenues dans ce livre sont incomplètes et sûrement limitées par ma propre perception puisque j'en apprends encore tous les jours.

Un pas de plus vers la connaissance de soi

On se demande souvent de quoi un être humain est-il constitué. Nous savons que nous possédons un corps car il est perçu par nos sens, c'est-à-dire que nous percevons par lui des sensations.

Nous savons également que nous avons une intelligence car nous avons la faculté de réfléchir, d'imaginer, d'analyser et sommes capables d'éprouver des émotions.

La science étudie séparément le corps et l'intelligence afin d'en comprendre de façon plus spécifique les sphères d'activités. Aux fins de cette étude, les chercheurs scientifiques ont également divisé l'intelligence en différentes parties appelées: l'esprit conscient, le subconscient et le centre créateur, qui fait partie du subconscient.

Cette classification est incomplète en ce sens qu'elle ne considère que deux aspects de l'être humain, le corps et l'intelligence, et néglige un autre aspect très important, soit l'esprit. On désigne parfois, à tort, l'intelligence en utilisant le mot esprit, mais sans faire la distinction entre cette partie de l'être humain qui est immortelle et ses facultés intellectuelles qui, elles, disparaissent avec le corps physique.

Ne craignez pas toutes ces distinctions car, tout comme pour l'utilisation du subconscient, elles paraissent au départ très compliquées mais peuvent se résumer très simplement si on le désire; et c'est précisément ce que je fais aujourd'hui car mon but est de vous procurer une vue d'ensemble sur la question afin que vous ne manquiez pas le bateau.

Où mènerez-vous votre bateau par la suite? C'est à vous, et à vous seul, d'en décider. Veuillez ne me considérer qu'à titre de simple informatrice tout à fait bien intentionnée et qui ne veut que partager sa joie d'avoir découvert cette réalité de la vie.

L'être humain peut être considéré sous plus d'un aspect, mais il y en a trois qui me sont plus facilement perceptibles et que je veux aborder dans ce livre: d'abord le corps qui demande une mise en forme pour conserver sa santé et sa souplesse, ensuite l'intelligence qui fait aussi partie du corps mais que je dissocie de ce dernier pour vous parler de la mise en forme psychologique et, enfin, l'esprit qui m'apparaît comme la partie la plus importante en ce sens qu'il est au fond l'être humain véritable et qu'il ne meurt pas, d'où l'importance de la mise en forme spirituelle.

Le corps, nous le savons, est une enveloppe de matière dense sans laquelle nous ne pourrions participer à la vie terrestre. Il est merveilleusement bien bâti, mais il est tout de même appelé à s'user pour finalement disparaître. Pour pouvoir œuvrer sur la terre il se sert de deux outils indispensables: l'instinct et l'intelligence. Lorsque l'intelligence est alimentée par l'instinct surgissent les sentiments, et lorsque ceux-ci à leur tour alimentent l'intelligence apparaît l'imagination.

L'intelligence, qui fait partie de notre corps, nous permet de comprendre les lois de la création à l'aide d'images mentales; elle participe donc directement à notre évolution pour autant que nous l'utilisons à bon escient. C'est un outil fort spécialisé mais également fort dangereux en ce sens que, s'il n'est pas soumis aux directives de l'esprit, il nous tient rivés à la matière dont il fait partie. Par contre, dirigé par l'esprit, il nous permet d'apprécier la création et de nous en réjouir avec gratitude.

Quant à l'esprit, les philosophes en parlent parfois en utilisant le mot «soi» par rapport au «moi» mais ce vocabulaire ne me convient pas; le mot «soi» est trop impersonnel et ne correspond pas du tout à ma conception de cette partie de l'être humain qu'est l'esprit.

J'ai la ferme conviction que cette partie de moi qui est mon esprit constitue, au contraire, le «moi véritable», réel et immuable, que je dois apprendre à découvrir et à développer en utilisant les «moi temporaires» que sont mon corps et mon intelligence.

D'ailleurs, que l'on croie ou non à l'immortalité de l'esprit, la situation reste la même: nous aspirons tous, peu importent nos convictions ou notre perception de l'esprit, à atteindre le bonheur physique et mental sur cette terre. Travailler à notre bien-être spirituel ne fera que servir cette aspiration et nous amènera à en tirer les plus grands avantages dès maintenant. Cela ressemble un peu au pari de Pascal: rien à perdre, tout à gagner. Et qui aurait envie d'être perdant?

Nous avons déjà fait un bout de chemin menant au bonheur physique et mental avec mon premier livre. Poursuivons donc notre route en ce sens avec celui-ci qui nous parle de la mise en forme physique et de la mise en forme psychologique.

Et j'ajouterais: allez-y donc pour la mise en forme spirituelle puisqu'elle ne peut qu'accroître vos deux autres aspects en vous apportant un bonheur réel, profond et durable, peut-être même au-delà du bonheur terrestre. Il ne s'agit aucunement de renoncer à l'un au profit de l'autre, mais d'atteindre une harmonie et un équilibre de toutes vos facultés.

Conservez toujours votre LIBERTÉ INTÉRIEURE et n'avancez qu'après avoir fait un choix délibéré parmi les chemins proposés. L'utilisation de votre subconscient a cet avantage de multiplier les rencontres intéressantes dans votre vie. La loi de l'attraction des affinités met sur votre route un grand nombre de personnes dont vous tirerez profit et à qui vous apporterez aussi beaucoup de vous-mêmes.

Il faut donc exercer une vigilance constante pour ne pas subir d'influence, à moins d'avoir délibérément opté pour une direction précise en utilisant son libre arbitre, c'est-à-dire sa volonté de choisir cette direction.

Par contre, vigilance ne signifie pas méfiance et refus de communication. En effet, qu'y a-t-il de plus merveilleux que cette possibilité de s'ouvrir à l'autre, de l'écouter et de lui tendre la main? Chaque nouvelle personne rencontrée, ne serait-ce que quelques heures ou même parfois quelques minutes, contribue à notre épanouissement et à notre évolution!

Le subconscient et les autres

«Dis-moi qui tu fréquentes et je te dirai qui tu es.» Qui de vous n'a pas déjà entendu cet adage qui confirme simplement la loi de l'attraction des affinités?

À partir de cette réalité, que pouvons-nous faire pour attirer vers nous des gens intéressants? Rien de plus, et rien de moins, que de devenir soi-même une personne intéressante. Mais qu'est-ce qu'une personne intéressante? La réponse à cette question est multiple, car les intérêts varient considérablement d'un individu à un autre.

Il s'agit donc de découvrir quels sont nos intérêts, d'accroître nos connaissances relatives à ces intérêts et, enfin, de développer nos talents pour tirer profit de ces connaissances dans des activités physiques et mentales agréables et enrichissantes.

Les gens malheureux sont des gens dépourvus de tout intérêt et, par conséquent, nullement intéressants. Mais il n'existe pas de cas désespéré et nous avons tous la possibilité de changer notre situation si nous le désirons vraiment.

La programmation du subconscient orientée vers la découverte de nos réels intérêts dans la vie et de nos multiples possibilités de réalisation produit des résultats extraordinaires. Personnellement, je fais cette programmation depuis le tout début de ma découverte du subconscient et ma vie entière en a été transformée.

Ce désir de découvrir ses intérêts et de se réaliser est tout à fait légitime, et une très agréable façon de le réaliser est d'apprendre à communiquer avec les autres. Mais, me direz-vous, encore faut-il les rencontrer ces autres! Où et quand puis-je rencontrer la ou les bonnes personnes capables de répondre à mes besoins et à mes questions? Voilà un travail pour votre subconscient.

Votre démarche actuelle consiste à demander de l'aide, à vouloir réellement trouver et à accepter, le moment venu, d'écouter. Le reste vient comme par enchantement, j'en ai déjà eu et en ai encore régulièrement la preuve dans ma propre vie. Il n'y a pas de question sans réponse, comme il n'y a pas de programmation sans résultat.

Vous désirez rencontrer les personnes pouvant favoriser votre évolution? Allez-y, demandez-le et il n'y a pas l'ombre d'un doute que vous réussirez. Vous serez absolument étonné d'abord, et ensuite complètement ravi, de la vitesse à laquelle votre subconscient favorisera de telles rencontres.

Un exemple concret, qui fait suite à une programmation mentionnée dans mon livre, vous illustrera cette merveilleuse possibilité.

Georges Labrie (L'Abbé)

Le début de cette histoire remonte très loin dans le temps et même plus loin encore que nos dimensions terrestres ne nous permettent de le réaliser actuellement.

Au cours de l'été de 1979, comme beaucoup d'autres personnes, je visitais Terre des Hommes. À cette époque de ma vie, je n'avais jamais encore songé sérieusement à voyager, je n'avais pas encore la «piqûre des voyages», comme on dit.

Mais voilà que tout à coup, sans aucune raison apparente, alors que je me trouvais dans le Pavillon de l'Autriche, une grande émotion m'envahit au moment où je regardais une affiche représentant un paysage typique de cette région. «Il faut à tout prix que je me rende en Autriche un jour», me dis-je alors. Je ressentais en moi une fièvre inexplicable, un désir irrésistible de rencontrer cette blanche montagne que je fixais du regard et de retrouver cette musique enthousiaste qui nous donne envie de chanter et de danser.

Quelle est donc cette nouvelle émotion qui naît en moi? Et puis, est-ce réellement une émotion? Ne serait-ce pas, au contraire, le reflet vivant d'une réalité plus profonde située à un autre niveau? JE LE CROIS ET JE LE SAIS AUJOURD'HUI.

Deux jours plus tard, soit le lundi suivant ma visite à Terre des Hommes, le pourquoi et le quand de mon voyage en Autriche n'étant toujours pas résolus, mon désir ne faisait pas moins que s'accentuer.

Je téléphonai donc au consulat de l'Autriche et pris rendez-vous afin d'obtenir toute l'information disponible sur ce pays. Ma démarche fut des plus fructueuses: je ressortis du consulat l'après-midi même les mains pleines de documentation et de superbes affiches sur ce beau pays.

On m'avait donné tellement d'affiches, plus belles les unes que les autres, que j'en tapissai presque tous les murs de mon appartement ainsi que les murs du bureau où je travaillais à l'époque.

Et c'est ainsi que pendant des mois, à la maison comme au travail, je continuais de rêver de ce voyage en Autriche et de me demander si je comprendrais un jour la signification de cet étrange désir.

De plus, les affiches étant tellement mises en évidence dans mon environnement, de nombreuses personnes me parlaient spontanément de l'Autriche. Et lorsque l'on me demandait si j'y étais allée ou si je m'y rendrais sous peu, ma réponse demeurait invariable: «Je sais que je dois me rendre en Autriche un jour, mais je ne peux vous en expliquer la raison et je ne sais absolument pas quand je ferai ce voyage.» Vous vous imaginez bien l'étonnement de mes interlocuteurs.

Et lorsque je rêvais en contemplant la blanche montagne, je me demandais combien de temps il faudrait encore pour avoir l'explication si toutefois il y en avait une. Des vacances de quelques jours dans une auberge typiquement tyrolienne me firent songer que ce désir n'était peut-être qu'un genre de prémonition. Mais sitôt revenue à la maison, je compris que mon souhait de me rendre en Autriche était toujours aussi vivant et que l'auberge de la Famille Trapp n'avait en rien résolu mon problème.

Environ six mois après ma visite à Terre des Hommes, le hasard voulut que je rencontre une personne qui m'apporta enfin l'explication tant attendue. Cette personne, Georges L'Abbé, que j'avais rencontrée à deux reprises seulement et que je n'avais pas revue depuis deux ans et demi, je désirais aussi la revoir sans toutefois en connaître la raison spécifique.

Je profitai donc de la publication de mon livre pour lancer publiquement à Georges un appel aux retrouvailles, espérant que, se reconnaissant à travers les lignes de ce livre, il me contacterait. Vous me direz que les chances n'étaient que très minces et pourtant l'improbable s'est effectivement produit dans l'ordre des choses comme je le comprends aujourd'hui.

Quatre mois s'écoulèrent sans nouvelles. À mon retour des vacances de Noël, en janvier 1980, dès ma première journée de travail, je reçois un appel téléphonique:

— Bonjour, Mlle Morgan, vous êtes l'auteur du livre *Pourquoi pas le bonheur?* Puis-je vous rencontrer?

Je m'enquiers aussitôt de l'identité de mon interlocuteur qui me répond:

— Vous avez déjà manifesté le désir de me revoir dans votre livre.

Et selon ma spontanéité habituelle, je réagis aussitôt vivement:

— N'êtes-vous pas Georges, Georges Labrie?

— Effectivement, mais mon véritable nom est Georges L'Abbé. Pouvons-nous nous rencontrer? J'aimerais vous parler de quelque chose susceptible de vous intéresser au plus haut point.

Intriguée, amusée, curieuse et sans méfiance, j'accepte donc de rencontrer Georges «L'Abbé» le lendemain soir, au Bouvillon, endroit de notre première rencontre.

Sitôt arrivée, je le reconnais comme si ces deux années et demie n'avaient duré qu'une seule journée et, à peine les salutations terminées, je remarque sur sa poitrine une magnifique croix d'argent.

Spontanément, je lui demande quelle est donc cette belle croix, mais sa réponse évasive ne me satisfait pas. J'ai compris, plus tard, qu'il préférait que je chemine et découvre par moi-même.

Lorsque je décidai de vous raconter cet épisode de ma vie, j'ai aussi demandé à Georges s'il acceptait de m'écrire quelques lignes sur notre rencontre et sur son propre cheminement. Il le fit avec plaisir, acceptant de vous livrer ses impressions.

Georges est décédé en décembre 1982 à la suite d'un accident d'automobile, mais son témoignage le fera revivre pour vous et vous apportera, comme il le souhaitait, un vivant exemple de détermination.

Témoignage de Georges

«Déjà deux ans et demi s'étaient écoulés depuis notre dernière rencontre. Pourquoi avait-elle donc annulé son ancien numéro de téléphone? Je me demandais bien ce qu'elle était devenue. La reverrais-je un jour? Entre temps, que d'étapes franchies, que de chemin parcouru!...

«En fait, ma quête avait débuté dès l'adolescence, quinze ans avant notre rencontre. Tous ces dogmes qu'on nous avait enfoncés dans le crâne, toutes ces confessions qui se déroulaient en rangs d'oignons. «Au suivant», comme disait Brel. Quelle écrasante machine, mais sécurisante en même temps, que cette Église de l'époque! On avait décelé chez moi la vocation et n'eût été la vigilance de mon père qui «connaissait le tabac», je rentrais au juvénat.

«L'attitude de mon père m'avait profondément choqué, au point que je m'étais dit qu'une fois devenu majeur, rien ne saurait m'empêcher de renverser sa décision. Entre temps, il me fallait entreprendre une vaste recherche en vue de ne pas avoir à reprendre le temps perdu sur le plan spirituel à 21 ans.

«Heureusement que personne ne m'influença. Elle se déroulait au gré de ma curiosité et j'ai la conviction que celle-ci était dirigée par voie intuitive quoique je l'ignorais à l'époque. En fait, j'avais souvent l'impression que c'était le livre qui me trouvait et non l'inverse. Cette recherche me permit d'abord de déceler d'énormes fissures dans les fondements de l'enseignement des Églises qui se disaient chrétiennes et c'est ainsi que je perdis la foi, cette foi aveugle basée sur des dogmes mâchés, pour nous, par d'autres qui se veulent intermédiaires entre nous et le Divin et qui servent parfois des intérêts par trop matérialistes et temporels. Mais je me sentais tellement coupable d'avoir perdu la foi...

«Moins de deux semaines avant de revoir Michèle, cette recherche avait finalement abouti. De façon inattendue, elle m'avait mené à un trésor qu'il me fallait à tout prix partager avec mes amis, au moins avec ceux qui comprendraient.

«Mais combien tortueux avait été le chemin: c'est en Amérique latine qu'il m'avait donné le goût de découvrir le sens de la Justice. C'est à l'université qu'il m'avait fait perdre confiance dans le pouvoir de l'intellect à cause de sa prétention, de son manque de simplicité et du fait qu'il avait usurpé le trône de la sagesse. Et c'est dans les drogues, les sociétés secrètes, les sciences occultes, les religions orientales à l'occidentale et, finalement, dans les mouvements de pointe de l'Église catholique romaine que me fut donnée la vigilance.

«Je portais ma croix avec fierté, cette croix à branches égales, la croix cerclée ou croix du Graal, le jour où je revis Michèle. Je l'avais mise en évidence parce que j'espérais qu'elle la remarquerait et que je pourrais alors l'orienter vers le trésor.

«Je l'aperçus se dirigeant vers moi et mon regard rencontra le sien mais elle ne put s'empêcher d'abaisser le sien au niveau de ma poitrine. «Où as-tu trouvé cette belle croix?» Ce fut la première question qu'elle me posa. Je ne le lui ai pas dit, mais je lui ai donné les moyens pour qu'elle le trouve elle-même car je savais qu'elle chercherait. Quatre mois plus tard, le 30 mai 1980, sa recherche avait abouti.

«Lecteur qui cherchez, je me contenterai de vous offrir les indices qu'il vous faut pour pouvoir trouver à votre tour si tel est votre désir. Le trésor ne sera trouvé que par ceux et celles qui portent encore en eux une parcelle de Vérité et qui veulent vraiment devenir des êtres humains. Il a la qualité d'être impérissable et immuable de telle sorte que sa valeur dépasse ce qu'il y a de plus précieux. Tel un ruisseau, Il abreuve mais Sa source ne tarit jamais. Vos pieds baignent dans l'eau mais la source est cachée. Il faut chercher seul, très haut sur la montagne. Il ébranle et réconforte à la fois. Celui qui ne dort pas, il ne peut être déçu. On le trouve quand il nous est donné de le voir.

«Michèle en parle dans ce volume. Celui qui cherchera dans la Lumière de la Vérité trouvera à coup sûr! Que votre recherche soit fructueuse!»

Eh oui, comme le dit Georges, j'ai découvert avec bonheur ce fameux trésor très peu de temps après cette nouvelle rencontre au Bouvillon. Voici comment les choses se passèrent.

Curieuse de savoir comment Georges avait trouvé *Pourquoi pas le bonheur?*, je lui demandai quel «hasard» nous permettait à nouveau de nous rencontrer. Il m'expliqua que la revue *Inter* publiée par le ministère du Travail, mon employeur à cette époque, contenait un article sur mon livre; or, comme par «hasard», le même numéro de cette revue contenait également un article où il était question du bureau où Georges travaillait. Désirant lire cet article, Georges s'était procuré la revue en question (revue qu'il ne lisait jamais habituellement) pour y trouver par la suite ma photographie ainsi que l'article qui se référait à mon livre. En très peu de temps il s'était procuré le livre pour enfin s'y retrouver. Cela lui fit un drôle d'effet.

Sans tarder, il avait décidé de me contacter afin de pouvoir me rencontrer, comme j'en avais alors manifesté le désir.

À peine dix minutes après nous être retrouvés, Georges me parla d'une œuvre extraordinaire, laquelle, selon lui, devrait répondre à mes nombreuses questions sur le sens de la vie. Il me dit ensuite que j'apprendrais beaucoup de choses et acquerrais une connaissance encore plus précise, mais pas nécessairement ici, à Montréal. L'événement se passerait possiblement près d'Innsbruck, en Autriche.

Là, j'étais vraiment étonnée. Moi qui désirais me rendre en Autriche depuis des mois sans même en connaître la raison, voilà qu'un pur étranger m'en informait à brûle-pourpoint.

Je lui confiai donc mon étonnement en lui racontant ma petite promenade à Terre des Hommes et ce qui s'ensuivit. Il me dit alors que cela confirmait son intuition et me reparla de l'œuvre extraordinaire.

Dès le lendemain, je me procurai ce livre: le Message du GRAAL. Et pendant quatre mois, jour après jour, dès qu'une minute de liberté se présentait, je le lus avec bonheur et satisfaction. Comme le disait Georges précédemment, j'avais l'impression de boire à une source intarissable et chaque page reflétait de façon parfaite ma réalité intérieure.

Et le 30 mai 1980, je recevais cette croix du Graal[1] sans avoir la moindre impression d'«embarquer» ou

1. Tout individu qui reconnaît la vérité à travers la Parole du Message du Graal peut demander la croix du Graal, signe extérieur visible de cette reconnaissance personnelle.

d'«adhérer» à un groupement ou à une organisation, mais avec la seule et unique conviction d'exprimer ainsi mon adhésion totale à la Parole du Message du Graal. Il s'agit d'une relation intime et personnelle entre un individu et son Créateur. Il s'agit d'une démarche où chaque être humain est seul et ne doit compter que sur ses propres ressources pour assumer la responsabilité qui lui incombe; et cette solitude qui nous accompagne jusqu'à la mort est en même temps merveilleuse puisqu'elle fait en sorte que nous, et nous seuls, soyons maîtres de notre destinée.

Cependant, ce bel enthousiasme provoqua quelques réactions négatives de personnes très proches et particulièrement de quelqu'un à qui je tiens beaucoup.

Plus d'une fois l'on tenta de soulever doutes et questions au sujet de ma démarche, mais toutes tentatives ne faisaient que m'ancrer davantage dans ma conviction.

Par amour et par attachement, je renonçai presque à cette réalité intérieure, mais des événements et des signes très évidents me guidèrent jusqu'au bout de cette démarche.

Un de ces événements mérite sûrement d'être narré dans ce livre.

Environ deux semaines avant de recevoir ma croix, je me trouvai dans une situation très pénible à cause de la méfiance que je sentais autour de moi et du refus de certains d'accepter mon cheminement vers une connaissance véritable de la création.

Un soir, accablée de chagrin, je me couchai en priant Dieu de m'éclairer sur la décision à prendre.

Après tout, je pouvais continuer de croire ce qui m'apparaissait vrai et juste, mais renoncer à extérioriser cette foi. Mais cette résignation ne m'apparaissait pas comme la solution idéale.

Le lendemain, après quelques heures de sommeil courtes et perturbées, je me levai et continuai à prier pour être bien inspirée et prendre la bonne décision.

J'entrai dans le métro et, quoique assise, je sentis le besoin de changer de place sans raison particulière. Après m'être dirigée au bout du wagon, je pris place près de la vitre nous séparant du wagon suivant; une jeune femme assise de l'autre côté était à lire une revue. Suffisamment rapprochée pour voir le contenu de sa lecture, quelle ne fut pas ma surprise de constater que l'article portait sur l'Autriche.

Je me dis alors qu'il s'agissait d'une réponse à ma prière. Et la revue me paraissant si belle, je souhaitais qu'elle la refermât pour que je puisse en voir la couverture et l'acheter par la suite.

Mais ce fut peine perdue; elle continuait sa lecture et ne refermait pas sa revue. Et moi qui approchais de la station où je devais sortir...

Arrivée à la station, la demoiselle se lève et sort en même temps que moi. Un peu mal à l'aise de ma hardiesse, je m'approche d'elle afin de m'informer du titre de la revue en question.

— Pardon, Mademoiselle, puis-je avoir le nom de votre revue, s'il vous plaît? J'ai remarqué qu'il s'y trouve un article sur l'Autriche et j'aimerais beaucoup me la procurer.

— Désirez-vous visiter l'Autriche? me répond-elle.

— Sûrement un jour, lui dis-je.

— À quel endroit en particulier? poursuit mon interlocutrice.

— Dans le Vomperberg, à l'Agglomération du Graal, fut ma réponse un peu timide, persuadée que cette personne ne saurait absolument pas de quoi il s'agissait.

— Quelle coïncidence, poursuit la jeune femme, je m'y rends justement le 30 mai prochain pour y recevoir la croix du Graal.

Je n'en crois pas mes yeux ni mes oreilles. Je lui fais part de ma démarche et elle me résume la sienne en quelques mots. J'ai l'impression de parler à ma sœur jumelle.

Tout comme moi, elle n'a jamais senti un grand besoin de voyager; tout comme moi, elle a ressenti une irrésistible envie de se rendre en Autriche; tout comme moi, elle s'est procuré le Message du Graal et, tout comme moi, elle a demandé de recevoir la croix du Graal.

La seule différence c'est que je recevrai cette croix à Arthabaska alors qu'elle se rendra en Autriche pour la recevoir.

Le «hasard» ne m'a jamais fait rencontrer cette personne par la suite dans le métro ou ailleurs, mais cette seule et unique rencontre facilita d'autant ma décision initiale. Et lorsque je revis cette demoiselle à Arthabaska quelques mois plus tard, à la fête du Lys Pur, ses yeux souriants croisèrent les miens et nous portions toutes deux notre croix avec amour et bonheur.

D'autres événements aussi merveilleux et significatifs s'inscrivent dans ma vie comme des signes indiscutables de la justesse de mon choix.

Jamais je n'ai été déçue de ce choix; jamais une seule parole de cette œuvre qui n'ait été en harmonie avec ma réalité intérieure, et si cela arrivait un jour, je le dirais franchement et humblement.

Cependant, ce choix a continué à être mis à rude épreuve depuis deux ans. Moqueries, dépréciation, privation de tendresse et d'affection, éloignement psychologique de l'être cher ont plus d'une fois fait saigner mon cœur pourtant déjà éprouvé en ce domaine. Et, contre tout obstacle et même au risque d'être privée d'affection et de tendresse, j'ai résolument décidé d'être honnête avec moi-même et de dire la vérité à qui veut bien l'entendre.

Ce choix est d'une certaine façon difficile car j'ai un besoin si grand et si exigeant d'aimer un homme et d'être aimée par lui qu'il m'a parfois semblé devoir mourir en y renonçant... mais ce choix est en même temps facile puisqu'il est la seule et unique façon d'être vraiment moi-même et de réaliser mon but ultime ici-bas, soit ÉVOLUER.

Mais, pour être sincère, j'ai un immense espoir de vivre un jour l'harmonie physique, intellectuelle et spirituelle avec l'homme que j'aime et qui m'aime.

Cet espoir m'a permis d'aimer, me permet de continuer à aimer et nourrit ma foi dans une possibilité de réussite.

En attendant, je m'applique à développer mes facultés et à diriger des pensées d'amour vers celui qui aspirera à cheminer avec moi, main dans la main et au service de la Lumière.

Mais, parfois, les questions troublent ma quiétude et mon bonheur. Pas pour moi, mais pour celui qui me harcèle et qui ne comprend pas ma foi qu'il croit aveugle, ma foi totale et satisfaite par chaque page, chaque mot du Message du Graal.

Il me veut plus ouverte, plus critique, intéressée à autre chose[1] et surtout il voudrait qu'au moins je garde silencieuse cette foi et que je ne désire pas l'extérioriser par ce qu'il nomme «mascarade».

Il dit que je manque de bonne volonté, pense que je ne veux pas dire et faire autrement et je lui réponds que je ne peux dire et faire autrement car avant tout je désire être honnête avec le plus profond de moi-même en demeurant vigilante et à l'écoute attentive de mon intuition.

Mais il a raison: je peux réfléchir, essayer de comprendre ce merveilleux phénomène et l'aider à m'accepter, à m'aimer et à cheminer avec moi. Je dois faire cet effort même si toute seule je n'en ressens pas le besoin car lui a ce besoin et je l'aime, malgré ses questions.

Mais comment répondre à son attente? Je sais que la foi est irrationnelle, tout dépendant de l'endroit où nous sommes, une insulte à l'intelligence humaine ou du moins à une partie de cette intelligence (comme le disait saint Paul) et surtout, je sais que cette foi ne se transmet pas.

C'est comme la musique: on peut en parler durant des heures ou des mois, si on ne l'a pas entendue de ses propres oreilles, on ne la connaît pas et ne peut vibrer ou communier à sa beauté avec qui que ce soit. La seule façon d'apprécier une œuvre musicale et de partager avec quelqu'un ses délices pour le cœur et l'âme est de l'écouter ensemble et encore on ne peut jamais savoir avec exactitude ce que l'autre ressent au moment de telle harmonie ou de telle phrase musicale.

Pour l'un il s'agit d'amour, pour l'autre de guerre ou de révolte. Par exemple, écoutez une *Polonaise* de

1. Malgré mon intérêt pour mon travail, pour le piano, pour l'écriture, pour les sports, pour la gastronomie, etc., qu'il ne réalise pas toujours.

Chopin: j'y vois l'amour d'un être pour son pays et ses compatriotes alors que vous y entendrez peut-être le désespoir d'un homme persécuté par les assaillants; une œuvre de Bach m'apparaît remplie d'absolu et de vibrations spirituelles alors que pour une autre personne elle représente l'union géniale mais froide et mathématique de notes et d'accords musicaux.

Qui a tort, qui a raison? Personne et tout le monde. Pourquoi? Parce que la perception est individuelle et que là où est l'intuition, là est la vérité.

Mais que faire pour régler mon problème ou plutôt le problème de ceux et celles qui veulent comprendre ma démarche?

Je continue à me poser des questions. Pourquoi ai-je accepté le Message du Graal comme vrai? Pourquoi, en plus de croire, ai-je voulu vivre concrètement, corps et âme, cette foi?

Cela peut, à première vue, paraître étonnant qu'une telle chose se soit produite à l'âge de trente ans, après avoir lu tant d'auteurs, avoir vécu tant d'expériences spirituelles, des cours théoriques aux assemblées de prière, expériences certes appréciées mais non entièrement satisfaisantes et complètes pour mon «moi profond» que je découvre graduellement depuis une quinzaine d'années.

C'est encore plus étonnant que cela m'arrive maintenant à cette époque où contrairement aux années passées (avant de découvrir la possibilité d'utiliser efficacement mon subconscient) au cours desquelles j'étais triste, endettée, peu sûre de moi et, il faut le dire, malheureuse, je suis maintenant épanouie, bien dans ma peau, heureuse et amoureuse de la vie.

Ai-je réagi de la sorte parce que j'étais prête ou parce que j'ai enfin trouvé ce que je cherchais? La réponse n'est pas l'un ou l'autre, mais les deux à la fois.

En effet, j'ai enfin trouvé ce que je cherchais, ce qui est inscrit depuis toujours au fond de moi et qui par conséquent est ma vérité parce que j'étais enfin prête à en prendre conscience. Et c'est à travers cette œuvre unique que cette conscience s'est révélée dans toute son ampleur, cristallisant d'un seul coup rêves, intuitions, obsessions inexpliquées jusqu'alors, et que je décidai aussi naturellement que je respire de traduire en actes concrets cette réalité de ma vie.

C'est comme si un bandeau posé sur mes yeux tombait enfin pour me permettre de voir clair.

Je découvrais en même temps qu'à travers ma longue pérégrination sur les sentiers des philosophes, des grands penseurs ou autres maîtres spirituels, je ne trouvais toujours qu'une parcelle de moi; il y avait toujours quelque chose qui accrochait, qui agaçait, me laissant certes enrichie mais aussi incomplète et perplexe, pas suffisamment convaincue pour traduire en actes concrets le fruit de mes réflexions. La seule exception est le Message du Fils de Dieu, Jésus, qui m'est toujours apparu et m'apparaît encore entièrement vrai, mais parfois trop symbolique pour ma compréhension humaine limitée.

Que s'est-il passé de différent avec le Message du Graal? J'y ai reçu le plus beau cadeau qu'un être humain puisse recevoir après le Message du Christ: la conviction profonde de savoir qui je suis, d'où je viens, où je vais et ce que je dois faire chaque jour pour conserver cette conscience de mon moi profond.

Après l'avoir pressenti avec le Message du Christ, j'y ai compris pour la première fois le célèbre «être ou ne pas être» de Shakespeare et, décidée à «être» aujourd'hui et toujours, j'y ai trouvé les moyens clairs, nets, précis et concrets pour atteindre cette autoconscience, plus haut degré de bonheur et d'évolution que l'être humain puisse atteindre.

Cette foi a augmenté l'intensité et la signification de ma vie. Et, à l'instar même des paroles du Message du Graal, mon objectif vise un équilibre physique, intellectuel et spirituel toujours grandissant.

Devenir meilleure, développer mes qualités en travaillant à perdre mes faiblesses ne fait qu'accroître mon bonheur quotidien.

Ce triple objectif de mise en forme physique, psychologique et spirituelle fera l'objet de la deuxième partie de ce livre.

DEUXIÈME PARTIE

Une histoire d'amour

L'amour représente la grande préoccupation de ma vie car rien ne m'apparaît plus important. Cela peut vous sembler étrange ou utopique dans notre ère moderne où le mot amour est malheureusement parfois laissé à l'inspiration des poètes ou des chansonniers.

Et pourtant, l'amour n'est-il pas le moteur, le fondement de toutes nos pensées et actions? L'amour ne représente-t-il pas le meilleur outil pour apprendre à nous découvrir et à nous apprécier en tant qu'êtres humains uniques possédant une personnalité riche et belle?

Oui, il n'y a pas d'autre alternative, la vie est et doit être une histoire d'amour: amour de soi, des autres et de la vie elle-même. C'est la seule solution logique et acceptable pour tous. Je rêve du jour où le mot amour sera sur toutes les lèvres: physiciens, mécaniciens ou hommes d'affaires, car cette attitude reflétera une très grande évolution. Cela signifiera tout simplement que chaque personne aura appris à rester honnête avec elle-même et avec ses semblables, aura cessé de se dissimuler derrière de grands mots ou concepts pour exprimer enfin ce qu'elle ressent au plus profond d'elle-même, ce qui la fait agir ou réagir: l'amour!

Et cette histoire d'amour débute avec le désir d'apprendre à se connaître, désir qui représente la plus grande aventure amoureuse de toute une vie humaine. Cette aventure déclenche un processus: nous permettre de «devenir» quelqu'un de merveilleux, c'est-à-dire nous-même. Chaque fois que nous apprenons quelque chose de nouveau, nous devenons en même temps quelqu'un de nouveau, enrichi et plus épanoui.

Il se trouve des milliers de choses à lire, à voir, à faire, à toucher, à sentir, etc. Mais faire tout cela, découvrir toutes ces choses en ayant comme objectif principal la découverte de ce que nous sommes, c'est bien le voyage le plus excitant de toute notre vie.

Cet objectif, cependant, implique de multiples changements. Lorsque vous changez constamment, vous devez vous adapter à ces transformations, mais cela fait partie de la joie de vivre. Et lorsque vous avez amorcé ce processus, votre préoccupation est de vouloir toujours avancer: plus d'arrêt possible et encore moins de recul.

Tout devient alors nouveau: chaque journée, chaque fleur, chaque figure et même vous. Tout renaît à chaque instant, rendant impossibles la monotonie et l'ennui. Votre corps et votre pensée deviennent alertes, en mouvement, vivants!

Le contraire de l'amour, ce n'est pas la haine comme on a coutume de le croire. Le contraire de l'amour, c'est l'apathie. L'amour c'est l'action, le mouvement et la vie. L'amour c'est la volonté d'être actifs et mobiles pour avancer.

Pour apprendre, changer et devenir lui-même, l'être humain a besoin de connaissance et de liberté. Il doit savoir qui il est et choisir librement de se recréer chaque jour.

Si vous êtes réellement un «amoureux», vous désirez devenir et donner le meilleur de vous-même. Ce désir implique une canalisation de toutes vos énergies visant à développer tout ce que vous possédez d'unique et de merveilleux. Votre potentiel individuel, et non celui du voisin, doit être découvert et développé à l'aide de tout le bagage d'amour que vous portez. Et tout est à l'intérieur de vous-même. Les clés sont là: en vous!

Cela me rappelle une histoire relatée par Léo Buscaglia dans l'un de ses écrits. Il raconte l'aventure de Mullah qui était à quatre pattes sur le trottoir et semblait chercher quelque chose. Un ami s'approche et lui demande:

— Que cherches-tu, Mullah?

— J'ai perdu ma clé, de répondre Mullah.

— Oh! dit l'ami, cela est terrible, je vais t'aider à la trouver.

Et il se met à quatre pattes aussi pour chercher et demande à Mullah:

— Mais où as-tu perdu cette clé?

— Je l'ai perdue dans la maison, rétorque Mullah.

— Mais pourquoi la cherches-tu ici?

— Parce qu'il y a plus de lumière ici.

Vous pensez que cela est ridicule. Mais c'est exactement ce que nous faisons avec notre vie. Nous pensons que toutes les réponses sont là autour de nous alors que les seules vraies réponses doivent d'abord venir de l'intérieur. Personne ne peut vous fournir vos réponses, vous seul les avez réellement.

L'essentiel ne se trouve pas à l'extérieur mais à l'intérieur. Parfois cet intérieur semble noir et effrayant, de plus, il n'est pas facile de chercher dans l'obscurité. Et personne ne vous a enseigné comment chercher, personne ne vous a enseigné à vous aimer et à aimer la vie! Pourtant, quelques personnes véritablement éclairées nous ont indiqué la route. Jésus a dit: si vous voulez trouver la vie, regardez en vous-mêmes. Lao Tzu, Bouddha, Mahomet, Confucius et quelques autres grands prophètes nous ont également transmis cette vérité. Mais nous avons fait la sourde oreille. Nous nous sommes laissé distraire par l'extérieur oubliant que l'essentiel est invisible pour les yeux.

Mais il n'est pas trop tard. Apprenons à laisser notre corps et notre esprit ouverts à l'amour. Apprenons à aimer la vie et à donner à la vie autant qu'elle nous donne. La chose la plus importante est l'amour de la vie, car là où il n'y a pas de vie, il n'y a pas d'espoir, et nous devons choisir la vie!

La mise en forme physique

Pour devenir un être humain complet autant qu'il est possible de l'être, vous ne pouvez ignorer votre corps et ses besoins fondamentaux. Vous devez être en paix avec votre corps, le considérer sans honte ni gêne comme un élément sain et positif de votre personnalité. Vous devez aimer votre corps, en prendre soin et ne pas attendre la maladie pour commencer à le découvrir.

Tant que nous vivons sur la terre, nous vivons avec un corps. Évidemment ce corps comprend un magnifique organe: le cerveau. De plus, en tant qu'êtres humains, nous possédons également la dimension spirituelle. Mais il ne faut pas oublier que ce corps est aussi matière.

Si vous apprenez à prendre soin de votre corps, à le développer de façon harmonieuse et à utiliser toutes ses possibilités avec équilibre et modération, vous serez une personne plus efficace, productive et heureuse le temps que vous vivrez sur la terre.

Après votre mort physique, qu'arrivera-t-il? Votre esprit pourra continuer sa route (c'est ma croyance), vous n'aurez plus à penser aux exigences de votre corps et votre existence prendra une nouvelle forme. Mais en attendant ce moment, vous devez apprendre à devenir un être humain complet, ne négligeant aucune partie de vous-même au profit d'une autre. Le meilleur investissement réside dans l'équilibre car de l'équilibre naissent la croissance et la réalisation.

La triple mise en forme: physique, psychologique et spirituelle, représente donc un objectif universel et permanent chez tout être humain à la recherche du bonheur. C'est un prérequis d'évolution sans lequel l'équilibre restera précaire et douteux.

D'après une enquête sur le bonheur[1] menée auprès d'un peu plus de cent mille personnes, 80% des gens disent avoir une santé excellente ou très bonne, tandis que 6% seulement la considèrent mauvaise ou très mauvaise. Beaucoup de gens qui ne sont pas en bonne santé semblent jouir d'un bonheur considérable alors qu'un bon nombre de personnes en bonne santé ne sont pas heureuses.

Une dame de 39 ans, par exemple, se dit très heureuse malgré de graves problèmes physiques, qui l'ont rendue malheureuse plus jeune, mais qu'elle a finalement acceptés. Quoique la mauvaise santé de cette femme lui rende les choses plus difficiles et qu'elle doive toujours en tenir compte quand elle fait des projets, et même dans ses activités quotidiennes, elle s'est arrangée pour vivre avec. Beaucoup d'autres personnes s'accommodent d'une mauvaise santé ou d'une infirmité et s'organisent une vie heureuse. Ce qui amena ces chercheurs à conclure que la santé est une condition indirecte au bonheur, c'est-à-dire qu'elle place un individu dans une attitude favorable au bonheur sans pour autant le rendre heureux, vu les résultats de l'enquête et les nombreux témoignages en ce sens.

---

1. *Les Gens heureux,* Jonathan Freedman, éditions Sélect, 1979.

Par contre, toujours selon cette enquête, si la santé des gens n'a pas une influence directe essentielle sur le bonheur, il n'en est pas de même lorsqu'il s'agit de la santé de ceux qu'on aime et de ceux dont on a la charge. En effet, la maladie des autres semble souvent nous créer plus de problèmes que la nôtre propre.

Pour dire vrai, j'étais complètement sidérée après avoir lu ces affirmations et j'en perdais mon latin. J'admettais facilement que l'on se tracasse pour une autre personne, qu'un individu ayant des problèmes physiques plus ou moins graves s'organise pour être très heureux, mais découvrir que la plupart des gens malheureux sont des gens «en santé», cela m'apparaissait beaucoup plus difficile à comprendre.

Et pourtant je n'avais pas à mettre en doute le résultat de l'enquête menée sérieusement par des psychologues et des sociologues, enquête concernant des gens de tous âges, de tous niveaux économiques, de toutes régions, races, religions, etc.

J'ai longuement réfléchi à la question, analysé mon propre comportement, interrogé et observé des centaines de personnes, lu sur la question et tout à coup me vint une nouvelle idée: les gens se disant «en bonne santé» le sont-ils vraiment, alors que les gens se disant «en mauvaise santé» ne seraient-ils pas justement en meilleure santé qu'ils ne le croient?

Je m'explique: tout est dans la définition des termes. Je pense que l'on peut qualifier un individu de personne en bonne santé lorsqu'il utilise pleinement toutes ses facultés physiques, intellectuelles et spirituelles.

Dès lors, une personne affectée d'une maladie ou d'un handicap quelconque n'est pas nécessairement en mauvaise santé si elle utilise le mieux possible ses facultés résiduelles.

Inversement, une personne apparemment en possession de toutes ses facultés, y compris l'intégrité physique, peut avoir l'illusion d'être en bonne santé car elle ne souffre d'aucun problème particulier mais, et de là vient l'erreur des gens qui se disent en bonne santé et malheureux, elle n'utilise jamais toutes les facultés, y compris physiques, mises à sa disposition pour être heureuse.

Afin de vous aider à mieux comprendre ce phénomène, voici des exemples concrets. Telle personne est handicapée (jambes paralysées) et ne peut pratiquer certains sports. Que fait-elle? La plupart du temps, elle va trouver tous les moyens pour exercer les parties de son corps non affectées et va rechercher un épanouissement dans son travail et sa vie intérieure. C'est inouï de constater à quel point les personnes handicapées mettent tout en œuvre pour avoir une vie normale, et elles y réussissent très bien!

Telle autre personne a tout pour être heureuse, c'est-à-dire qu'en apparence son corps et sa tête semblent ne présenter aucun problème. Que fait-elle? Elle entretient l'illusion d'être en bonne santé ou n'utilise pas de façon adéquate cette bonne santé. Elle ne fait pas d'exercice, ne se nourrit pas bien, fume parfois, manque de sommeil, etc. Conséquence: la personne devient malheureuse malgré sa pseudo bonne santé. En conclusion, la bonne santé, qui comprend la mise en forme physique, est un important facteur pour qui veut être heureux. Mais cette mise en forme physique doit s'adapter à chaque individu selon ses ressources personnelles. Chose certaine, cela nous rappelle la parabole des talents: nous devons utiliser notre corps, lui permettre de s'épanouir dans les limites qu'il nous offre. Jamais moins car, consciemment ou non, un corps mal traité sent que quelque chose lui manque pour participer pleinement et avec joie à la vie terrestre.

Cette réalité qui est, fort heureusement, comprise par un nombre toujours croissant d'adeptes d'un sain épanouissement du corps est aussi vieille que le monde. Qui n'a pas entendu ce vieil adage: un esprit sain dans un corps sain? Mais qui a réellement compris le sens de ce dicton?

Je disais donc que la mise en forme physique doit être adaptée à chaque individu en regard de toutes ses possibilités, de la tête aux pieds. Chaque personne peut faire l'inventaire de chacune des parties de son corps et trouver un moyen concret pour permettre, dans la mesure du possible, à ce corps d'être vivant et épanoui.

Par contre, certains principes fondamentaux peuvent et doivent être suivis par toute personne aspirant à la mise en forme physique. Connaître et accepter ses besoins vitaux, avoir une saine alimentation, apprendre à bien respirer, pratiquer quotidiennement une forme de relaxation, s'accorder un sommeil réparateur, faire de l'exercice, savoir jouer comme un enfant et garder un contact avec la nature sont autant de facteurs à connaître et à faire passer dans sa vie si l'on veut atteindre cet objectif de la mise en forme physique.

Prendre soin de son corps n'est ni superficiel ni égocentrique. C'est le premier geste d'amour que toute personne doit apprendre car le corps est la maison de l'esprit; cette maison, gardons-la saine et belle, solide et harmonieuse tant à l'intérieur qu'à l'extérieur.

Connaître et accepter les besoins vitaux de son corps

La respiration, la transpiration, le besoin de manger, de boire, d'éliminer et toutes les autres réactions biologiques de notre corps doivent être perçus de façon positive.

Une mise en forme physique exige d'abord de vous une modification d'attitude vis-à-vis de ces fonctions vitales. Trop de gens considèrent les besoins du corps de façon négative et cette attitude nuit considérablement à leur santé sans même qu'ils s'en rendent compte.

Observez votre comportement au sujet de vos propres besoins. Que de fois ne réagissons-nous pas avec dédain face à notre propre corps! Ne nous arrive-t-il pas de comparer avec ironie nos besoins avec ceux de l'animal? Pourquoi cette attitude négative? Le corps physique de l'homme est certes comparable sous plusieurs aspects à celui de l'animal, mais cette réalité n'a absolument rien de dégradant; au contraire, nous devrions prendre beaucoup plus souvent exemple sur l'animal qui laisse son corps vivre de façon naturelle.

Ces affirmations n'incitent pas au laisser-aller, bien au contraire. Elles apportent seulement un nouvel éclairage sur les besoins physiques les plus fondamentaux de l'être humain. Elles veulent vous amener à décider, une fois pour toutes, d'accepter et d'aimer votre corps entier, sans le rejeter en tout ou en partie, et de remercier la vie de ce que ce corps fonctionne de façon si merveilleuse.

Une saine alimentation

Ma première préoccupation au sujet de l'alimentation résultait d'un problème de poids. Ce problème résolu à la suite d'une programmation de mon subconscient, je n'en demeure pas moins intéressée à bien nourrir mon corps car c'est un facteur déterminant de la santé et de la beauté du visage en particulier.

On peut avoir le poids idéal pour son âge et sa taille et offrir néanmoins à la vue un visage prématurément vieilli et fatigué, aux yeux malades et ternes, à la peau étirée ou gonflée de toxines.

La couleur de la peau est également affectée par les aliments que nous consommons. La transformation n'est certes pas radicale comme s'il s'agissait d'une insolation, mais elle s'installe subtilement et progressivement jusqu'au jour où l'on réalise que fraîcheur et saine apparence appartiennent aux albums de photographies d'autrefois.

Sans me faire l'apôtre de tel ou tel régime alimentaire particulier, je préconise certaines attitudes à la fois simples et naturelles concernant l'alimentation.

Votre corps connaît ses propres besoins et il possède le meilleur guide alimentaire pour y répondre. Il déteste être surchargé, et si vous lui donnez trop il vous le fera savoir de différentes façons: coliques, indigestion, crampes et, tôt ou tard, un surplus de graisse pour le moins inesthétique.

Ne mangez que lorsque vous avez faim. Ne vous laissez pas influencer par l'heure ou par les autres personnes de votre entourage à la maison ou au travail. Si vous n'avez réellement pas le goût de manger, ne le faites pas, suivez les besoins de votre corps.

Mangez à satiété mais jamais plus. Il n'est pas dans mes habitudes de jeter de la nourriture, mais si mon assiette n'est pas terminée et qu'il n'y a plus de place dans mon estomac, je ne me force jamais. Mieux vaut se servir de petites portions, quitte à revenir, plutôt que de dépasser ses besoins. Il est préférable de manger plusieurs fois par jour, lorsque la faim se fait sentir, que de trop s'empiffrer une ou deux fois par jour.

Les aliments naturels et frais, tels que les fruits et légumes, ont toujours la vedette et la viande, particulièrement blanche, peut être consommée en quantité modérée. Sans devenir végétariens, de plus en plus de gens réduisent leur consommation de viande rouge qu'ils remplacent par des protéines à teneur végétale. Les gras et les sucres ne doivent être consommés qu'en quantité restreinte.

Quant à l'alcool, certains chercheurs prétendent qu'en petite quantité et sous forme de vin, il peut bénéficier à la mise en forme physique. Pour ma part, je fais aussi partie de l'école de la très grande modération. D'une part, tout alcool, même sous forme de vin, produit sur moi un effet physiologique de lourdeur que je n'apprécie pas particulièrement. D'autre part, trop de vin affecte également mon caractère: sur le moment je suis très heureuse mais quelques heures plus tard je deviens parfois mélancolique. Comme on dit souvent, j'ai le vin triste. Je ne peux jamais en prévoir la réaction exacte sur mes états d'âme.

Par ailleurs, il n'en a pas toujours été ainsi et il n'en est pas de même pour chaque individu. Et je me suis demandé pourquoi. Oui, pourquoi une personne, pendant un certain nombre d'années, peut-elle consommer à sa guise des boissons alcoolisées sans répercussion apparente alors que, tout à coup, la moindre incartade entraîne une mauvaise réaction et affecte son comportement de façon insolite? Est-ce dû à l'âge? Je ne le crois pas et j'en ai la preuve régulièrement en observant des gens de tous âges sur lesquels l'alcool ne semble pas avoir d'effet physique néfaste. Est-ce dû au corps qui ne peut plus supporter tout à coup une boisson alcoolisée? Je ne le crois pas non plus.

L'intolérance, à mon avis, est tout simplement directement proportionnelle au degré de conscience de l'individu face aux artifices et aux excitants tels que l'alcool, la cigarette ou toute autre forme de drogue. Bref, une personne peut avoir quarante-cinq ans et continuer à consommer des stimulants artificiels sans développer d'intolérance particulière alors qu'une autre personne de vingt ou trente ans deviendra rapidement «allergique» si elle a entrepris une recherche sérieuse sur la connaissance d'elle-même et de la vie.

Le désir d'une vie équilibrée incite tout naturellement à la modération tant pour l'alcool que pour la nourriture. Un verre de vin, à l'occasion, nous permet d'en apprécier le goût et la qualité, mais il ne faut pas faire comme notre bon grand-père Noé un peu trop fier de sa vigne!

Chaque personne doit apprendre à connaître sa tolérance et ses réactions par respect pour elle-même et aussi pour les autres. Soyons à l'écoute de nous-mêmes, c'est la meilleure façon de garder le juste milieu.

C'est également à cause de cette constatation dans ma propre vie que je trouve inutile de vous suggérer telle ou telle forme d'alimentation puisque vous serez guidés vers tel livre, tel diététicien ou tel magasin si vous le désirez réellement; vous développerez aussi de façon quotidienne un instinct vous indiquant de manger aujourd'hui des œufs ou des fruits ou tout simplement de vous reposer l'estomac quelques heures.

Avant de quitter la table, quelques mots sur une catégorie d'aliments dont on parle beaucoup à l'heure actuelle: les fibres alimentaires. M'étant privée de pain, de céréales et, en général, de tout féculent pendant de nombreuses années, je constate aujourd'hui, avec plaisir, que leur consommation ne fait pas nécessairement prendre du poids et qu'elle contribue grandement à la régularisation des fonctions intestinales. Évidemment, comme pour le reste, pas d'abus mais ne vous privez pas inutilement.

Un dernier conseil: MANGEZ POUR VIVRE MAIS NE VIVEZ PAS POUR MANGER.

Apprendre à respirer

La respiration est la fonction la plus importante de notre corps. La vie physique commence par un premier souffle et se termine par le dernier.

Nous respirons normalement, inconsciemment, sans porter d'attention particulière à la qualité de notre respiration. Certaines disciplines, comme le yoga, rendent la respiration consciente, calmante et plus efficace.

Une bonne respiration permet de se calmer, de contrôler ses réactions émotives et favorise une bonne oxygénation du sang. De plus, une bonne respiration entraîne une plus grande énergie physique et mentale.

Malheureusement, nous détruisons cette énergie par des poisons comme la cigarette et les différents gaz toxiques. Fuyons autant que possible ces éléments perturbateurs de notre mise en forme physique pour nous rapprocher des endroits où l'air pur existe encore.

Une promenade en forêt à l'occasion, un séjour au bord de la mer et même la proximité d'un parc urbain vous permettront quelques bonnes respirations. Réapprenez aussi à bâiller. Bien bâiller aide à calmer les maux de tête, supprime les tensions du visage et aide à s'endormir.

Les fumeurs invétérés me diront qu'il leur est difficile d'abandonner le penchant qu'ils ont pour la cigarette. Moi-même fumeuse durant une dizaine d'années, j'ai cependant réussi à me débarrasser de cette mauvaise habitude depuis plus de cinq ans. Et comment? Tout simplement par la programmation de mon subconscient.

Je veux vous dire à quel point je me sens délivrée et heureuse d'avoir perdu cette habitude. Je sens que ma respiration est meilleure, je peux courir sans me fatiguer ou encore skier de longues heures. Se peut-il que vous n'aspiriez pas vous-même à de tels heureux résultats?

Pratiquer la relaxation

La relaxation procure un bien-être physique et mental en permettant une meilleure écoute des réponses fournies par notre subconscient.

Il existe plusieurs méthodes connues de relaxation visant, chacune à leur façon, l'atteinte d'une détente physique et mentale alliée à une utilisation volontaire du subconscient programmé à nous conduire vers la réalisation de nos objectifs.

Le yoga

La première méthode, et l'une des plus connues, ayant comme objectifs la détente et la connaissance de soi est certainement le yoga. Partant de la respiration, cette technique qui vient de l'Orient conduit, par la pratique de postures, à un contrôle physique et mental dans la détente. Il s'agit d'une autorégularisation de toutes les fonctions du corps; cette maîtrise du corps mène à une paix intérieure. Les différentes écoles de yoga peuvent offrir des pratiques variées, mais elles gardent toutes le même but, celui de conduire l'homme à l'équilibre et à la compréhension de la vie en contrôlant sa propre nature et sa peur de la mort.

La plupart des écoles de yoga offrent un cours de base ou d'introduction de dix séances environ. Ayant suivi des cours de yoga pendant plusieurs années, j'ai appris à en connaître les avantages physiques et mentaux en poursuivant la pratique quotidienne de mes positions préférées. Quelques minutes de yoga suffisent aussi pour soulager un mal de tête, une fatigue musculaire ou une angoisse au niveau du plexus solaire. Le yoga pratiqué en groupe permet un bon échange à la suite duquel vous vous sentez calme et rempli d'énergie et de pensées positives.

Penser en images

Une autre méthode préconisée par le docteur Art Ulène[1] consiste à penser en images. Ce médecin prétend que le symbolisme contrôlé des images est une manière efficace de faire cesser l'emprise du stress sur votre corps.

Votre cerveau contient un ensemble de cellules nerveuses appelé hypothalamus et qui contrôle un grand nombre de fonctions physiques. L'hypothalamus reçoit des informations en provenance des sens de la vue, du toucher, de l'ouïe, du goût et de l'odorat, et utilise ces informations pour faire réagir votre corps d'une manière appropriée. Par exemple, lorsque vous sentez l'odeur du jambon qui grésille dans la poêle, c'est votre hypothalamus qui ordonne à vos glandes salivaires d'entrer en action et qui incite votre estomac et vos intestins à se dilater. Lorsque vous apercevez une voiture arrivant à toute allure dans votre direction, c'est aussi votre hypothalamus qui entraîne une sécrétion d'adrénaline et des palpitations accélérées du cœur, de telle sorte que vous sautez aussitôt sur le trottoir. Mais il n'est pas toujours besoin de sentir l'odeur

1. *Vingt jours pour être en forme* (éd. Retz).

du jambon ou de voir une auto arriver sur vous à toute vitesse pour mettre en action l'hypothalamus. Celui-ci peut répondre à des stimuli symboliques presque aussi bien qu'à des sensations réelles.

Lorsque vous contemplez une très belle photo de dinde rôtie aux châtaignes, vos glandes salivaires peuvent commencer à fonctionner comme si le plat était réellement devant vous, et lorsque vous regardez un film vraiment terrifiant il arrive que votre cœur se mette à palpiter et que vos paumes deviennent moites comme si vous étiez vraiment en danger.

C'est ainsi que fonctionne la technique du symbolisme contrôlé des images. Représentez-vous une scène calme et paisible et votre hypothalamus vous aidera à vous tranquilliser. Représentez-vous un corps sain et vous vous sentirez en meilleure santé. Proposez à votre cerveau quelques images saines et relaxantes et votre hypothalamus «commandera» un corps plus sain et plus détendu qui vous rendra plus heureux.

«Le type de relaxation que nous allons essayer de vous enseigner grâce au symbolisme des images n'apporte pas le même genre de détente que celle ressentie après une soirée devant la télévision ou une journée tranquille entre amis. Ces activités, et la plupart des autres que nous croyons «relaxantes» (comme les sports en amateur ou les voyages d'agrément) requièrent un degré élevé d'activité physique et mentale, qu'il s'agisse de suivre le déroulement d'un récit, d'engager un dialogue, d'attraper une balle ou de se déplacer d'un endroit à un autre. Le symbolisme contrôlé des images et les autres techniques de relaxation impliquent, au contraire, de diriger l'attention vers l'intérieur — et non vers l'extérieur —, de tranquilliser le corps au lieu de le stimuler. Ces méthodes tendent à une libération des tensions physiques et mentales qui ont envahi votre corps pendant votre travail et même pendant les moments consacrés à des plaisirs que nous considérons comme une détente.»

Cette méthode de relaxation proposée par le docteur Ulène me semble rejoindre très directement les conseils du docteur Joseph Murphy dans son livre intitulé *La Puissance de votre subconscient* de même que ceux du docteur Maxwell Maltz dans sa découverte de la psychocybernétique. En effet, tout le monde semble être d'accord sur le fait que nous devons «visualiser» pour obtenir de bons résultats. Le docteur Ulène propose, par exemple, de visualiser une créature vivante (humaine ou animale) à laquelle nous pouvons demander la solution de nos problèmes. En plus de découvrir grâce à ce procédé plusieurs solutions à vos problèmes, le docteur Ulène ajoute que vous n'éprouverez jamais plus de solitude grâce à ces nombreux amis engendrés consciemment par votre pensée.

Le training autogène[1]

La méthode de relaxation la mieux connue après le yoga est celle de Schultz. Ce médecin allemand s'est orienté vers la psychiatrie et la psychothérapie, après avoir été l'élève de Vogt, spécialiste de l'hypnose progressive. Bon nombre d'adeptes de l'hypnose, florissante au début de ce siècle, avaient constaté des modifications physiologiques au cours du processus hypnotique. Deux éléments semblaient présider à l'établissement de la sensation de chaleur. Schultz s'orienta vers une méthode rationnelle de la décontraction. Utilisant la pesanteur venant de la décontraction musculaire et la chaleur due à la vasodilatation des vaisseaux périphériques, il mit au point sa méthode d'autosuggestion appelée «training autogène», se composant de deux

1. Michel Kieffer, «Une relaxation différente», *Psychologie*, novembre 1976.

cycles. Le cycle inférieur de la méthode se compose de six exercices pour lesquels la décontraction concentrative apparaît successivement dans les domaines suivants: les muscles, le système vasculaire, le cœur, la respiration, les organes abdominaux, la tête. Le cycle supérieur, qui est abordé seulement plus tard, représente une technique de psychothérapie profonde.

Le sujet est assis ou allongé et s'imprègne, sans faire de mouvements et sans parler, des formules suivantes:

Sensation de pesanteur
Mon bras droit/gauche est tout à fait lourd;
Ma jambe droite/gauche est tout à fait lourde.

Sensation de chaleur
Mon bras droit/gauche est tout à fait chaud;
Ma jambe droite/gauche est tout à fait chaude;
Mes bras et mes jambes sont tout à fait chauds;
Tout mon corps est chaud.

Exercice cardiaque
Mon cœur bat calme et fort.

Exercice respiratoire
Ma respiration est tout à fait calme.

Exercice des abdominaux
Mon plexus solaire est tout à fait chaud.

Exercice de la tête
Mon front est agréablement frais.

Le sujet atteint peu à peu un état de calme intermédiaire entre la veille et le sommeil, appelé autogène. Et c'est cet état autogène qui permettra une ouverture sur le monde de l'inconscient du sujet. Ce deuxième cycle ne sera abordé qu'après maîtrise des exercices décrits et devra seulement être utilisé par des médecins psychanalystes.

Ce second cycle de la méthode de Schultz est donc une analyse psychologique et une psychothérapie profonde qui dépassent de loin la décontraction musculaire, cette décontraction recherchée par la voie de l'autosuggestion étant un moyen d'atteindre l'objectif.

À cette méthode d'autohypnose s'oppose une deuxième grande méthode de relaxation, la relaxation d'Edmund Jacobson, méthode qui se veut exclusivement neurophysiologique.

Méthode Jacobson[1]

Quant aux recherches et à la méthode du physiologiste américain Edmund Jacobson, elles s'opposent à l'hypnose et se fondent essentiellement sur la physiologie musculaire. Ayant établi le rapport entre tonus musculaire et tension psycho-affective, Jacobson mit au point, vers la fin des années 1940, une technique de relaxation purement physiologique et consistant en une prise de conscience progressive de la contraction musculaire.

L'entraînement comporte des exercices que le patient effectue allongé sur le dos et immobile: «Fléchissez un avant-bras sur le bras, en contractant fortement. Prêtez alors attention à la sensation que vous éprouvez dans la partie antérieure de votre bras, pendant que vos muscles sont contractés. Ensuite, relâchez vos muscles, laissez retomber votre avant-bras et observez la disparition de la sensation de contraction qui accompagne le relâchement musculaire. Conservez pendant un moment cet état de relâchement, puis refaites à plusieurs reprises des contractions suivies de détentes; à l'occasion de chaque détente, tout en gar-

1. Marie-France Elliot, «La relaxation», *Psychologie*, août 1976.

dant l'immobilité, relâchez vos muscles fléchisseurs en état de relâchement, prêtez attention aux plus fines sensations de tension musculaire que vous y percevrez, afin de les faire disparaître.»

On reproche en particulier à Jacobson son parti pris antirelationnel et antipsychanalytique, son refus systématique de tenir compte des aspects psychologiques de la relaxation — sous-jacents malgré lui dans sa méthode — ainsi que sa persévérance à soigner ses patients par une réduction de l'activité psychique obtenue en diminuant progressivement le tonus musculaire. Mais il a eu néanmoins le mérite de mettre l'accent sur l'apprentissage de la perception des différents états toniques et, d'autre part, de décrire certaines corrélations entre un symptôme donné et une tension localisée, la disparition de cette tension en cours de relaxation allant de pair avec la disparition du symptôme correspondant.

Thought Process

Une autre méthode intéressante et originale est celle du «Thought Process» mise au point par David Berglas. Monsieur Berglas rejoint par sa méthode plusieurs aspects des méthodes dont nous avons déjà parlé. Par exemple, il s'agit de s'étendre dans un endroit calme, de prendre au début de profondes respirations et de songer à un but très précis que nous voulons atteindre. Par contre la méthode présente ceci d'original qu'elle vous conduit à des images mentales prédéterminées, lesquelles sont suggérées sur cassette par Monsieur Berglas. Il va sans dire que la cassette n'est plus absolument nécessaire après quelques répétitions. L'auteur de cette méthode suggère une pratique quotidienne et même biquotidienne si possible. Il ajoute aussi qu'il est reconnu que le subconscient prend vingt et un jours pour assimiler une nouvelle donnée et suggère donc, par conséquent, de poursuivre le même but pendant au moins vingt et un jours.

Je vous explique brièvement en quoi consistent les images mentales proposées: il s'agit tout d'abord de visualiser intensément la couleur rouge et en même temps le chiffre 7. Ensuite le rouge se transforme en orangé accompagné du chiffre 6. Puis le jaune avec le chiffre 5, le vert avec le chiffre 4, le bleu avec le chiffre 3, le mauve avec le chiffre 2 pour terminer finalement avec le blanc accompagné du chiffre 1.

Il s'agit par la suite de visualiser un endroit merveilleux où nous nous sentons vraiment confortable et heureux. Il doit s'agir d'un paysage de notre choix et l'auteur suggère de penser à un endroit que nous avons réellement connu si possible au cours de notre enfance ou de notre adolescence, en tout cas à un moment de notre vie où nous ne ressentions pas trop de problèmes.

Puis nous apercevons une porte qui peut être camouflée dans le tronc d'un arbre ou à n'importe quel autre endroit dicté par notre imagination. Nous ouvrons cette porte et descendons douze marches. Arrivés en bas, nous découvrons une autre porte très belle et réalisons que nous avons sur nous la clé pour ouvrir cette porte.

Nous ouvrons la deuxième porte avec la clé et pénétrons dans une chambre entièrement décorée à notre goût et de la grandeur de notre bon vouloir. Se trouvent dans cette pièce une table également à notre goût de même qu'un fauteuil très confortable dans lequel nous prenons place.

Sur la table se trouvent quatre boutons. Nous pesons sur le premier de ces boutons et apparaît alors sur le mur opposé à l'endroit où nous sommes assis un écran complètement entouré d'une bande noire. Nous pesons sur le second bouton et un film se déroule alors sur l'écran entouré d'une bande noire. Le film doit représenter la situation la plus difficile susceptible de survenir en ce qui nous concerne et particulièrement au sujet du but à atteindre. Par exemple, la personne qui désire perdre du poids peut se visualiser quelques secondes à 150 kilos; celle qui désire cesser de fumer la cigarette peut s'imaginer avec un cancer du poumon. Mais rapidement il s'agit de peser sur le troisième bouton qui efface la bande noire autour de l'écran pour faire place à une bande blanche et, après avoir pressé le quatrième bouton, nous voyons apparaître sur cet écran entouré d'une bande blanche un film représentant la meilleure situation possible en ce qui nous concerne et le but que nous nous sommes fixé.

L'auteur nous demande ensuite de revenir en empruntant le chemin inverse, soit les douze marches, le paysage, les couleurs et les chiffres de blanc — 1 à rouge — 7 et précise que nous devons essayer de ne pas penser à ce but ou objectif le reste de la journée puisque notre subconscient y travaille.

Exercice pratique de détente pour aider à réduire la tension physique et mentale

Cet exercice doit être fait une ou deux fois par jour selon vos besoins et le temps dont vous disposez. Durant les périodes de grandes difficultés, je conseille de le faire au moins quatre fois par jour et parfois davantage si cela s'avère nécessaire. Afin d'obtenir des résultats satisfaisants et durables, il est recommandé de poursuivre l'exercice sur une période de vingt et un jours consécutifs, soit la durée d'une programmation du subconscient; mais si l'exercice devient une habitude de tous les jours, vous ne pourrez que vous en féliciter car il vous aidera à maintenir de façon simple et naturelle votre forme physique et mentale.

1. Assoyez-vous confortablement, de préférence dans un bain d'eau tiède, ou encore dans un fauteuil confortable. (Je préfère le bain à cause de l'eau qui calme et réduit la tension très rapidement.)

2. Inspirez profondément et expirez aussitôt en rejetant tout l'air de vos poumons environ dix fois de suite. À chaque inspiration, pensez que vous faites entrer en vous du positif et, à chaque expiration, pensez que le négatif sort complètement de votre système.

3. Fermez les yeux et répétez trois fois la phrase suivante: TOUS LES JOURS, À TOUS POINTS DE VUE, JE VAIS DE MIEUX EN MIEUX.

4. Ensuite, prenez une longue et profonde inspiration, cessez de respirer et comptez mentalement jusqu'à cinq et expirez lentement. Reprenez cette respiration encore deux autres fois (yeux ouverts ou fermés à votre goût).

5. Fermez les yeux et répétez trois fois cette deuxième phrase: J'AI LE CONTRÔLE DE MOI ET JE SUIS DÉTERMINÉ.

6. Refaites encore trois fois la respiration retenue: inspiration, comptez jusqu'à cinq et lente expiration.

7. Pour terminer, dites la phrase suivante: MON CORPS EST UNE USINE; JE SUIS LE PATRON DE CETTE USINE ET J'ORDONNE À TOUTES LES PARTIES DE MON CORPS DE BIEN TRAVAILLER. Pensez alors à chacune des parties internes et externes de votre corps: le cerveau, le cervelet, le cœur, le foie, la rate, les poumons, les intestins, les organes génitaux, l'estomac, les nerfs, les os, les muscles, les vaisseaux, les yeux, le nez, la bouche, les oreilles, les mains, les bras, les pieds, les jambes, etc., et insistez particulièrement sur la ou les parties du corps avec lesquelles vous éprouvez plus de difficulté; parlez à cette partie du corps en lui demandant de bien travailler,

voyez-vous mentalement en pleine forme et rempli d'énergie.

8. Lorsque vous avez complété toutes ces étapes, levez-vous, allez devant le miroir, regardez-vous et répétez plusieurs fois: JE SUIS CALME ET TRÈS DÉTENDU, JE M'AIME ET J'AIME LA VIE.

Cet exercice vous demandera un peu d'attention au tout début, mais vous réaliserez après quelques jours de pratique que les gestes et les phrases deviendront familiers et calmants. Ne vous découragez pas et persévérez! Songez que certains yogis pratiquent le même mantra pendant des années afin de parvenir à l'extase...

Comme vous pouvez le constater, il existe différentes méthodes de relaxation, mais toutes visent un accroissement de votre bien-être. L'idéal serait d'essayer plusieurs méthodes différentes afin d'éviter la monotonie et pour apprendre à connaître les réactions de votre corps. Vous pouvez également développer vos propres méthodes de détente et de relaxation à partir des techniques existantes et des suggestions proposées.

Ne tardez pas à commencer, ne serait-ce que pour goûter au plaisir unique de vous évader à votre gré, où et quand vous le désirez, et pour atteindre sans boisson ni drogue des états peut-être encore insoupçonnés.

Savoir détendre son corps, redécouvrir chaque muscle en le décontractant, faire obéir son souffle, c'est la promesse de pouvoir récupérer la forme chaque fois que vous en avez besoin.

Les méthodes précédemment mentionnées ont fait leurs preuves et sont même utilisées en thérapie, mais elles demandent un minimum de temps et vous obligent à vous isoler du reste du monde pour les pratiquer.

Maîtriser sa fatigue et apprendre à ses muscles à exploiter chaque moment de la vie quotidienne peut aussi devenir un art véritable dont vous serez les virtuoses.

Prenons l'exemple du réveil: il est préférable de se réveiller naturellement, après un sommeil suffisamment long selon ses besoins individuels. Ainsi quelqu'un peut avoir besoin de huit heures de sommeil et supposons qu'il doit se lever à 7 heures: l'idéal pour cette personne est de se coucher vers 10 h 45 et il est fort probable qu'elle s'éveillera tout naturellement vers 6 h 45 sans le bruit du cadran et le stress d'être sortie brusquement du lit à la suite d'un sommeil insuffisant. Il est bon alors de prendre le temps de s'étirer (prenez l'exemple du chat) et de prendre de bonnes respirations. Une fois réveillé, la première chose à faire est de sourire. Peu importe la température, peu importent les problèmes d'hier et d'aujourd'hui, il faut s'exercer à sourire en s'éveillant. Si vous vivez seul, allez devant la glace et gratifiez-vous d'un grand sourire en pensant: encore une journée m'est donnée pour évoluer et pour apprendre à me connaître à travers les expériences de la vie. N'hésitez pas également à rendre grâces à Dieu de vous avoir donné la vie. Si vous vivez avec quelqu'un, offrez-lui ce sourire et que ses yeux vous servent de miroir dans votre recherche de la connaissance. S'esquive-t-on devant votre sourire, peu importe; celui-ci vous permettra tout de même d'atteindre la sensibilité humaine et de favoriser une atmosphère de bonne entente.

Quant au reste de la journée, quel qu'en soit le programme (travail ou vacances) il doit également vous offrir une possibilité de mise en forme constante. Souplesse dans votre démarche, exercices conscients de respiration, pause-santé au grand air si possible, étirements des bras ou des jambes, rotations de la tête et même quelques minutes de méditation peuvent transformer radicalement votre vie de tous les jours.

Le sommeil[1]

Rien n'est plus naturel que de dormir. Un corps en bonne santé sait quand, comment et combien de temps dormir. Et pourtant que de gens éprouvent de sérieux problèmes au sujet de leur sommeil. Certains dorment trop, d'autres pas assez, et plusieurs se plaignent de la qualité de leur sommeil.

Le docteur Jacques Montplaisir, neurophysiologiste et psychomaticien, directeur du Centre d'études des troubles du sommeil, traite annuellement des centaines de personnes souffrant de troubles de sommeil.

Bien des gens croient que le sommeil est une perte de temps, une période creuse au cours de laquelle il ne se passe rien. Rien n'est plus faux. Grâce aux expériences faites en laboratoire avec des centaines de dormeurs et à l'aide d'appareils perfectionnés, on est arrivé à la conclusion que le sommeil est un ÉTAT TRÈS ACTIF et qu'il se passe alors dans le corps et dans le cerveau une foule de choses importantes et même essentielles pour la survie de l'organisme.

Pendant que nous dormons et que nous rêvons, notre corps produit des centaines d'hormones, certains anticorps, selon une programmation automatique très précise. Par exemple, des chercheurs en ce domaine ont fait d'intéressantes découvertes: on vient d'apprendre que certaines hormones sont sécrétées à un moment très précis de la journée. Ainsi la cortisone est sécrétée tôt le matin vers 6 heures, l'hormone de croissance en pleine nuit vers 1 heure dans une phase du

1. Monique de Gramont, «L'armée des sans-sommeil», *Châtelaine*, mars 1981.

sommeil que l'on nomme «ondes lentes». Or, ce type de sommeil diminue et est pratiquement absent chez l'être humain après 40 ans. En conséquence la perte de cette hormone nuit sérieusement au processus de réparation des cellules, des tissus de l'organisme et accélère le vieillissement.

Si l'on réussissait à maintenir le sommeil à ondes lentes d'un être humain après l'âge de 40 ans, on pourrait ralentir son vieillissement; cela ne veut heureusement pas dire que le corps deviendrait immortel, mais il vivrait beaucoup mieux et avec une meilleure apparence même à un âge très avancé.

En conclusion l'on peut affirmer avec assurance que l'insomnie peut nuire à notre bien-être physique et mental.

Mais quelles sont donc les causes de l'insomnie? Nous trouvons en premier lieu des causes physiques telles que:

Le décor: mauvais lit, mauvais oreiller, air trop sec ou vicié, température trop chaude ou trop froide, source de bruit à proximité.

D'après le docteur Montplaisir, un seul de ces inconvénients suffit à gâcher une nuit de sommeil.

Manger avant de se coucher.

Exercices physiques ou jogging: faits dans la journée et au moins quatre heures avant le sommeil, ils aident à s'endormir plus rapidement et augmentent le pourcentage de sommeil profond, mais faits immédiatement avant le sommeil, ils peuvent le retarder ou causer un sommeil agité.

La caféine: café, thé et cola peuvent être directement responsables de l'insomnie.

L'alcool: peut aider à s'endormir mais entraîne un sommeil non réparateur.

Horaire irrégulier: le fait de se coucher à des heures différentes perturbe le sommeil.

Nous retrouvons en second lieu des causes psychologiques telles que:

Perdre un être cher.

S'être disputé avec quelqu'un.

Difficultés professionnelles ou financières.

Souci à l'endroit de ses enfants.

Une vie équilibrée devrait, en principe, mettre les gens à l'abri des troubles du sommeil. Pourtant, certains impondérables peuvent entraîner de tels ennuis.

Voici quelques bonnes habitudes à prendre avant d'aller au lit: d'abord, ralentir ses activités et laisser délibérément de côté tous ses problèmes de la journée. Mon frère Louis me fit un jour ce commentaire fort pertinent: avant de te mettre au lit, prends tous tes problèmes, mets-les dans un petit paquet que tu déposeras par terre à côté du lit; profite bien de ta nuit, détends-toi en pensant à de belles choses et ne t'en fais surtout pas pour tes problèmes car le lendemain matin ton petit paquet sera toujours là, personne ne viendra le voler. Eh oui! il a bien raison, le petit paquet se trouve toujours là mais, comme par magie, il nous semble plus léger que la veille.

Une autre agréable façon de terminer la journée consiste à s'inventer une habitude de détente; prendre un bain chaud aux algues, se donner un bon massage de pieds, écouter de la musique reposante, prendre une tisane ou encore une tasse de lait chaud. Quant aux somnifères, ils sont tout à fait déconseillés: ils perturbent le sommeil et créent une accoutumance physique et mentale.

Dès maintenant pourquoi ne pas considérer le sommeil comme un ami en pensant à cette phrase de Shakespeare: «Rarement le sommeil visite le chagrin; quand il daigne le faire, c'est un consolateur tout-puissant» (*La Tempête*).

Exercice physique

L'exercice physique constitue le moyen le plus naturel pour garder notre corps en bonne forme. Observez un enfant en train de jouer: il court, grimpe, saute, danse et permet instinctivement à tous ses muscles de travailler.

Nous ne pouvons évidemment pas devenir tous des candidats pour les Jeux Olympiques mais nous devons faire un effort sérieux pour trouver ce qui nous convient réellement en tenant compte de notre âge, de notre résistance et parfois de nos handicaps.

Personnellement, je considère la marche, le jogging, la corde à danser, le ski de fond et la danse aérobique mes alliés actuels pour la mise en forme physique. Pour d'autres, ce peut être la natation ou une gymnastique active quotidienne. La belle température propice à la bicyclette permet également une activité intéressante pour le corps.

Courez moins, courez bien

Adepte de jogging depuis cinq ans environ, je considère sa pratique comme un excellent moyen de garder la forme physique. C'est également une bonne façon de diminuer la tension nerveuse et de stabiliser le poids. Quelques observations personnelles sur le jogging vous donneront, je l'espère, le goût d'essayer...

À moins d'être candidat pour le marathon, vous n'avez pas à courir beaucoup pour garder une bonne forme physique. J'ai constaté avec plaisir que dix minutes de jogging par jour suffisent à garder la forme d'une personne sans problème de poids, et vingt minutes (dix minutes, deux fois par jour) pour ceux et celles qui ont de la difficulté à conserver un poids stable.

Personnellement, j'ai expérimenté différentes durées quotidiennes de jogging. Il fut un temps, par exemple, où je «joggais» environ une heure par jour soit une demi-heure le matin et une demi-heure le soir. Cette pratique me convenait très bien du point de vue cardiovasculaire mais, après quelques mois de ce régime intensif, se manifestèrent les problèmes de genoux et de chevilles. J'optai donc pour réduire mon temps de course et m'en portai à merveille. Actuellement, je cours environ 15 à 20 minutes par jour et cet exercice quotidien m'apparaît vraiment facile et efficace pour la mise en forme physique. Parfois, je remplace mon jogging par une séance de saut à la corde qui est, en réalité, du jogging sur place. Le jogging et le saut à la corde ont ceci de pratique que vous n'avez pas à vous rendre dans un centre sportif pour les pratiquer: vous enfilez les vêtements appropriés, sortez de chez vous et le tour est joué!

J'ajoute aussi à mon jogging physique une dimension mentale. Un peu comme le yoga, qui ne se limite pas aux postures mais devient encore plus intéressant lorsqu'il considère la pensée, le conditionnement physique peut s'allier au conditionnement mental.

On se demande parfois quelle est la meilleure période de la journée pour faire du jogging. On reconnaît maintenant et accepte qu'il existe des gens «du matin» et des gens «du soir». Une amie décrit ce phénomène de façon originale en disant qu'il y a les pinsons (gens du matin) et les hiboux (gens du soir). Les pinsons se sentent généralement plus en forme au début de la journée alors que les hiboux le sont en fin de journée.

Ce devrait donc, selon moi, être le facteur déterminant dans le choix de l'heure de «votre» jogging. (Ceux qui ont un problème de poids et décident de jogger deux fois par jour évitent cette question et pour une fois ont l'avantage.) Mais n'allez pas croire que je vais conseiller aux pinsons de courir le matin et aux hiboux de courir le soir, bien au contraire! Si vous êtes ce genre de personne à ne pouvoir sortir du lit le matin, à prendre une heure pour être complètement éveillée, à envisager la nouvelle journée d'un mauvais œil, je dis: courez le matin! Faites-vous violence quelques jours (tout au plus quelques semaines) et très rapidement l'effort se transformera en plaisir; placez votre cadran une vingtaine de minutes plus tôt, faites votre jogging à l'extérieur et prenez ensuite une bonne douche pour stimuler votre métabolisme et commencer cette nouvelle journée avec énergie et enthousiasme.

Quant aux pinsons, toujours en forme le matin, et en général remplis d'enthousiasme dès qu'ils ouvrent les yeux, ils sont plus apathiques en fin de journée. On dirait que le poids de la journée pèse sur leurs épaules comme un lourd fardeau qui leur fait broyer du noir. À ceux-là, je conseille le jogging de fin de journée, c'est-à-dire avant l'heure du souper, afin de renouveler l'énergie dépensée depuis le matin et de reconditionner le moral souvent à la baisse vers la fin de l'après-midi.

Déjà le fait de fixer son temps de jogging à un moment de la journée où l'on se sent habituellement moins en forme est un premier pas vers une amélioration rapide de sa forme.

Mais ce qui rend cet exercice plus complet et plus efficace, c'est l'attitude mentale parallèle à votre jogging physique. Chaque individu peut évidemment entretenir les pensées qu'il désire au moment de son jogging et certains profitent de cette période pour ne penser à rien, faire le vide en concentrant toute leur attention sur leurs mouvements, leur respiration, etc. D'autres s'appliquent à observer les moindres détails sur leur passage et ne sont pas avares de sourires et de salutations à l'égard des personnes rencontrées. Personnellement, je varie mon jogging mental d'une fois à l'autre mais, comme suggestion, j'aimerais vous dire que le jogging du matin me semble très propice à l'élaboration ou à la révision du plan de sa journée. Le jogging du soir, lui, permet de se répéter mentalement que nous expulsons tout élément négatif ayant pu perturber notre journée.

Le jogging est donc un moyen simple, efficace et peu coûteux de garder la bonne forme physique et mentale. Il représente aussi une bonne façon de développer une discipline quotidienne dont vous serez très fier et qui peut amener d'intéressantes répercussions sur votre métabolisme et votre santé mentale: il suffit, en effet, de quelques minutes de course pour retrouver le moral ou réduire une grande anxiété. N'oubliez pas: courez moins, courez bien!

Contact avec la nature

Notre société urbanisée nous fait malheureusement trop souvent perdre contact avec la plus belle richesse de la vie: la nature. Pourtant, l'observation attentive de cette nature sous toutes ses formes n'est-elle pas la meilleure façon de remercier le Créateur et d'absorber toutes les énergies naturelles dispensées par cette nature?

De tout ce qui existe sur la terre, et de tout ce qu'il peut percevoir de cette terre, l'être humain n'est-il pas la créature la plus privilégiée et la plus comblée?

Doté de la faculté de penser, de ressentir, d'imaginer, de goûter à la vie, il peut, au gré de son vouloir et de sa fantaisie, utiliser les nombreux moyens mis à sa disposition pour vivre dans la création d'une façon consciente et heureuse.

L'un de ces moyens, et de loin le meilleur, réside dans la faculté de penser positivement en utilisant ce merveilleux outil que possède chaque être humain: l'imagination.

On a coutume de dire que l'imagination est une dangereuse conseillère qui fit plus d'une fois de nombreux ravages. Mais, tout comme le subconscient, l'imagination, bien utilisée, peut devenir une source de détente et une amie incomparablement compétente pour nous aider à changer l'image de nous-mêmes et nous conduire vers les plus hauts sommets.

L'exercice qui suit a pour objectif de favoriser l'harmonie avec le reste de l'univers. La nature nous offre sans cesse tant de beautés et de leçons applicables à notre propre comportement et pourtant nous n'en réalisons pas l'importance dans notre vie.

S'arrêter, regarder autour de soi, observer la nature, assimiler cette nature en se comparant à elle, voilà un bon moyen d'entrer en harmonie avec l'univers.

Exercice pratique pour favoriser l'harmonie avec le reste de l'univers

Lire lentement et à haute voix le texte suivant. Lorsqu'une phrase est en italique, après l'avoir lue, fermez les yeux et répétez-la lentement de mémoire. Ensuite, continuez la lecture du texte.

1. *Je me compare à l'eau, je suis l'eau.*

Je lave toutes les impuretés de ma vie, tous les coins noirs et je suis propre.

J'étanche ma soif de connaître le vrai et le bien.

J'allège le poids de mon corps qui flotte sur les vagues de mon âme.

Par le flux et le reflux de mes vagues, je crée un rythme; ce rythme m'apaise et m'endort.

Je descends joyeusement en cascades et mon rire apporte la joie.

Je suis l'eau, je sens la vie en moi et je m'active joyeusement dans la création.

2. *Je me compare à la terre, je suis la terre.*

Je me nourris de bonnes semences, de pensées positives.

La récolte sera belle et abondante.

J'offre mes plus beaux fruits, des actions positives.

Je suis universelle.

J'accueille mon âme en quête d'évolution.

Je suis la terre, je sens la vie en moi et je m'active joyeusement dans la création.

3. *Je me compare au feu, je suis le feu.*

J'allume l'étincelle d'esprit en moi.

Je réchauffe mon cœur blessé.

J'éclaire ma longue route.

Je danse la joie de vivre.

Je brûle d'un amour immortel.

Je suis le feu, je sens la vie en moi et je m'active joyeusement dans la création.

4. *Je me compare à l'air, je suis l'air.*

Je purifie mon corps et mon âme.

J'oxygène mes pensées.

Je souffle sur les fautes d'hier.

Je gonfle le ballon de l'espoir.

Sur moi flotte une aura de bonté.

Je suis l'air, je sens la vie en moi et je m'active joyeusement dans la création.

5. *Je me compare au métal, je suis un métal.*

Je suis l'or solide qui rayonne, porte bonheur et brille d'un éclat incomparable...

le mercure fluide et magique qui s'adapte à toutes les situations...

le fer solide et robuste, forgé avec art et raffinement...

le cuivre malléable mais dont l'émail sera durable...

le platine et ma valeur s'accroît toujours avec les ans.

Je suis un métal, je sens la vie en moi et je m'active joyeusement dans la création.

6. *Je me compare à l'animal, je suis l'animal.*

Je suis l'oiseau libre et gracieux et je m'envole vers le beau temps.

Je suis le chat souple et tranquille qui se prélasse et se détend.

Je suis le coq actif et fier qui chante tôt, dès le réveil.

Je suis l'abeille travailleuse qui pourvois à ma subsistance.

Je suis la chèvre qui veut monter toujours plus haut vers le sommet.

Je suis l'animal, je sens la vie en moi et je m'active joyeusement dans la création.

7. *Je me compare à une couleur, je suis une couleur.*

Rouge m'apporte l'énergie.

Orangé purifie mon sang.

Jaune améliore ma respiration.

Vert maintient mon équilibre psychique.

Bleu me calme et aide ma digestion.

Indigo contrôle mes émotions.

Violet me donne la joie de vivre.

Je suis une couleur, je sens la vie en moi et je m'active joyeusement dans la création.

8. *Je me compare aux voyelles, je suis une voyelle.*

a comme dans âme, **è** comme dans paix.

é comme dans clé, **i** comme dans vie.

u comme dans pur, **o** comme dans beau.

eu comme dans vœu, **ou** comme dans amour.

Je suis une voyelle, je sens la vie en moi et je m'active joyeusement dans la création.

9. *Je me compare à une planète, je suis une planète.*

Vénus me rend amoureux.

Mercure me donne l'éloquence.

Mars me conduit à la victoire.

La Lune me fait rêver.

Le Soleil me fait briller.

Je suis une planète, je sens la vie en moi et je m'active joyeusement dans la création.

10. Je me compare à tout ce que je peux percevoir autour de moi: pierre précieuse, arbre, fruit, fleur, parfum, instrument de musique... et je fais un effort conscient pour voir la beauté en toute chose et pour comprendre les leçons de vie et de bonheur que toute chose m'apporte.

Si nous pouvions ne serait-ce qu'une seule heure réussir à percevoir tout l'univers qui nous entoure, à en goûter la saveur et à communier avec lui, notre visite sur la terre aurait déjà toute une signification...

Expérience vécue

Mon souci d'évolution et mon honnêteté face à mes convictions m'obligent à vivre le mieux possible en accord avec les principes que j'énonce. Pour une fois, le cordonnier doit être bien chaussé sinon je ne me permettrais pas de vous transmettre certaines informations ou certains conseils auxquels je ne me conformerais pas.

Par contre, n'étant pas parfaite, je me retrouve parfois dans une situation difficile qui m'empêche de vous écrire aussi longtemps que je n'ai pas réussi à mettre en pratique ce que je vous propose.

Ainsi, cette partie du livre concernant la mise en forme physique m'a obligée à réagir vivement à une situation dans laquelle je me trouvais et qui ne correspondait absolument pas à la santé physique, à l'équilibre et à l'harmonie. Ai-je vécu ces quelques mois de «dépérissement» physique pour mieux comprendre la nécessité de la mise en forme? Peut-être. Mais quoi qu'il en soit, je désire aujourd'hui (maintenant que j'en suis sortie saine et sauve) vous raconter brièvement ce périple et ses causes afin de vous mettre en garde contre une telle situation et ses conséquences.

Comme je l'ai mentionné dans la première partie de ce livre, je décidai un jour d'accepter un nouveau travail et remis à plus tard l'idée de prendre une année sabbatique. Au moment où je rédige ces lignes, l'année sabbatique est en cours, mais il m'a fallu me rendre au bout de mes forces pour, enfin, prendre cette décision. D'abord pour récupérer physiquement, ensuite pour consacrer plus de temps à la rédaction de ce livre et à la préparation de conférences sur la pensée positive, il m'apparaît que cette décision était la meilleure dans les circonstances.

Eh oui! même la promotrice de la programmation du subconscient, de la pensée positive et de la santé à tous les niveaux s'est laissé prendre dans un engrenage qui aurait pu lui coûter très cher. Heureusement que je fus guidée à temps pour arrêter cette descente vertigineuse et éviter le pire.

Afin de me permettre une récupération rapide et totale, je fus d'abord inspirée de me rendre au bord de la mer, dans un endroit où je pouvais rencontrer plusieurs personnes et où les activités sportives étaient toutes organisées. Jamais une idée ne fut meilleure en ce qui me concerne car j'y joignis l'utile à l'agréable, me reposant tout en continuant mon travail de recherche et de communication pour connaître de plus en plus l'être humain, ses réactions et ses aspirations. Ces deux semaines m'ont permis de faire une étude très intéressante auprès d'Américains, de Canadiens et d'Européens de tous âges et de toutes classes sociales. Un second voyage d'une semaine pour pratiquer le ski de fond me permit également de poursuivre mon travail car je discutai longuement des problèmes de relations interpersonnelles avec plusieurs personnes. Ces deux voyages me firent également réaliser ma capacité d'autonomie et la possibilité d'être très heureuse même lorsque je voyageais seule. Ce fut une révélation pour moi qui croyais ne pouvoir me résigner à partir en «célibataire». Plus jamais je n'hésiterai à voyager seule car j'y ai constaté la grande possibilité de rencontres et de communication. C'est aussi l'occasion de se faire de nouveaux amis avec lesquels vous pouvez correspondre par la suite.

En réalité, j'en étais arrivée à cet état de surmenage et de grande tension nerveuse pour plusieurs raisons dont vous reconnaîtrez rapidement la non-conformité avec les principes fondamentaux de la mise en forme physique.

Je dois d'abord reconnaître avoir investi toutes mes énergies physiques et mentales dans l'accomplissement de mon nouveau travail. Il en est certes résulté de bonnes choses, particulièrement pour les personnes dont je traitai les dossiers avec une conscience professionnelle et une attention toujours soutenues ainsi que pour le service dont j'étais membre et dans lequel je collaborai à plein rendement. Il faut dire que mes programmations concernant la réalisation de ce travail ont donné des résultats plus que satisfaisants.

Cependant, et ce fut là mon erreur, je présumai de mes forces, exagérant sur le temps supplémentaire, négligeant mes repas de midi, apportant des dossiers à la maison et m'efforçant d'augmenter ma productivité. Mes nouvelles responsabilités représentèrent au début un stimulant, mais mes erreurs de jugement les transformèrent peu à peu en un poids assez lourd à porter. Ces erreurs de jugement proviennent sûrement en partie de mes problèmes personnels de l'époque: le manque de communication et d'harmonie à la maison m'incitait à compenser au travail. C'est une grave erreur que plusieurs personnes commettent, fuyant ainsi une réalité parfois difficile à accepter. J'avais aussi, à tort, l'impression que ce rendement exceptionnel susciterait peut-être un peu d'amour et d'admiration de la part de mon compagnon.

Cette attitude de ma part n'était certainement pas juste et je le reconnais aujourd'hui. Non que je regrette mes bons coups dans l'accomplissement de ma tâche professionnelle mais soyez assurés que cette leçon m'a profité.

Je me vis alors dépérir physiquement, me sentant de plus en plus fatiguée et stressée. Et le moral suivit à son tour. Je ne trouvais évidemment jamais de temps pour prendre soin de moi ou pour des périodes de relaxation. J'avais alors l'impression d'avoir vieilli de dix ans en une seule année. Lorsque je ne travaillais pas, je restais seule à la maison pleurant de longues heures en attendant mon compagnon qui ne rentrait pas. Ces pleurs ont abîmé mes yeux, mais ont en même temps lavé mon âme de sa peur de la solitude. Je me sentais alors «plus bonne à rien» et, graduellement, j'endossais la responsabilité de tous mes problèmes et surtout de mes problèmes de couple. Un recul dans le temps me fait réaliser que cette responsabilité était partagée, mais il n'en demeure pas moins que j'aurais pu réagir plus rapidement si j'avais toujours entretenu ma forme physique.

Il faut dire aussi que mon compagnon n'a pas été d'un grand secours à cette période difficile de ma vie: je me trouvais amoindrie physiquement, je ne pouvais plus donner mon plein rendement au travail, et mon cher ami, Georges L'Abbé, mourut à la suite d'un accident d'automobile. Il me semblait que tout s'écroulait autour de moi. Et juste à ce moment mon compagnon prit la décision de me quitter pour aller vivre avec une autre personne. Quelle catastrophe! penserez-vous. Et pourtant non.

Je remontai la pente, pas à pas, avec des amis sincères mais également, très souvent, seule avec ma conviction de la vérité de cette parole d'Abd-Ru-Shin:

«Quand la détresse est à son comble, le secours de Dieu est le plus proche de vous!» Et cela était on ne peut plus vrai.

Il faut parfois traverser de rudes épreuves pour apprendre qui sont nos véritables amis, ceux qui nous aiment réellement malgré nos faiblesses et nos malchances. Dans la peine comme dans la joie, les vrais amis acceptent le partage, ils sont là vivants et présents à vos côtés car ils sentent votre besoin et votre souffrance.

Mais voilà cette dure période terminée et je m'applique depuis à vivre le mieux possible la saine alimentation, la relaxation quotidienne, les exercices et le contact avec la nature; et croyez-moi, en très peu de temps, j'ai repris une forme physique exceptionnelle et il va sans dire un moral correspondant.

Soyez donc vigilant à cet égard. Il n'est pas nécessaire de descendre si bas pour réaliser l'importance de votre santé. Mais si, comme je l'étais, vous vous sentez au bord du découragement tellement vous êtes harassé, ne désespérez pas et entreprenez dès aujourd'hui un programme de conditionnement physique essentiel à votre bien-être.

En forme physiquement, vous traverserez les expériences les plus difficiles et ne permettrez à personne de vous écraser moralement.

Vous serez les plus forts, vous serez les vainqueurs!

La mise en forme psychologique

L'amour de soi, des autres et de la vie exige que nous prenions tous les moyens pour sauver notre santé mentale. Rien ni personne ne vaut la peine que nous négligions et même sacrifiions cette santé mentale.

L'intelligence et la faculté de penser sont des dons de la vie, des dons de notre Créateur et nous devons exploiter ces dons avec autant d'attention et de soin que le jardinier qui cultive ses fleurs.

Pour obtenir de belles fleurs, le jardinier extirpe de la terre les mauvaises herbes et les choses nuisibles. Il se donne du mal. Beau temps, mauvais temps, il sort et travaille, mais lorsque arrive la floraison, il savoure le fruit de son labeur.

L'être humain est un maître jardinier. Il doit soigner le jardin de ses pensées en extirpant toutes les idées négatives, fausses et inutiles, en cultivant les pensées positives, justes et utiles.

L'être humain peut, à l'aide de ses facultés mentales, cultiver le bonheur et la paix. Malheureusement, il suffit de peu pour que ce merveilleux mécanisme se détraque et que cela laisse des séquelles qu'il n'est pas toujours facile d'éliminer.

Des milliers d'individus sont internés et suivis par des psychiatres. Des milliers d'individus prennent quotidiennement des médicaments pour contrer la dépression nerveuse ou l'hypertension. Des milliers d'individus ne peuvent plus supporter le stress de la vie et se suicident. Pourtant, le bonheur est là qui attend chacun de nous.

Nous avons peur de vivre, peur de sentir, peur de risquer et, par conséquent, nous ne plongeons pas réellement dans la vie avec amour et confiance. Le stress est l'ennemi par excellence de la civilisation moderne. On le tient responsable de toutes sortes de maladies telles que l'infarctus, l'ulcère d'estomac, les migraines et autres troubles psychosomatiques.

Êtes-vous une victime du stress? Avez-vous peur de l'amour et de la vie? Si oui, vous avez besoin d'une mise en forme psychologique.

Il faut que chaque être humain se demande qui il est, ce que la vie signifie pour lui et comment il peut s'y prendre pour atteindre le bonheur. Et je peux vous garantir que la journée où vous déciderez de devenir un amoureux de la vie, vous le deviendrez!

La mise en forme psychologique est encore plus facile et plus rapide à réaliser que la mise en forme physique, car la pensée voyage plus rapidement que le corps. Dès que l'on a compris les principes de base pour être heureux, on a déjà la moitié du chemin de fait. La volonté et la détermination d'appliquer ces principes à notre vie quotidienne nous conduisent rapidement à la réalisation de notre objectif.

Certains critères sont indispensables à la mise en forme psychologique. Se connaître et s'aimer, être indépendant et autosuffisant, se prendre en main, souscrire à des activités en harmonie avec sa personnalité et ses aptitudes constituent des préalables nécessaires à cette mise en forme.

Se connaître et s'aimer

La somme de nos expériences est sans doute le meilleur outil pour apprendre à nous connaître. Mais il faut que nous prenions la peine d'utiliser cet outil, c'est-à-dire d'examiner lucidement toutes les étapes de notre vie et d'en déceler les failles.

Trop de gens observent d'un œil distrait leur propre comportement et se complaisent dans la répétition de leurs erreurs. Par manque d'intelligence, de connaissances, de bonne volonté ou par simple paresse, plusieurs vous diront: je suis ainsi fait et je ne peux rien y changer. Pour eux, la connaissance de soi se limite à une observation de ses comportements sans en voir les raisons ou les motivations profondes.

La véritable connaissance de soi ne se limite pas à du «déjà fait» mais concerne également «pourquoi ce déjà fait?» et «comment faire pour améliorer?» Elle invite à la recherche de son potentiel pour éviter la répétition de ses erreurs et pour permettre la réalisation de toutes ses possibilités. Elle invite également au dialogue afin de permettre aux autres de nous faire part de leur perception de nos agissements et des effets de ces agissements sur eux. Une personne «en forme psychologiquement» a la force d'entendre ce que les autres pensent d'elle; cette perception venant de l'autre n'ébranle pas les convictions d'un individu mais permet souvent des ajustements nécessaires pour garder l'harmonie avec son entourage.

Se connaître, c'est également multiplier volontairement ses expériences afin de découvrir tous les domaines dans lesquels on peut être actif et productif. Paradoxal, penserez-vous, dans cette ère de spécialisation. Peut-être, mais d'autant plus indispensable, selon moi, pour garder un équilibre mental et pour favoriser l'éveil de l'esprit.

Si vous surchargez votre intelligence d'un seul produit et ne lui permettez pas de goûter à une variété d'aliments psychologiques, vous deviendrez rapidement une sorte de «mécanique» très compétente dans un domaine mais serez absolument blasé et sans enthousiasme face à la vie réelle.

Durant plusieurs années, je fus obsédée par l'idée qu'il me fallait devenir «spécialiste» et «la meilleure» dans un domaine précis. Je ne le suis toujours pas, heureusement, car aujourd'hui je réalise justement que ma valeur réside dans la polyvalence, c'est-à-dire dans mon intérêt pour une variété illimitée d'activités et dans la possibilité d'exécution de plusieurs de ces activités.

N'est-il pas plus intéressant de découvrir sans cesse de nouveaux horizons que de suivre les ornières d'une activité dans laquelle on se dit maître? J'ai d'ailleurs découvert, à ma grande satisfaction, que les spécialistes, de même que les gens ayant fait leur marque dans un domaine précis, sont la plupart du temps des gens intéressés par une foule d'autres choses et qui n'hésitent pas à essayer de nouvelles activités sans crainte de l'échec ou de ne pas être les meilleurs.

Cette polyvalence m'apparaît également importante dans le contexte économique actuel où le taux de chômage va s'accentuant. Comme le disait mon grand-père: «vaut mieux ne pas mettre tous ses œufs dans le même panier» ou encore «il est bon d'avoir plusieurs cordes à son arc».

Mais à cette connaissance de soi doit évidemment s'ajouter l'amour ou l'appréciation de soi. Comme le dit si bien le docteur Wayne M. Dyer dans son livre *Vos zones erronées:* «Il est fort possible que vous souffriez d'une injection de dénigrement de soi dont le seul traitement connu est une injection massive d'amour de soi. Mais on vous a peut-être inculqué, comme à beaucoup d'autres, l'idée qu'il est mal de s'aimer soi-même.» Le docteur Dyer a parfaitement raison: nombreuses sont les personnes qui se sous-estiment et passent leur temps à se comparer aux autres et à se croire moins capables qu'eux.

Je parle en connaissance de cause, ayant moi-même vécu plusieurs années avec cette fausse conception. Mais le jour où j'ai cessé de regarder autour de moi, béate d'admiration devant la réussite des autres, pour commencer à étudier mon potentiel, j'ai atteint le point tournant de ma mise en forme psychologique. Depuis, je ne cesse de me découvrir en apprenant à aimer la personne que je suis. Je réalise maintenant que chacun de nous est unique et que cette individualité est justement la source de notre valeur et de notre charme.

Un Renoir ou un Rembrandt sont peut-être extraordinaires, mais le tableau fait de votre main est unique et n'aurait pu être réalisé tel quel par aucun de ces peintres connus. Un Rubinstein rend Chopin de façons magnifique mais que dire lorsque vous réussissez à monter vous-mêmes telle pièce de Chopin ou encore que vous réussissez à exprimer vos propres sentiments à travers une musique personnelle! Le plus beau film d'amour, interprété par les meilleurs acteurs, restera toujours beaucoup moins intéressant que la réalité lorsque vous participez à cette réalité.

Votre bonjour amical à l'épicier, votre sourire à cet enfant rencontré au hasard, votre enthousiasme et votre bonne humeur au travail, votre présence à une fête, ce bouquet de fleurs offert à un ami sont autant de façons d'être vous-mêmes et de vous aimer puisque tous ces gestes permettent le développement de votre potentiel positif d'où vous reviendra une énergie sans cesse renouvelée.

La connaissance de soi peut également être améliorée par la lecture de certaines études basées sur l'observation des êtres humains en général. Une de ces études a retenu mon attention. Il s'agit du livre de Gail Sheehy, *Les Passages de la vie,* dans lequel l'auteur explique que si nous voulons devenir adultes nous devons pouvoir changer de chaise.

En effet, il n'existe pas de chaise «une fois pour toutes» dans la vie. Ce qui convient à une étape de la vie peut, à une autre étape, être inadéquat. Pendant le passage d'une étape à l'autre, nous sommes entre deux chaises. C'est une étape difficile mais c'est un signe que nous nous développons.

Les périodes de crise, de rupture ou de changement sont souhaitables car elles sont synonymes d'évolution. Lorsque nous réussissons à traverser un ensemble d'épreuves, nous en ressortons plus FORTS pour la période à venir et cela nous aide à envisager plus facilement les nouvelles expériences à venir.

La première étape à franchir au cours de cette vie adulte se situe autour de l'âge de dix-huit ans. Il s'agit au cours de cette période de couper le cordon ombilical. Durant cette période, l'individu doit s'intégrer à un groupe, commencer à assumer son rôle d'homme ou de femme et prévoir une occupation. Ce sont ces facteurs qui nous donnent l'élan nécessaire pour quitter physiquement la maison et la force de caractère voulue pour nous en éloigner sentimentalement.

Cette étape est difficile car deux forces luttent en nous: celle qui nous pousse à nous individualiser et celle qui nous engage à retrouver la sécurité et le confort de notre enfance.

À cette étape, plusieurs se trompent en remplaçant la sécurité et le confort du foyer familial par ceux procurés par le conjoint. Il peut arriver qu'en se mariant tôt, on prolonge en fait les liens financiers et émotionnels qui nous liaient à la famille.

Il est important de rappeler ici la différence entre l'éducation donnée aux filles et celle donnée aux garçons. Pendant longtemps, on a encouragé les garçons à penser à leur avenir et à leur carrière, alors que pour les filles le succès signifiait se marier et devenir mère. À partir de cette idée, la plupart des filles ont rêvé de s'unir à l'être aimé et de ne faire qu'un avec lui; malheureusement, cette attitude est une fuite de ses responsabilités et conduit à bien des désillusions. Les répercussions se font sentir plus tard alors que le mari continue son évolution; la femme, elle, se sent dépendante et prisonnière. Désormais, les femmes acceptent la possibilité de prolonger leurs études, de se marier plus tard ou pas du tout, d'avoir des enfants ou pas.

Et cela évite beaucoup de problèmes pour l'avenir. D'abord, celui des parents trop attachés à leurs enfants. Lorsque l'on n'a pas de vie personnelle, on projette tout sur ses enfants et quand vient le moment de la séparation, on se sent complètement perdu et inutile. Heureusement, il n'est jamais trop tard pour se reprendre en main et s'épanouir. Cela ne veut pas dire faire une révolution, mais tout simplement être à l'écoute de soi pour connaître ses besoins et ne pas toujours attendre que quelqu'un d'autre fasse notre bonheur.

Ceci est très important, surtout si l'on veut vivre en couple: car lorsque tout va bien et que nous sommes en période de «hauts», nous sommes remplis d'exaltation. Mais en période difficile, on risque la dépression. Plusieurs pensent que deux personnes qui s'aiment mûrissent au même rythme, mais cela est faux. Les moments de doute, d'inquiétude et de réflexion ne sont pas synchronisés: parfois l'un peut être en pleine forme et l'autre déprimé.

Et lorsque l'on n'est pas un individu soucieux de son développement personnel et de son évolution, on cherche alors un coupable: soi-même ou l'autre personne. Or, il n'en est rien, c'est tout simplement un processus normal de la vie et l'on doit poursuivre quand même son idéal quelle que soit l'attitude de son partenaire.

Une seconde étape de la vie adulte se situe dans la vingtaine. C'est celle des choix: choix de carrière, choix de vie. On a l'impression que ces choix de la vingtaine seront irrévocables car nous sommes, à cet âge, généralement empreints d'idéalisme mais également de nombreuses illusions, d'où les revirements fréquents malgré toutes les promesses.

Puis vient la trentaine au cours de laquelle nous avons acquis une certaine expérience de la vie. Nous nous sentons «en pleine possession de nos capacités». C'est l'âge de la solitude morale en ce sens qu'il faut réaliser à ce stade (si ce n'est déjà fait) sa pleine responsabilité vis-à-vis de soi-même et vis-à-vis des autres. Certains font de telles prises de conscience beaucoup plus jeunes mais, en règle générale, elles s'accentuent au cours de la trentaine. Cette période est également favorable à la prise de conscience de certains aspects de notre personnalité que nous avions ignorés.

Finalement arrive la décennie de la dernière chance entre 35 et 45 ans, où la plupart d'entre nous, à condition de le vouloir, faisons l'expérience d'un moment de vérité. Nous envisageons aussi pour la première fois la possibilité de notre propre mort. C'est également à cette étape de la vie que l'on réalise à quel point le temps passe vite. Ce changement dans la perception du temps nous oblige à réfléchir plus sérieusement à ce que nous avons l'intention de faire de notre vie.

La quarantaine serait l'étape favorable à la dépression chez certaines personnes alors que, chez d'autres, ce serait au contraire une étape de suractivité provenant des mêmes causes, soit la crainte du vieillissement, la peur de la mort, le sentiment de ne pas avoir accompli tout ce que l'on aurait voulu, etc.

Ces étapes en rapport avec l'âge chronologique mentionnées par Gail Sheehy et plusieurs autres observateurs ne doivent pas, à mon avis, être prises au pied de la lettre. Chaque être humain diffère de son frère ou de son voisin et vit ses réactions en fonction non seulement de son âge chronologique mais également et surtout en fonction de son évolution spirituelle. Cependant, un peu comme dans l'étude des signes astrologiques, je dois reconnaître le bien-fondé de certaines observations.

La lecture de ce genre d'études m'a certes fait progresser dans la connaissance de la psychologie de l'être humain et dans la connaissance de mon propre comportement. Souvent vous retrouverez les mêmes notions d'une œuvre à une autre, mais le seul fait que ce soit écrit par des personnes différentes vous apporte un nouvel éclairage de la question et vous fait approfondir votre réflexion personnelle.

Mais sachez une vérité qui s'applique à tout être humain quelle que soit l'étape à traverser: il faut vivre le présent pour profiter vraiment de la vie et être heureux. La seule réalité réside dans ce que vous vivez aujourd'hui à vingt, quarante ou quatre-vingt-dix ans. Demain n'est qu'un rêve et le passé n'existe plus. Ne vivez pas au passé ou pour demain, vivez maintenant! Savourez la vie, saisissez la beauté du moment.

Que faites-vous lorsque vous désirez connaître quelqu'un et devenir son ami? Vous rencontrez cette personne le plus souvent possible et lui offrez votre amitié. N'avez-vous jamais songé à faire cela avec vous-même?

Voilà une passionnante entreprise et le meilleur défi à relever: un rendez-vous avec soi-même dont on veut devenir l'ami sincère et honnête. Vous seul pouvez faire ce travail mais vous réaliserez alors que la chose la plus facile au monde est d'être vous-même, simplement! Dès lors, vous n'aurez plus à porter de masque ou à jouer la comédie. Vous ne laisserez plus les autres vous empêcher d'être vous-même car vous vous serez enfin trouvé.

La rencontre avec soi-même doit d'abord se faire par la recherche sérieuse de ce que nous sommes réellement avec nos qualités et nos faiblesses. Cette recherche peut se faire en partie par des lectures, par des observations et aussi par des échanges avec d'autres personnes qui aiment réfléchir sérieusement sur ces questions.

Ensuite, l'amitié ou l'amour doit aussi s'adresser en premier lieu à sa propre personne. Cela peut paraître égoïste à première vue mais il n'en est rien si l'on décide de s'aimer de la bonne façon. Et voici l'une des meilleures façons de s'aimer:

Une fois la rencontre avec soi commencée, l'on réalise ses qualités et ses faiblesses. Première chose à faire: améliorer ses qualités et corriger ses faiblesses.

Il s'agit, en d'autres mots, de réconcilier le moi intime et profond qui est notre esprit avec le moi extérieur.

Cette façon de procéder, par un travail sur soi-même qui est le seul en réalité que l'on puisse contrôler vraiment, nous amène à développer la JOIE DE VIVRE et l'HABITUDE DU BONHEUR.

Devenir beau à l'intérieur comme à l'extérieur, en développant tous ses talents et en cultivant la beauté autour de soi.

Ce travail de mise en forme psychologique n'est pas seulement un point tournant dans la vie de celui ou de celle qui accomplit ce travail, mais c'est également un point tournant dans la vie des gens qui côtoient cette personne.

En effet, si l'on est parfois obligé à cause du travail ou à cause des relations familiales de côtoyer des gens avec lesquels nous avons moins d'affinités, rien ne nous oblige à choisir ces personnes comme amis ou comme conjoints. Nous ne devrions tolérer, dans notre vie intime, que des personnes qui nous respectent, nous aiment et nous apprécient réellement. Puisque nous faisons tous les efforts pour développer le meilleur de nous-mêmes, il ne serait pas logique de laisser qui que ce soit ralentir notre évolution. Mais, au contraire, si nos proches nous aiment réellement et apprécient nos qualités, les relations et la communication ne pourront aller qu'en s'améliorant puisque nous nous appliquons à développer ces qualités et, étant de plus en plus heureux, nous désirerons partager ce bonheur avec des gens qui le méritent.

Tous les gens qui ne se connaissent pas ne peuvent s'aimer et la plupart des gens qui ne s'aiment pas ne se connaissent pas vraiment. Des possibilités illimitées sommeillent en chacun de nous et n'attendent que notre bon vouloir pour s'éveiller. Allez-y, foncez, essayez, multipliez les tentatives, confrontez-vous avec la vie, elle vous le rendra au centuple si vous recherchez l'harmonie.

Être indépendant et autosuffisant

Si la mise en forme physique m'a récemment donné du fil à retordre, je dois avouer que ce deuxième critère de la mise en forme psychologique fut pendant très longtemps et jusqu'à très récemment mon talon d'Achille, du point du vue émotif.

En effet, malgré tout mon potentiel et toutes mes réalisations, quelque chose en moi refusait de grandir et se complaisait dans une dépendance affective presque néfaste. J'en suis bel et bien guérie aujourd'hui, mais après quel périple! Il faut dire que depuis ma découverte de la programmation, je travaillais sans cesse sur ce point le plus faible de ma personnalité et demandais quotidiennement l'aide de mes guides afin de trouver une solution à ce problème qui empoisonnait la moitié de mon existence.

Par contre, j'avais acquis très jeune l'indépendance dans ma pensée et dans ma conduite. Cette indépendance, grâce à laquelle je fis certains choix malgré la désapprobation des autres, m'a procuré de grandes satisfactions et permis d'atteindre plusieurs objectifs.

Il ne faut pas croire que cette indépendance m'a empêchée de prendre conseil au moment opportun auprès de personnes en qui j'avais confiance. Au contraire. Mais j'ai vraiment fait ce que j'avais envie de faire au moment où mon intuition me dictait la direction à prendre. Et je ne regrette absolument pas cette attitude de ma part car elle m'a fait assumer très jeune mes responsabilités et m'a aidée à avoir un meilleur discernement.

Cette indépendance a également favorisé ma faculté d'adaptation à différents milieux et à différentes personnes.

Certaines personnes me trouvent même un peu «sauvage» en ce sens que j'ai très peu d'amis et que je passe des jours complets seule, sans téléphone, et encore moins de télévision. Un copain rencontré un jour me demanda si j'avais toujours mon passe-temps favori: penser! Mais cette forme d'indépendance me permet un ressourcement absolument nécessaire pour offrir une qualité de communication lorsque celle-ci se présente.

Mon cas est peut-être quelque peu extrême, mais il me semble qu'à doses diverses chaque personne doit, pour être en forme psychologiquement, acquérir une indépendance l'affranchissant de toutes relations obligatoires et de tout besoin absolu d'un autre ou des autres. Le besoin des autres doit être, à mon avis, relatif en ce sens que la présence ou l'absence de tel être en particulier ne doit en aucun cas affecter notre mise en forme psychologique ou nous faire poser des gestes que nous ne poserions pas seuls.

Bien sûr, la vie en société implique certaines concessions et adaptations mais pas au point de nous renier nous-mêmes. C'est malheureusement le cas des personnes dépendantes qui sont très vulnérables et qui vivent continuellement en conflit avec elles-mêmes et avec les autres.

Les personnes dépendantes ne peuvent être en forme psychologiquement car elles ne font pas ce qu'elles aiment la plupart du temps et finissent même par oublier ce qu'elles aiment. Elles envient alors les gens indépendants autour d'elles et s'imaginent que ces derniers ont plus de chance ou de talent qu'elles. Il ne s'agirait pourtant que d'un petit effort de volonté pour changer en quelques minutes toute une existence.

Des milliers de gens ont un jour réalisé leur dépendance et ont décidé de changer de façon drastique leur mode de penser et de vivre en subordonnés pour devenir des êtres libres: libres de vivre seuls ou à deux, libres de changer de travail, libres de voyager, libres de rejeter certaines croyances qui ne correspondaient pas à leur réalité intérieure, libres de ne pas accepter la mode parce que c'est la mode, libres de dire leurs pensées profondes malgré l'opposition des autres, libres d'être complètement eux-mêmes... etc., et ces gens, qui étaient malheureux, sont devenus heureux.

Ceci me fait d'ailleurs penser à un magnifique poème tiré du livre *Le Succès* de Glenn Bland.

Je refuse d'être quelqu'un d'ordinaire.
C'est mon droit d'être original —
si je le peux.
Je recherche l'opportunité, et non pas la sécurité.
Je ne veux pas être un citoyen irresponsable,
humble et abêti du fait que l'État prend soin de moi.
Je veux prendre des risques calculés, rêver et
construire, échouer et réussir.
Je refuse de troquer mes encouragements contre
une aumône.
Je préfère les défis de la vie à une
existence garantie, l'excitation de la satisfaction
au calme usé de l'utopie.
Je n'échangerai pas la liberté contre la bienfaisance,
ni la dignité contre les aumônes.
Mon héritage, c'est de penser et d'agir
seul, de jouir des avantages de ma création et
de faire face au monde avec audace et de dire:
«Avec l'aide de Dieu, ceci, c'est moi qui l'ai fait!»

Par contre, comme je vous le disais précédemment, je n'ai pas réussi à atteindre l'indépendance affective du premier coup. Aujourd'hui, je sens cette indépendance affective malgré les sentiments naissants et cependant très profonds pour mon nouveau compagnon et j'en suis tellement heureuse qu'il me semble voler au-dessus des nuages. Je sens également que cette indépendance affective me permet un meilleur échange car l'amour doit toujours vibrer avec le mot liberté. Or la personne dépendante n'est pas libre et son partenaire le sent; lui-même se sent conséquemment pris dans un piège de sorte que l'épanouissement du couple est voué à l'échec.

Après avoir traversé à trois reprises l'expérience de la séparation, inévitable à la croisée des chemins, je me dois de vous aider en ce domaine afin que ceux et celles ayant à vivre cette expérience le fassent avec le plus de sérénité possible. Quoique consciente de la nécessité de ces séparations en regard de mon désir d'évolution, j'ai cependant essayé de retarder et même d'empêcher cette issue fatale à chaque fois. Manque de sécurité? Dépendance affective? Peur de demeurer seule pour toujours? Besoin de s'occuper de quelqu'un? Un peu de tout cela mais également, à chaque fois, le désir sincère de bâtir quelque chose d'intéressant et de durable; le désir d'atteindre une complicité par l'harmonie physique, intellectuelle et spirituelle avec le même idéal d'être au service de la Lumière (le Bien et le Vrai).

Plus que jamais je suis résolue à atteindre mon but, mais plus jamais je ne m'acharnerai à défier la loi de l'attraction des affinités car s'acharner à poursuivre une relation de couple malgré des signes évidents d'incompatibilité n'est pas autre chose qu'aller à contre-courant de cette loi et se détruire à petit feu.

Tout d'abord je dois vous avouer qu'il m'a fallu près d'une année entière pour me remettre de mon premier chagrin d'amour. Je savais pourtant que nous n'étions pas faits l'un pour l'autre mais je m'attachais obstinément à son souvenir. Par amour ou par orgueil, je priais intensément pour le faire revenir près de moi. Ne sortant de la maison que pour mon travail, je vécus ou plutôt existai ainsi durant des mois comme une automate. Parfois je lui écrivais de longues lettres empreintes d'espoir. Et tout à coup je lâchai prise et acceptai enfin de sortir de ma coquille.

Dès ma première sortie, je fis la connaissance d'un ami très sympathique qui ne devint pas un amoureux mais avec lequel j'eus de très beaux échanges. De langue anglaise, il me permit également d'améliorer ma pratique de cette langue. J'eus également l'occasion, avec lui, de rencontrer plusieurs personnes et d'assister à d'intéressants spectacles. Graduellement je retrouvai ma joie de vivre et décidai de profiter de mon célibat pour être plus active et développer mes aptitudes dans différents domaines.

Comme par enchantement, je me transformai à vue d'œil. À cette époque, je n'avais pas encore pris connaissance de la possibilité d'utiliser toutes mes ressources mais l'effort et la volonté d'être heureuse ne tardèrent pas à se refléter sur toute ma personne.

Quelques mois plus tard, alors que j'avais cessé de me concentrer sur le désir de rencontrer quelqu'un, je fis la connaissance de mon deuxième amour sans même avoir à me déplacer puisqu'il vint pour une réunion à l'endroit même où je travaillais.

Assise à mon bureau et en train de travailler, je le vis soudain au bureau de mon confrère de travail à compléter un appel téléphonique. Je m'informai aussitôt de son nom auprès de mes collègues et lorsqu'il termina son appel je lui demandai «audacieusement» s'il était célibataire. Il me répondit qu'il l'était et j'ajoutai aussitôt, afin de prolonger la conversation sur une note amusante: «Quel est ton signe astrologique?» Amusé et surpris, il me demande alors: «Quel signe recherches-tu?» Songeant à mon père et à deux de mes frères, je lui réponds aussitôt: «Je cherche un Scorpion!» Comble de hasard, il est Scorpion, ascendant Scorpion. Rire général dans le bureau, certains collègues s'amusent à dire: «Michèle vient de rencontrer l'homme de sa vie.» Le lendemain de cette première rencontre, l'homme de ma vie m'apporte une rose et la dépose sur mon bureau. Et ce fut la renaissance de ma dépendance affective malgré que ce nouvel ami quitta le pays pour plusieurs mois.

Une anecdote intéressante à son sujet m'a permis de réaliser que le fameux coup de foudre n'arrive pas nécessairement à cause de la personne que vous rencontrez mais également à cause de votre état d'âme au moment où vous rencontrez cette personne. Il s'agit en fait du *timing*. Ainsi, je dis à cet ami qu'il m'avait plu au premier coup d'œil et il me répondit à ma grande surprise que cela était sans doute faux. Étonnée je lui demande donc le pourquoi de cette impression de sa part. Il me rappelle alors que nous nous étions déjà rencontrés au même endroit environ un an et demi auparavant. «Mais, me dit-il, tu avais la photographie d'un monsieur sur ton bureau et tu étais tellement absorbée que tu m'as à peine salué lorsqu'on m'a présenté à toi.» Pour être franche, je ne me souvenais même pas de cette rencontre et le lui dis honnêtement.

L'amour est aveugle, dit-on, en songeant qu'il nous empêche de voir les défauts de l'être aimé, mais il nous empêche de voir aussi les autres personnes que nous pourrions peut-être aimer. C'est en tout cas ce qui se passe chez moi à cause de mon tempérament et de mon goût pour l'exclusivité. Lorsque j'aime quelqu'un je n'ai vraiment pas le goût ni l'envie d'aller voir ailleurs.

Cet ami revint, bien sûr, un jour (après huit mois d'absence) et je le retrouvai avec un long soupir de soulagement comme si, durant tous ces mois, j'avais retenu mon souffle sous l'eau. Un tel début pouvait difficilement conduire à la réussite. En réalité, durant ces huit mois d'absence au cours desquels je lui écrivis de longues et nombreuses lettres, j'étais en amour avec l'image que je m'étais faite de cet ami et non en amour avec cet ami lui-même puisque je ne le connaissais pas (en effet son départ précipité ne nous avait permis que quelques heures de conversation sans même l'ombre d'un seul geste amoureux). Évidemment, les rares moments de communication m'avaient tout de même permis de déceler certaines qualités évidentes mais de là à devenir amoureuse...

Je le comprends aujourd'hui mais à cette époque, qui dura quatre ans, plus je le voyais plus j'embellissais l'image que je m'étais faite de lui et moins évidemment je pouvais le connaître réellement. Il faut ajouter aussi qu'il ne se laissa pas connaître facilement, nos contacts se limitant aux fins de semaine à cause des circonstances (nous ne vivions pas dans la même ville). Malgré cette réalité très différente de mes beaux rêves, je devins alors encore une fois de plus en plus dépendante affectivement. Malgré son amour et sa bonne volonté (je lui donne le bénéfice du doute...) je crois qu'il ne put faire autrement que de s'éloigner tellement le poids de mes sentiments «de dépendance» devait l'étouffer.

Et voilà qu'un beau jour de printemps, après un peu plus de quatre mois de solitude, je fis la connaissance d'un homme charmant et séduisant au centre récréatif auquel j'étais abonnée et que je fréquentais deux ou trois fois par semaine. Avais-je retrouvé mon indépendance affective à cette époque? Il semble que oui puisqu'il fut attiré par moi de façon simple et naturelle.

Les débuts ne furent cependant pas très faciles car, bien qu'attirée par son charme, je ne réussissais (et n'ai jamais vraiment réussi) pas à communiquer en profondeur avec lui. Il m'a semblé, pendant une période relativement courte, qu'il avait beaucoup plus besoin de moi que moi de lui et malgré cette absence de communication mon besoin d'aimer et mon âme de missionnaire me firent poursuivre la relation.

Il faut également ajouter qu'à sa façon il me comblait de mille petites attentions et de beaucoup de tendresse. Cette courte période fut merveilleuse par certains aspects mais ne reflète sûrement pas une communication mature entre deux personnes indépendantes affectivement. Et, un jour, comme il fallait s'y attendre, tout a changé... et, une fois de plus, prise au piège de la dépendance affective, je dus souffrir beaucoup mais avec plus de compréhension et de faculté d'observation, et en conservant, comme toujours, mon indépendance de pensée.

Cette expérience de trois années et demie, la dernière, j'en suis persuadée, de dépendance affective, m'a permis de comprendre ce que je vous explique aujourd'hui et de voir tout mon cheminement antérieur avec une grande objectivité. J'en avais auparavant une vague idée, mais pas suffisante pour savoir comment agir pour me transformer.

Cette nouvelle rupture, je ne vous le cacherai pas, m'a profondément blessée malgré mes expériences passées et ma connaissance de la réalité.

Les premières semaines de solitude durant la période de Noël et du Jour de l'An furent un supplice que je décidai d'utiliser pour acquérir plus de force et de courage. La plupart du temps seule, j'en profitai pour relire attentivement le Message du Graal et y trouvai toujours le réconfort attendu et les explications à ce que j'étais en train de vivre. Quelle grâce d'avoir, ainsi, à portée de la main, toute l'aide pour faire face aux expériences les plus difficiles.

Dès le premier jour de cette rupture, je me dis qu'avec détermination je parviendrais cette fois à l'indépendance et à l'autosuffisance dans les plus brefs délais. Et je le fis, convaincue que, cette fois, cela était pour de bon. Je décidai de regarder la vérité bien en face, de tourner la page sans ruminer sans cesse le passé et de me prendre en charge en multipliant les activités en harmonie avec ma personnalité et mes aptitudes.

Ai-je pour autant renoncé à l'amour? Pas du tout et plus que jamais j'y crois de tout mon cœur. Mais cette fois je m'applique à faire de la médecine préventive en utilisant toutes mes expériences comme des leçons m'invitant à la vigilance. J'ai bien dit à la vigilance et non à la méfiance. Je désire également conserver cet enthousiasme et cette candeur qui me rendent heureuse et amoureuse de la vie.

Mise en forme et vieillissement

La triple mise en forme physique, psychologique et spirituelle concerne aussi les gens du troisième âge. En effet, si l'on travaille toute sa vie pour atteindre l'équilibre, pourquoi ne pas continuer jusqu'au bout du chemin?

Ayant eu la chance de participer, au mois d'août 1980, à la 9e Conférence internationale de gérontologie sociale, j'ai constaté avec joie que biologistes, psychologues, sociologues, promoteurs sociaux, employeurs et médecins sont unanimes à envisager la retraite et les personnes du troisième âge de façon très positive.

L'âge ne compte plus: il existe actuellement aux États-Unis les jeux olympiques du troisième âge. L'être humain qui a su découvrir sa véritable identité n'a pas d'âge: il savoure la vie terrestre jusqu'à son dernier souffle et quitte la terre satisfait de cette magnifique expérience.

La vieillesse ne doit pas être considérée de façon négative. Elle est l'aboutissement normal de toute vie humaine. Durant toute son existence, on prépare sa vieillesse. Par conséquent, une vieillesse pathologique est le résultat d'une vie pathologique. Il n'existe pas de psycho-pathologie particulière au vieillissement. Celui qui a su saura s'adapter (continuité de toute l'histoire de la vie).

Par ailleurs, les mesures légales et sociales devraient contribuer à permettre cette continuité, ce qui n'est pas le cas actuellement.

Il semble que les mesures actuelles concernant la préretraite et la retraite furent, et ce mondialement, adoptées sur des bases erronées, à cause principalement du fait que la clientèle du troisième âge n'avait jamais eu jusqu'à ce jour un impact politique et économique suffisant pour obliger les gouvernements à agir avec prudence et attention en ce domaine.

Mais les choses se présentent tout autrement aujourd'hui: d'une part le groupe de votants du troisième âge va en s'accroissant (moyenne d'âge de décès ascendante et découvertes scientifiques prolongeant la durée de la vie) et, d'autre part, la population active va en diminuant (dénatalité et âge de la retraite plus jeune), d'où un impact politique de plus en plus important à court terme ainsi que des problèmes économiques tels que pensions de vieillesse et avantages sociaux toujours croissants à moyen et à long termes.

Donc partout on est obligé de repenser la préretraite et la retraite à cause des problèmes qu'elles suscitent et, pour ce faire, on se tourne vers les principaux intéressés, c'est-à-dire les retraités eux-mêmes.

Les personnes âgées d'ici ou d'ailleurs ressentent à peu près les mêmes émotions dès le début de leur retraite:

rejet de la part de la population active et des jeunes;
sentiment d'isolement;
sentiment d'inaction physique et intellectuelle;
sentiment de dépaysement géographique lorsqu'on les installe confortablement dans les institutions spécialisées.

Que pouvons-nous, que devons-nous faire face à cette situation?

Tout le monde semble d'accord sur la nécessité de repenser la retraite. Plusieurs opinions sont émises mais on ne prévoit pas encore d'actions concrètes à grande échelle car la situation n'est pas dramatique. Mais les conférenciers souhaitent que, pour une fois, chaque gouvernement, chaque organisme, chaque individu concerné prenne ses responsabilités et procède à une action préventive à la suite de cette prise de conscience générale.

Possibilité de retraite facultative;
possibilité de travail à temps partiel;
tentative de garder les gens dans leur milieu naturel;
possibilité de formation des retraités;
amélioration des relations entre les générations;
revalorisation des gens âgés auprès du personnel médical et social;
information intensive sur les facteurs de vieillissement.

Voilà autant de solutions envisagées pour aider l'individu à s'adapter à son vieillissement, mais surtout pour contribuer à modifier notre perception de la vieillesse.

Monsieur Claude Mercier, vice-président à cette époque de la compagnie Imperial Tobacco, présenta une opinion fort intéressante que je vous résume ici: on peut réaliser la façon qu'a la société d'envisager la vieillesse par la façon dont elle s'occupe de ses personnes âgées. Il existe une angoisse métaphysique, un recul, une révolte contre l'évidence de la retraite et de la vieillesse.

Par conséquent, toutes les mesures sociales concernant le troisième âge visent à isoler les gens âgés, à les regrouper, à les retirer du marché du travail, à les rendre tributaires de la population active et des gouvernements.

Les gouvernements doivent maintenant faire face à la réalité, compte tenu de l'impact politique et économique des problèmes des gens âgés.

Pour faire face à cette réalité, on regarde maintenant (ou du moins on essaie de le faire) d'un œil plus humanitaire les futures réformes envisagées dans ce domaine. On se préoccupe sérieusement du concept «Bonheur» et on essaie de définir celui-ci: objectivement, le bonheur se définit par des éléments tels que le confort matériel, l'argent, la sécurité et la santé; par contre, de façon subjective, la réalisation personnelle, l'essor continuel demeurent les éléments fondamentaux pour une vie heureuse.

Il faut cesser de perpétuer les erreurs et promouvoir l'autodétermination des personnes âgées par le biais d'une conscience sociale nouvelle.

L'entreprise privée a une triple responsabilité:

1. *Reconnaître ses responsabilités sociales*

   Exemple:
   contribution financière (régime de retraite privé);
   pension au conjoint survivant;
   programme d'éducation et de formation;
   prise de position sur l'âge de la retraite (est-ce discriminatoire par rapport à la Charte des droits de la personne?)

2. *Préparation à la retraite*

   Exemple:
   programme pour les gens de 45 ans et plus;
   aide pour une prise de conscience du vieillissement, pour comprendre et contrôler les problèmes, les implications financières, sociales et familiales;
   possibilité d'une seconde carrière (pour améliorer la sécurité financière et pour occuper ses temps libres).

3. Encadrement social pour amenuiser le choc culturel

Exemple:
maintien de la communication: journal de l'entreprise, informations diverses avec les gens retraités de l'entreprise (états financiers, mutations, décès, etc.)

Les expériences vécues sur une petite échelle obtiennent beaucoup de succès et sont appelées à se multiplier car elles permettent une autodétermination et entraînent le recul des frontières traditionnelles pour se donner des mécanismes d'adaptation à la réalité sociale.

Quant à Monsieur Pinard, de la compagnie Gillette, en France, il émet l'opinion que la retraite en soi devrait être une conquête sociale. Pour lui, avancer l'âge de la retraite n'est pas nécessairement bon si l'éducation permanente n'est pas assurée.

L'individu devrait avoir la possibilité de choisir la formule idéale pour lui; on pourrait alléger sa charge de travail de façon graduelle, envisager le travail à temps partiel, aménager du travail moins fatigant, enfin assouplir au maximum les systèmes et les règlements touchant le travail.

Personnellement, je pense que nous devrons sous peu faire preuve de créativité et d'initiative concernant les futures législations et les mesures d'adaptation au phénomène du vieillissement.

Il faut penser «adaptabilité» mais il faut aussi penser en termes de qualité de vie.

Le concept de marginalité sociale, administrative et médicale devra faire place à une structure plus évoluée adaptée à la réalité, réduisant ainsi l'écart entre les retraités et le reste de la population.

On pourrait envisager un programme de retraite «à la carte» prévoyant une formation adéquate et une utilisation efficace du capital humain d'une société.

Ce n'est pas parce qu'on arrive à l'âge de la retraite que l'on est du jour au lendemain incapable de fournir un rendement valable, sans compter la possibilité irremplaçable de transmettre connaissances et expérience à une relève trop souvent préparée uniquement de façon théorique.

Il faut prévoir une organisation qui permettra au travailleur de vivre *indépendant* aussi longtemps que possible.

Conserver sa dignité humaine et avoir la possibilité d'utiliser toutes ses ressources intellectuelles et physiques pour soi-même et pour la collectivité, c'est là un droit fondamental.

Lorsqu'une personne n'a plus la possibilité de travailler, autant dire qu'elle n'a plus la possibilité de vivre car le bien-être d'un individu est intimement lié au bien-être de tout son entourage, et la participation à ce bien-être collectif par une action constructive est sans aucun doute le gage le plus sûr que possède chacun de se sentir utile et de garder goût à la vie.

La société moderne doit trouver le moyen de canaliser toutes les énergies des gens âgés comme des jeunes afin que chaque personne puisse assumer efficacement ses responsabilités, même s'il ne s'agit que de population semi-active, avec des droits réels de participation.

Les emplois peuvent être rémunérés de façon traditionnelle (en argent) mais pourraient également l'être partiellement en argent et partiellement sous une ou plusieurs formes (ex.: logement, transport, autres avantages sociaux).

Tous, sans exception, nous nous acheminons inévitablement vers le troisième âge ou y sommes déjà rendus. Tant qu'à prendre conscience de la nécessité de l'indépendance pour la mise en forme psychologique et tant qu'à travailler pour acquérir cette indépendance, autant prévoir les moyens pour la conserver jusqu'à la fin de sa vie. Qu'en pensez-vous?

Témoignage

Voici un témoignage qui me tient particulièrement à cœur puisqu'il vient de ma mère dont je vous ai si souvent parlé. Comme vous le savez déjà, ma mère est également ma meilleure amie, une personne que j'aime profondément et que j'admire sincèrement. Sa vie simple, et pourtant exemplaire par sa bonté et par sa droiture, est digne de mention. Elle a su traverser les expériences de la vie, même les plus difficiles, avec le sourire et la détermination. Elle a su donner tellement d'amour à chaque personne croisée sur sa route que tous, grands et petits, ont un merveilleux souvenir d'elle et retournent la voir dès qu'ils en ont la chance. La connaître c'est l'aimer et l'aimer c'est grandir car son contact vous ennoblit.

Je lui ai demandé d'écrire quelques lignes pour nous expliquer le secret de son éternelle jeunesse. Son humilité à l'effet de ne pas être à la hauteur la fit d'abord hésiter mais elle ne tarda pas à acquiescer à ma demande lorsque je lui fis part de ma conviction que ce témoignage aiderait sûrement plusieurs personnes.

Voici donc son témoignage tel qu'elle me l'a écrit.

«Les quinze minutes de marche le matin pour aller à la messe à l'église Saint-Pierre-de-Sorel commencent bien ma journée. Entendre les chants des religieuses, des personnes âgées et aussi de beaucoup de jeunes me donne un souffle de vie joyeux.

«Comme exercice matinal, je passe un linge humide sur les tuiles de la salle de bains et de ma petite cuisine. Tous mes muscles entrent en jeu pour me garder en forme. Mon ami l'aspirateur me fournit une bonne occasion pour activer ma circulation. Je me dirige ensuite vers une bonne douche écossaise!

«Ma chère fille Doris aime faire de la marche et je l'accompagne en parcourant les rues du centre-ville de Sorel. Nous nous rendons au «coin d'eau» (genre de fontaine), une aire de repos aménagée par notre municipalité. Nous choisissons un banc à l'ombre et avons la joie d'entendre le chant des oiseaux nichés dans les arbres tout autour.

«Comme chaque année, au début de juillet, nous allons au parc Royal participer au Festival de la Gibelotte, spécialité des îles de Sainte-Anne-de-Sorel. Doris, aveugle depuis l'âge de trois ans, est, comme beaucoup d'autres non-voyants, optimiste et respire la joie de vivre. Elle aime sentir l'ambiance gaie et colorée des gens de Sorel. Elle aime l'atmosphère qui se dégage de tous les loisirs mis à la disposition des gens de chez nous.

«La gérance de Place Carlton m'occupe aussi beaucoup. Je n'ai pas le temps de penser à moi, à mon âge, à mes deux opérations graves: cancer d'intestin et remplacement à cœur ouvert de ma valve aortique. D'ailleurs, moins on s'arrête à penser à ses petits bobos, plus on se sent libéré.

«Hier une personne de la vitrerie est venue réparer deux portes des locaux loués: l'une chez «Charly Music» et l'autre à la boutique «Sport». Monte, descend (comme tu le sais j'habite au 2e étage), quel bon exercice pour mes jambes qui demeurent jeunes et souples!

«Le pelletage l'hiver sur les toits de Place Carlton où la neige s'entasse a contribué à me garder en forme. Avec l'aide de quelques jeunes, je me débrouille afin que l'eau accumulée parfois ne pénètre pas à l'intérieur du bâtiment.

«Avec James (7 ans), je joue au scrabble, aux cartes, au yoyo et à la balle. Parfois, je lui raconte des histoires ou regarde avec lui ses livres de contes. Mes petits-enfants me gardent jeune. J'écoute leurs propos plus évolués et aussi plus émancipés que dans mon jeune temps des années 20. *«It keeps me on my toes»*.

«Pour me garder en forme psychologiquement, j'essaie de m'oublier moi-même et de remonter le moral des autres. Ayant assez de souplesse pour être contente du moment présent avec ce que j'ai ou que je n'ai pas, je me sens très heureuse.

«Depuis des années, je m'exerce à me détacher de tout. Je garde seulement le strict nécessaire et je fais du mieux que je peux avec ce que j'ai. Ma chère fille Claire m'a écrit que mon récent voyage en Espagne chez elle pour fêter mes 75 ans avait été constructif pour elle, sa fille Hélène et son cher époux André. Ils m'avaient acheté mon billet d'avion comme cadeau d'anniversaire afin que je puisse leur rendre visite et apprécier les beautés de l'Espagne. Dans sa dernière lettre, Claire me dit: «Je suis fière de ma mère qui a l'air si jeune et dynamique, et qui est bonne conseillère en tout.»

«Comme cela me fait chaud au cœur d'être utile et disponible. Je crois que son mari est content du bon effet de ma visite chez eux.

«J'aimerais aussi parler de la vie spirituelle. La piété de ma défunte mère qui priait comme un ange et chantait comme un rossignol (il me semble l'entendre encore chanter «C'est un oiseau de France») a eu des répercussions sur tous ses enfants.

«Vers l'âge de 15 ans, j'ai eu le bonheur de lire *Les Quatre Évangiles en un seul.* J'aime Jésus de tout mon cœur depuis toujours mais en avançant en âge la Sainte Trinité est devenue une présence quotidienne. J'admire tous ceux et celles qui militent pour la gloire de Dieu.

«Et toi, chère Michèle, les livres que tu m'as fait lire m'ont beaucoup appris sur ce que Dieu attend de chacun de nous. Quelle joie de penser que nos épreuves, nos souffrances et nos désappointements seront comptés dans un au-delà calme, serein et rempli de joie céleste.

«Je sais que nos guides nous inspirent nos bonnes pensées, d'avoir le courage de ne pas répondre quand, dans un temps de colère, quelqu'un nous insulte. Si quelqu'un me blesse en paroles, aussitôt j'essaie de me rappeler quelque chose de bon chez cette personne. Après tout c'est cela aimer son prochain puisqu'il faut même prier pour nos ennemis.

«J'accepte les petites tracasseries de chaque jour avec un sourire afin de me discipliner et dompter mon caractère qui, au début de ma vie, me faisait surnommer «la lionne»...

«Quand je n'ai pas le temps de réciter mon chapelet, je récite intérieurement des «Notre Père» et des «Gloire soit au Père» sans oublier la belle prière que tu m'as envoyée un jour, il y a quelques années: «La Trinité me pénètre de sa puissante énergie divine; cette énergie me libère de mes craintes, de mes inquiétudes, de mes angoisses et de mes doutes.»

«Comme livres de chevet j'ai, près de mon lit, la Sainte Bible, *L'Imitation de Jésus-Christ* par Lamennais, *La Parole quotidienne,* le *Prions en Église* et un gros dictionnaire Larousse qui m'aide à faire des mots croisés quand le sommeil ne vient pas assez vite.

«L'autobiographie de Thérèse Martin, carmélite, m'a bien influencée durant les années 20.

«Thérèse Martin est née dans un siècle d'invention et, en vaillante Française, elle inventa sa «petite voie» qui nous mène plus vite au cœur de Dieu. Par millions, les chrétiens l'adoptèrent depuis ce temps. Comme c'est beau la confiance et l'abandon à l'amour de Dieu.

«La clé pour ouvrir les portes du ciel est d'accepter les mille tracasseries de chaque jour avec le sourire en rendant même le bien pour le mal.

«Quel plaisir j'ai, depuis toujours, à relire ce chef-d'œuvre, si bien écrit. Durant les années 60, étant devenue veuve à l'âge de 54 ans, je devais travailler et prier plus fort pour que mes chers enfants mineurs soient protégés; alors je demandais à Thérèse de l'Enfant-Jésus d'être à mes côtés.

«Un jour que je faisais brûler des feuilles mortes à notre home de Tracy, j'aperçus mon cher livre qui commençait à brûler! Comment était-il arrivé là? Je ne le saurai jamais! car j'étais bien seule à la maison. Je l'ai retiré du feu et, avec tristesse, je vis plusieurs feuilles roussies.

«Au cours d'une retraite chez les Recluses Missionnaires, en compagnie de mes sœurs Gabrielle et Églantine, il m'est venu à l'idée d'écrire à ces religieuses qui nous acceptaient si bien dans leur monastère en compagnie de Monsieur l'Abbé R. Lesieur, sulpicien, pour leur demander si elles voudraient bien essayer de réparer mon trésor de livre.

«Sœur Marie a accepté pour une très modique somme de demander à la préposée à la reliure de faire ce travail. Comme un bonne fée, la religieuse me l'a réparé et remis presque à neuf. Il y a quelques traces de roussi mais très peu. Quelle joie de ravoir ma «relique» en si bonne forme! Malgré mes 75 ans, c'est encore mon livre de chevet préféré.

«Toute ma vie, j'ai suivi la «petite voie» de Thérèse et j'ai confiance d'aller la retrouver un jour quand mon heure aura sonné.

«Chère Michèle, quand je n'y serai plus, garde bien ce livre que je te lègue.

«Je crois qu'il faut prendre tous les moyens pour être en forme physique, psychologique et spirituelle.

«Comme dans le long métrage *Upstairs, Downtairs*, j'ai dû interrompre ma lettre deux fois pour aller ouvrir la porte. Je ne peux pas compter mes pas dans une journée mais je suis heureuse d'être en forme pour faire face à tout l'imprévu des heures qui se succèdent.

«Lorsque je vais chercher le courrier au bureau de poste, je marche lentement en prenant de grandes respirations; comme tu le vois, il n'y a pas de temps mort dans une journée.

«Tout en marchant, il m'arrive de croiser des enfants; il y en a qui me font un beau sourire, cela me comble de joie. J'en ai élevé neuf mais j'aime encore les tout-petits, il me semble que leur ange gardien se tient près de chacun d'eux.»

Comme vous pouvez le constater après avoir lu ce témoignage de ma mère âgée de 75 ans, la mise en forme est également possible pour les personnes plus âgées. Même après avoir subi deux graves opérations et après avoir vécu de grandes épreuves, elle demeure enthousiaste et très active.

À mon avis, le grand secret de sa réussite réside dans sa capacité d'amour et dans sa conviction.

Se prendre en main

«L'essence de la grandeur est la capacité de choisir l'accomplissement de soi dans des circonstances où d'autres choisiraient la folie.»

Dr. Wayne W. Dyer *(Vos zones erronées).*

À plusieurs occasions de sa vie, chaque individu a la chance de «se prendre en main». Il est utopique, à mon avis, de penser que l'on se prend en charge une fois pour toutes. On peut prendre la décision de se prendre en charge à un moment très précis où l'on a réellement compris, pour la première fois, le sens de l'«autodétermination», mais la réalisation de cet objectif demande une vigilance et une volonté sans cesse renouvelées.

Il est cependant heureux de constater que, malgré certains échecs ou découragements, nous pouvons nous relever et nous «reprendre en main ou en charge» pour nous rendre un peu plus loin chaque fois. Et puis, un beau jour, on se suffit vraiment à soi-même et on peut même rire de ses moments difficiles. On a enfin appris à vivre avec soi-même, à se parler, à ne pas s'apitoyer sur son sort et à se dire «quoi faire» dans toutes les circonstances.

On n'a plus besoin de demander l'opinion de telle ou telle personne pour agir et on n'a plus besoin d'un auditoire pour nous regarder agir. Avec assurance, l'on décide de son horaire quotidien, de son travail, de ses loisirs et l'on accepte comme amis ceux-là seulement qui nous élèvent, nous fortifient, nous respectent et nous aiment.

Ces vrais amis ne sont d'ailleurs jamais accaparants car, de par la loi de l'attraction des affinités, ils sont eux-mêmes autosuffisants. Que se passe-t-il alors? Chacun pour soi, de son côté? Pas du tout! Il y a alors de magnifiques échanges basés sur l'amour véritable et le désir de partage. Fini le «tiraillage» et bienvenue à l'harmonie.

Se prendre en main signifie aussi avoir le goût et parfois le courage de rechercher des activités en harmonie avec sa personnalité et ses compétences.

Une personne occupée à faire ce qu'elle aime et ce pour quoi elle est douée ne s'ennuie jamais. Elle n'ennuie également jamais les autres.

De plus, il est prouvé, et je le sais aussi par expérience, que les gens créatifs sont des gens heureux. La monotonie et le mimétisme tuent la joie de vivre. Chaque personne possède un potentiel de créativité qu'elle doit exploiter au maximum.

Malheureusement, peu de parents ou de titulaires de classe travaillent en ce sens. Nous nous retrouvons à l'âge adulte moulés dans des carcans et absolument effrayés à l'idée d'être créatifs.

Pendant plusieurs années nous répétons le rôle que nous devrons jouer rendus à l'âge adulte et, de plus, nous travaillons courageusement pour obtenir telle ou telle étiquette professionnelle qui fera de nous un citoyen respecté et respectable. Monsieur le docteur Untel, madame la physiothérapeute, monsieur l'avocat, madame la dentiste, monsieur le comptable, madame la secrétaire et ainsi de suite... Mais tous, que sommes-nous à part cette étiquette? Que serions-nous si, du jour au lendemain, notre profession était abolie?

Et même en exerçant cette profession, sommes-nous créatifs? Repensons-nous les choses ou sommes-nous des perroquets humains?

Il faut également se mettre en garde contre la créativité uniquement centrée sur le travail. Elle donne comme résultat des individus à œillères qui, en fin de compte, ne sont pas si heureux qu'ils veulent bien essayer de le paraître. Vous en connaissez, vous, des gens heureux qui se consacrent 24 heures sur 24 et 7 jours par semaine à leur boulot, négligeant leur propre famille, n'ayant aucun hobby et n'ayant aucune ouverture aux activités sans rapport direct avec leur travail? Ou bien ils sont inconscients, ou bien ils sont menteurs, ou bien ils sont sots!

La mise en forme psychologique exigera de vous, au départ, un véritable effort visant à multiplier et à varier vos activités pour trouver de nouveaux centres d'intérêt. C'est la seule façon de sortir de votre léthargie et de découvrir où se cachent vos talents.

Essayez tout: la photographie, la danse, la peinture, le chant, un instrument de musique, les collections, les visites de musées, l'étude de la botanique, etc.

Achetez-vous au moins un livre par semaine (ou encore allez à la bibliothèque, c'est gratuit) et essayez de lire plusieurs livres différents à la fois: par exemple, un livre sur l'art, un roman, un livre de spiritualité, un livre sur la psychologie, un livre sur le sport, un livre d'histoire, un livre de géographie, etc., au lieu de lire un seul livre à la fois et d'un bout à l'autre pour passer à un autre; c'est une amusante habitude à prendre et votre créativité ne pourra qu'en bénéficier.

Surveillez également le kiosque des revues; certaines, je le conçois, ne valent pas grand-chose mais sur toute la variété offerte vous trouverez sûrement quelque chose susceptible de vous intéresser. Par exemple, cet hiver, j'ai acheté quelques revues sur le ski de fond.

Apprenez à vous faire à manger, quel que soit votre sexe ou votre âge. Il est vraiment inconcevable qu'une personne indépendante ne puisse cuisiner pour elle-même ou pour quelques amis qu'elle reçoit. Sans être cordon-bleu, vous pouvez vous débrouiller et même acquérir une réputation d'hôte original et accueillant. Si le temps ou la pratique vous manquent, allez-y d'originalité: une quiche s'achète toute préparée, mais entourée de quelques fleurs, d'une bougie et d'une salade santé, quelle table accueillante! N'ayez pas peur des livres de cuisine, il en est d'excellents pour débutants et vous serez vous-mêmes étonnés de votre talent culinaire. Commencez par les desserts, c'est ce qu'il y a de plus facile et pourtant de plus spectaculaire et savoureux.

Apprenez également à entretenir vous-mêmes votre «home». Chaque personne doit avoir le respect de son environnement, de ses vêtements et des objets qui la touchent de près. Il n'est pas de tâche qu'une personne en santé physique et mentale ne puisse accomplir elle-même. Un partage des tâches s'impose parfois dans la vie de couple, mais je ne suis absolument pas contre le fait d'interchanger ces tâches si les individus en cause veulent bien tenter l'expérience. Cela permet, d'une part, de briser la monotonie et, d'autre part, cela fait apprécier à sa juste valeur l'autre personne.

Je prends l'exemple de certains hommes ayant vécu leur vie sans même savoir comment faire un lavage ou comment repasser une chemise; plusieurs n'ont évidemment jamais touché à un aspirateur ou à un malaxeur. Comment ces pauvres hommes peuvent-ils apprécier un tel travail et surtout comment peuvent-ils survivre advenant une rupture ou la perte de leur compagne? Plusieurs hommes m'ont confié se sentir «incapables» de vivre seuls pour certaines considérations aussi banales que celles-là. Il y a aussi l'insécurité affective ou le fameux besoin de sexe mais en grattant un tout petit peu on est vraiment étonné de trouver la ou les raisons pour lesquelles un homme vit avec une femme, qu'il aime plus ou moins mais qui lui évite cette «prise en charge».

Inversement, certaines femmes ont une peur bleue de «se prendre en charge» et de se retrouver seules avec les problèmes d'auto, de plomberie, d'électricité, de menuiserie, etc. Eh bien! cela change de plus en plus et, cette fois, la gent féminine a fait un grand pas en avant et plusieurs femmes se sont enfin affranchies de ces faux problèmes[1]!

De toute façon, quelle que soit votre situation, sachez que vous n'êtes pas seul (e) et que beaucoup d'autres ont réussi à y survivre et même à y découvrir «un art de vivre» alors qu'auparavant ils existaient à la remorque d'une autre personne.

Être en forme psychologiquement en étant indépendant, c'est également être capable d'entrer en contact avec d'autres personnes même inconnues. Les centres sportifs, les cours du soir, les soirées à caractère culturel, les concerts gratuits (surveillez les annonces à la radio et dans les journaux) sont autant d'occasions de vous enrichir et de multiplier les nouveaux contacts.

Les jeux de société peuvent également vous occuper sainement et vous faire rencontrer des gens intéressants. Des clubs de scrabble, d'échecs, de backgammon, etc. comptent plusieurs amateurs désireux d'améliorer leur rendement et leur bonne humeur.

Une façon toujours agréable et utile de se mettre en forme psychologiquement est de faire plaisir à quelqu'un. Rendre visite à un ami malade, téléphoner à un parent éloigné, écrire à un ami ne coûte que quelques minutes de notre temps mais nous rapporte beaucoup. Songez-y et surtout essayez-le, le plus souvent possible!

---

1. Je ne veux pas me faire ici la promotrice de l'unisexe car je suis convaincue que l'homme et la femme ont deux genres bien différents et que cette différence est appréciable. Cependant, la vie moderne demande une débrouillardise et une créativité sans lesquelles on peut avoir des problèmes.

Je m'en voudrais de ne pas vous parler plus longuement de l'écriture comme truc infaillible de mise en forme psychologique. Certains psychologues l'utilisent même comme technique de thérapie. Ce fut pour moi une découverte extraordinaire que de pouvoir écrire tant, et même si vous ne publiez jamais, je ne peux que vous encourager à faire une tentative en ce sens. Écrire c'est s'ouvrir à soi-même, c'est également préciser sa pensée afin d'en dégager par la suite ses buts et ses idéaux. Les heures d'écriture sont maintenant pour moi synonymes d'heures de bonheur puisque, dans la joie comme dans la peine, cela me permet de m'exprimer sans barrières et à peu de frais. La plus grande agressivité ou le plus grand stress diminueront de moitié lorsque vous les aurez exprimés avec des mots.

Et pour un ami éloigné, quel plaisir de recevoir une missive joyeuse, spontanée, relatant les allées et venues quotidiennes ou de grands sentiments amoureux... Une lettre c'est un rayon de soleil qui réchauffe le cœur pour plusieurs jours. On la relit plusieurs fois pour mieux s'en pénétrer et pour mieux sentir la proximité de son interlocuteur. On la conserve comme un trésor unique car cela en est indiscutablement un!

Une méthode simple et pourtant très efficace pour la mise en forme psychologique consiste à se faire une liste de ses activités par ordre de priorité. Ayez également un agenda (même si vous ne travaillez pas à l'extérieur), cela vous permettra une vue globale de vos activités et vous incitera peut-être à les modifier ou à en ajouter. La planification d'une journée, d'une semaine ou même parfois d'un ou plusieurs mois est absolument essentielle pour une personne qui veut utiliser efficacement son temps en variant ses activités. De plus, une vie bien organisée diminue le stress inutile des retards et des oublis.

Cela ne veut pas dire qu'il faille avoir un horaire surchargé et aucun moment de libre. Il faut laisser place à la spontanéité malgré une bonne organisation de son temps. Tout réside dans le bon dosage et dans l'équilibre.

Il n'est pas indispensable d'exceller dans tout ce que l'on fait mais il me semble important de trouver quand même quelques activités où l'on peut s'améliorer et produire un résultat satisfaisant. Le plaisir de la réussite et un certain désir de perfection stimulent l'activité créatrice et sont légitimes. Pas au point de s'enorgueillir mais avec la joie de dire, comme dans le poème cité antérieurement: «Avec l'aide de Dieu, ceci, c'est moi qui l'ai fait.»

De plus, si vous développez certains talents ou certaines aptitudes, vous serez en mesure de communiquer votre savoir à d'autres personnes alors que ces autres personnes vous apporteront, à leur tour, le fruit de leur expérience. C'est un échange perpétuel qui favorise la communication et l'évolution.

«Le véritable critère de l'intelligence, écrit le docteur Wayne W. Dyer, c'est de vivre une existence efficace et heureuse chaque jour et à chaque instant de la journée.»

Comme vous l'avez constaté, l'intelligence ne réside pas dans une montagne de savoir intellectuel mais plutôt dans une approche réaliste de soi-même et de la vie quotidienne. Une personne intelligente et en forme psychologiquement est une personne dont on peut dire qu'elle a du «jugement» ou, selon l'expression plus courante, du «gros bon sens».

La mise en forme spirituelle

Tout comme pour la mise en forme physique et la mise en forme psychologique, la base de la mise en forme spirituelle repose encore sur l'adage simple mais tellement vrai: «Connais-toi toi-même et tu connaîtras l'univers». En se connaissant lui-même, l'homme apprend graduellement ses rapports avec tous les êtres existant en dehors de lui, de même que les lois régissant ces rapports, soit: la loi de la pesanteur, la loi de l'attraction des affinités et la loi de la réciprocité des effets.

Or si, volontairement, après avoir reconnu ses facultés, ses rapports avec les autres et les lois régissant ces rapports, il accepte de développer ses facultés pour lui-même et au profit de toute la création, l'être humain abat alors la dernière barrière le séparant de la plénitude et de la sérénité.

Il entreprend, dès cette prise de conscience, pour autant que cette dernière soit accompagnée d'un vouloir sincère et d'une action positive, son ascension spirituelle.

Et à partir de cette prise de conscience, laquelle, je crois, représente l'instant le plus merveilleux de toute une vie, qu'elle survienne à 10 ans ou à 90 ans, l'être humain découvre qui il est, pourquoi il est sur la terre, d'où il vient et où il se dirige.

Il découvre également qu'il possède le libre arbitre, c'est-à-dire la faculté de se diriger selon son bon vouloir vers le bien ou vers le mal, faculté inhérente au genre humain et grâce à laquelle nous pouvons, en toute conscience, accéder à des plans lumineux sans l'aide de notre corps terrestre, c'est-à-dire après la mort physique.

Par contre, si l'être humain opte délibérément pour le mal, c'est-à-dire s'il refuse de développer ses facultés en se complaisant dans ses tendances négatives (faiblesses, défauts, vices, penchants négatifs, etc.), il se retrouve, après la mort physique, sur des plans beaucoup plus sombres où il côtoie des êtres en affinité avec lui. Il existe malheureusement de tels plans, genres de centrales négatives où l'être humain doit séjourner après son décès si, durant sa vie terrestre, ses pensées ont constamment entretenu des liens avec ces centrales.

Avec une prise de conscience et un vouloir sincère, il peut également s'élever et quitter un jour cet endroit où l'a conduit sa propre vie terrestre, mais le travail est beaucoup plus difficile car il n'est, à ce moment, qu'entouré d'êtres n'ayant pas eu le courage de réagir sur la terre.

Sur la terre, pour autant que nous voulions écouter sincèrement, nous sommes constamment guidés vers la voie ascendante. Sans que nous les voyions avec notre corps physique, beaucoup d'êtres désincarnés nous entourent et nous aident à évoluer; plusieurs personnes sur la terre œuvrent également sans répit pour permettre à chaque être humain de reconnaître ses facultés et de les utiliser sans plus tarder pour son ascension spirituelle.

Mais que faisons-nous? Nous nous fermons sans cesse à cette aide. Nous nous complaisons dans une inconscience injustifiée, compte tenu de toutes les chances et possibilités mises à notre disposition. Parfois, ici et là, un être humain, harassé de douleurs physiques ou morales, se décide enfin à percevoir la vérité et à commencer son ascension spirituelle. Mais pourquoi? Oui, pourquoi attendre d'être à ce point écrasé, broyé pour enfin réagir?

Pourquoi ne pas prendre délibérément son essor dans la joie, en pleine santé physique et mentale et doué de tous les avantages terrestres? C'est sans aucun doute la façon la plus simple et la plus naturelle d'accéder à la mise en forme spirituelle, mais à cause de sa paresse intellectuelle, l'être humain refuse presque toujours de le comprendre. Il attend, comme je le mentionnais précédemment, d'être secoué par des épreuves, la maladie ou même la mort pour réagir. N'est-ce pas ridicule? Nous pouvons nous éviter de telles souffrances mais, trop entêtés, nous plongeons tête première dans ces souffrances pour ensuite dire: «Pourquoi, mon Dieu, cela m'arrive-t-il?»

Parfois, il s'agit plus d'indolence et de paresse que de mauvaise volonté, mais ces excuses ne changent rien à la réalité. Si l'être humain n'a pas voulu prendre conscience de ses facultés, n'a pas voulu les développer en harmonie avec le reste de la création qui l'entoure, rien ne peut l'aider à s'en sortir.

«Aide-toi et le ciel t'aidera», dit cet autre adage très juste. Qui de nous n'a pas eu la chance de progresser spirituellement? Mais que faisions-nous à la place? Nous avons investi toutes nos énergies dans la satisfaction de notre corps et de notre intelligence (moi temporaires) en quête de beauté plastique et de diplômes, en quête de connaissances culturelles et scientifiques, négligeant pendant des années la connaissance de notre esprit (moi véritable) et de ses facultés. Convaincue de la nécessité d'une mise en forme physique et d'une mise en forme psychologique, je soutiens tout de même qu'elles ne servent absolument à rien sans la mise en forme spirituelle puisque, je le répète, c'est l'esprit qui doit diriger le reste.

Heureux sont ceux et celles qui ont réussi à développer harmonieusement corps, intellect et esprit car ils jouissent d'une paix intérieure réelle et reflètent la véritable beauté. Regardez le regard de ces personnes: vous y reconnaîtrez instantanément une luminosité qui se passe de mots pour vous faire comprendre que leur chemin est le droit chemin de la lumière, celui de la vérité.

Que ces personnes soient instruites ou non, ça n'a pas d'importance. Que ces personnes aient ou non adhéré à des mouvements spirituels ou religieux, qu'elles soient jeunes ou plus âgées, cela reste bien secondaire.

Mais qu'est-ce que ces personnes ont en commun, mis à part cette lumière de leur regard? Eh bien, tout simplement l'évolution spirituelle. Ces personnes sont évoluées spirituellement, c'est-à-dire qu'elles sont conscientes de leurs facultés réelles et permanentes au niveau de leur esprit, de leur être véritable.

Ces personnes ont cessé d'exister pour commencer à vivre réellement: elles connaissent la différence entre l'apparence et la réalité, entre le masque et le visage, entre le paraître et l'être.

Puisque vous cheminez avec moi dans cette quête du bonheur, vous parvenez donc aujourd'hui à un autre sérieux tournant de votre vie: celui de la prise de conscience de qui vous êtes actuellement, à cette minute même.

Regardez-vous objectivement ou demandez à un ami sincère de vous regarder. Vos yeux reflètent-ils la lumière et la force? Reflètent-ils l'évolution spirituelle ou sont-ils plutôt éteints, fuyant le regard de la vérité? Peuvent-ils soutenir le regard de la justice, de l'amour et de la pureté ou préfèrent-ils se cacher dans la pénombre du mensonge, de l'égoïsme et de la fourberie?

Êtes-vous évolué spirituellement ou avez-vous gaspillé votre temps à des futilités? Avez-vous dominé vos instincts, vos sentiments et vos émotions en les subordonnant au contrôle de votre esprit ou êtes-vous devenu l'esclave de ceux-ci? Êtes-vous un personnage ou une personne? Préférez-vous paraître ou être? Êtes-vous fort ou êtes-vous faible?

Telles sont les questions entre autres à nous poser à cette étape de notre cheminement, et il nous faut faire diligence car nous n'avons pas un temps infini pour répondre à ces questions et pour réagir positivement! En effet, le cycle dans lequel nous évoluons s'achève et, selon notre état réel au dernier moment, nous déterminons notre avenir: une vie heureuse, consciente et immortelle ou un retour à l'inconscience après d'indescriptibles souffrances de notre esprit qui aura le temps de réaliser son erreur mais ne sera pas suffisamment évolué ou élevé pour subsister.

Afin de mieux vous faire comprendre cette réalité que vous aurez par contre l'occasion d'approfondir et d'assimiler au cours de votre propre cheminement spirituel, je vous donne aujourd'hui un exemple concret: nous sommes actuellement à un endroit précis d'une route; nous avons la possibilité, par des aides de toutes sortes, variant à l'infini d'une personne à une autre, de réaliser que cette route conduit à un endroit réel où nous pouvons vivre heureux et en paix, et ce, pour toujours.

Nous avons également toute la force nécessaire pour avancer sur cette route en surmontant tous les obstacles rencontrés. Arrivés à un certain point (degré d'évolution spirituelle) nous ne pourrons jamais faire marche arrière et serons assurés de nous rendre à bon port en demeurant conscients, même après la mort physique.

Cependant, si nous n'avons pas profité de l'aide, il se pourrait qu'à la clôture du cycle nous soyons trop éloignés de notre but pour pouvoir espérer y accéder. Pendant un certain temps (qui leur paraîtra une éternité) les êtres non suffisamment évolués auront conscience qu'ils auraient pu faire quelque chose tout en réalisant qu'il est trop tard et qu'ils doivent perdre cette conscience car ils n'ont pas développé la force spirituelle nécessaire à cette autoconscience. Ils constateront également que toute leur pérégrination aura été inutile puisqu'elle ne mène qu'au néant. C'est sans doute ce que nous appelions autrefois l'enfer. Donc, je le répète, nous n'avons pas une minute à perdre car, à la fin du cycle, l'endroit où nous serons rendus, par notre propre vouloir, déterminera, et lui seul, notre survie ou notre mort spirituelle.

Comment développer notre vie spirituelle

Il s'agit d'abord de nous appliquer à connaître nos facultés réelles tout en réalisant qu'il existe des rapports avec les autres éléments de la création de même que des lois régissant ces rapports.

Il s'agit ensuite de vouloir consciemment développer ces facultés en améliorant sans cesse nos rapports avec les autres éléments de la création et en acceptant volontairement de vivre en harmonie avec les lois de la création.

Dès lors, nous reconnaissons Dieu à travers sa création et désirons vibrer dans sa toute-puissance ou volonté et dans son amour infini. Nous cessons donc, par le fait même, d'aller à contre-courant comme nous l'avons toujours fait par présomption, orgueil et entêtement. Nous cessons donc également de nous lier sans cesse aux centrales négatives pour nous lier uniquement aux centrales positives en gardant pur le foyer de nos pensées.

Certains prétendront sans doute, à la suite de mon exposé, que je me berce d'illusions et d'espoirs «inhérents» à l'être humain en quête de bonheur. Eh bien! je suis convaincue du contraire et je ne suis pas la seule: Einstein, Beethoven, Bach, Lanza Del Vasto, Mère Térésa et combien d'autres ont également compris cette réalité. L'illusion réside au contraire dans la persistance de l'homme à vouloir nier l'existence de Dieu malgré que des preuves à l'infini la lui révèlent à chaque instant de sa vie. Nous constatons cependant que la plupart des chercheurs actuels et même les grands scientifiques connus reconnaissent également cette réalité.

Que chacun vive sa propre expérience avant de brandir ses sarcasmes et ses négations! Que chacun cherche sérieusement et sincèrement avant de prétendre que tout est absurde et qu'il n'est pas possible à l'homme de découvrir pleinement qui il est et ce qu'il doit faire pour subsister!

Ma recherche date de loin et m'a conduite où je suis et à cette conviction. Mon but n'est pas de vous faire sauter des étapes, mais si mon témoignage vous amène à prendre conscience plus rapidement que je n'ai pu le faire, pourquoi pas?

Par contre, je sais par expérience qu'il est fondamental de vivre personnellement et consciemment toutes ces notions pour parvenir à la conviction. Sans cette expérience personnelle, ces notions ne représentent que du «par cœur» et nous font ressembler à un perroquet.

L'expérience de la joie ou de la peine nous permet également de mieux comprendre nos semblables afin de leur tendre la main dans les moments difficiles.

L'expérience nous affermit, nous permet de reconnaître les vraies valeurs car elle nous révèle à nous-mêmes tels que nous sommes réellement. C'est dans la tempête que nous sommes en mesure d'évaluer la valeur de notre bateau.

Connaître nos facultés

Depuis le temps que je vous parle des facultés, vous êtes en droit de me demander: «Mais quelles sont-elles, ces facultés?»

Je serais tentée de ne pas vous répondre et de vous laisser chercher à l'intérieur de vous-mêmes car c'est là que réside la réponse. Mais je vous estime et je veux faire encore un bout de chemin avec vous. J'ai moi-même reçu beaucoup d'indications et d'aide au cours de ma recherche et je suis aussi heureuse de vous fournir ces informations que je l'ai été de les recevoir. C'est d'ailleurs souvent en donnant que l'on reçoit le plus: essayez et vous m'en donnerez des nouvelles!

Les facultés sont nombreuses et je ne peux les énumérer toutes ici. Cependant, il m'est possible d'affirmer qu'elles sont toutes issues des trois principes suivants: justice, amour et pureté.

Ainsi l'humilité est une des plus belles facultés de l'être humain et elle entraîne, à son tour, des facultés non moins belles qui sont la probité, l'équilibre, l'habitude du silence, la modération, la réserve dans les jugements portés sur autrui, etc.

Le respect de l'autre, la patience, la délicatesse, la maîtrise de ses paroles et de ses actes, l'effort de communication sont également des facultés de l'être humain que celui-ci développe grâce à la force de l'amour.

La pureté n'exige pas, comme certains le pensent, une totale renonciation aux échanges physiques, mais elle favorise, lors de ces échanges, une pureté d'intention et une communication beaucoup plus profonde que le simple contact corporel. Elle permet à l'être humain de développer ses facultés de franchise, de droiture, de fidélité et de confiance sans lesquelles aucune relation n'est viable.

Les tendances négatives telles que la méfiance, le mensonge, l'hypocrisie, la haine, l'envie et la jalousie entraînent l'homme vers le bas et empêchent tout essor spirituel.

La justice engendre des facultés telles que l'honnêteté, le discernement, la charité, le désir du partage et encore bien d'autres sans lesquelles une paix à l'échelle mondiale est tout à fait impossible.

Les tendances négatives telles que l'orgueil, l'avarice, la soif du pouvoir, la paresse, etc. entraînent inévitablement la discorde, le manque d'harmonie et la guerre.

Vous voyez qu'il est facile de trouver à l'intérieur de vous-mêmes ces facultés. Il s'agit tout simplement de vous arrêter, de vous taire et d'écouter votre esprit vous parler par la voie de l'intuition.

Il s'agit également de ne pas suivre aveuglément une ou plusieurs personnes, mais d'agir avec soi-même de façon autonome. Dans toutes les circonstances de notre vie nous avons toujours une décision à prendre sur la conduite à suivre. Nous pouvons demander conseil à quelqu'un en qui nous avons confiance mais, en dernier ressort, c'est à nous et à nous seuls de faire nos choix. C'est la seule façon d'assumer totalement notre responsabilité d'êtres humains et de mériter le privilège de vivre.

Le jour où je me suis levée décidée à être réellement compréhensive envers les autres en respectant leur degré d'évolution et en ne les critiquant pas, j'ai fait un bon bout de chemin sur la route de mon évolution spirituelle. Mais le plus grand bout de chemin a été fait lorsque j'ai dû mettre en pratique cette décision. Et je dois vous avouer sincèrement que les débuts n'ont pas été des plus faciles; jusqu'à ce moment j'avais, consciemment ou inconsciemment, entretenu des pensées tout à fait différentes et faisant preuve de faiblesse de ma part.

Je vous donne un exemple afin de mieux vous expliquer la situation. J'aime un homme et j'accepte de vivre avec lui. Personnellement, et selon mon cheminement, je désire vivre une relation harmonieuse avec pureté d'intention et fidélité. Théoriquement, j'ai toujours désiré respecter l'autre dans son cheminement et l'accepter tel qu'il est, même s'il a besoin de vivre certaines expériences nécessaires à sa propre évolution mais non nécessaires à la mienne.

Un beau jour, cette situation se présente effectivement et entraîne, à la demande de celui que j'aime, une rupture temporaire pour lui permettre de vivre certaines expériences et surtout pour envisager la situation avec un certain recul.

Première réaction: faiblesse. Difficultés d'acceptation et frustration car, au fond de moi-même, j'ai toujours désiré que l'autre soit comme moi et agisse selon mes idées.

Deuxième réaction: faculté. Acceptation de l'autre et respect de son cheminement.

Résultat: la mise en pratique de notre faculté nous permet de grandir et concourt donc également à l'évolution de l'autre personne que nous aimons réellement puisque nous avons su la comprendre et l'accepter telle qu'elle est.

C'est un échange volontaire pour permettre à chacun de se reconnaître tel qu'il est et de faire un pas de plus vers son bien-être. De ces échanges volontaires naît alors la véritable communication amoureuse.

La récompense valait donc l'effort sans oublier que cet effort nous relie aux centrales positives du même genre. Cet effort répété à quelques reprises devient graduellement faculté ancrée et acquise, détruisant ainsi parallèlement la tendance négative correspondante.

Et, petit à petit, les facultés de toutes sortes s'installent et prennent la place des tendances négatives correspondantes qui nous occasionnaient peines et souffrances.

Plus les facultés sont nombreuses et solidement ancrées, plus le cheminement s'embellit et se raccourcit. Mais nous devons, particulièrement au début de notre route, rester vigilants pour ne pas laisser prise au découragement et même au désespoir provenant de nos anciennes habitudes. Les tentations sont souvent très fortes mais, sachant à l'avance qu'elles se présenteront, nous les attendons fermement avec la détermination de ne pas y céder et d'être vainqueurs. Nous prenons, dès le départ, la résolution que nous serons gagnants de notre propre vie puisque nous en sommes les artisans.

Développer nos facultés

Après avoir reconnu les facultés de l'esprit, il s'agit maintenant de vouloir les développer consciemment. Comment faire? Encore une fois, autant d'individus, autant de chemins.

La prière sincère pour solliciter les indications à suivre est un des moyens les plus efficaces. Elle provoque souvent les circonstances adéquates qui nous permettent de choisir de développer ou non nos facultés.

La technique proposée dans *Pourquoi pas le bonheur?* c'est-à-dire écrire sa résolution ou son objectif, m'apparaît encore très valable concernant le domaine spirituel. Comme je le mentionnais dans la première partie de ce livre, cette technique représente maintenant pour moi une forme d'utilisation de l'intuition qui nous lie à des centrales positives d'où proviennent nos inspirations et nos forces renouvelées.

Cette technique nous permet de faire un effort de concentration car avant d'écrire nous devons réfléchir sérieusement à l'objet de notre résolution. Elle nous permet également de poursuivre notre idéal avec plus de constance car nous abandonnons souvent trop vite à la moindre contrariété ou échec. Comme l'observait le docteur Maxwell Maltz, la plupart des gens abandonnent leur idée positive moins d'une semaine après l'avoir élaborée.

De plus, si nous avons entretenu des tendances négatives pendant plusieurs années, voire plusieurs vies, nous sommes solidement liés à des centrales négatives qui ne veulent pas nous lâcher à la première bonne pensée.

Je tiens ici à faire une parenthèse pour reprendre une courte explication sur le décodage. Comme je le mentionnais déjà au début de ce livre, le décodage nous permet de faire le ménage du subconscient en nous libérant très rapidement des éléments négatifs installés en nous et dont nous ne sommes pas responsables. Incidemment, j'ai utilisé les mots «entités négatives» au sujet du décodage et j'aimerais aujourd'hui apporter une correction puisque le mot «entités» m'apparaît maintenant inapproprié dans les circonstances. Nous remplacerons donc le mot «entités» par le mot «informations» qui représente plus exactement la situation. L'effet du décodage n'en demeurera pas moins efficace et nous aurons fait un pas de plus vers la clarification du processus.

Le fait de revenir quotidiennement à des pensées positives sous forme de programmations ou prières, avec l'idée que nous nous lions ainsi à des centrales positives, installe progressivement de nouveaux liens avec ces centrales et occasionne la destruction parallèle des anciens pour autant que nous évitions vraiment de les réalimenter.

Au début, je vous concède que la tâche n'est pas toujours facile, surtout concernant les mauvais penchants dont nous nous sommes faits les esclaves. Mais, je vous prie de me croire, une attention et une action soutenues vers des centrales positives viennent à bout des penchants les plus tenaces.

Actuellement, tout est mis en lumière, qu'on le veuille ou non. Nos facultés comme nos faiblesses sont révélées au grand jour et c'est à nous et à nous seuls d'opter pour les unes ou pour les autres. Cependant, mon expérience me permet de vous affirmer avec certitude que seules les facultés pourront subsister à la fin du cycle; les tendances négatives devront être broyées et détruites jusqu'à l'anéantissement total. Ainsi le veulent le mouvement et les inflexibles lois de la création.

Il est encore temps pour nous de réagir et d'accepter volontairement de vibrer face aux lois de la création. Tout est tellement plus simple et plus équilibré lorsque nous réalisons cette vérité. Nous avons tout à la portée de la main et nous hésitons encore. Cela est inconcevable, mais malheureusement réel.

L'être humain attend et attend encore que le cycle se ferme au lieu d'ouvrir les yeux de l'esprit pour apprendre la voie ascendante, la seule conduisant au bonheur réel et durable.

Mais je suis certaine que, parmi vous, plusieurs veulent sincèrement et s'uniront à moi et à tant d'autres pour contribuer à l'harmonie et à la survie humaine dans la création.

Connaître les rapports entre les êtres et connaître les lois de la création

La meilleure façon de développer nos facultés consiste à apprendre quels doivent être nos rapports avec les autres êtres existant dans la création, reconnaissant par le fait même les lois régissant ces rapports.

Déjà à quelques reprises je vous ai parlé des lois de la création telles que la loi de la réciprocité des effets et la loi de l'attraction des affinités. À elles seules, ces deux lois entraînent des milliers de situations et rapports entre les individus, rapports qu'il ne m'est pas possible de traiter complètement comme vous le comprendrez sûrement[1].

Une personne évoluée ne donne aucune prise à la discorde à moins de succomber momentanément à un mauvais penchant. En toute lucidité, elle doit développer l'attitude de la «non-violence» même lorsqu'elle est attaquée. Vous comprendrez, dès lors, pourquoi

1. Il m'est par ailleurs important de dire, au risque de me répéter, qu'une personne évoluée spirituellement (je vous parle toujours d'évolution spirituelle alors que je pourrais vous parler d'évolution tout court puisque lorsque nous parlons d'évolution chez l'être humain, il s'agit nécessairement de spiritualité) entretient des rapports harmonieux avec son entourage.

Jésus a dit: «Si l'on te frappe sur la joue droite, tends la joue gauche». Si cette personne est incapable de supporter l'attaque, elle optera pour l'éloignement plutôt que pour la riposte. Pourquoi? Parce que la riposte justifie l'attaque de l'autre. La riposte permet à l'autre de penser que son geste n'était pas si mal puisque vous en faites autant. Se forme ainsi un cercle vicieux amenant ses auteurs à se charger de nouvelles erreurs de plus en plus nombreuses et les entraînant à coup sûr vers leur propre destruction.

Au contraire, l'amour, la bonté et la patience forcent l'autre à un retour sur son propre comportement et l'obligent à juger lui-même de la justesse ou de la non-légitimité de ce comportement. L'exemple d'utilisation de nos facultés est le meilleur facteur d'harmonisation de nos rapports avec autrui. Rien ne sert de prêcher si l'on ne peut mettre soi-même en pratique le contenu de son sermon.

Une personne évoluée cherche d'abord en elle-même la cause de ses problèmes ou difficultés. Il s'agit de regarder la poutre dans notre œil avant de regarder la paille dans celui de notre voisin. Les seules faiblesses que nous sommes autorisés à critiquer et à remplacer par des facultés sont les nôtres. En effet, ce qui peut nous sembler une faiblesse chez une autre personne provient peut-être de notre imagination ou est tout simplement une projection de notre façon d'être. N'oublions jamais que nous jugeons les autres d'après nous-mêmes. Ainsi une personne bonne et honnête n'attribuera pas des mauvaises intentions à une autre personne; si nous pensons que notre prochain a des arrière-pensées, c'est que nous en avons nous-mêmes. Et même si l'autre personne avait réellement développé une tendance négative, que pouvons-nous y faire? Rien, strictement rien puisque c'est à chaque individu et à lui seul qu'il revient de faire le travail.

Et puis nous avons tellement de travail à faire sur nous-mêmes qu'il est tout à fait farfelu de penser à reprocher aux autres leurs défauts. Comme Jésus l'a si bien exprimé: «Que celui qui n'a jamais péché jette la première pierre.» Cependant, si une personne a besoin d'aide et nous demande elle-même (directement ou indirectement) notre opinion sur sa conduite, il faut avoir suffisamment d'amour et de courage pour la lui donner. Avec tact et réserve, nous pouvons lui tendre la main en lui indiquant les facultés qu'elle aurait avantage à développer pour se débarrasser des faiblesses qui lui empoisonnent l'existence.

Un continuel échange entre les humains de bonne volonté permet ainsi à chacun d'offrir aux autres ses surplus dans un domaine précis où ses facultés ont été bien développées et ancrées alors qu'il recevra des autres des forces relatives à des facultés dans lesquelles lui-même est encore faible. Une telle union spirituelle contribue alors à l'essor spirituel de tout le monde.

Une personne évoluée essaie d'offrir aux autres une image de joie malgré ses problèmes personnels. Par amour d'abord car les autres n'ont pas à subir nos difficultés et ensuite parce qu'il est prouvé qu'une telle attitude permet de se brancher sur des centrales de joie qui transforment miraculeusement nos états d'âme les plus sombres en des paysages baignés de lumière.

Cette attitude agit même à distance sur l'objet ou le sujet de nos tourments. En effet, la centrale positive non seulement retourne à l'auteur d'une bonne pensée force et courage mais transmet également des vibrations positives aux êtres liés physiquement ou mentalement à cet auteur. Ainsi, toute une chaîne d'êtres réels et vivants œuvrent sans cesse à la transmission de nos pensées à travers toute la création, malgré toute distance physique apparente. Pour l'esprit, aucune distance n'empêche un courant, qu'il soit bon ou mauvais. D'où l'importance de surveiller sérieusement nos pensées et nos actes automatiquement retransmis aux centrales correspondantes.

Une personne évoluée sait garder le silence de même qu'elle sait prendre la parole en temps opportun. Toujours en essayant de percevoir le besoin de ses proches, elle s'impose donc une discipline de contrôle de son expression verbale. La discipline doit également amener l'être humain à choisir ses mots et le ton employé lorsqu'il y a nécessité de paroles. Combien de fois n'ai-je pas tout gâché en employant un ton colérique ou larmoyant alors que mon âme désirait parler d'amour! Un manque de contrôle ainsi que de l'orgueil produisaient ce ton inadéquat, faiblesse que je m'applique à remplacer aujourd'hui par l'amour, la patience et la douceur.

Une personne évoluée sait écouter l'autre même si elle ne partage pas toujours son opinion. Pourquoi? Parce qu'en écoutant l'autre elle apprend à le connaître, se donnant ainsi de précieux outils pour aider cet autre lorsque ce dernier aura réellement besoin d'aide.

Apprendre à écouter les autres contribue également à la connaissance de nous-mêmes puisque les êtres humains se ressemblent à bien des égards. Vous en avez la preuve en parcourant certaines de mes expériences positives ou négatives relatées dans *Pourquoi pas le bonheur?* Depuis la parution de ce livre, des centaines de personnes m'ont écrit ou m'ont rencontrée pour me dire qu'elles avaient vraiment l'impression de se retrouver à travers ces expériences.

Une personne évoluée apprend à échanger, en temps opportun, sur ses expériences même négatives lorsque ces échanges peuvent aider une autre personne à comprendre la situation dans laquelle elle se trouve. Il ne s'agit aucunement d'étaler ses déboires avec complaisance mais tout simplement d'accepter humblement et, dans un geste humanitaire, de reconnaître son propre cheminement parsemé de chutes et d'erreurs qui nous ont cependant conduit à un état plus sain et plus équilibré.

La personne qui traverse actuellement telle situation difficile dont vous avez réussi à vous dégager a parfois besoin de votre témoignage pour retrouver une lueur d'espoir. Vous ne pouvez pas faire la route à sa place, mais vous pouvez facilement projeter votre lanterne sur cette route.

Le nombre de personnes ayant éclairé ma route, et par conséquent ayant participé à mon cheminement spirituel, est incalculable. Je leur dois une reconnaissance sincère et je désire également être disponible à tous ceux et celles qui veulent cheminer sérieusement. Malheureusement, mon attitude ne reflète pas encore parfaitement ce désir car je dois également travailler sans relâche sur moi-même en gardant une vigilance constante pour éviter un retour aux penchants négatifs.

Mais j'ose croire que ma conviction actuelle et mon vouloir sincère me permettront de continuer à progresser positivement en ce sens. J'ose également espérer disposer sous peu de tout mon temps pour travailler à cette tâche d'aide (dans la mesure du possible) psychologique et spirituelle auprès de ceux et celles qui cherchent un bien-être physique, mental et spirituel stable.

La joie de même que la souffrance m'ayant conduite à l'endroit où je me trouve actuellement et ayant contribué à forger ma conviction sont évidemment limitées mais elles représentent quand même des expériences vécues physiquement et moralement, expériences qui constituent pour moi, je le réalise aujourd'hui, des tremplins d'évolution.

Ma prière actuelle est d'œuvrer le mieux possible à l'endroit où mes facultés pourront s'épanouir pleinement et où le fruit de mes expériences pourra être communiqué à ceux et celles qui en manifestent le désir.

Quel est cet endroit, je ne le sais pas encore exactement mais j'attends sagement la direction de mes guides avec la constante pensée d'être au service de la lumière.

L'être humain évolué n'inflige jamais volontairement une peine à autrui pour satisfaire ses propres désirs. Voilà sans doute le point le plus important et également l'un des plus difficiles à réaliser. Jésus lui-même n'a-t-il pas dit: «Tu aimeras ton prochain comme toi-même.»

La meilleure façon de réussir à ne jamais infliger une peine à autrui est, à mon avis, de se mettre mentalement à la place d'autrui avant de faire ou de dire quelque chose contre cette personne. Cela nous évite beaucoup de manquements à ce sujet. Comme je regrette de ne pas avoir toujours réalisé et mis en pratique ce devoir d'évolution; il détermine maintenant ma conduite et me permet un très grand travail sur moi-même. Fermement décidée à vivre ainsi, je sens maintenant avec bonheur le principe d'amour déverser à profusion ses grâces en moi.

Mais si l'erreur est tout de même commise, n'hésitons jamais à faire le plus rapidement possible des excuses verbales ou écrites à la personne à laquelle nous avons fait cette peine. Peu importe ce qui a provoqué notre erreur, peu importe que cette personne ait elle-même préalablement commis une erreur à notre endroit. Notre problème est de veiller à ne jamais faire de peine à autrui pour satisfaire nos propres désirs de vengeance, d'égoïsme ou d'orgueil. Ces désirs dénotent, ne l'oublions pas, des faiblesses qui empêchent notre évolution spirituelle.

Je n'hésite donc jamais à m'excuser très ouvertement lorsqu'une telle chose se produit. Mais il ne faut pas non plus s'éterniser sur l'erreur en question et il faut vite la remplacer par quelque chose de positif. Si, par exemple, une mauvaise parole vous a échappé, l'excuse verbale ou écrite peut rapidement être suivie d'un élan de tendresse volontaire et sincère; c'est habituellement le meilleur remède pour les deux parties en cause: l'offensant (vous) et l'offensé (l'autre).

Inversement, si vous vous sentez attaqué ou lésé, pourquoi ne pas mettre en pratique la non-violence, c'est-à-dire répondre par un geste de bonté et d'amour? L'autre ne poursuivra probablement pas dans la voie négative car vous lui aurez donné l'exemple du positif.

Comme le dit ma chère maman, il faut toujours être au moins deux pour qu'il y ait une dispute. N'en faites donc jamais partie; l'autre ne pourra alors que se battre avec lui-même.

J'insiste encore sur ce point qu'il ne faut jamais faire de peine à autrui pour satisfaire ses propres désirs car j'ai constaté, et d'autres personnes l'ont constaté également, que notre désir et notre volonté d'évoluer spirituellement se trouvent constamment confrontés avec les erreurs ou manquements commis à ce sujet.

Je m'explique: à mesure que nous développons notre vie spirituelle, nous devons obligatoirement avoir des prises de conscience à différents sujets. Or, le plus grand nombre de prises de conscience, du moins au début de notre évolution spirituelle, concerne le mal que nous avons délibérément fait à notre prochain, soit par égoïsme, par orgueil, par vice ou pour tout autre prétexte.

Il faut, dès lors, reconnaître réellement tous nos manquements à ce sujet et décider de toutes nos forces de ne jamais, mais alors jamais! répéter de telles erreurs. Il faut également regretter sincèrement ces erreurs qui ont pu faire du mal à autrui.

Ça peut sembler très simple en théorie, mais en pratique cela s'avère l'une des plus bouleversantes expériences lorsqu'elle est vécue consciemment et lucidement. Cette expérience implique que tout ce qui est *erroné* en nous doit nécessairement devenir *nouveau*. C'est la mort du vieil homme indispensable à la naissance de l'homme nouveau!

Et plus nous avons manqué à cette obligation de charité pour satisfaire nos propres satisfactions (physiques ou mentales), plus le chemin est difficile car toutes sortes de faiblesses telles que l'orgueil, la justification mal fondée, l'égoïsme et même la peur d'un châtiment quelconque nous empêchent d'y voir clair. Et pourtant, le seul châtiment qui existe, c'est l'homme lui-même qui se l'impose par sa propre conduite.

Je vous mets donc en garde: il ne faudra pas reculer ou désespérer au moment où vous devrez traverser une telle période. Vous vous sentirez parfois complètement bouleversé, physiquement et même mentalement, mais sachez que tous ceux et celles qui ont décidé de prendre leur essor spirituel doivent traverser une telle période.

Personnellement j'ai eu quelquefois l'impression que j'allais faire une crise cardiaque tellement les battements de mon cœur s'accéléraient lors de ces prises de conscience. Des moments de stress et d'angoisse sont également vécus durant cette période. Mais ne vous alarmez pas et surtout ne prenez rien d'artificiel (pilules — drogues — alcool) pour combattre ces états d'âme qui sont temporairement nécessaires afin de vous permettre de vous débarrasser de ces fils négatifs que vous aviez vous-mêmes tissés en faisant telle ou telle erreur.

La meilleure solution pour traverser cette période est tout d'abord de réaliser consciemment ce qui vous arrive en sachant que la souffrance n'est que temporaire malgré sa nécessité. Le fait d'échanger avec d'autres personnes ayant déjà traversé de telles expériences permet également d'amoindrir la difficulté. Enfin, des moyens naturels de détente et de relaxation comme des bains, des exercices de respiration ou autres exercices physiques avec lesquels nous sommes familiers, la répétition mentale de phrases positives de même que la lecture de textes très clairs à ce sujet aident également.

Mais sachez aussi qu'après avoir traversé de tels moments, vous avez acquis une force que rien ni personne ne pourra désormais vous enlever. Vous aurez également le sentiment d'être en complète sécurité même dans la solitude la plus totale. Car, en réalité, la solitude aura cessé d'exister pour vous qui aurez commencé à vivre pleinement.

Votre crainte aura fait place à la confiance et vous ne cesserez de remercier le ciel de vous avoir permis une telle démarche de maturation.

L'être humain évolué est donc celui qui accepte de faire l'effort nécessaire pour chercher des réponses à ses questions les plus profondes malgré la teneur de ces questions.

Il fait le chemin lui-même, pas à pas et en toute humilité.

Il n'éprouve pas le besoin de ridiculiser ou de nier ce qu'il ne comprend pas mais, au contraire, il investit encore plus de temps et de réflexion sur les points demeurés obscurs.

À l'écoute constante de son esprit par l'intermédiaire de son intuition, l'être humain évolué accepte de réévaluer ses anciennes conceptions au risque même d'être obligé de s'avouer qu'il s'est déjà trompé dans plusieurs domaines.

Il n'a pas peur de perdre l'estime des autres à cause de ses nouvelles découvertes car sa façon de penser et d'être sont désormais le reflet de sa véritable personne. S'il lui arrive de perdre un ami à cause de son évolution, il ne s'en attriste pas car il agit sans relâche avec la plus grande sincérité vis-à-vis de lui-même et vis-à-vis de la création entière, ne pouvant forcer les autres à le suivre dans son idéal de justice, de pureté et d'amour. Mais toujours sa main est tendue vers cet ami qui s'en est éloigné car, pour lui, la fidélité est immortelle.

Cheminement

Chacun d'entre nous doit traverser une route très particulière avant d'entreprendre son essor spirituel. Cette route doit nécessairement comporter certaines expériences difficiles et parfois même de grandes souffrances pour permettre à notre esprit emmuré d'être enfin libéré.

Il en aurait été tout autrement si nous avions toujours vécu harmonieusement et en équilibre physique, mental et spirituel. Il n'en est malheureusement pas ainsi et seules de violentes secousses peuvent maintenant nous éveiller.

Songez à une jambe plâtrée depuis plusieurs mois et qu'on libère tout à coup: elle est atrophiée, engourdie et peu résistante. Mais vous savez qu'après un minimum d'exercices, malgré ses picotements et sa faiblesse, elle deviendra forte et vigoureuse et vous conduira où vous le désirez. Il ne vous viendrait pas à l'idée de redemander un plâtre pour éviter quelques petites souffrances temporaires.

Il en est de même pour votre esprit. Longtemps refoulé par votre intellect, il n'en est pas moins présent mais représente à peine une toute petite flamme alors qu'il devrait au contraire être votre flambeau d'évolution.

Avec courage et détermination, chacun de nous peut libérer son esprit afin de parvenir au plus haut degré d'évolution possible à l'être humain: l'autoconscience réelle même après la mort physique et même à la clôture du cycle. Et un merveilleux outil est là à notre disposition et qui attend notre bon vouloir pour nous permettre ce travail passionnant: vous l'avez reconnu, il s'agit de l'intuition.

Message aux femmes

Ce message que j'adresse aux femmes peut tout aussi bien être lu par les hommes car la coresponsabilité de ces derniers ne fait pas de doute concernant la condition actuelle de l'humanité. Les hommes doivent tout autant que les femmes développer leurs facultés pour participer à la paix universelle.

La femme doit répondre tout comme l'homme d'ailleurs des magnifiques talents dont elle dispose pour contribuer à l'évolution de tous les êtres humains.

Les femmes, malgré tous les mouvements de libération des dernières années, ne sont pas toutes en mesure de s'épanouir pleinement et de trouver au sein de notre société le bonheur tant recherché. Luttant pour l'égalité des sexes, nous les retrouvons pourtant prisonnières d'elles-mêmes et souvent insatisfaites de leur condition de femmes. Qu'elle soit à la maison ou à l'extérieur, la femme cherche le sens de la féminité.

Il est exact que l'homme et la femme sont égaux mais il est également vrai que les actions terrestres de l'un comme de l'autre doivent être différentes, c'est-à-dire animées par leur genre respectif, masculin ou féminin.

Je ne suis pas plus sexiste que féministe et je respecte la liberté de l'être humain. Qu'une femme veuille utiliser ses capacités dans une profession ou dans une autre demeure secondaire car tout est dans la façon de le faire. Une femme peut développer une authentique féminité où qu'elle soit et quoi qu'elle fasse.

Comme plusieurs autres femmes, je tente laborieusement, depuis le début de mon adolescence, de comprendre le vrai sens de la féminité.

Adolescente, empreinte d'idéalisme, je me voyais déjà unie à un homme merveilleux, mon prince charmant, à qui j'offrirais une admiration et un amour sans cesse renouvelés. Il fallait, bien sûr, que naissent de cette union quelques enfants qui viendraient faire de moi une vraie femme, complète et réalisée.

Je m'appliquai ainsi consciencieusement à installer sur un piédestal l'homme de ma vie, chaque fois qu'un tel homme me fit la grande joie de me choisir comme compagne. Cela ne se produisit que peu de fois, mais suffisamment pour me faire comprendre l'erreur de ma démarche.

Le grand bonheur de cheminer avec quelqu'un, l'amour et l'admiration sans cesse renouvelés n'en demeurent pas moins souhaitables mais il faut absolument que les deux personnes avancent la main dans la main, côte à côte vers un idéal commun et non à des niveaux trop éloignés.

De plus, je réalise enfin aujourd'hui que la véritable mission de la femme réside dans l'ennoblissement de son milieu. Douée d'une extrême finesse intuitive, la femme doit donc développer toutes les facultés vibrant dans la noblesse de sentiments. Ces facultés telles que la pureté, la fidélité, la pudeur, la grâce, la silencieuse activité et bien d'autres conduisent directement la femme à une féminité authentique et véritable. Que l'homme développe également ces facultés et l'harmonie n'en sera que facilitée mais regardons ce que nous pouvons cultiver dans notre jardin avant de regarder dans celui du voisin. Je sais et je sens ce que nous pouvons faire comme femmes et c'est la raison pour laquelle je vous en parle aujourd'hui.

Certaines faiblesses telles que la vanité, la coquetterie exagérée, la superficialité et le manque de volonté abaissent continuellement la femme et la conduisent à des sentiments de frustration, d'insatisfaction et d'insécurité. Elles amènent également la femme à ne plus se respecter elle-même et par conséquent à tolérer que l'homme ne la respecte pas non plus.

Consciente de cette réalité, la femme comprend enfin que le mariage et la maternité ne sont pas essentiels à son épanouissement alors que bien vécus ils n'en demeurent pas moins des facteurs d'épanouissement physique et mental.

Mais spirituellement, je le répète, le véritable rôle de la femme consiste à ennoblir son milieu, quel qu'il soit et où qu'il soit. Une femme réellement féminine qui développe consciemment toutes ses facultés spirituelles aide l'homme à conserver son enthousiasme même sans parole ni geste: elle n'a qu'à être réellement féminine.

Ceci ne veut pas dire que toute la responsabilité repose sur les épaules des femmes. Mais nous devons quand même admettre que le vieux dicton «Ce que femme veut, Dieu le veut» est basé sur quelque chose. L'homme est généralement mieux équipé pour réaliser dans la matière physique alors que de tout temps la femme fut la muse et l'inspiration de ces réalisations. Bien comprise, l'union des deux genres permet de grandes réalisations sans lutte de sexes, ni rivalité. Et cette compréhension, homme et femme doivent l'avoir sinon rien n'est possible. En effet, si la femme développe toutes ses facultés mais que l'homme refuse d'avancer avec elle, main dans la main, elle n'y peut absolument rien. Rien ne sert alors de s'acharner car nous devons toujours respecter le libre arbitre de l'autre personne.

De plus, la loi de l'attraction des affinités fait en sorte que les hommes n'aspirant à aucune noblesse et désirant demeurer à un bas niveau recherchent des femmes non féminines avec lesquelles ils se complaisent momentanément mais qu'ils désirent changer comme des objets de consommation chaque fois qu'ils en ont l'occasion. Ces hommes qui ne veulent pas évoluer ne devraient en aucun cas cheminer avec une femme réellement féminine puisque leur idéal ne peut être le même.

Ce phénomène n'est pas encore complètement perçu par les êtres humains mais ceux et celles qui ont sérieusement étudié et vécu la question vous confirmeront très vite ces observations concernant l'authentique féminité.

Donc, plus de déceptions concernant un mariage rompu, un célibat ou une impossibilité de maternité car notre véritable mission d'ennoblissement du milieu peut et doit être réalisée ici, dès maintenant, auprès de tous ceux et celles qui aspirent au bonheur.

Petit à petit, les femmes authentiques formeront sur la terre une véritable chaîne de féminité contre laquelle les centrales négatives ne pourront plus rien.

Graduellement, les femmes relèveront la tête et pourront offrir à l'humanité entière un regard lumineux, reflet du développement de toutes leurs facultés.

Et le mot femme reprendra enfin sa vraie place car il sera, comme il aurait toujours dû l'être, synonyme de noblesse.

Il a été question, dans ce livre, de cette œuvre remarquable: le Message du Graal, dans laquelle j'ai vraiment reconnu le reflet exact de ma réalité intérieure. Il m'a été permis de vous offrir en guise de conclusion à ce livre, et cela est, à mon avis, une grâce exceptionnelle, la première page de cette œuvre dont vous ferez peut-être un jour votre livre de chevet pour y puiser les trésors inestimables qui s'y trouvent.

Pour vous guider

Le bandeau tombe et la foi devient conviction. Dans la conviction seule reposent la délivrance et la rédemption.

Je ne m'adresse qu'à ceux qui cherchent sérieusement. Il faut qu'ils soient aptes et disposés à étudier objectivement cette œuvre objective. Que les fanatiques religieux et les rêveurs inconsistants demeurent à l'écart, car ils nuisent à la vérité. Quant aux malveillants et aux personnes incapables d'objectivité, ils trouveront, dans les paroles mêmes, leur jugement.

Le message n'atteindra que ceux qui portent encore en eux une étincelle de vérité et le désir ardent d'être vraiment des hommes. Il leur servira à tous de phare et de soutien. Sans détours il les conduira hors du chaos de l'actuelle confusion.

La parole qui va suivre n'apporte pas une nouvelle religion; par contre, elle doit être, pour tous les auditeurs et lecteurs sérieux, le flambeau à l'aide duquel ils trouveront le vrai chemin qui les conduit vers les hauteurs auxquelles ils aspirent.

Seul celui qui se meut lui-même peut progresser spirituellement. L'insensé qui, dans ce but, utilise des adjuvants étrangers sous forme de conceptions toutes faites, va son chemin comme sur des béquilles, alors que ses membres valides sont inutilisés.

Mais dès l'instant où il exploite résolument comme instruments de son ascension tous les dons qui, dans l'attente de son appel, sommeillent en lui, il utilise — suivant la Volonté de son Créateur — le «talent» qui lui fut confié et il surmontera, en se jouant, tous les obstacles qui voudront se mettre en travers de son chemin pour l'en détourner.

C'est pourquoi, réveillez-vous! Il n'est de foi véritable que dans la conviction et la conviction ne peut naître que d'un contrôle et d'un examen intransigeants. Soyez des êtres vivants dans la merveilleuse création de votre Dieu!

Abd-Ru-Shin.

Épilogue

J'ai intitulé ce livre: *Les Clés du bonheur*. Une clé, même toute petite, peut ouvrir de très grandes et lourdes portes. Vous le saviez déjà mais l'aviez-vous remarqué?

Nombreuses sont les clés pour ouvrir les portes du bonheur! Je les possède toutes mais ne peux cependant pas vous les donner; nous pouvons seulement les partager car vous les possédez aussi.

Les clés du mouvement et de l'action vous permettent de franchir les portes du renouveau et de la découverte. La clé du risque vous ouvre parfois les portes des larmes et de la déception mais elle vous ouvre également celles du succès, de la joie et de l'enthousiasme; qui ne risque rien n'a rien!

La clé de l'équilibre vous conduit à la maison de la quiétude et de la sérénité alors que la clé de la fantaisie vous mène directement au hall de la magie. La vie est magique, la nature est magique, nous sommes magiques.

Soyons les magiciens de notre vie et découvrons ensemble la clé maîtresse du bonheur, la clé des clés: l'amour! Devenons des amoureux: aimons les gens, les enfants, les fleurs, les livres, les fruits, le beau et le bon; aimons-nous! Cent fois par jour répétons ouvertement: j'aime ceci et j'aime cela, au lieu de nous fermer à l'amour.

Gardons notre visage au soleil de l'amour et les ombres resteront toujours derrière nous.

Achevé d'imprimer au Canada
Imprimerie Gagné Ltée Louiseville

Praise for Chris Hadfie...

THE APOLLO MURDERS

"A Cold War thriller packed with cosmic action... Featuring undercover spies, scheming Russians, and psychopathic murderers, sometimes all at once, it teems with authoritative details about what it might be like, for instance, to throw up in space or to grapple with a deadly Soviet astronaut who assaults you during a spacewalk."

— Sarah Lyall, *New York Times*

"Hadfield draws on his expertise as an astronaut to add authenticity and realism to his debut thriller. Fans of Clive Cussler and Andy Weir will enjoy this genre bender that combines military fiction, the detective novel, and techno-thriller." — *Library Journal* (starred review)

"An explosive thriller by a writer who has actually been to space and back... Strap in for the ride!"

— Gregg Hurwitz, bestselling author of *Orphan X*

"A spectacular alternate-history thriller... Hadfield keeps readers in suspense about the identity of the Soviet agent and how the Cold War confrontation in space will play out. His mastery of the details enables him to generate high levels of tension from just a description of a welding error, which cascades into something significant. This is an intelligent and surprising nail-biter that Tom Clancy fans will relish."

— *Publishers Weekly* (starred review)

"Commander Hadfield takes us on an exciting journey into an alternate past. And who better to write about astronauts than an astronaut himself!" — Andy Weir, author of *The Martian* and *Project Hail Mary*

"Not to be missed. Even in fiction there is authenticity. It is either there... or it is not. With Chris Hadfield it is, because everything he describes he has really seen." — Frederick Forsyth, author of *The Day of the Jackal* and *The Fox*

"There's maybe one person on Earth with the writing chops and the expertise to write a to-the-Moon thriller this exciting, this authentic. Chris Hadfield is that guy."

— Linwood Barclay, author of *Find You First*

"A nail-biting Cold War thriller set against the desperate Apollo mission that never really happened... *or did it?* It's a very rare book that combines so many things I love, from taut suspense and highly realistic action to the golden age of space exploration. I couldn't put it down."

— James Cameron, writer and director of *Avatar* and *Titanic*

"A mind-boggling chess game between the two superpowers and their astronaut teams... A debut space-adventure story outstanding in its genre."

— Carolyn Haley, *New York Journal of Books*

"Former astronaut Chris Hadfield gives us a relentlessly exciting, deeply intriguing insider's look at the prime years of the Apollo space program, ingeniously weaving together three of the coldest, darkest things in existence — Cold War politics, space, and murder. Hadfield also gives us a hero in former test pilot Kaz who is willing to risk both career and life to stop a trail of blood extending from the Earth to the Moon. Nothing short of brilliant!"

— Stephen Mack Jones, author of the August Snow series

"Time and again Hadfield shows how little things — like a missing lock wire on a nut or a sneeze while soldering one of the spaceship's communications devices — have a huge impact. And some of the technical details can be fascinating in themselves... *The Apollo Murders* is a hefty first novel, but Hadfield's clear enthusiasm for the subject is its rocket fuel."

— Alex Good, *Toronto Star*

"Chris Hadfield has deftly combined fact and fiction in a gripping tale of high-stakes treachery. Told against the background of the amazing Apollo space program, this story of Cold War tensions, dark secrets, and an ego gone over the edge builds to an explosive and satisfying finale."

— John Verdon, author of the Dave Gurney series

"Hadfield's bona fides are unimpeachable — but it's his inventive action sequences and keen eye for illuminating details that propel *The Apollo Murders* ever skyward. Strap in and brace yourself, because with Hadfield at the stick, you're in for a stellar thrill ride."

— Chris Holm, author of *Child Zero*

"Possibly the most authentically voiced work yet of murder and mayhem in deep space. Totally gripping from first page to last, this is an accomplished debut." — Myles McWeeney, *Irish Independent*

"Real-life astronaut Hadfield's first novel is surprisingly ambitious... Rich in the kind of scientific and technical details that made Andy Weir's *The Martian* and Kim Stanley Robinson's *Aurora* such treats, the book also features well-drawn characters, natural-sounding dialogue, and a story that leads one to expect a spectacular conclusion (and delivers it). Perfect for fans of science fiction/mystery combos." — *Booklist*

"Hadfield draws on his own unique experiences for this propulsive Cold War space race thrill ride." — Juliana Rose Pignataro, *Newsweek*

"This is such a terrifically confident, well-written thriller that to find it is the author's debut is unexpected, and, as a bonus, it's classier than most other Cold War novels because Hadfield (who spent time in Russia) gives us fully realized Soviet characters." — John Dugdale, *The Times* (UK)

"*The Apollo Murders* has a little something for everyone. A daring spaceflight, political intrigue, a spy thriller, and a good ol' fashioned whodunnit all rolled into one exciting story! This may be Chris Hadfield's first foray into fiction, but I certainly hope it isn't his last."

— Daryl Sausse, *Space Explored*

"Hadfield puts a rocket under the genre with a riveting space thriller... A breathtaking plot full of twists and turns."

— John Walshe, *Business Post* (Ireland)

"*The Apollo Murders* is as dizzying and exhilarating as a journey into orbit." — Angus Batey, *The Quietus*

"Chris Hadfield's twisty thriller blasts off and turns the Cold War hot, as superpower conflict erupts in the cramped confines of the Apollo module. America's final moon mission confronts even greater challenges: an armed Soviet orbiter, an aggressive moon rover, and a cosmonaut determined to draw a line in the regolith. Old-school tech is the background for machine guns in space and knife fights on the Moon — and it's all entirely plausible, written by someone who could have been there."

— Mike Cooper, author of *The Downside*

"Incorporating real-life characters and events, spanning decades and distances both terrestrial and translunar, this NASA-heavy thriller has everything."

— *Kirkus Reviews*

"An accomplished debut novel, an original and engrossing Cold War space race thriller. Set in 1973, with the confrontation between the United States and the Soviet Union for the mastery of technological surveillance and getting ahead in the arms race at its peak, the backdrop could not be more exciting or intriguing... This is a sharp and tense read and a fresh take on the Cold War space race."

— *Crime Fiction Lover*

"It's got Soviet spies and secret space stations with machine guns mounted to the top. What more could a book need?"

— National Public Radio

THE APOLLO MURDERS

Also by Chris Hadfield

The Darkest Dark
You Are Here
An Astronaut's Guide to Life on Earth

THE APOLLO MURDERS

A NOVEL

CHRIS HADFIELD

MULHOLLAND BOOKS
LITTLE, BROWN AND COMPANY
NEW YORK BOSTON LONDON

This book is a work of historical fiction. In order to give a sense of the times, some names or real people or places have been included in the book. However, the events depicted in this book are imaginary, and the names of nonhistorical persons or events are the product of the author's imagination or are used fictitiously. Any resemblance of such nonhistorical persons or events to actual ones is purely coincidental.

Mulholland Books / Little, Brown and Company
Hachette Book Group
1290 Avenue of the Americas, New York, NY 10104
mulhollandbooks.com

Originally published in hardcover by Mulholland Books, October 2021
First Mulholland Books trade paperback edition, August 2022

Mulholland Books is an imprint of Little, Brown and Company, a division of Hachette Book Group, Inc. The Mulholland Books name and logo are trademarks of Hachette Book Group, Inc.

ISBN 9780316264532 (hc) / 9780316264631 (pb)
LCCN 2021942973

Printing 1, 2022

LSC-C

Printed in the United States of America

To Helene
who hand-built the multicolored desk on which this book was written,
as well as our entire life together

Many of these people are real. Much of this actually happened.

PROLOGUE

Chesapeake Bay, 1968

I lost my left eye on a beautiful autumn morning with not a cloud in the sky.

I was flying an F-4 Phantom, a big, heavy jet fighter nicknamed the Double Ugly, with the nose section newly modified to hold reconnaissance cameras. The nose cone was now bulbous, which meant the air flowed differently around it, so I was taking it on a test flight over the Chesapeake Bay to recalibrate the speed sensing system.

I loved flying the Phantom. Pushing forward on the throttles created an instantaneous powerful thrust into my back, and pulling back steadily on the control stick arced the jet's nose up into the eternal blue. I felt like I was piloting some great winged dinosaur, laughing with effortless grace and freedom in three dimensions.

But today I was staying down close to the water to measure exactly how fast I was going. By comparing what my cockpit dials showed with the readouts from the technicians recording my pass from the shoreline, we could update the airplane's instruments to tell the truth of the new nose shape.

I pushed the small knob under my left thumb and said into my oxygen mask, "Setting up for the final pass, 550 knots."

The lead engineer's voice crackled right back through my helmet's earpieces. "Roger, Kaz, we're ready."

I twisted my head hard to spot the line-up markers, big orange reflective triangles on posts sticking up out of the water. I rolled the Phantom to the left, pulled to turn and align with the proper ground track, and pushed the throttles forward, just short of afterburner, to set speed at 550 knots. Nine miles a minute, or almost 1,000 feet with every tick of my watch's second hand.

The shoreline trees on my right were a blur as I eased the jet lower over the bay. I needed to cross in front of the measuring cameras at exactly 50 feet above the water. A very quick glance showed my speed at 540 and my altitude at 75, so I added a titch of power and eased the stick forward a hair before leveling off. As the first marker raced up and flicked past under my nose I pushed the button, and said, "Ready."

"Roger" came back.

As I was about to mark the crossing of the second tower, I saw the seagull.

Just a white-gray speck, but dead ahead. My first instinct was to push forward on the stick so I would miss it, but at 50 feet above the water, that would be a bad idea. My fist and arm muscles clenched, freezing the stick.

The seagull saw what was about to happen and, calling on millions of years of evolved avian instinct, dove to avoid danger, but it was too late. I was moving far faster than any bird.

We hit.

The technicians in the measuring tower were so tightly focused on their sighting equipment they didn't notice. They briefly wondered why I hadn't called "Ready" a second time and then "Mark" as I crossed the third tower, but they sat back from their instruments as the lead engineer calmly transmitted, "That's the last data point, Kaz. Nice flying. See you at the debrief."

In the cockpit, the explosion was stupendous. The gull hit just ahead and left of me, shattering the acrylic plastic canopy like a grenade. The 550-mile-an-hour wind, full of seagull guts and plexiglas shards, hit my chest and face full force, slamming me back against the ejection seat, then blowing me around in my harness like a rag doll. I couldn't see a thing, blindly easing back on the stick to get up and away from the water.

My head was ringing from what felt like a hard punch in my left eye. I blinked fast to try to clear my vision, but I still couldn't see. As the jet climbed, I pulled the throttles back to midrange to slow down, and leaned forward against my straps to get my face out of the pummeling wind, reaching up with one hand to clear the guck out of my eyes. I wiped hard, left and right, clearing my right eye enough for me to glimpse the horizon. The Phantom was rolling slowly to the right, and still climbing. I moved the control stick to level off, wiped my eyes again, and glanced down at my glove. The light brown leather was soaked in fresh, red blood.

I bet that's not all from the seagull.

I yanked off the glove to feel around my face, fighting the buffeting wind. My right eye seemed normal, but my numb left cheek felt torn, and I couldn't see anything out of my left eye, which was now hurting like hell.

My thick green rubber oxygen mask was still in place over my nose and mouth, held there by the heavy jawline clips on my helmet. But my dark green visor was gone, lost somehow in the impact and the wind. I reached back and pivoted my helmet forward, wiggling and recentering it. I needed to talk to somebody, and fast.

"Mayday, Mayday, Mayday!" I yelled, mashing down the comm button with a thumb slippery with blood. "This is Phantom 665. I've had a birdstrike. Canopy's broken." I couldn't see well enough to change the radio frequency, and hoped the crew in the observation tower was still listening. The roar in the cockpit was so loud I couldn't hear any response.

Alternately wiping the blood that kept filling my right eye socket and jamming the heel of my hand hard into my left, I found I could see enough to fly. I looked at the Chesapeake shoreline below me to get my bearings. The mouth of the Potomac was a distinctive shape under my left wing, and I used it to turn towards base, up the Maryland shore to the familiar safety of the runways at Patuxent River Naval Air Station.

The bird had hit the left side of the Phantom, so I knew some of the debris from the collision might have been sucked into that engine, damaging it. I strained to see the instruments—at least I couldn't see any yellow caution lights. *One engine's enough anyway*, I thought, and started to set up for landing.

When I leaned hard to the left, the slipstream blew across my face, keeping the blood from running into my good eye. I shouted again into my mask: "Mayday, Mayday, Mayday, Phantom 665's lining up for an emergency straight-in full stop, runway 31." Hoping someone was listening, and that other jets were getting out of my way.

As Pax River neared I pulled my hand away from my left eye and yanked the throttles to idle, to slow enough to drop the landing gear. The airspeed indicator was blurry too, but when I guessed the needle was below 250 knots I grabbed the big red gear knob and slammed it down. The Phantom made the normal clunking and shuddering vibrations as the wheels lowered and locked into place. I reached hard left and slapped the flaps and slats down.

The wind in the cockpit was still my own personal tornado. I kept leaning left, took one last swipe at my right eye to clear the blood, set the throttles about two-thirds back, jammed my palm back into my bleeding left eye socket, and lined up.

The F-4 has small bright lights by the windscreen that glow red when you're at the right angle for landing, and it also sounds a reassuring steady tone to say you're on-speed. I blessed the McDonnell Aircraft engineers for their thoughtfulness as I clumsily set up on final. My depth perception was all messed up, so I aimed about a third of the way down the runway and judged the rate of descent as best I could. The ground on either side of the runway came rushing up and slam! I was down, yanking the throttle to idle and pulling up on the handle to release the drag chute, squinting like hell to try to keep the Phantom somewhere near the middle of the runway.

I pulled the stick all the way back into my lap to help air-drag the 17-ton jet to a stop, pushing hard on the wheel brakes, trying to bring the far end of the runway into focus. It looked like it was coming up too fast, so I stood on the brakes, yanking against the leverage of the stick.

And suddenly it was over. The jet lurched to a stop, the engines were at idle, and I saw yellow fire trucks pulling onto the runway, racing towards me. Someone must have heard my radio calls. As the trucks pulled up I swapped hands on my injured eye, reached down to the throttles, raised the finger lifts and shut off both engines.

I leaned back against the ejection seat and closed my good eye. As the adrenaline left my body, excruciating pain took over, a searing fire centered in my left eye socket. The rest of me was numb, nauseous, soaking wet, totally limp.

The fire chief's ladder rattled against the side of the Phantom. And then I heard his voice next to me.

"Holy Christ," he said.

THE

MOON

1

Houston, January 1973

Flat.

Flat, as far as the eye could see.

The plane had just descended below cloud and the hazy, humid South Texas air made the distances look shorter somehow. Kaz leaned forward to get a good look at his new posting. He'd been in the Boeing 727 seat for nearly four hours and his neck cracked as he craned it. Underneath him was a waterway snaking through an industrial maze of petroleum refineries and waterside cranes. His forehead touched the window as he tipped his head to track where it flowed into Galveston Bay, a glistening expanse of oily brown water that fed into the Gulf of Mexico, fuzzily visible on the horizon through the smog.

Not a garden spot.

As the plane descended towards the runway, he noticed each small correction the pilots made, silently evaluating their landing as the tires squawked onto the runway at Houston Intercontinental Airport. *Not bad.*

The Avis rental car was ready for him. He heaved his overfilled suitcase and satchel into the trunk, and carefully set his guitar on top. "I have too much gear," he muttered, but Houston was going to be home for a few months, so he'd packed what he figured he'd need.

Kaz glanced at his watch, now on Central time—midday Sunday traffic should be light—and climbed in. As he turned the key, he noticed the name of the model on the key fob. He smiled. They'd rented him a silver Plymouth Satellite.

The accident hadn't only cost Kaz an eye. Without binocular vision, he'd lost his medical as both a test pilot and an astronaut selectee who'd been assigned to fly on MOL, the military's planned Manned Orbiting Laboratory spy space station. His work and dreams had disappeared in a bloody flurry of feathers.

The Navy had sent him to postgraduate school to heal and to study space-borne electro-optics, and then used his analysis expertise inside National Security and Central Intelligence. He'd enjoyed the complexity of the work, applying his insight to help shape policy, but had watched with quiet envy as former military pilots flew on Apollo missions and walked on the Moon.

Yet Washington's ever-changing politics had now brought him here to Houston. President Richard Nixon was feeling the heat in an election year; some districts felt they'd already won the space race, and inflation and unemployment had both been rising. The Department of Defense was on Nixon's back, with uncertain direction as the Vietnam War was ending, and they were still incensed that he had canceled MOL. The National Reconnaissance Office had assured Nixon that their new Gambit-3 Key Hole satellites could take spy pictures better and more cheaply than astronauts on a space station.

But Nixon was a career politician, and easily found the advantageous middle ground: give the American public one more Moon flight, and let the Department of Defense and its vast budgetary resources pay the cost.

With DoD money behind it, Apollo 18 was redesignated as America's first all-military spaceflight, and its classified purpose was given to the

US Air Force to decide. Given his rare combination of test flying, MOL training and Washington intelligence work, the Navy sent Kaz to Texas to be the crew military liaison.

To keep an eye on things.

As he cruised south on I-45, Kaz was tempted to drive directly to NASA's Manned Spacecraft Center for a look, but instead he headed a bit farther west. Before leaving Washington, he'd made some phone calls and found a place to rent that sounded better than good, near a town called Pearland. He followed the signs towards Galveston, then turned off the big highway at the exit to FM 528.

The land was just as flat as it had seemed from the air, with mud-green cow pasture on both sides of the two-lane road, no gas stations, and no traffic. The sign for his turnoff was so small he almost missed it: Welcome to Polly Ranch Estates.

He followed the unpaved road, his tires crunching on crushed shells. There was a quick rumbling rhythm as the Plymouth crossed a cattle gate set in the road, aligned with a rusted barbed-wire fence strung left and right into the distance. Peering ahead, he saw two lone houses built on small rises in the ground, a pickup truck parked in front of the nearest one. He pulled into the other driveway, glanced in the rear-view mirror to make sure his glass eye was in straight, and opened the door. Stiff, he arched his back as he stood, stretching for a three-count. Too many years sitting on hard ejection seats.

The two houses were new, ranch-style bungalows, but with oddly high, wide garages. Kaz looked left and right—the road was arrow straight for several thousand feet. *Perfect*.

He headed for the house with the pickup, and as he took the stairs to the front door, it opened. A compact, muscular man in a faded green Ban-Lon golf shirt, blue jeans and pointed brown boots stepped out. Maybe mid-fifties, hair cut close in a graying crew cut, face seaming early with age. Had to be his new landlord, Frank Thompson, who'd said on the phone that he'd been an Avenger pilot in the Pacific theater and was now an airline captain with Continental.

"You Kaz Zemeckis?"

Kaz nodded.

"I'm Frank," he said, and held out his hand. "Welcome to Polly Ranch! You found us okay?"

Kaz shook the man's hand. "Yes, thanks. Your directions were good."

"Hold on a sec," Frank said and disappeared into his house. He came back out holding up a shiny bronze-colored key, then led the way down the steps and across the new grass between the houses. He unlocked Kaz's front door, stepped back, and held out the key to Kaz, letting him enter first.

A long, sloping ceiling joining the living room, dining area and kitchen. Saltillo tile floors, lots of windows front and back, dark paneling throughout, and a hallway leading off to the left, presumably to bedrooms. There was still a slight varnish smell in the air. It was fully furnished, perfect for his needs. Kaz liked it, and said so.

"Let's go have a look at the best room in the house," Frank said. He walked to the far end of the living room, opened an oversized wooden door and clicked on the lights.

They stepped into a full-sized hangar—50 feet wide, 60 deep, with a 14-foot ceiling. There were garage doors front and back, racks of fluorescent lights above, and a smooth-poured concrete floor. In the middle of it, spotless under the lights, was an orange-and-white, all-metal Cessna 170B, sitting lightly on its cantilever front gear and tailwheel.

"Frank, that's a beautiful plane. You sure you trust me to fly it?"

"With your background, no question. Want to take it up for a check-out now?"

The only answer to that question was yes.

After Frank pushed a button to open the garage doors, Kaz tucked his rental car into the side of the hangar, and they pushed the Cessna out and down onto the road.

They did a quick walkaround together. Kaz checked the oil, drained a bit of gas into a clear tube to check for water and carefully poured it out on a weed growing by the roadside. They climbed in and Frank talked him through the simple checklist, getting the engine started, watching pressures and temps, checking the controls. Kaz back-taxied to the far end of the road, where it led into a stand of trees. A touch of left brake and extra power and the plane snapped around smartly, lining up with the long, skinny runway.

Kaz checked the mags, and then raised his eyebrows expectantly at Frank, who nodded. Pushing the throttle smoothly all the way to the stop, Kaz checked the gauges, his feet dancing on the rudder pedals, keeping the plane exactly in the middle of the 20-foot-wide pavement. He rocked his head and upper body constantly left and right, so he could see the runway edges on both sides with his good eye. He held the control wheel full forward to raise the tail, then eased it gently back; the 170 lifted off effortlessly at 55 miles per hour. They were flying.

"Where to?" he asked, shouting slightly over the motor noise. Frank waved forward and to the right, and Kaz banked away from the two houses and headed east. He followed FM 528 back across I-45, and saw Galveston Bay for the second time that day, brown on the horizon.

"That's where you're going to be working!" Frank shouted, pointing ahead to the left. Kaz glanced through his side window, and for the first time, saw NASA's Manned Spacecraft Center—home of the Apollo program, astronaut training and Mission Control. It was far bigger than he'd expected—hundreds of acres of empty pasture stretching off to the west, and dozens of rectangular white and pale-blue buildings surrounded by parking lots, mostly empty since it was the weekend. In the middle was a long green park, crisscrossed with walking paths joining all the surrounding buildings and dotted with circular ponds.

"Looks like a college campus," he yelled at Frank.

"They designed it that way so they could give it back to Rice University when the Moon landings ended," Frank shouted back.

Not so fast, Kaz thought. If he did his job right and Apollo 18 went well, the Air Force might talk Nixon into flying Apollo 19 too.

—

Kaz pulled the throttle to idle, cut the mixture, and the Cessna's engine coughed and quit, the wooden propeller suddenly visible in front of them. The click of switches was unnaturally loud as Kaz shut off the electrics.

"Sweet plane, Frank," he said.

"You fly it better than I do. That's a skinny runway, and you made it look simple, first try. Glad she'll be getting some extra use—I'm away too much. Better for the engine."

Frank showed Kaz where the fuel tank sat against the side of the garage, and they dragged the long hose inside and topped off the wing tanks. There was a clipboard hanging on a hook just inside the door, and Kaz recorded date, flight time and fuel used. They both looked over at the silent plane, sharing an unspoken moment of appreciation for the joy of flight. Since becoming a pilot, Kaz felt he never really understood a place until he'd seen the lay of the land from the air, like a living map below him. It was as if the third dimension added a key piece, building an intuitive sense of proportion in his head.

Frank said, "I'll leave you to get settled," and headed back to his place. Kaz lowered the garage door behind him and unloaded the car.

He lugged his heavy suitcase down the L-shaped hallway and set it on the bed in the largest bedroom, pleased to see that it was king-sized. A glance to the left showed a big attached bathroom.

Feeling oddly like he had checked into a hotel, he unzipped the suitcase and started putting things away. He hung up his two suits, one gray, one black, plus a checked sport jacket, in the closet. Did the same with a half-dozen collared shirts, white and light blue, slacks, two ties. One pair of dress shoes, one pair of Adidas. Casual clothes and PT gear went into the lowboy dresser, along with socks and undershorts. Two novels and his traveling alarm clock on the bedside table. Shaving kit and eyeball care bag on the bathroom counter.

The last items in the suitcase were his faded orange US Navy flight suit and leather boots. He touched the black-and-white shoulder patch—the grinning skull and crossbones of the VF-84 Jolly Rogers, from his time flying F-4s off the USS *Independence* aircraft carrier. Just below it was sewn the much more formal crest of the USN Test Pilot School, where he had graduated top of his class. He rubbed a thumb across the gold of his naval aviator wings—a hard-earned, permanent measure of himself—then lifted the flight suit out, threaded the hanger into the arms, hung it in the closet and tucked his brown lace-up flight boots underneath.

The rattling bedside alarm woke him, his glass eye feeling gritty as he blinked at the sunrise. His first morning on the Texas Gulf Coast.

Kaz rolled out of bed and padded to the bathroom on the stone floor, cold under his bare feet. He relieved himself and then looked in the mirror, assessing what he saw. Six foot, 173 pounds (*need to buy a scale*), dark chest hair, pale skin. His parents were Lithuanian Jews who had fled the rising threat of Nazi Germany, emigrating to New York when Kaz was an infant. His face was like his dad's: broad forehead, big ears, a wide jaw leading to a slightly cleft chin. Thick dark eyebrows above pale-blue eyes, one real, one fake. The ocularist had done a nice job of matching the color. He turned his head to the right and leaned closer, pulling down slightly on the skin of his cheek. The scars were there, but mostly faded. After several surgeries (*five? six?*), the plastic surgeon had rebuilt the eye socket and cheekbone to a near-perfect match.

Good enough for government work.

He methodically went through his morning ritual, five minutes of stretching, sit-ups, back extensions and push-ups, straining his body until his muscles squawked. You get out of it what you put into it.

Feeling looser, he showered and shaved, and brushed his teeth. He rummaged in his eye bag, pulled out a small squeeze bottle and leaned back to put a few artificial tears into his fake eye. He blinked at himself rapidly, his good eye staring back with 20/12 vision.

That impressed them a long time ago during aircrew selection. *Eye like a hawk.*

2

Manned Spacecraft Center

"Houston, we have an electrical problem in the LM." Apollo Lunar Module Pilot Luke Hemming's voice was measured, calmly reporting the crisis he was observing.

"Roger, Luke, we're looking at it." The Capsule Communicator's voice, coming from Mission Control in Building 30 at the Manned Spacecraft Center, was equally calm, matching Luke's dispassionate urgency.

On the instrument panel in front of Luke, the Master Alarm light glowed bright red next to the window, where he couldn't miss it during their upcoming landing on the Moon. He pushed the red light in to extinguish it, resetting it for subsequent failures. Several multicolored lights were still illuminated on the Caution and Warning panel.

"What are you seeing, Luke?" Mission Commander Tom Hoffman leaned across to have a look, their shoulders touching in the confined cockpit.

"I think it's a bad voltage sensor," Luke said. "Volts show zero/off scale low, but amps look good." Tom peered around him at the gauges, and nodded.

The crew was hot mic, so the CAPCOM heard them. "Roger, Luke, we concur. Continue with Trans-Lunar Coast Activation."

Tom and Luke carried on bringing the lunar lander to life, taking advantage of what would be the relatively quiet three days after launch, during which they'd travel across the 240,000 miles of space between the Earth and the Moon.

Luke slid his pencil out of his shoulder pocket and made a quick note on the small notepad he'd clipped to the panel. He was tracking the failures as they accumulated; maintaining a running tally was the only way to keep it all straight in his head, especially as multiple systems failed. The Apollo 13 explosion had reinforced just how complicated the spaceship was, and how quickly things could go seriously wrong.

Tom checked his own handwritten list. "So, I see a sticky cabin dump valve, a misconfigured circuit breaker, failed biomed telemetry, and now a bad voltage sensor. I think we're still GO to continue with the full flight plan. Houston, you concur?"

"Roger, *Bulldog*, we'll watch that voltage and likely have some steps for you to take later, but you're still on track for lunar insertion and landing." Luke, a Marine Corps captain, had been the one to nickname the tough little spaceship "Bulldog" after the Marine Corps longtime mascot.

Tom and Luke finished the TLC checklist, deactivated the LM, and exited through the tunnel, closing the hatch behind them.

Michael Esdale, in his pilot seat in the Command Module, greeted them with a broad smile. He was the one who would be orbiting the Moon while Tom and Luke went down to the surface. "I'd about given up on you two," he said. "I made snacks, figuring you might be hungry after all that heavy switch throwing."

Tom squeezed past Michael into his seat on the left, while Luke settled in on Michael's right.

"How's *Pursuit* doing?" Tom asked.

"Ticking like a Timex," Michael answered. A US Navy test pilot, Michael had been the one to name the Command Module. As the world's first Black astronaut, he had decided to honor the WW2 Black fighter pilots, the Tuskegee Airmen, and their unit, the 99th Pursuit Squadron.

"These snacks are . . . simple," Luke said, popping a Ritz cracker with a square of cheese on top into his mouth.

"NASA's version of shit on a shingle," Michael said. "Maybe some Tang to wash it down?" Despite the TV ads, astronauts hadn't drunk Tang in space since Gemini in the mid-1960s. One of the early astronauts had vomited Tang during space motion sickness, and reported that it tasted even worse coming back up.

Tom pushed the transmit button. "What next, Houston?"

"Take a fifteen-minute bathroom break while we reset the sim. We'll pick up again in the Prep for Lunar Orbit Insertion."

"Sounds good," Tom replied. He pushed a small knob on his wristwatch and the Apollo 18 crew clambered out of the Command Module simulator.

Kaz, who was watching them on the multiple consoles in the instructor station in the adjoining room, had allowed himself only a moment to think that it might have been him in that sim, prepping for Apollo 18. He'd flown with Luke and Michael, all test pilots together, out of Patuxent River; until the accident, he'd seen them nearly every day, and gone for a beer with them most nights. As he watched the experts create one malfunction after another for the crew to deal with—before the launch, it was crucial that Tom, Luke and Michael see all the possible things that could go wrong and learn how to deal with them—he felt a little rueful that he was about to throw them the biggest mission curve ball ever.

After the bathroom break he saw Michael and Luke head directly back to the sim, but Tom stopped for a quick check-in with the instructors. When he spotted Kaz, he came directly to him, a big smile on his face. "Well look who the cat dragged in! Kazimieras Zemeckis! You're even uglier than I remember."

Kaz shook his hand, smiling back. He didn't know Tom as well as the other two, but they'd been classmates in the same Test Pilot School group at Edwards Air Force Base in California's Mojave Desert. "Good to see you, Tom," he said. "You three are doing good work together."

"Yeah, we're getting there. These torturers here are making sure of that."

Kaz said, "I need to talk with you all after the sim." He paused "Update from Washington."

Tom's forehead furrowed. He didn't like surprises, especially as the crew commander. He looked at his watch, and then nodded, curtly. "Okay. But time to head back in now. See you at the debrief."

As Kaz left the sim and walked out of Building 5, he had to stop for a moment to get his bearings. He looked at the parking lot ahead and the nine-story rectangular building on his right, and matched it with what he'd seen while flying over in the Cessna. He turned right across the open central quadrangle and headed towards the Mission Control Center.

From the outside, MCC looked like just another three-story block of stuccoed cement, with windows tinted dark against the Texas sun. He followed the path around to the entrance, where the architect had made a perfunctory effort to give the nation what they expected of their space program—angular concrete forms stuck onto the postmodern Brutalist cubes. *Government ugly.*

He reached into his sport jacket pocket to retrieve the new NASA ID badge he'd been issued that morning. A guard sitting in front of three heavy silver doors took it from him, checked the building access code and handed it back.

"Welcome to MCC," he said pleasantly, pushing a button. The clunk was loud as the nearest door unlocked. *Like a bank vault*, Kaz thought. *Let's see what valuables they're keeping inside.*

The immediate interior was as underwhelming as the exterior. Gray, fluorescent-lit corridors, functional linoleum and fading prints of the Earth and Moon in cheap black frames on the walls. Kaz followed the arrows on the small signs saying MCC. One of the two elevators had an Out of Order sign on it, so he looked around and took the stairs.

He showed his badge to another seated guard, who nodded and pointed with his thumb at the solid-looking door behind him. Kaz gave it a push, and then pushed harder at the unexpected weight. He closed it carefully behind him, trying not to make much noise. He was suddenly inside the hub of manned spaceflight, and the experts were at work.

He'd entered a room of pale-green consoles, each stacked progressively higher, like in a theater. The workstations all faced the three big screens on Kaz's left, glowing with yellow-orange hieroglyphics of numbers, acronyms and schematics. Behind each console Kaz could see a face, lit up by the displays, hazed by cigarette smoke. Each specialist was wearing a half headset, so they could hear both the radio conversation and the voices around them. Mission emblems of previous spaceflights, all the way back to Gemini 4, hung on the walls.

Kaz stood watching the Flight Control team as they communicated with the Apollo 18 crew, now back at work in Building 5. He spotted a familiar face, a fellow test pilot who raised a hand to wave Kaz over. He threaded his way up the tiered levels, trying not to disturb the concentration of the flight controllers.

Kaz ended up behind the CAPCOM console, where he shook hands with Chad Miller, the backup commander of Apollo 18.

"Welcome to Houston," Chad said softly. "You were over with the crew?"

Kaz nodded. "They're doing good."

The two men watched the room work for a minute. A cartoon-like graphic of *Pursuit* was projected on the big center screen up front. The ship was about to disappear behind the Moon, so Chad asked, "Need a coffee?" Kaz nodded, and the two quietly worked their way out of the room.

Chad Miller, like the rest of the Apollo 18 prime and backup crewmembers, was a military test pilot. Clear blue eyes, sandy-brown hair, square shoulders filling his short-sleeved sky-blue polo shirt, tucked in smoothly at the narrow waist of his compact body. Gray slacks, brown belt, brown loafers. His strong hands and forearms flexed as he poured coffee into two white-enameled mugs. He wore his oversized Air Force–issued watch on his left wrist.

"Cream or sugar?"

"Black, thanks."

Chad handed him his cup and led him to a small briefing room, where he and Kaz leaned easily on the long table, catching up. They knew each other somewhat from test pilot days, but Chad had worked at Edwards and Kaz at Patuxent River, so they'd never flown together. Chad had a reputation in the small community as a superb pilot, the consummate stick-and-rudder man, with an unforgiving intolerance of incompetence in himself and others. It was a trait shared by many astronauts, and Kaz respected him for it—someone who could get shit done.

At a pause in conversation, Kaz posed the question that everyone asked the backup crew. "Think you'll fly?"

"Nah, Tom's just too damned healthy." Chad laughed. "And it looks like 18 will be the last Apollo. My last chance to walk on the Moon. I've wanted to do that ever since I was a kid."

Kaz nodded. "I know that feeling. But my days of flying any kind of high-performance machine are done—the Navy prefers a pilot with two eyes."

"Makes sense, I guess. Hopefully NASA will let you fly backseat T-38 while you're here."

Kaz agreed, then leaned to glance out the open door, making sure no one was listening in the hallway.

"You coming to the debrief after the sim?"

Chad nodded.

"There's something we've all got to talk about." Kaz paused. "The Russians have been busy."

3

East Berlin, 1957

The Russian Orthodox cathedral's vestry was cold. Father Hieromonk Ilarion shifted his weight and hitched up the shoulders of his robes to cover the back of his neck, grateful for the extra layer of long underwear he'd decided to put on that morning.

Sitting on a high stool, the weak winter light shining through the nearby stained-glass window, Father Ilarion carried on with his scrutiny of the US Army's partial listing of War Children—German orphans who had been adopted by American soldiers after World War II.

The process of obtaining this mimeographed copy of the list had frustrated even the patience of a hieromonk—over a year of navigating foreign military bureaucracy and its confidentiality concerns. Ilarion had written nine separate letters, each carefully translated for him by an English-speaking junior lector at the cathedral, and he had gone twice in person to meet with the ecumenical cleric at US Mission Berlin. A complicating factor was the Americans' unspoken embarrassment that their conquering soldiers had fathered thousands of illegitimate children in

Germany. As US-Soviet tensions in Berlin heightened, it had only gotten harder to maneuver.

Finally, the list had arrived in the post. But when he'd opened the US government envelope, his heart beating fast, he'd been disappointed to see that the personal details of the adoptive families had been blacked out. Now he sipped his tea and slowly ran his thumb down every page, taking his time, carefully considering each name, trying to pick up the trail that had gone so cold in the dozen years since 1945.

Every morning Ilarion gave thanks in his prayers for his new life as hieromonk; a simple, quiet and deeply contemplative existence that was a bulwark against his harsh childhood in war-torn Berlin and his firsthand experience of the atrocities that people could commit. Still, he felt deeply guilty about losing his brother. He had let down his dead parents by failing to take care of the little boy, and he wanted to find him, and if he needed help, to give it to him.

With his rudimentary English he was able at least to puzzle out the meaning of each column: name, sex, age, hair and eye color, date of birth if known, and date and place of adoption. Many of the children had been so young that all that was listed was a first name or no name at all. The saving grace was that before the war there hadn't been that large a Russian population living in Berlin—mostly émigrés who had fled the Communists, like his own parents. He silently thanked them for giving their sons traditional Russian names. It should be relatively easy to find a "Yuri" on a list with many boys named Hans or Wilhelm, though the names weren't grouped alphabetically, or by birth or adoption date; it was like the list had been pulled together from a random pile of adoption papers. It occurred to Father Ilarion that he had no way to tell if a page was lost or if an adoption had been missed. He sighed, and carried on.

When he found his thumb suddenly next to a row describing a boy named Yuri, it was so startling he gasped. His eyes flicked along the row, disbelieving. Might this be him?

The birthday was listed as unknown, and the boy's age estimated as seven. Date of adoption was 1947, but Ilarion couldn't tell if that meant when the boy was taken from Berlin or when the paperwork was completed. His brother had been born in 1935, so this one was too young. Still, he made a neat question mark in pencil beside the entry.

He found another Yuri, and made another mark. By the time he reached the bottom of the list, he had four possible leads, none of them perfect. Then he realized he had skipped the many children with no names listed. Slightly exasperated, he started again, this time looking at any male child orphaned in Berlin who was born around 1935. It was slower going, but after a half hour he reached the bottom again. He quickly flicked the pages, counting 23 possibles. He shook his head slightly. Not possibles. Children.

Father Ilarion took a short break to make more tea. As the kettle boiled he stretched his back, and twisted his hips to ease the pain in his shorter leg. It was how he had lost Yuri. He'd been badly injured working as a bricklayer on a building site, a trade he'd learned from his father. He hadn't been able to get word from the hospital to his little brother, and by the time he'd made it back to the basement where the brothers had been sheltering, Yuri was gone, along with the only picture they had of their mother and the locket she'd treasured. In the chaos of the war-torn city, he couldn't find him. But after years of searching through death records for any sign, he'd realized that Yuri could have been adopted, and started a whole new search. He held his hands close to the kettle, happy for the radiative warmth, then wrapped his warmed palms around his damaged thigh, which still hurt when he was cold or when the weather changed. When the kettle started whistling, he retrieved a hard biscuit from the tin on the shelf, poured the steaming water over his already used teabag, and returned to the desk.

Now to be a detective. His brother had been lost in the heart of Berlin. His date of birth of 1935 was definite, so he would have been nine, but Yuri had been small for his age, so maybe the authorities thought he was seven or eight. The other certainties: blue eyes and light-brown hair.

A thought struck him. American spellings of unfamiliar foreign names might vary, so he was going to have to recheck for Yuriy, or Juri, or anything similar. He pursed his lips at the extra work, then smiled as he thought of a quote from the endless comfort of his faith: *Until you have suffered much in your heart, you cannot learn humility.*

The monk went through the list again, prioritizing. He settled on two good matches, both Yuris with brown hair and blue eyes, seven maybes, and eleven long shots. He held the two pages with the closest matches up to his eyes, inspecting every bit of information carefully, and made a discovery. The Army functionary who had crossed out the family information had not been scrupulous. Some of the black lines were thin or wavered enough that parts of the letters were visible. Ilarion went to the window, flattened the printed sides of the two sheets against the glass and started copying everything he could discern.

He was able to make out a few more of the details about the adoptive parents, but he was going to need English-speaking help and an atlas to get any further. He went through the seven next-best prospects, and added their facts to his own list. The next step would be to ask the English-speaking junior lector to help him write to the Russian Orthodox Church in America, enclosing the list, and request that they contact the churches nearest to the boys' possible locations. There was at least a chance the local churches would know if anyone in the area had adopted a Russian-speaking German orphan. This was an opportunity to bring long-lost children into the fold, after all. To give each a link to their Russian heritage and faith. To make right the wrongs of war.

To find his brother.

4

Simferopol, Soviet Ukraine, 1973

It was not a beautiful machine.

A squatty silver bathtub, riding heavily on eight spoked wheels. Two scientific instruments mounted on the front like a cross between a ray gun and a Christmas ornament. Stereo video cameras gave it lobster eyes.

Even its name was more functional than poetic—Lunokhod. Moon Rover. Typical Ivan engineering, where practicality ruled design. Not much good for pretty, but pretty much good for strong.

Lunokhod had just landed on the Moon.

Thinking through the sequence of how to take the machine down the ramp and onto the Moon's surface, Gabdulkhai Latypov—Gabdul to his friends—rubbed the sweat off his palms onto his pants legs. He repositioned the procedures book on the console and cracked his thick knuckles. He double-checked that all status lights were green, then reached out and carefully grabbed the controller. Leaning forward, he rested both forearms on the console for stability, stared at the monitor and began.

He tipped the controller forward slightly, pushed the command button and let go. The controller sent an electrical pulse through the console to the giant satellite dish outside the building that pointed straight at the Moon. The signal traversed the 240,000 miles of empty space in 1.25 seconds and hit Lunokhod's small, pointy antenna. It sent the pulse to the rover's processor, which deciphered it and briefly powered all eight wheels.

Lunokhod jerked forward slightly, and stopped. A perfectly trained dog, far from home but still responding to its master.

The rover's twin cameras took an image of the barren landscape and sent it back across the quarter million miles to Gabdul's huge satellite dish in Simferopol, where it appeared on his fuzzy black-and-white TV monitor.

Ten seconds after he'd released the hand controller, Gabdul saw that Lunokhod had moved.

"Zhivoy!" he shouted, in triumph. It's alive! He could hear the stifled murmurs of relief and excitement from the ops crew standing behind him.

Gabdul carefully pushed the controller forward again, a longer command this time, following the practiced protocol to get the machine down onto the Moon. To get to work.

Gabdul had grown up near Simferopol, on the Crimean Peninsula. His family's Tatar heritage was obvious in his thick dark hair, his wide cheekbones and the glottal sounds of his multisyllabic name. As a teenager he'd stood outside in the Crimean dusk, watching in wonder as Sputnik had raced across the sky, visible proof of Soviet technical prowess and dominance. And when Gagarin orbited Earth four years later, Gabdul decided he was going to be a cosmonaut. Just like a million other Soviet young men.

As soon as he graduated high school, he joined the Soviet Air Forces, which would send him to technical college to study aviation engineering, and after that, he hoped, to flying school. But his origins were a constant impediment. Gabdul had thought that Stalin's deportation of 200,000 Crimean Tatars to Uzbekistan after the Great Patriotic War was old history, but the bigotry in the military still ran deep—ever deeper, he found, the closer he got to Moscow. Being an ethnic minority from the edge of the Soviet Union made him second class in a classless society.

Despite his graduating in first place, other students with last names like Ivanov and Popov got all the opportunities. Repeatedly denied pilot training, at 25 he found himself a lieutenant in the Soviet Air Forces, working as a junior technical engineer at a space communications ground station near Shchelkovo, on the distant outskirts of Moscow.

Then one day his captain spoke to him during a smoke break out in the hall.

"Gabdulkhai Gimad'ovich," he'd begun formally, as the two of them stood side by side, staring out the double-paned window at the blowing snow whipping around the hulking silhouettes of the satellite dishes. "There's a new program starting, and they need smart young electronics engineers. Hush-hush for now, but apparently it will involve a lot of extra training and travel. Are you interested?"

His captain already knew what Gabdul's answer would be.

Within weeks, he was called to the OKB-52 Machine Building Plant in Moscow, for an interview and aptitude testing. He took his place in the hallway with several other young engineers waiting for their names to be called, hiding their nervousness behind impassive faces. The interview was straightforward: questions about his career, interests, family. He made sure to mention his pride in his father's army service and his own lifelong desire to serve the Soviet space program.

The practical testing was harder, and also puzzling. They had him operate a forklift truck, driving it around a prescribed course on the factory floor as they timed him. Then they hitched a trailer to it and had him back that up, around a corner. Gabdul silently thanked his father for having imparted that skill when he was teaching him to drive, back home in Simferopol.

One of the evaluators took over as the driver, and they had Gabdul observe the forklift remotely through a TV monitor and issue instructions to the driver by radio. They repeated the test in dim lighting and then they only let Gabdul see the camera image every five seconds, covering and uncovering the screen with a clipboard. He wasn't sure what they were evaluating him on, but he tried to imagine himself as the driver and say the things that he would like to hear if he was operating the vehicle.

No one gave him any explanation, just stressed again as he was leaving that he was not to discuss the interview with anyone.

One uneasy week later, his captain came into the control room during his shift.

"Gabdulkhai Gimad'ovich!"

"Da?"

The other engineers looked up as Gabdul got to his feet.

"You are leaving us. The Soviet Air Forces, in their infinite wisdom, have decided that you have communicated with enough satellites. You will report to the Lavochkin NGO in Reutov in two days." He looked Gabdul in the eye. "They haven't told me what you will be doing, so it must be highly important. So important, in fact"—he fished around in his pants pocket and pulled out two dark-blue epaulettes with a thin light-blue stripe and three stars—"that you've been promoted to senior lieutenant!"

He stepped forward, unbuttoned Gabdul's faded epaulettes and replaced them with the stiff new ones. He stepped back, and returned Gabdul's stunned salute.

The captain broke into a broad smile. Looking around at the others, he said, "Rebyata! Sto gram!" This calls for vodka!

But at first Gabdul's new posting didn't feel important. When he got to the facility in Reutov, a senior official welcomed him and 18 other trainees by lecturing them on secrecy. Then he led them into a factory clean room, where they all donned caps and lab coats and were sent to stand next to technicians who were assembling a machine that would go to the Moon. The official waved his hand at the hulking silver thing, nearly as tall as he was, and spoke to them of its purpose, its complexity and their role as the handpicked team that would drive it.

Gabdul didn't know what to think. His dreams of flying in space were crashing down around him, lost forever, but maybe driving this beast on the Moon would be cool.

At the first smoke break, one of the trainees said out loud what several others were clearly thinking. "A toy car driver? That's not what I signed up for. I thought we were going to be cosmonauts!"

Gabdul sympathized, but also noticed he was the only Tatar in the group, and felt the significance of that.

Soon several quit in disappointment. Others failed out of the surprisingly complex, rigorous training. And Gabdul felt a growing sense of something like pride. Of all 240 million Soviet citizens, only he and this small, elite team would get to do this difficult job. The likelihood of a Soviet cosmonaut ever walking on the Moon was dwindling to near zero with the repeated failures of the heavy-lift N1 rocket. But Lunokhod was *real*, and soon to launch. Even better, the new lunar simulation field and Mission Control Center were being built in his hometown of Simferopol in the Crimea.

This was a unique challenge, and a chance to make his family proud: a Tatar, in his indigenous Crimean homeland, serving the Soviet Union's space program.

It might not be his feet that would stand on the Moon, but he, Gabdulkhai Latypov, son of Gimadutin, was about to kick up the lunar dust with wire-spoked wheels.

Gabdul had become a Moon explorer.

5

Washington, DC, 1973

Jim Schlesinger was fit to be tied, as usual.

He stood by the window of his seventh-floor office, staring angrily across the George Washington Parkway towards the Little Falls Dam on the Potomac River. As the brand-new director of the Central Intelligence Agency, he wanted change, and it was happening too slowly.

"Richardson!" he yelled, without turning from the window. He'd fired his incompetent predecessor's secretary the day he'd arrived, and now waited impatiently for her replacement. The door opened, and a tall, composed woman stepped in, notepad and pen in hand.

"Yes, sir?" After 18 years with the agency, Mona Richardson had worked her way up through many types of bosses, and was rapidly figuring out how to be effective with this one.

The DCI didn't look at her. "Look at this," he barked and pointed with his chin.

Mona joined him at the window.

"That's where they're supposed to be putting up the agency road sign," he said, staring down at the traffic. "Why is nothing happening?"

"I confirmed with Fairfax County Public Works yesterday, sir. They assured me that they had the sign printed as you requested, and that they would have it installed today. I'll follow up again."

He turned and looked at her, eyes dark under heavy brows, then shook his head. They needed a sign showing people where the nation's intelligence agency was located! "Bring me more coffee, please."

Mona nodded, quietly making her exit.

Schlesinger turned back to look outside. He reached into the pocket of his tweed jacket, found his pipe and clamped it hard between his teeth. He pulled his lighter from his other pocket and lit the pipe, puffing several times, exhaling slowly through his nose. Nixon was right, as usual. This praetorian guard of outdated, clubby, shoe-leather spies that he'd inherited was smug and self-serving. They needed weeding, and he was the man to do it.

He turned and grabbed a sheet of paper off his desk, reading down the list as he smoked.

He'd fired 837 people, mostly in the so-called Directorate of Plans—the CIA's clandestine arm. He'd terminated a dozen of its senior management personally, and had changed the name to Directorate of Operations. Cutting deadwood. Making sure these people didn't screw Nixon. And the country.

His time in the RAND Corporation and the White House budget office had shown him how technology was changing the world. The United States wasn't going to win the Cold War by using old methods. The two years he'd chaired the Atomic Energy Commission had only highlighted the power of that technology. *Mutually assured destruction?* He shook his head. MAD was right! America needed better. A CIA that pushed new tech to its limits in order to gather intelligence like no other nation could. Before it was too late.

He went back to the window, glancing up at the blue sky. *Our fighters and spy planes aren't keeping up either. We're just doing what we've always done. Someone needs to shake this place, hard. And let the hangers-on fall by the wayside.*

Mona knocked twice on the door and paused, as she'd been instructed. Hearing nothing, she entered with his fresh coffee, placing the tray silently on the desk. She snuck a glance at him, still staring out at the view. He was tall, with thick graying hair, a broad forehead and cleft chin. A *handsome man. If only he weren't such an arrogant ass.*

Schlesinger spoke without looking at her. "Get me Sam Phillips on the phone."

Twenty-three miles to the northeast, on the ninth floor of the National Security Agency, a truly ugly rectangular building on the Fort Meade Army base, General Sam Phillips studied an airplane model he kept on his office bookshelf—the P-38 Lightning. It was the fighter he'd flown over Germany in the war.

The design still amazed him. Big twin turbo-supercharged Allison V-12s cranking out 1,600 horsepower, turning in opposite directions to minimize torque. He'd loved how it had felt to push the throttles to the stops, letting those giant tractors pull him faster and faster. He'd had it up over 400 miles per hour once, out of bullets and outrunning an Me-109, racing for the safety of England.

He bent down and peered head-on at the model, and not for the first time. He shook his head slightly, marveling again at how the airplane almost disappeared from the front—what the wind saw. *No wonder she was so fast*. Beautiful, purposeful engineering. The Lockheed Skunk Works thought the same way he did. Results are what count.

He took one quick glance at the framed picture the Apollo 11 crew had signed for him of the US flag they'd planted on the Moon. Neil Armstrong had handwritten the dedication: "To General Sam Phillips, with thanks—without you, this flag would not be here." Then it was back to work.

"Phone call, General," his secretary called from the adjoining room. "CIA Director James Schlesinger, on Secure One." A beat. "Are you available?"

That's all I need. He sighed.

"Yes, put him through, please, Jan." The beige phone on his desk rang, an insistent blinking light indicating which line. He picked up the handset and pushed the button.

"Director Phillips speaking."

"Sam, we need to talk about a couple things."

"Good morning, Jim. How can I help you?"

"Help me? It's not me that needs help. It's this fiasco brewing in Russia."

Sam Phillips scanned quickly through his mind. Which fiasco? What mattered to the new CIA Director?

He guessed. "The upcoming Proton launch?"

Schlesinger exhaled loudly through his nose. "You know it. What are your SIGINT boys telling you?"

Phillips shook his head. His agency provided signals intelligence to the Department of Defense, not the CIA. He'd heard that Schlesinger wanted to gather all the country's intel organizations under the CIA's control—*his* control—including the military ones. This was a battle that eventually had to be fought. But for now, he'd offer cautious cooperation; the President had put Schlesinger there by choice. "Nothing significant since the last White House briefing with the Joint Chiefs of Staff." Mostly true.

He could feel Schlesinger's blood pressure rising over the phone.

"Your job isn't figuring out what's significant, Sam, it's gathering! Tell me the latest."

Phillips decided to flood the man with information that wasn't all that sensitive, hoping it would satisfy him.

"You know about the Soviets recently landing their rover at a location on the Moon they didn't reveal to the scientific community in advance. Well, they are also just finishing final assembly and checkout of their new space station, which they're publicly calling Salyut 2. As you know, Salyut 1 had to be deorbited when it ran out of fuel eighteen months ago. After the visiting Soyuz crew was killed due to malfunction during re-entry, they grounded their resupply fleet.

"We think Salyut 2 is actually a military spy station called Almaz. Our sources have been monitoring unusual hardware deliveries, and extra levels of security. Our best guess is that they're building an equivalent to what we intended to do with MOL—essentially a huge, manned camera. Something they can point here and there around the world and see details down to an unprecedented resolution level."

As he heard Schlesinger take a breath in order to speak, he carried on quickly.

"We won't know for certain when the launch will be until we see Almaz roll between certain buildings on its railcar at the Baikonur launch site. We have people and assets monitoring that, watching out especially for when they mate it to the Proton rocket itself. Our best guess is that launch will be in early April. So our mid-April target for Apollo 18 is looking good."

As he hoped, the info dump had been enough to pacify Schlesinger.

"Okay, Sam, the President and I want to know the moment you have visual confirmation."

Clearly he meant for General Phillips to note his familiarity with the president.

"If the Soviets get this Almaz into orbit in April, how are you going to keep what's going on at Area 51 a secret?" Schlesinger asked. "They'll see everything parked on the ramp, and more importantly, the HAVE BLUE testing."

Time for some shared responsibility, Phillips thought. "I agree, Jim. We'll need to change ops there. Use camouflage covers, dummy mock-ups, and no flying during Almaz overflights. It will interrupt our activities for about five minutes a few times per day."

Schlesinger didn't pick up the cue. There was no such thing as "we" or "our" in his mind. "You've got another option too, Sam."

Phillips heard the click of the pipe stem in Schlesinger's teeth.

"Stop them being able to look at the United States, or any of our interests, from orbit."

After he hung up, Phillips stood and thought for a full minute. Then he picked the phone back up to call Kaz Zemeckis.

6

Mission Control, Houston

Gene Kranz, buzz-cut, gruff and competent, looked around the conference room at the team gathered there. Young men, mostly, and a handful of women. He was the lead flight director assigned to Apollo 18. With launch only three months away, he'd summed up the day's work by telling them that he was pleased there had been no major screwups during the six-hour simulation, either by the all-rookie crew or the Mission Control team. Gene had been a flight director since the first Gemini mission, and after six Apollo Moon landings, he treated this one as almost routine, even though he knew that almost anything could go wrong.

"Any questions?" he asked.

Kaz raised his hand. "Flight, could I have a word with you and the crew after debrief is done?"

Gene made eye contact with each of his console engineers. No question marks on any of the faces. "Sure, I think that's now. Thanks. Everyone else, you're cleared to go." The room emptied like a class dismissed, leaving only Tom, Luke and Michael, the prime crew, and

Chad, the backup commander. They and Gene Kranz all looked at Kaz expectantly as he walked to the blackboard at the front of the room and picked up a piece of chalk.

"You all know that the Russians just landed a rover on the Moon, right?" Kaz said. "Well, they're about to launch a thing called Almaz, a space station designed exclusively for spying, like MOL was supposed to be." He turned and wrote "ALMAZ" in block letters.

"According to our best intel, Almaz's camera will be powerful enough to easily see things down to the size of a small car." He let the national security implications of that sink in for a few seconds. They were all military men, including Gene, who'd flown fighters in Korea. They knew of the secret testing going on out of sight at remote airfields like Edwards in California and Area 51 in Nevada.

"Our sources say it looks like they'll be ready to launch Almaz in early April, unmanned. Once they've made sure it's fully operational, they'll send cosmonauts up on a Soyuz to crew it, and then they'll start taking pictures." Kaz paused to let that sink in before drawing the line to their own mission.

"The Joint Chiefs, with the approval of the president, want to use Apollo 18 to take a close look at Almaz in Earth orbit before the Soviet crew gets there. The Air Force just let NASA know on Friday, and I've been sent down here to brief you ASAP."

Tom said, "Wait—are we still going to the Moon?" He sounded rattled.

"Yes." Kaz turned to the chalkboard and drew a large circle. "Earth," he said, pointing. Then he drew a shape that looked like an off-kilter hula hoop surrounding it. He pointed at the spot where the hoop's curve was highest.

"The Soviets are launching Almaz from here, in Baikonur, forty-six degrees north of the equator." He traced the curve with his finger, showing where it descended behind the globe and reappeared in the south. "Apollo 18 has to match that orbit, so after launch, you'll need to steer up the Florida coast."

"Can't do it," Gene said immediately. "If we don't launch the Saturn V straight east out of Canaveral, we don't get the added speed of the Earth's spin, Kaz. Eighteen's too heavy. We're just making it as it is."

"Agreed." Kaz quickly sketched the Saturn V rocket, Apollo Command Module and Lunar Module, stacked for launch. "To lighten the load, we need to take everything off the mission that isn't absolutely needed."

He drew an X on the LM. "That means no experiments on this mission and minimal time for *Bulldog* on the lunar surface." Another X on *Bulldog*'s exterior. "We won't be carrying a rover." Kaz looked at each of them, then drew Xs on the Command Module and the rocket. "Bare minimum gear in *Pursuit*, and a stripped-down Saturn V too. We'll need to be creative, and Washington is looking to you for more ideas. Our best estimates show we can just make it."

Michael said, "Let me get this straight. We launch up the east coast, and instead of heading to the Moon, we stay in Earth orbit long enough to go find this"—he glanced at the blackboard—"Almaz." He looked back at Kaz. "We hang around taking pictures or whatever, and then we're GO for TLI?" Trans-Lunar Injection—firing the rocket motor that accelerated them to escape velocity out of Earth orbit, headed for the Moon.

"That's right," Kaz confirmed.

Luke Hemming spoke, his voice incredulous. "With no experiments to run and no rover, what are Tom and I doing on the Moon?"

"I was just about to get to that," Kaz said. "With the added time and fuel needed to intercept Almaz, they've stripped your time on the Moon to deal with only the highest military priorities. And those just changed."

"Christ!" Tom muttered, thinking of the new pressure his crew was going to be under for the next three months, made even more intense by the inevitable new layers of secrecy.

"The Soviets landed their rover in a crater called Le Monnier, on the edge of Mare Serenitatis." Kaz drew a second circle to represent the Moon, and two smaller circles to the upper right, labeling them "Serenitatis" and "Le Monnier." "It's about a hundred miles north of where

Apollo 17 landed—and it's not where the Soviets said they were going to land. The DoD wants you to go find out why the Russians are there."

He looked directly at Tom and Luke. "So, gentlemen, you are headed to Mare Serenitatis. The Sea of Serenity."

Luke rolled his eyes. "Idiots!" he muttered.

"Okay, it boils down to two main new objectives," Gene said. "One—do a rendezvous and close approach to this Almaz, and linger there long enough to accomplish the DoD's objectives." He thought a second. "Any idea what success looks like to them, how much maneuvering will be involved and how long we've got there?"

"On the order of an hour, maybe two," Kaz said. "You'll need to burn some fuel in order to position *Pursuit* to take detailed photos. Success is a close look-see. Nothing the Soviets would see as hostile."

"Then we land in the"—Gene glanced at the blackboard—"Le Monnier crater, where we do how many EVAs?" E-V-As, or Extra Vehicular Activities.

"Our first guess is that one moonwalk is all we'll have oxygen and fuel reserves for," Kaz replied.

Gene stared into space for several seconds, calculating. They hadn't saved Apollo 13 by guessing. "We'll see about that. But for now, we plan on one EVA. What exactly does the DoD want Tom and Luke to do on the Moon?"

Kaz counted on his fingers. "A detailed survey of the area. A close-up of the Soviet rover to check out its latest sensors and discern its purpose. Retrieval of rock and dust samples, to see what is so interesting to the Russians."

"Michael can get good area imagery passing overhead," Gene said. "We'll lower his orbit as close to the surface as we can."

Michael added, "I'll need another long lens for the Hasselblad." Gene nodded.

Kaz looked around at the group, now all deep in thought, revising, replanning, updating their options. *Like five high-speed problem-solving computers.*

Tom broke the silence. "A more fundamental ops question, Kaz. Who came up with this and who's actually in charge?"

Kaz paused. Spaceflight, like test flying, relied on the crew's sense of control. Al Shepard, America's first astronaut, had set the tone when he sat atop his Mercury rocket after hours of delay and said, "Why don't you fix your little problem and light this candle?" You couldn't tell a test pilot or an astronaut that their opinion mattered less than the people pulling the strings. Or a flight director, either, especially not one as experienced as Gene Krantz.

"We want to keep Apollo 18 as close to a normal mission as possible. Training, development, launch, flight ops and return will all be run by NASA, as usual. The difference will be at the management level. In addition to your Flight Ops Department here in Houston, representatives from the Air Force, the National Security Agency and the White House will work together. They'll have their people here starting later this week, and they'll be around throughout the flight."

Chad, who had remained quiet until now, laughed out loud. Kaz knew these men's years in the military had ingrained in them a mistrust of political meddling, especially with NSA spooks involved.

Luke shook his head, summarizing it in US Marine terms. "What a clusterfuck."

Tom looked around at his crew. "This is actually going to be pretty interesting, guys. We still have the mission components we've been training for, but with added pieces that make perfect sense for us as military astronauts. A chance to do some stuff that no other Apollo crew has done—rendezvous with a non-cooperative foreign target in Earth orbit, and run what is essentially a military reconnaissance op on the Moon."

Chad piped up. "It's going to require some really efficient flying. Previous missions' fuel reserve margins are going to have to be shaved all the way down the line." He looked pointedly at Michael, *Pursuit*'s pilot, and Michael nodded soberly.

"So, Kaz, what exactly is your role in this?" Gene asked.

"They sent me down here as liaison—to translate what Washington wants for you, and to tell Washington what you can deliver. My aim is to free you guys up to concentrate on training while I run interference with management."

Luke was the one who laughed aloud this time. "Mismanagement."

Gene spoke again. "So you need to be in on everything for this to work, Kaz. We're going to be buried in the details, working the problem, building something that will hold together. I'm going to need you in Mission Control from here on out, attending all the sims."

Kaz nodded. "Of course, Gene. I figured as much, and that's what I told the folks in Washington would happen."

"Kaz, when you say 'Washington,' who do you mean?" Tom asked. "It's been—what, five years since your accident at Pax? Who exactly are you working for these days?"

"It's complicated. Legally, I still belong to the Navy. They paid for my graduate work at MIT after I recovered. But during my time there, the Air Force started asking me to advise directly on MOL and SIGINT issues. I ended up talking with the NSA multiple times, and have been called to brief the White House and the CIA, assessing Soviet space assets. I report directly to the Vice Chief of Naval Ops and do my best to keep my one eye focused on the big picture for him, but I spend a lot of time farmed out to other organizations."

Kaz made sure he had everyone's attention, then said, "One more thing. The official briefings with the NASA folks start here tomorrow. What I've told you now is for your ears only. Don't even tell your wives, please." The men all nodded. Of them, Gene, Tom and Michael were married.

Kaz turned to erase the blackboard, rubbing to remove all traces. So far, so good, but he knew just how complicated it was going to get. He expected Washington hadn't told them the half of it yet.

On the way out of the parking lot, Kaz realized there was nothing in the fridge back at Polly Ranch and started scouting around for restaurants.

He spotted a low red building that was so ramshackle it looked like something that had been dropped there from *The Wizard of Oz*. The parking lot was just an open area of grass, though the early-evening clientele had lined their vehicles up neatly with whoever had parked first. One of the cars was a Corvette Stingray, gold with black trim. Kaz had seen one like it in *LIFE* magazine; ever since the Mercury program, a Chevy dealer had been giving Corvettes to astronauts for one dollar each, considering it free advertising. *Must be an Apollo guy eating here*. He pulled in.

As he got out of the car, he spotted the small hand-painted sign: The Universal Joint, it read, with Best TX BBQ Since 1965 underneath.

Perfect.

The entrance was guarded by hip-height swinging doors in the shape of cowgirls, upholstered in red Naugahyde with heavy thumbtacks as sequins. He pushed the girls open and stepped into the low-lit, rough-hewn room. He walked carefully across the uneven flooring and took a seat on a red Naugahyde stool at the long wooden bar. "Eli's Coming" by Three Dog Night was playing loudly on the jukebox, just getting to the big choral crescendo. Kaz caught the eye of the ponytailed bartender, pointed at the Budweiser sign and held up a finger. She nodded, reached into a red cooler and pried off the cap as she brought it to him. She smiled briefly as she handed him a well-worn plasticized menu.

A door behind the bar opened directly to the outside, and Kaz realized the kitchen was just a charcoal barbecue on the back porch. He glanced at the menu and decided on the Universal TX BBQ Cheeseburger, with the works. *Eat what they do best*. He caught the waitress's eye, held the menu up and pointed, just as the jukebox changed to "A Horse with No Name." His order taken care of, Kaz took a long drink of the cold beer, happy for the quieter harmonies.

The wooden walls of the U-Joint were plastered with recent local history, a disordered collage of space mission pictures, astronaut crew photos, real estate advertising and Air Force recruiting signs from nearby Ellington Field. A helmeted mannequin in a Reno Air Races flight suit hung dustily from the ceiling. A group of after-work NASA engineers were playing pool at the lone table, lit by a low-hanging light promoting Coors beer. Small square-topped tables filled the place, four cheap chairs at each, almost all occupied. The Naugahyde cowgirls kept swinging. *The working spaceman's local*, Kaz thought.

"Coffee, please, Janie."

Kaz turned in the direction of the voice to find a short, black-haired man in black-framed glasses leaning on the bar on his blind side.

He noted that Ponytail's name was Janie. *Good to know*.

"This seat taken?" the man asked.

"All yours."

He nodded, and slid up onto the stool.

Janie set a steaming coffee in an enameled ivory mug in front of him. "Black, right, Doc?"

"You bet." He took an appreciative sip, then joined Kaz in surveying the room.

"Quite the place," Kaz offered.

The man looked at him closely for a moment. "You Kazimieras Zemeckis?"

Startled, Kaz nodded. "Have we met?"

The man's face creased in an apologetic smile. "Sorry, I'm JW McKinley, one of the NASA flight docs here. HQ medical sent us your Navy file over the weekend, and when I noticed the glass eye, I just figured."

Kaz said, "My Lithuanian maiden aunts and the IRS call me Kazimieras. Everyone else calls me Kaz."

"Glad to meet you, Kaz. I go by JW, or J-Dub if you're in a hurry."

As they toasted their new acquaintance, Kaz watched the way the doctor's shoulders rolled with thick muscle under his button-down shirt.

"You lift?"

"Just enough to keep from getting too fat. The men in my family are all built like fire hydrants." He paused as Rod Stewart started singing

"Maggie May," then said, "That birdstrike that took your eye must have been something else."

"It turned out poorly for the seagull."

The usual deflection didn't work with the doctor. Under JW's friendly questioning, Kaz found himself talking about the accident in a way he never had, confiding personal details about how the surgeries had felt and all the weirdnesses of getting a glass eye.

"You have a good bar-side manner, Doctor," he said at last. "Your turn—tell me about yourself."

JW smiled at him. "Not much to tell. I'm a Midwest kinda guy, the Air Force paid my way through medical school, I did some trauma work, and I've been a flight surgeon with NASA for the past four years."

"What school?"

"Stanford."

That was as good as it got.

"And the trauma work?"

"I spent eighteen months at the Cleveland Clinic, responding all over the state via helicopter."

Kaz gave a low whistle. "I'll bet you've seen some hairy stuff."

"Yeah, I sure have. Motor vehicle, burns, shootings. Even drownings on Lake Erie."

"What brought you to Houston?"

"I like space." JW smiled again. "Apollo's been an amazing four years."

Kaz turned his head at a sudden loud burst of laughter. He saw a short, tanned, balding man, a gap between his front teeth, holding court at a table by the wall.

JW followed his gaze. "That's Pete Conrad, Apollo 12 commander and moonwalker. He's Navy too. You know him?"

"I think I saw his Corvette outside. He left for NASA while I was still in flight school. I've never met him, but I always felt like I was following in his footsteps, only ten years after. Until the seagull, that is."

"He ejected from a T-38 last year," JW said. "Nighttime, weather here went bad, lost a generator, ran out of gas trying to get to Bergstrom.

His parachute set him down a hundred yards from the base ops building, and he didn't have a scratch."

"Better to be lucky than good. Or in Pete's case, both."

JW shot a discreet glance at Kaz's glass eye. "So how'd you end up in beautiful Houston-by-the-sea?"

"After the accident, the Navy thought maybe they would keep me flying in transports, but I said screw that and asked to go back to school." Kaz shrugged. "They sent me to MIT, then I did some time in Washington, and now I'm here to work with the 18 crew."

"What did you study at MIT?"

"I already had a master's in aerospace systems from the Navy PG school at Monterey. I really liked the science of sensors and electro-optics, so that's what I did at the Lincoln Lab in Boston."

"Wait—you have a doctorate from MIT?"

Kaz shrugged.

"And you said Washington too. Doing what?"

"The specifics are classified, but I ended up at the National Security Agency." Kaz drained his beer. "Turns out the NSA Director flew P-38s in the war and headed NASA's lunar landing program all through the 1960s. He's the one who took an interest in my work."

JW stared. "Holy cow! You're talking about Sam Phillips. He's a legend! You work directly for him?"

Kaz grinned and nodded. "But don't let that get around. Here I'm just another one-eyed ex-astronaut trying to help Apollo 18 get to the Moon."

His cheeseburger arrived, and he realized how hungry he was. But before he took a bite, he asked, "You eating?"

"Nah, I need to get home. Ferne's holding dinner for me. She'll have already fed our two little ones." JW drank the last of his coffee and slid down off the stool. "Nice to meet you, Dr. Zemeckis."

Kaz laughed and picked up his burger. "You too."

7

Lunar Receiving Laboratory, Houston

Kaz felt foolish. He'd asked for an 08:00 meeting with the NASA experts on what the Soviets might be looking for on the Moon, but now he couldn't find the building.

He glanced at his watch. *You've got six minutes.*

He drove up a divided straightaway inside the Manned Spacecraft Center for the second time, craning his neck to find the right building number. He finally spotted a large number 37 in shadow under an overhang. Then he realized he'd missed the parking lot, and had to circle the block to find the entrance. He quickly squeezed the Satellite into a spot between two aging VW Beetles—*scientists prefer Volkswagens?*—grabbed his bag and jogged to the entrance.

He saw people going into a conference room just off the main foyer and glanced at the government-issue wall clock, black hands on a round white face. NASA was big on keeping accurate time. With two minutes to spare, he followed them in and headed for the front of the room, setting his bag on the long veneer table around which the scientists had gathered. He took his notebook out of his back pocket, quickly reviewing the things he was hoping to find out, then raised a hand to get everyone's attention. The room quieted.

"Good morning, everyone. My name's Kaz Zemeckis." He omitted mentioning his military rank, knowing it sometimes rubbed scientists the wrong way. "I'm a former MOL astronaut, recently assigned as crew-government liaison for Apollo 18. I appreciate you all meeting with me."

He glanced around the room, making eye contact. *More facial hair than normal. And more women.* He spotted Chad Miller and nodded; part of the backup commander's job was to go to briefings Tom Hoffman didn't have time for.

"There are lots of details still to come, many of which are classified, but I wanted to start the Apollo 18 revised science discussion with you. I need to get smarter about moonrocks, and I hear this is the right place for that."

There were polite chuckles and nods around the table. The Lunar Receiving Laboratory had been purpose-built to quarantine returning astronauts in case they brought back an interplanetary plague from the Moon. When the first three Apollo crews all stayed healthy—it turned out that, as suspected, the Moon had no life, not even single-celled bacteria—the quarantine period was canceled. But Building 37 was also designed to house the moonrocks and dirt—*don't say dirt, they call it regolith*, Kaz corrected himself. Somewhere inside this building were racks full of bits of the Moon, 842 pounds in total, protected like the Crown Jewels. Actually, pound for pound, the moonrocks had cost more.

Kaz summarized the updated timeline of Apollo 18 for the group, and described the revised landing location, without specifying why it had changed. The lack of surprise on their faces told him that word had already gotten around. MSC was a small community, and the lunar scientists an even tighter subculture within it. They all knew that shifting political agendas were part of the deal.

"So," Kaz said, "what have we learned recently, from orbital photos, the Apollo returns here in this building or the Soviet robotic return samples, that would make you want to go have a close look at a place on the Moon where we've never set foot?"

The room contemplated the question. The Russians had successfully brought back small samples of lunar regolith on their unmanned Luna 16 and Luna 20 missions. Less than a pound in total, but they'd drilled over a foot deep to get it. Despite some published academic papers, no one knew for sure what the Soviets had found.

A tall woman with unruly long black hair raised her hand. "Astronaut Zemeckis, if I may?"

"Kaz, please."

She smiled slightly. "I'm Dr. Laura Woodsworth, one of the cosmochemists here in the lab."

Kaz nodded. She was slender and tanned, wearing a sleeveless floral print dress, with a small crucifix on a gold chain around her neck.

"We've learned more about the Moon in the past forty months than in the previous forty thousand years. Radiometric dating of the samples the missions brought back has shown us that the Moon is over four billion years old—quite close to the age of the Earth. Also, the Moon's regolith is not like Earth dust, which has been weathered by rain and wind. Instead, it's more like broken bits of glass, the result of billions of years of meteorite impact fragments."

Chad spoke up. "It's nasty stuff, Kaz, like loose sandpaper grit. Hard on machinery and spacesuits. The guys have dust stuck to their suits when they come back into the LM that makes them cough after they take their helmets off."

Kaz glanced down the table at him, wondering why Chad felt he needed to interject, but Laura nodded. "By looking at the chemistry of the rocks and dust, we're getting an idea that the interior of the Moon is more like Earth than we thought. A central heavy core, solidified magma surrounding that, and a crust on top. The crust is the gray color you see when you look up at the Moon."

Kaz felt a little like she was treating him as a know-nothing, but was also glad for the refresher. And this was a good way to build rapport with the scientists.

"One other thing before I get to your question," Laura said. "The Man in the Moon—the darker shapes you see—those are ancient lava flows. The light gray rock of the crust is anorthosite, and the darker areas are basalt. Also, the Moon is tidally locked. Do you know what that means?"

That Kaz didn't know. He shook his head.

"It means that the same side of the Moon always faces us. Only twenty-four humans—all Apollo astronauts—have seen the other side."

"Why always the same side?" Kaz asked.

"The Earth's gravity pulls hard enough on the Moon that it bulges a little towards us, like a stone tide going up and down. That internal friction, over time, slowed the Moon's spin, until eventually it got to perfect balance. Presto—we only see the one side."

Kaz held up his hands, slowly turning an imaginary Moon. "So what causes the lunar phases?"

"The Moon orbits around the Earth every 27.3 days. Depending on where the Moon is in its slow orbit, you might see it lit from the side—a crescent—or not at all."

"So, if the Moon spins just once every 27 days or so," Kaz said, "then an astronaut on the surface would be in sunlight for two weeks, and then darkness for two weeks?"

Laura beamed at him. "Yes!"

"How hot and cold does it get, then?"

"About two hundred and sixty degrees Fahrenheit at lunar noon, and minus two hundred and eighty at midnight."

Kaz whistled. "Good to know."

A man in a Hawaiian shirt and Elvis Presley sideburns, the look spoiled slightly by premature balding, spoke up. "Hi, Kaz, I'm Don Baldwin, the department head here. I've been thinking about your question about what we've learned recently. There's a couple things." He ran a hand over his head, front to back, flattening down his remaining hair.

"Some of the more recent asteroid impacts blasted pretty deep holes that haven't been covered by dust yet. They'd be a good place to study the underlying rock, to a depth we haven't been able to drill. We'll need to dig into our photo library at your revised coordinates to see if there are any new craters nearby."

Baldwin paused a moment to look hard at Kaz. His unspoken message was clear. His people hadn't chosen the location, but they'd make the best of it.

"There's another thing we're interested in. Laura, there"—Baldwin nodded at her—"spotted something surprising recently. Laura, why don't you tell him about it?"

She looked at Kaz. "A weird anomaly caught my eye as I was studying some high-res images of the surface, like a dark spot on the film. I had to double-check with a magnifying glass to be sure what I was seeing. But I found a hole in the Moon."

"What?"

"It looks to be a good size, maybe a hundred yards across." Laura flipped through her folder on the table. "I have a picture with me."

She passed an eight-by-ten black-and-white photo down the table to Kaz. He studied the glossy page with his good eye.

It looked like . . . a hole. Almost perfectly round, with the bottom partially lit by the angle of the sunshine. Like something had drilled a skylight.

Kaz looked up in puzzlement. "What made this?"

Laura deferred to her boss.

"We don't know for sure," Baldwin said. "If it was on Earth, our best guess would be a collapsed lava tube, where flowing magma bored a tunnel that later caved in. But how that could happen on the Moon is beyond us. We're forming theories."

Kaz peered closer. "How deep do you think it is?"

Laura answered this one. "We need more photos to be sure, but knowing the angle of the Sun at that time of the lunar day, our guess is, pretty deep—like a hundred yards."

Kaz looked at the hole with new respect.

"If you jumped in, with the Moon's low gravity, you'd slowly fall for eleven seconds. But you'd hit the bottom at forty miles per hour." She smiled. "I did the math."

Chad spoke again. "Yeah, I know I'm just the backup, but let's not try that. Hard on the suit."

Kaz handed the photo back to her. "So, you'd all like to see a cross-section of bedrock in a recent impact crater, and learn more about this hole. Are there more of them?"

"Probably," Baldwin said. "We're going back through all the photos. It took Laura's sharp eyes to spot this one, but now we know what we're looking for."

"Anything else?" Kaz asked.

A bespectacled younger man with shoulder-length hair and a wispy, drooping mustache spoke up. "What about KREEP?"

Kaz looked at him. "What's creep?"

"It's spelled K-R-E-E-P. K for potassium. REE for rare earth elements, and P for phosphorous." He shot Kaz a look, who nodded to show he knew what rare earth elements were. "They aren't actually all that rare, it's just that it's hard to find them in concentration anywhere. They're sort of evenly spread in the Earth's crust, due to their chemical nature. But on the Moon, we think they ended up solidifying into a rich layer just below the crust. Lots of the moonrocks in this building have KREEP basalts in them."

Kaz pondered. "Okay, but why is finding KREEP on the Moon important?"

"Theoretically, the same process that concentrated the KREEP should also sometimes enrich it with uranium and thorium. It may be feasible to mine radioactive elements on the Moon, which means we could power a Moon colony there."

Kaz was careful to keep his excitement to himself. Uranium on the Moon? Is that what the Soviet robot prospectors had found? Could this be the reason they had landed Lunokhod where they did? Finding out what the Soviets were looking for would be key in deciding exactly what the Apollo 18 crew was going to do on the Moon.

Kaz said, "Anything else I should know?"

Don Baldwin surveyed his team. "I think that's it, Lieutenant Commander." The dig was subtle, but the man was telling Kaz he'd done his homework and recognized the military component to all this.

Kaz didn't rise to the bait. "Well thanks, then, everyone. That was extremely informative. Chad and I will update the crew, and I'll be following up with you as we finalize mission planning."

Kaz caught up with Laura as they left the conference room.

"Think you'll find more holes?" he asked.

Laura turned to look at him, her gaze shifting from his right eye to his left and back again. "I expect so. If it happened once, then it can happen again. Pretty exciting to be in on discovering something totally new."

"I look forward to hearing what you find. I'm not in the MSC directory yet, so how about I give you my number?"

"Sure."

Kaz pulled out his notepad, copied his new number onto a blank page and carefully tore it out for her.

"At the rate we're looking," she said, "we should know within a couple days."

When she made no move to give him her number in return, Kaz took a chance.

"If you ever want to go flying, I have access to a little plane just west of here. Nice on a sunny day."

Laura looked at him, considering. "That sounds like fun," she said at last. "I'll give you a call on both."

He nodded. "Talk to you then."

Laura smiled at him, then turned and headed down the corridor. Kaz watched her as she strode purposefully away, her thick black hair swaying.

Kaz considered his actions; he wasn't usually so impulsive. He'd been engaged when the accident had happened, but the relationship hadn't survived his recovery, or rather the dark few months when he couldn't see a future path. He'd been careful about romantic entanglements ever since.

But there was something about Laura that he liked.

8

Lubyanka, Moscow

Espionage, like chess, is a game of patience and focus. Carefully move the pieces to ever-stronger positions, endure the setbacks, wait for the opportunities provided by the opponent and then—pounce.

Vitaly Kalugin, a long-term player at the spy game, sat down at his desk, preparing to start his day. Unlike the three men he shared the office with, Vitaly liked a neat desk. Next to his pen stand he kept a low wooden tray for incoming correspondence. He always made sure his outgoing tray was filled with the telexes and reports that he'd read and notated before he went home every night, to be sent on by the office runners to the next names on the lengthy distribution lists. The KGB was the single security agency for the entire Soviet Union, handling both domestic and foreign intelligence and counter-intelligence, while combating dissent and anti-Soviet activities. It made for a lot of reading every day.

He kept his beige phone on his left, where he could hold it and talk while writing with his right hand. An emptied ashtray was on the far right, his matches and cigarettes still in his jacket pocket. Vitaly unlocked his desk, set his lunch box into its deepest drawer, next to the half-empty bottle of Moskovskaya vodka. Irina always sent him to work with pirozhki stuffed with meat and vegetables, a block of pale Russian cheese and pickled cucumbers or tomatoes. He got a hot lunch at the office stolovaya, but he liked to eat, and the extra food carried him through the long days.

The vodka was reserved for when there was something to celebrate, which there hadn't been for a while.

From the center drawer he retrieved a green baize-covered notebook and set it squarely in front of himself. In his filing cabinet against the wall there were dozens of identical notebooks, KGB-issue, each neatly hand-lettered on the spine with start and end dates. He flipped the current book open to a fresh page, tidily wrote the date in the top right corner, and then flipped back to his previous day's notes, quickly scanning to refresh his memory on the most current issues. He'd set water to boiling and got himself a cup of tea with two sugars, grabbed two pieces of dried cinnamon raisin toast from the communal tin, balanced them on the saucer and re-sat to begin working through his new stack of mail.

The KGB translation service was slow, but thorough. They provided a running supply of foreign periodicals and trade journals, and Vitaly was on the internal subscription for several. By the time they were delivered to his desk they were normally a few months out of date, but for his strategic purposes that was fine. They also made interesting reading, providing insight into not just what the enemy was doing, but how they explained it to themselves.

He pulled the next mimeographed, stapled bundle from his inbox and saw that it was *Stars and Stripes*, the long-running American military newspaper. His eyes darted around the paper quickly, hunting for patterns.

The front page was dominated by Vietnam War peace negotiations and US presidential election news. Nothing useful there. Vitaly licked his thumb and forefinger and turned the page, careful not to smudge the cheap ink. A photograph on page two caught his attention. It showed three men in different uniforms standing next to a model of a tall white rocket. The headline read

Military Astronauts—Moonbound!

The United States Air Force and the National Aeronautics and Space Administration today jointly named USAF Lieutenant Colonel Thomas H. Hoffman, USN Lieutenant Michael H. Esdale, and USMC Captain Lucas B. Hemming as the crew for Apollo 18, the last scheduled lunar landing mission.

Hoffman, commander, and Hemming, lunar module pilot, will explore the lunar surface, while Esdale, Command Module pilot, conducts extensive scientific experiments in lunar orbit. Esdale, who has a PhD degree in chemistry, will be the fourth holder of a doctorate to voyage to the Moon. He will also be the first Black astronaut.

Apollo 18 is scheduled for launch in April 1973. Final choice of the landing site has not yet been made. The 12-day mission will continue the emphasis on both lunar surface and lunar orbital science. Lunar surface stay time will be up to 68 hours, and three exploration periods of up to 7 hours each are possible. An Apollo Lunar Surface Experiments Package will be deployed. Mapping of the Moon and several scientific experiments will be continued from lunar orbit. Esdale will leave the spacecraft to retrieve film from cameras in the service module during the trip back to Earth.

Backup crewmen are USAF Major Chad Y. Miller, USN Lieutenant Robert L. Crippen and USMC Captain Robert F. Overmyer.

Vitaly traced the name as he reread it, his brain spinning. *My source is assigned to an Apollo spaceflight!* Kalugin had put the pieces in place more than a decade ago, but to see this news in print was somehow shocking. He took a sip of tea to hide his emotions from his three office mates, his brain racing.

Vitaly Sergeievich Kalugin's source! This was a wild dream he hadn't allowed himself to count on, even when the MOL program had been announced. The insight that they now could get into the actual hardware and operations of the US space program would be unprecedented. And this assignment also meant that his source would rise faster through the officer ranks in their military—several early astronauts were now generals. He'd also be front-of-line for future US spaceflights, including the reusable Space Shuttle their president had recently announced and the Skylab space station.

For the long game, this was a *superb* development. He leaned down to pull his desk drawer open and grabbed the bottle of vodka.

9

Ellington Field, Houston

Kaz and Chad stood next to each other at Ellington Field, the US Air Force base five miles north of the Manned Spacecraft Center. Ellington had been a military airfield since 1917 and was one of the reasons MSC was located in Houston.

Both of the men were wearing sunglasses and heavy black ear protectors against the blowing grit and noise. "What a crazy flying machine!" Kaz yelled. Chad nodded and gave him a thumbs-up. It was Chad's turn to fly the Lunar Landing Training Vehicle next.

It was a Rube Goldberg contraption that someone had once said looked like a flying bedstead. The nickname had stuck. The Bedstead had a jet engine that pointed straight up, and hydrogen peroxide thrusters mounted at all angles on an ungainly aluminum frame. The pilot's seat was open to the air, stuck incongruously on one end like a crane operator's shack. The vehicle had been designed and built in a hurry to train Apollo astronauts on how to land on the Moon, and it looked it. Hovering 200 feet in the air, held up by the raw power of the downwards-thrusting turbojet, Tom Hoffman was practicing landings, the peroxide jets puffing bursts of smoke to the sides.

Like a nervous dragon, Kaz thought.

They watched as Tom followed the checklist profile, slowing forward speed as he descended, then settling the machine gently on its four insect legs, jets puffing rapidly, exactly in the center of the painted target X on the tarmac. This was as close to simulating the Moon's one-sixth gravity as the NASA engineers and trainers could get.

Tom lifted off again, moving a few hundred yards away, setting up for another practice run. An Air National Guard F-101 Voodoo interceptor jet noisily took off on the nearby main runway. Both men's eyes turned to follow it. Pilots like airplanes.

Chad yelled an explanation at Kaz, who had never seen the training vehicle in action. "Tom's setting the main engine to hold up five-sixths of the weight now. Then he flies it using just the peroxide thrusters, which gives it the same feel as the LM on the Moon. It's got close to the same hand controllers as the LM, and the styrofoam walls block Tom's view, like the real thing does."

Kaz leaned towards Chad. "How many crashes have they had? Three?"

"Yeah, but no one was hurt—she's got a good bang seat. You probably heard it's zero-zero."

Kaz nodded.

The ejection seat had been designed to save the pilot even if he pulled the handle at zero altitude and zero airspeed. Most seats in jet fighters needed forward speed and enough height to allow the parachute to properly inflate.

Tom landed again, bouncing slightly but right on target, and they could see his hands going through the extra motions needed to shut it down. The groundcrew, wearing heavy white protective gear, moved in to safe the systems. They waved the fuel bowser truck in close and reeled out its hose to refuel. A red USAF fire engine waited 100 feet away, just in case.

Chad and Kaz took off their ear protectors, glad the noise had stopped. Chad popped his finger in his mouth and then held it up, testing the wind. "Still pretty light. Should be good for my flights too."

Tom walked towards them, his white helmet under his arm. He'd taken off his olive-green torso harness, which clipped solidly into the ejection seat; he was wearing the same all-white flight suit as Chad, made of thick Nomex in case the LLTV caught fire. He'd peeled back his white hood, extra fire protection for the back of his neck. Underneath, he was wearing all-cotton long underwear. It was hot, but a worthwhile precaution. Launch was under 10 weeks away, and even a minor injury could ground him.

They all shook hands.

"Not bad for an old guy, Tom," Chad teased, some edge in his voice. He was a year younger, and his Air Force career had followed Tom's throughout.

"I bounced that last landing a bit," Tom said.

"What's it fly like?" Kaz asked.

"Like you're balancing on top of a broomstick." Tom laughed. "Sort of like a helicopter, but no rotor to give all the cross-coupling and inertial effects. It's actually fairly stable. Until it isn't. In Lunar Sim Mode the jet engine pivots on gimbals, which helps fight wind gusts and keep the thrust vector pure vertical. It gets pretty twitchy. From what the other Apollo guys have said, the real LM is gonna be way smoother." He looked at Chad and smiled. "I'll tell you about it when I get back."

Chad reached into his leg pocket and took out his thin light-brown leather flying gloves. "Yeah, well, now it's the better pilot's turn." He winked at both men, picked up his helmet bag and walked confidently towards the contraption.

"Happy landings," Tom said to his back. For a moment, they both watched Chad, donning his green harness at the base of the yellow ladder.

Tom turned to Kaz. "So. What do you think?"

Kaz guessed what he meant. "I've known both your crewmembers for a long time. Michael comes across a little too informal sometimes, but he knows *Pursuit* inside out. He'll do fine. Luke is super-sharp and will serve you well in *Bulldog*, and outside walking with you on the Moon. Looks to me like everyone's coming along well."

Tom nodded, and held his gaze. He waited a beat. "But?"

They were watching Chad strap himself into the ejection seat.

"But . . . we're still not sure exactly when the Russians are going to launch Almaz, though it's still looking like early April. And we're not sure how high they're going to orbit it, but our best guess is that it'll be low for better camera resolution, and the stripped-down Saturn V can put you there, regardless. Also, we're not at all sure what their Lunokhod rover is doing in the Sea of Serenity. Our intel is lousy inside Moscow Mission Control, but we do know they've added even more layers of security. Which makes us think it's not just another lunar science mission."

Kaz glanced back at Chad, who was working through the steps of bringing the Bedstead back to life. "And we're not sure how long we can keep this quiet. So far the press hasn't caught on that there's anything different about this Apollo mission. But there are lots of people in the know—engineers, scientists, technicians. Heck, even the cleaning staff in the Vehicle Assembly Building must be able to see that you don't have a rover attached this time. Eventually your ugly face will be on the cover of *Newsweek* with a 'Secret Military Apollo Mission' caption. And then the Soviets will be hyper-alert."

Tom thought about it and said, "Add that to the training jerk-around that intercepting Almaz has caused, plus all the last-minute changes with the Moon landing site." He looked at Kaz, his face serious. "I'm not happy about it."

Kaz nodded, commiserating. "Are you getting heat from the Air Force too?" Kaz was well aware that the Pentagon had its own agenda, bolstered by an unassailable sense of self-importance. And, unlike with typical Apollo crews, they felt they could reach out directly to the former MOL astronauts.

"I'm getting phone calls every few days from Washington," Tom admitted. "But our crew secretary is the most polite stonewaller you've ever met. Al has drilled that into all his staff, and it works."

Al was Al Shepard, Chief of the Astronaut Office. One of the original Mercury 7 astronauts, the first American to fly in space, and a man who had walked on the Moon as commander of Apollo 14. He understood external pressures on flight crews like nobody else, and he ran things like the famous Navy Rear Admiral he was.

Kaz persisted. "What's Washington calling you about?"

"Oh, a mix of things. This is a real recruiting moment for the Air Force, especially with the mess in Vietnam. They want me to be the poster boy for their 'Tame the Wild Blue Yonder' advertising campaign." He smiled. "Al's helping me stiff-arm them, so they'll just have to take what they can get from NASA PR." He shook his head slightly. "They're also asking me what I'm going to do afterwards, maybe make me the commandant of the Air Force Academy, or the Test Pilot School at Edwards, though they'd have to promote me. But the truth is, I'd like to stay here if we can swing it. The kids are liking school, and Margaret likes Houston way better than the desert at Edwards. Maybe I'll leave the Air Force and hire on directly with NASA, work on Skylab and the Space Shuttle." He smiled. "Hell, if this flight goes okay, maybe even fly in space again, as a civilian next time."

Kaz nodded. He'd do the same thing in Tom's shoes.

Both men winced at a sudden roar from the Bedstead, and stuck their ear protectors on as Chad brought the jet engine back to life.

10

Manned Spacecraft Center

"Hi, Lieutenant Commander Zemeckis, it's Dr. Woodsworth."

Kaz had been deep in study of Lunar Lander systems, getting ready to support the crew during an upcoming sim, and had picked up his desk phone distractedly when it rang, still staring at the page.

Dr. Woodsworth? Hey, she actually called!

"Good morning, Dr. Woodsworth. Did you find any more holes in the Moon?"

"As a matter of fact, I did. Four so far! Everybody's pretty excited over here in the lab. I thought it might be worth showing you the pictures."

He glanced at his watch. "How about over lunch? Building 3 cafeteria, say, noon?"

Kaz grabbed a tray and walked along the steam line, choosing as he went. He had to admit that looking down at the NASA logo printed on his tray—the famous blue ball with a stylized spacecraft and orbit—gave him a ridiculous level of pleasure that he was actually here in Houston.

As he was paying the cashier, he scanned the tables. Laura, in her white silk blouse and pleated pale-blue skirt, was easy to spot among the male engineers.

"Good to see you, Laura," he said as he unloaded his lunch on the table she'd chosen by the window and set his tray on an empty chair. "Thanks for making time on short notice."

"A girl's gotta eat," she said.

She handed him the folder of pictures she'd brought, and picked up her sandwich.

He scanned them one by one. "The holes look so similar."

"Yes, that's a surprise to us as well. They all seem to be made the same way, but we haven't figured out how." She pointed to the one he was studying. "Notice that there's no ejecta around the hole, so they weren't made by impact."

Kaz spooned a mouthful of his soup, nodding. "Do you have a map that shows exactly where these are?"

"I thought you'd never ask." From the 3-ring binder next to her she unclipped a printed page, spun it around and set it beside the photos.

"The green triangles are the Apollo landing sites. The red ones are the Russian Luna landers. The yellows are where our unmanned Surveyor probes are." She touched a red fingernail to each. "And the black hand-drawn squares are the locations of the holes."

One of them was not too far from where Apollo 17 had landed. "Is that as close to the 17 site as it looks? Did the crew see anything?"

"It's many tens of miles from the farthest point the crew reached in the rover. Too bad we hadn't spotted these before they went."

She took a bite while she waited for Kaz to ask the obvious question.

"How close is it to where 18 is scheduled to land?"

"Close enough that Tom and Luke could maybe check it out if we give them enough time on the surface." She looked up at him. "Are we going to give them enough time?"

Kaz looked around pointedly at the lunchtime crowd. "That's up to the DoD to disclose, if and when they decide to. Sorry."

Laura stared at him for several seconds, and then shrugged. "We can wait." Then she smiled. "We're geologists."

Kaz decided it was time to change the subject. "What brought you to NASA?"

For a moment she hesitated, then met his eye. "I want to be an astronaut. And this place is astronaut mecca." She paused for a moment, clearly considering what more she would say. "I was still an undergrad when Kennedy made his Moon speech. I knew that girls weren't allowed to be fighter pilots, but I figured that other skills would be needed on the Moon too. While there are still no women in the astronaut corps, the fact that Dr. Schmitt flew on Apollo 17 shows I'm at least half-right."

Kaz knew that Schmitt, a geologist, had been selected in a new category of scientist-astronaut in 1965. He listened to the undercurrent of fierceness in her voice as she continued.

"Valentina Tereshkova flew in space solo for three days a decade ago. She showed that women can perform as well as men. The 1964 Civil Rights Act gives us legal protection against sex discrimination, so eventually NASA is going to be recruiting female astronauts. I intend to be one of them." She smiled then, and raised her eyebrows at him. "Well, you asked!"

Kaz knew what she was feeling. He'd been driven by the desire to fly in space ever since Gagarin and Al Shepard had opened the door in 1961. It was the main reason he'd gone to Test Pilot School, and only the accident had stopped his trajectory. But Laura was the first woman he'd met who felt as passionately as he did about the idea, or at least the first who'd told him about it.

He said, "It's been over a year since Nixon announced the new Space Shuttle. I understand it'll have a crew of seven, and I think I remember him saying 'men *and women* with work to do in space' in his speech.

Bound to take longer than they're predicting, but I bet that's your chance. And I'd vote for you."

"I'll take all the help I can get," she said, and laughed.

"Jack Schmitt had to learn to pilot NASA jets before they'd let him fly on Apollo," Kaz added. "And it looks like the Shuttle is going to be more of a pilot's machine than Apollo capsules ever were. Have you done much flying?"

Laura looked rueful. "Not yet. I got some scholarships, but I still had to pay my own way through nine years at UCLA. I've started flying lessons here, but they're expensive. And with all the Apollo missions back to back, there hasn't been much time."

"Don't forget I asked you to go flying. The house I'm renting comes with a little Cessna trainer in the garage, which my landlord is happy for me to fly. The street at the end of my driveway doubles as the runway. I'd be glad to take you up."

Laura's gaze involuntarily flicked from his good eye to his glass one and back. She realized what she was doing, and looked down.

"Let's tackle this issue of me only having one eye," he said, not wanting to embarrass her, but also wanting it out of the way. "I've been flying with the Navy since college, fighters and test, and NASA's letting me into the back seat of the T-38s sometimes. You can trust me to fly a Cessna. We can go over all the basics you're getting in flight school."

Laura looked intently at him, then she nodded. "That's really kind of you. I'd love to."

Kaz checked his watch and glanced out the window. The weather was still good. No time like the present. "Sunset's a little after six these days. Got time for a flight right after work? Leave here, maybe, 4:30?"

"Today?" Laura said, but it didn't take her long to decide. "Where do you and the Cessna live?"

He had just turned the plane around in the hangar entrance when he spotted a white VW convertible Bug slowing to cross the cattle gate.

Wiping his hands on a rag, he watched as it shifted quickly up through all four gears on the straightaway, and then braked hard and turned smartly into his driveway. He waved at Laura to park to one side, pantomiming how the plane was going to roll out.

He smiled. *Scientists do love Volkswagens!*

As he watched her climb out of the car, Kaz saw that Laura had knocked off work early too, as she was now wearing bell-bottom jeans. He suddenly realized he was nervous, and that it had been a while since he'd felt that way.

"Found you!" she said. "I've never been out this way before."

"Glad you did." He glanced at his watch. "We have about an hour until sunset, so let's get flying. No lights on the runway here," he said, waving at the road, "so we need to land before it gets too dark."

"It's a taildragger," Laura said, as they walked around the plane, which was resting on its tailwheel with the nose sticking up into the air. "I've only ever flown planes with nose wheels."

"These have some advantages—the tailwheel acts like an anchor to keep you straight, especially landing on grass, and you don't carry the extra weight of a big, heavy wheel up front. Though you need to use your feet more on the rudder pedals."

They climbed in their respective side doors, and Kaz showed her where the release was to slide the seat forward. He was conscious of every movement of his hands as he helped her retrieve and attach the dangling shoulder strap, happy to be so close to her in the cockpit. He verbalized everything he was doing as he coasted down the driveway, started the engine, checked key instruments and lined up for takeoff.

He looked at her as she reached to touch the oil pressure and temperature instruments with her fingertip.

"Ready to go?"

She looked around the instrument panel methodically, finding and focusing on the airspeed, altitude and tachometer. "All set!"

Kaz nodded, then smoothly pushed the throttle all the way in and they began to roll. As the tires left the pavement, he glanced across at her. Her face was alive with delight, eyes darting around the instruments and outside as the ground fell away.

The early-evening air was smooth, and he turned towards MSC, leveled off and talked Laura through the basics of piloting the Cessna. Then he let go, saying, "You have control."

She sat rigidly erect, focusing straight ahead. Kaz had her do some gentle turns, and her posture relaxed slightly. He pointed out the Spacecraft Center, and then Seabrook and Kemah as they crossed the Galveston Bay shoreline.

"Want to do something fun and beautiful?"

She looked wide-eyed. "Sure."

"I have the aircraft." Kaz lowered the nose to pick up speed, and then smoothly pulled hard up and to the right until they were looking down the wing at the water, with airspeed slowed to bare flying speed. The plane's nose gently followed the arc back down, and he reversed and did the same thing in the other direction. The contrast between the noisy rush of the dive and pull-up accentuated the ensuing grace and quiet as they floated over the top. He did one more turn to the right, Laura looking straight down out her side window at the dark waters of the bay.

She turned to him. "That's wonderful! Like a falling leaf!"

He nodded. "It's called a chandelle. Really reminds you that you're flying."

He leveled off and let go of the controls. "All yours again. Let's reverse and head back."

As she turned west, Kaz lowered the windscreen visors against the sun on the horizon. The basic aerobatics had made him extra-aware of his senses, as they always did, releasing a liberating feeling of three-dimensional freedom. He leaned to point at MSC with his chin, his shoulder touching hers in the small cockpit.

"Nobody down there got to experience that."

She followed his gaze, and didn't lean away. "We're lucky. Thanks for asking me to go flying with you."

"Hey, you're the one flying!"

11

Simferopol, Soviet Ukraine

In the time of primordial hell, an ancient star, burning hotter and hotter as it ran out of fuel, suddenly exploded in a blinding, cataclysmic supernova. This enormous burst of energy was unleashed as a shockwave, rippling out into the galaxy now called the Milky Way. The unfathomably powerful waves pulsed through primal clouds of hydrogen and helium, scattering and pushing them together like flotsam on an interstellar ocean.

For the next 100 million years, these clouds were pulled into ever-bigger clumps by their tiny forces of gravity—an agonizingly slow ballet of gentle drifting and spinning and gathering into denser regions. The near-endless molecules of hydrogen and helium, colliding with higher and higher force, began to heat up and glow in what was becoming a central protostar. And somewhere around 4.6 billion years ago, the pressures and temperatures got to a critical level; atoms were crushed in on themselves, binding energies were released, and thermonuclear fusion suddenly began.

Let there be light.

What that brand-new Sun illuminated was a huge, swirling flat disk of the rubble of space—gas and dust and rocky remnants of previous stellar explosions—all orbiting and collecting ever faster in the blackness. Far from the Sun, the low temperatures allowed volatile compounds to stay frozen, as ice. They collided endlessly and joined into ever-increasing lumps, gradually coalescing into the gas giant planets: Jupiter, Saturn, Uranus and Neptune.

Closer to the Sun, though, the radiant heat turned the icy lumps into comets with tails, vaporizing the frozen gases. Countless rocks remained, crashing into each other, building larger and larger protoplanets. Some asteroids were a dense mix of rocks and metal, while others, from farther out, were lumpy balls of rubble held together by frozen water. One by one, over millions of years, they looped and collided, settling into the winners of this stellar game of billiards—the inner rocky planets Mercury, Venus, Mars and Earth.

But the massive gravitational pull of the two biggest planets, Jupiter and Saturn, caused resonance and disruption. They yanked rocks from the asteroid belt and the farthest regions of the outer Kuiper Belt, some the size of the inner planets, and slung them in unstable orbits towards the Sun. The resulting collisions were hugely powerful.

Earth was just a semi-molten ball of spinning rock, repeatedly bombarded by asteroids, ever growing in size. Over time the onslaught lessened, as the debris diminished. But the biggest was saved for last.

On a normal day in the young planet's life, 4.5 billion years ago, it was struck like never before. A planet the size of Mars, traveling at 9,000 miles per hour, slammed into the Earth.

The rock and ice of this attacker were violently plunged deep into the Earth's mantle, forever merging the two planets into one. It spun the Earth like a top, leaving it whipping around so fast that each day was just five hours long. The flying debris of the impact splashed high into near space, then fell back again as a rain of molten rock over the whole surface. But the inertia of the impactor was so high that great globs of itself, and of the Earth, were thrown all the way into orbit. A ring of debris, orbiting the planet, rapidly collected into one molten ball 2,000 miles across, glowing in the night sky.

The Earth now had a Moon.

And inside that Moon, an untold wealth of minerals rose, sank and churned as it cooled.

"What's that?" Gabdul's navigator tapped Lunokhod's navigation camera screen with a fingertip. "There, to the left."

They both leaned close to the frozen image on the small black-and-white screen. Gabdul had commanded Lunokhod to stop.

He moved his head back and forth, trying to decipher the grainy image. "It looks like a rock and its shadow."

The navigator grunted. "I agree." He glanced at the rest of the science team, who nodded. "Give me a minute to replot you a course, and let's go have a look."

For moving around the surface they relied on three low-res TV cameras, but Lunokhod also had four high-resolution cams and one ultraviolet photometer, a photodetector, an X-ray spectrometer and radiation detectors. It even had a penetrometer to slam into the ground to measure for hardness.

It might be fun to bash this rock!

The navigator flicked through his well-worn orbital images of the area, including some brand-new photographs taken by Apollo 15 and 17, gleaned from an international planetary exploration conference in Moscow a few weeks earlier; an American scientist had unwittingly given the images and a Defense Mapping Agency lunar topographic chart to a senior Lunokhod engineer. The new detail was superb, and added to the navigator's confidence in telling Gabdul where to steer. He quickly laid out the route to get to a good science-gathering position near the rock, and then turned it into a sequence of operator commands.

Gabdul rehearsed the movements briefly, nodded to himself, positioned the hand controller to the side and pushed the command button. After six seconds he released, and they all stared at the monitor, waiting for the image to refresh.

The dark rock was now centered in the field of view. After the navigator nodded to him, Gabdul drove straight ahead, then checked the image again. He repeated the maneuver three times, until the rock was in perfect position at the bottom of the high-mounted navigation camera screen, then sent the command to switch to the lower panoramic cameras.

The team was used to the long pause between each command and the return image. It was part of their regular rhythm, a time to discuss what they were seeing, like dissecting the magic trick before the magician pulled the rabbit out of the hat. They hashed over why the rock was a different color than the surrounding regolith. Perhaps it had been dropped there somehow.

The assistant navigator laughed. "Maybe it's an alien turd!" The group chuckled, and then the new view appeared.

The two lower cameras, set apart like human eyes, gave a stereoscopic sense of depth. Looking closely, the navigator rejudged the distance and gave another command. Gabdul carefully moved the joystick, and Lunokhod rolled forward another meter and a half.

When the image updated, the navigator grunted, "Perfect!" He sat back, his job complete.

The science team swung into action. They recorded the imagery from the cameras onto videotape, and captured the data flowing down from the photometers on paper strip charts. So far no surprises: a rock, like many others.

Next, they sent commands to the RIFMA-M X-ray spectrometer, mounted low, like an insect's mandibles, under Lunokhod's front end. Its door pivoted open, uncovering small samples of radioactive tungsten and zirconium that unleashed an invisible cone of alpha and beta particles onto the Moon's surface. The focused spotlight excited mineral elements in the rock, causing each atom to release fluorescent X-rays. The return sensor sent these complex electronic signals across the void to the team in Simferopol, who saw them as distinct frequency lines on an oscilloscope. They ran a hard copy of the data so they could look closely at the rock's unique signature. They saw mostly magnesium, aluminum, silicon, some others—the proportions were a bit odd, but it was similar enough to other rocks.

Gabdul shrugged. "How about the magnetometer?" he asked, and got the thumbs-up.

At his command, a long, spindly pole that stuck out the top of Lunokhod slowly pivoted down until it was just a few inches above the rock, the small cross-shaped device on its end detecting the strength and direction of any local magnetic field. Again, none of the readings were out of the ordinary.

The lead scientist rubbed her hands together, readying for the next test. She truly loved this. It was the ultimate fieldwork, learning about a piece of the Moon that no human eyes had ever seen before today, the kind of pure exploration she'd been fantasizing about ever since she began her geology studies at Moscow University. So many papers were going to be written about what her team was discovering, and she would be co-author on them all. She'd get to attend international conferences, maybe even travel to America.

She kept her voice calm, as expected by the team. "Let's see what the Geiger counter can show us."

She watched as the heavy Geiger counter pivoted into position above the rock. *We couldn't have done this on Venus,* she thought. Only the Moon's one-sixth gravity allowed the weight of the sensor to be supported by such a delicate pole.

They maneuvered it incrementally closer, until she called, "That's enough! Let's power it up."

Her technician sent the command, all eyes fixed on the gauge as they waited the 10 seconds for a return signal.

Nothing. No radioactivity.

She frowned. "That's wrong. There's guaranteed to be background radiation at least. Send the command again."

This time the signal got through. The needle jumped to near full scale on the gauge. Her eyes widened. "Bozha moy!" she exclaimed. A rush of excitement coursed through her whole body. "It's radioactive!"

12

Ellington Field, Houston

"Is my hysterical palm tree ready?"

The ops desk clerk looked up at Tom Hoffman's grinning face. As a fighter pilot, Tom had long held helicopters in low-level contempt. To him, only the fact that he was going to walk on the Moon, and in order to do that he needed to practice landings in this backup training machine, made becoming a part-time helo pilot tolerable.

"Sure is, Tom." The ops clerk handed him the thick Bell 47G aircraft sign-out book: its daily certification of flight readiness. Tom scanned the completed maintenance actions, saw nothing new and scrawled his signature against the date. Then he retrieved his helmet and gloves from the counter, and stepped out onto the flight ramp at Ellington Field.

The sky was dotted with puffy cumulus clouds, winds were out of the south, and the March sun was surprisingly hot. The fishbowl—the enclosed full-bubble plexiglas canopy of the helo—was going to be scorching. Tom was glad he'd stopped for an extra drink at the water fountain.

The aircraft tech rolled a large red fire extinguisher close to the helicopter, a safety measure at every engine start. Tom dropped his helmet on the right seat, donned his gloves and did a quick walkaround. In the distance, he could see Luke taking his turn in the Bedstead, and he decided he'd fly over there and watch for a bit.

Tom climbed into the left seat, strapped into the four-point harness, put on his helmet and plugged in his comm cord. He pulled the checklist out of his leg pocket and quickly ran through the pre-start. He circled a raised finger at the groundcrew, started the engine and then checked all systems. Satisfied, he gave a salute, and watched the tech roll the fire extinguisher clear.

Tom took one last close look around the instrument panel—he still found flying helicopters unnatural and liked to be extra careful—then radioed Ellington Ground for taxi clearance. With that, he began the pilot's dance that makes helicopters fly.

In his left hand was the throttle. When he twisted it, like you would a motorcycle grip, the engine revved up. The Bell 47G only had 175 horsepower; with that little motor driving the two big spinning rotor blades overhead, it was all too easy to demand too much and over-torque the mechanical system.

The throttle was mounted on the end of a short pole, hinged at the far end. When he raised his hand, it changed the angle that the rotor blades above his head were biting into the air, making them lift harder. It was a simple, intuitive design—pull up, go up; push down, go down. Because it moved both rotor blades together, it was called the collective. Tom raised and lowered it once with the motor at idle, to make sure it was moving freely.

In his right hand, Tom held what looked and felt like the control stick in an airplane. Moving it around changed the angle of the rotor blades individually, to allow him to tip the helicopter forward and back, and to roll it left and right. Since the stick cycled each rotor blade through a full circle, it was called the cyclic. When he'd first seen the word, he'd pronounced it wrong, and had to learn to say it correctly. *Sigh-click.*

By pushing on the rudder pedals at his feet, he operated the small propeller mounted on the end of the long tail boom. It provided enough sideways force to counteract the spin of the main rotors, and let him fly in a straight line.

Tom took one last look around to make sure no one was near, and started raising the collective while twisting the throttle for more power. As the rotor blades lifted the helicopter's skids off the pavement, he pushed with his left foot to keep from turning. His right hand moved the cyclic constantly, to keep perfectly level. It had taken a lot of practice with a patient instructor to learn how to hover, but now, with concentration, Tom was good at it.

He moved the helicopter clear of the ramp and switched radio frequencies. "Ellington Tower, this is NASA 948. I'd like to head over to observe the LLTV, and then work east of the field for thirty minutes or so."

"Copy, 948, cleared as requested, no traffic in the pattern."

Tom clicked his mic button twice in acknowledgment, turned right and made a beeline straight at Luke, who was just lifting off in the LLTV, setting up for another practice lunar landing.

"Luke, Tom here in the fishbowl. Okay if I stay off to the side and watch?"

"Sure, Tom. I'm going to be doing normal patterns."

Tom maneuvered downwind so that his rotor wash wouldn't disrupt Luke's air. As Luke went through the landing profile, Tom mirrored the actions in his helo. On the real Moon landing, it would be him flying the LM, with Luke on his right, assisting.

Luke touched down smoothly.

Tom pushed his comm switch. "Not bad, for a Marine."

"Thanks, Boss."

"If you need any senior officer advice, just call. I'm headed east."

"Roger that. Happy motoring."

Tom chuckled. Just before he accelerated away towards Galveston Bay, he spotted Kaz standing where he had a good view of Luke's training session. Tom nodded to him, and got a thumbs-up in response.

Under him now were hundreds of acres of cow pasture just east of Ellington Field. A good place to fly and not bother anybody, apart from some Texas longhorns. He climbed to 1,000 feet, bouncing in turbulence as the heat of the day roiled up the air, conscious of the sweat trickling down his sides. In the real LM, the guidance computers would automatically bring him close to the Moon's surface. He'd take manual control 500 feet up, at 40 miles per hour, and 2,000 feet back from the landing site. They called it Low Gate, and he maneuvered the helo to set those conditions. Looking ahead, he chose a lone cow in an open area as his planned landing site.

The helicopter was shaking quite a bit now in the unsteady air, and Tom fought it to get the parameters set right. He pulled slightly on the collective to slow his descent, and eased back on the cyclic to set 40 miles per hour forward speed. His feet were playing the rudder pedals constantly to keep him pointed straight at the cow. He cross-checked speed and altitude, and spoke aloud the words he or Luke would say.

"Houston, *Bulldog*, 500 feet, down at"—he checked his vertical speed again—"15." He released slightly on the collective to descend and eased forward on the cyclic, eyes now fixed on the cow, 2,000 feet ahead.

There was a sudden, surprisingly violent jolt of turbulence, like he'd hit an air pocket, and Tom felt the helicopter rapidly fall. "Damn!" This was messing up his approach—there wouldn't be any downdrafts on the Moon. He pushed forward aggressively on the cyclic to hold forward speed.

It was the instinctive move of a high-time jet pilot, but entirely the wrong thing to do in a helicopter, a rookie mistake.

The linkage that connected Tom's right hand to the spinning rotor blade was complicated. The cyclic stick was attached to a series of hinges and pushrods, running down under his feet, up behind his back and out through the top of the fishbowl. It connected above the motor to a horn that protruded from the spinning main drive shaft, which was attached, via pitch control rods, up to the rotors. As Tom pushed on the cyclic, it pushed up on the horn, tipping the base mechanism to change the angle of the rotors.

But what Tom thought was turbulence had actually been a pitch rod holding nut, improperly tightened, working itself loose. The vibration and centrifugal forces had combined to undo the nut faster and faster, until it had come off completely, instantaneously disconnecting the pitch rod from that blade. With no more control, the rotor blade had gone flat, suddenly dropping the amount of lift it was providing to zero.

Tom's helicopter was now held aloft by just one of the spinning blades.

As Tom pushed forward hard on the cyclic and pulled on the collective, the remaining blade dug in hard, creating bone-shaking vibration, but also far too much force on the airframe. The torque brought the nose down faster than the big blades could follow as the long tail boom pivoted rapidly up. In an instant, the whirling blades struck the tail, their tips going 650 feet per second, slamming into the drive shaft of the tail rotor. It couldn't stand the impact and sheared off.

Tom felt the helicopter start to spin. The little Franklin engine kept churning out full horsepower as Tom maxed the throttle, torquing against the still-turning blades, spinning the fuselage up faster and faster. But the Bell 47G suddenly had no lift, and no directional control. It fell from 500 feet like a whirling one-ton stone. Tom's hands were still on the controls, demanding more lift, his feet on the pedals trying to counter the spin, as the broken remains of his helicopter slammed into the empty, hard pastureland. At impact, it was going 200 miles per hour, straight down.

He'd been flying for only 11 minutes, and the helicopter's two bulbous gas tanks were near full. The crash broke them free of their mounts, spraying the 80/87 aviation fuel over the hot motor in a mist. The mist instantly caught fire, and it spread to the ruptured tanks.

Tom was still strapped into his seat, his body already badly broken by the force of the impact, when the helicopter exploded into flame.

13

Ellington Field

Luke was the first to see the plume of heavy black smoke rising from the direction Tom had flown. But by the time he got on the radio to report it, the senior tower controller was already on the phone with the Ellington crash response team, and his deputy was calling Harris County Fire.

The rural crash site made access difficult. The base's responders drove to the eastern end of the airfield, unlocked a large gate and bumped cross-country towards the smoke. The Harris County fire trucks, sirens wailing, tacked towards the crash along graveled oil well access routes. Both teams had to cut barbed-wire cattle fences to get close. The Ellington crew arrived first, but it had taken them 14 minutes. By then the fuel had mostly burned off and the cattle had scattered to the field's edge, where they stood aligned, looking on, puzzled and alarmed.

Tom's helicopter had hit the ground upright, but the force of the impact had collapsed the landing skid on one side, so the aircraft was tipped on an angle. The rotors had broken at their central shaft, and now lay in a big inverted V across the wreckage. The tail boom was a twisted mess, like an electricity tower that had crumpled and fallen over.

Orange flame still licked around the charred central block of the engine and transmission. The heat had torched the surrounding grassland, and the Ellington firefighters sprayed the site with water from their truck, then crept closer. One of the Ellington crew jumped out to use a portable extinguisher on the remaining flames, and then the fire crew chief and his senior medic approached the cockpit.

Tom's body was still slumped in place, held by the Nomex shoulder belts. His fire-retardant flight suit was only charred, and his blackened helmet was still on his head. The crew chief moved closer. What he saw inside the helmet made him quickly turn away.

The Harris County fire crew rolled up just as the Ellington medic was checking Tom's body for vital signs. She looked up and shook her head at both crews. With no one to rescue, the urgent pace slowed and the two fire chiefs refocused their attention on maintaining the crash site for the accident investigators and awaiting the county coroner.

After calling the fire crews, the tower controller had next called NASA Ops, and the ops chief had scrambled a pickup truck with airframe techs to head to the scene. Luke had quickly landed the LLTV and come to stand, stunned, beside Kaz, each of them hoping for the best and fearing the worst. Kaz flagged down the NASA pickup on the way past, and he and Luke clambered into the back.

Luke looked ahead at the diminishing black plume, and then at Kaz. Holding on as the truck bounced over the uneven ground, Kaz yelled over the noise, "What did you see?"

"Only the smoke."

Kaz nodded. They were both test pilots. Fatal crashes were a frequent part of the profession, which made understanding why one happened all-important. It also gave them something to focus on, which helped them deal with the personal tragedy and grief. "No use speculating until we know more," Kaz said. "Hopefully Tom's there to tell us."

"Shit, Kaz, we're only a month from launch."

Kaz somberly held up crossed fingers.

The lack of action at the crash site told them the story before they'd even parked. The Ellington fire chief walked over to their truck, his face grave.

"The pilot was killed, I'm sorry to say. Because we're off the base and on county land, I need you to stay clear until the police get here." They heard a siren in the far distance. "That'll be them now."

Kaz, as senior rank present, turned to the NASA ops chief. "We need to get word right away to the Astronaut Office Chief, Center Director, Air Force Liaison Office, NASA HQ." He glanced at Luke and briefly held his gaze. "And Tom's family. Can I use your radio?"

They gathered in the Astronaut Office conference room, on the third floor of Building 4 at the Spacecraft Center. Every available astronaut was there, whether NASA or MOL, along with Gene Kranz and Dr. McKinley. Since Kaz had been at the crash site, Al Shepard asked him to speak first.

He took a deep breath. "As you've all heard, Tom Hoffman was killed this morning in a solo helo crash just east of Ellington. Luke and I were at the crash site twenty minutes after it happened, and could see no obvious cause.

"Luke is Tom's designated Casualty Assistance Calls Officer, so he's gone to the Hoffman house to stay with Margaret. I asked Doc McKinley to be here to speak to us, as he's just been out to the site and talked with the county coroner." Kaz nodded at JW.

"The coroner's report will take a day or two, but there's no doubt it was the impact that killed him. His back and neck were both broken, and it happened quick." JW looked around, making eye contact. "There was a subsequent fire, but Tom was already gone."

Several heads nodded. Death was new to no one in the room, and they all preferred to hear that it happened fast. They feared fire. When the Apollo 1 crew had burned to death in a plugs-out simulation six years previously, it had shaken everyone to the core.

Gene Kranz spoke up. "Gentlemen, this is a horrible day. We need to figure out why one of our training helicopters killed Tom, but we also have a launch scheduled for April 16. It's a miserable thing, and I hate it, but the brutal truth is that this is why we have backup crews."

He looked around the room for Al Shepard. "Management is extra-complex for Apollo 18, but we need a decision ASAP as to how the crews are going to be changed. As soon as that happens, we need to be ready to sprint."

Shepard nodded, and Kranz drove his point home. "We need to get the new crew assigned, and then this whole center needs to work day and night to turn them into the team that will leave Earth for the Moon in thirty-one days."

As the meeting broke up, Al Shepard gathered six of the astronauts in his office. After he closed the door, he said, "Guys, we have a lot to do, but let's have thirty seconds of silence to honor Tom Hoffman."

Some bowed their heads in prayer, and others stared into the distance. Kaz found himself painfully thinking about telling Tom that his face would be on a magazine cover. Not now, it wouldn't.

Shepard raised his head. "Thanks, fellas," he said, as they all turned to face him. He started to count points off on his fingers. "We've already kicked off the accident investigation, and we'll need an astronaut on that. I'm designating you, Bean"—Al Bean, a moonwalker on Apollo 12, nodded—"as you were in on Cernan's investigation." Astronaut Gene Cernan had survived a helicopter crash two years previously while flying too low at Cape Canaveral. Bean had helped dig out the cause of the accident while maintaining Cernan's astronaut career. Shepard had appreciated it.

He touched a second finger. "Luke's with Tom's family, but as of today I need him to focus on nothing but Apollo 18, so, Kaz, I'm asking you to take over as CACO."

Kaz said, "Will do."

A third finger. "Gene was right. We need a new crew roster for 18, and we need it now. We've done the same thing after other training crashes, and after the Apollo 1 fire, and when TK was grounded for 13."

Astronaut TK Mattingly had been inadvertently exposed to the measles three days before launch, and his place on Apollo 13 had been taken at the last minute by his backup, Jack Swigert.

"The MOL astronauts don't really work for me," Shepard said, "but I'm sure Washington and the Air Force are going to listen to what I recommend." He looked first at Chad Miller and then at Michael Esdale. "This close to launch, it's gonna be easier on everyone if we don't do a full crew swap. So my call is that Luke and Michael are still the crew, and the commander of Apollo 18 will now be Chad."

Chad's face remained impassive, but Kaz could see the rush of excitement in his eyes. All the new commander said to Shepard was "Thanks, Al."

"At my direction, the training team is already revamping the flow from here to launch," Shepard said, "to make sure Chad, Luke and Michael get exactly what they need. The helos will be grounded for a while, but otherwise we'll carry on with training and sims. The crew goes to the Cape on March 26, so that gives us"—all 13 eyes turned to look at the wall calendar—"ten days here at MSC." He looked at each man individually. "Any questions?"

They were military men. A death had occurred, they had acknowledged the loss, and now they had their new orders. They all shook their heads.

"All right then," Shepard said. "Let's get Apollo 18 ready to fly."

14

Timber Cove, Houston

"How do you want to handle this, Kaz?"

JW was in the passenger seat of the Satellite, thumbing through the folder of papers that Tom Hoffman had filed with the Astronaut Office in case of death.

Kaz took a deep breath and exhaled slowly. "I'll take the lead. We need to free up Luke to get back to work, make sure that Margaret is coping as well as can be expected—a big reason I asked you to come with me—and answer any questions she has about what happened and what's going on."

JW nodded, still scanning through the folder. "I've met Margaret a few times, and seen her boy and girl once when they came to the clinic." He looked across at Kaz, his face grim. "A lousy day."

Kaz turned off NASA Road 1 onto Kirby, and arced right on Old Kirby Road. The astronauts all tended to live in the three new waterfront neighborhoods that had been developed when the Spacecraft Center was built. The Hoffmans had chosen Timber Cove, and their snug cinderblock bungalow fronted on Taylor Lake. Kaz parked at the side of the road under some live oak trees, noting Luke's car in the driveway behind Margaret's station wagon.

They rang the doorbell, and Luke answered. The house was quiet and dimly lit. He led them into the living room, where the large bay window faced the brown bayou waters of the lake. The furnishings reflected the life the Air Force had given Tom: mismatched but comfortable sofa and chairs, a blond chestnut side table and folding screen from a tour in Okinawa, walls hung with smiling pictures of flying and family. A large mahogany stereo hi-fi and TV was against the paneled wall. Sitting on it was a wedding photo of Margaret in white and Tom in ROTC blues, the two of them young and laughing, ducking under an arch of raised swords.

Margaret was seated on the sofa, staring across the lake. Her eyes were red, but she wasn't crying now. She had her arms around her two children, who were tucked as close as they could get to her. The elder child, a girl, was crying quietly. The little boy was asleep. Margaret didn't seem to notice Kaz and JW come in.

Luke silently waved them into the kitchen.

He refilled the kettle. "I had Michael Esdale's wife, Dorothy, get the kids from school; she's standing by to come back as soon as Margaret's ready. I've been answering the phone and the door—all neighbors offering help. Word travels fast. Margaret's held together pretty well. I didn't tell her any specifics. Just that his helo had crashed, and he didn't make it." He got two mugs out of the paneled cupboard, and set a Nescafé freeze-dried coffee jar next to them. "Help yourself."

JW spooned out the crystals and when the kettle boiled, he poured, handing a mug to Kaz.

"Al doesn't want to shake up the whole crew," Kaz said after a small silence. "Chad's your new commander."

Luke nodded. "It makes sense. Minimizes the impact on the mission." He looked bleakly at the two men. "But he ain't no Tom Hoffman."

Kaz nodded. "They asked me to take over as CACO so you can get back to training." He paused. "You okay with that? Do you think Margaret will be?"

Luke shrugged. "When Tom asked me to be CACO, we never thought . . ." His voice broke. He turned away, and took two deep breaths. Then he said, "Right. If we're still going to the Moon, I'll need to get back to work. Let's go tell Margaret."

The March weather had turned to match the mood of the day, with low gray clouds moving in from the Gulf of Mexico. By dinnertime, it was raining steadily, with occasional downpours as waves of thicker clouds passed overhead. The fat raindrops made a continuous metallic din on the tin roof of the U-Joint, a background hum to the after-work wake that had gathered to honor Tom Hoffman.

The NASA Manned Spacecraft Center was a type of factory. It took in the strange raw materials of human dreams, ingenuity and tenacity, ran them through a labor-intensive assembly line of development, testing and training, and spat out astronauts and their support teams, ready for spaceflight. Regular as clockwork, best in the world.

When an accident happened, the assembly line slammed to a stop. It took internal inspections and tests to get the machinery running again, and while that was happening, the factory workers, with all their skills and creativity, were at loose ends.

The U-Joint's wet grass parking lot was filled with cars. Inside, there was a natural pecking order: Apollo space fliers sat at the tables, and junior engineers took the standing room out of respect for the astronauts' willingness to take risks.

The Apollo 18 crew, Chad, Luke and Michael, sat at their own table, the fourth chair empty. The three of them hadn't paid for any of their drinks; Janie just kept bringing them, all on the house.

Chad leaned towards the other two, elbows on the table, chin on his crossed hands. Despite the horrific circumstances, today was the start of his command, and he and these men were about to do something intensely dangerous and demanding together. He allowed himself a small smile and, attempting the first step towards a new relationship, said, "When did I first meet you two assholes, anyway?"

Michael let himself chuckle. "Pax River. Luke and I were still at Test Pilot School, and you and Tom were the Air Force hotshots who'd just been selected for the MOL program. You'd come to brief our class."

Luke looked up from the beer rings he'd been contemplating. "I think, to be accurate, we met at the Green Door." It was the Navy's equivalent of the U-Joint, a country bar in Southern Maryland, a favorite of the test pilots there. "Quite a legendary night, if I recall."

"Yeah, you're right. I remember now." Chad's tight smile faded. "Tom was there that night, with us—and he always will be."

The swinging doors banged open as Kaz and JW came in out of the rain, soaked, stomping their feet.

Chad waved a hand and pointed to the empty spot at the table. JW looked at Kaz questioningly, who by way of answer grabbed a chair off the stack by the jukebox and carried it over his head. Janie spotted them while bringing another round for the table, and stopped to add two whiskies, a beer and a coffee to her tray.

Luke spoke first after they got settled. "How are things with Margaret?"

"About what you'd expect. Dorothy's with her now." Kaz sipped his beer, looking around. "A good crowd."

Chad nodded. "Time to say something." He pushed his chair back and climbed up onto it, glass in hand. The room quickly hushed, all eyes turning to the lone figure on his chair. Someone turned down the sad song on the jukebox.

"Everyone charge their glasses, because today we lost one of our own." Chad turned his head slowly. "Look around. The walls of this place are covered with our history, and our heroes. Some made it to space, some even walked on the Moon. And many died trying. Spaceflight is hard, and it demands our best. Sometimes, even that isn't good enough. This morning we lost a friend, a test pilot, a husband and father, and a damned fine astronaut on his way to the Moon."

JW caught Chad's eye. He was still carrying Tom's folder, and he pulled a glossy eight-by-ten NASA portrait out of it and passed it up to Chad.

Chad held the photo above his head for all to see, saying, "Let's honor Tom Hoffman." He climbed down from his perch and headed for the wall reserved for the astronauts who had died. He found a space and carefully fixed the picture in place, stealing a couple of thumbtacks from the other photos. He raised his glass to Tom's portrait and said, quietly, "The Apollo 18 crew resolves that we will do our damnedest to make you proud."

He turned back to the crowd. "Ladies and gentlemen, we drink to a man gone too soon. So his loss will not be in vain, let's also drink to my crew's success on Apollo 18." He paused. "To Tom Hoffman!"

The room erupted in a toast that echoed from person to person.

Chad was too far away to notice the small tics of reaction on the faces of his two crew at his use of the word "my."

There was a moment of quiet, and to lighten the mood, Luke shouted, "Tom loved a good party, and now that he's on the wall, he won't miss this one. Drink up, everybody!"

The jukebox started back up, the pulsing keyboard of "Crocodile Rock" joining the rising voices of the crowd and the steady percussion of the rain on the roof.

Kaz spotted Laura through the smoke and crowd, grabbed his beer and made his way to her. She smiled when she saw him, and then caught herself. "I'm so sorry for the loss of your friend, Kaz."

"Thanks," he said. "It's a terrible thing. Can I get you a drink?"

She held up her nearly full mug by way of answer.

He touched her mug with his. "To Tom." They both drank.

"I never properly thanked you for taking me flying," she said. "I know it's normal for you, but it was a rare treat for me." She looked around sheepishly at the scientists in her group. "I've been boring everyone with the details, until today that is."

"You helped me remember my own joy in it."

"I'm glad," she said. She stared at her beer for a moment, then met his eye. "Do you think Tom's death will delay the mission?"

Kaz realized that most of the people in the room must be wondering the same thing. "No—we're going to get the crew trained with their new commander in time." He glanced towards the crew's table, where Chad was now sitting alone, staring at the wall where he'd just stuck up Tom's photo. Kaz realized that it was the first time he'd ever seen Chad lost in thought.

I don't blame him. It must really be sinking in.

He looked around for Luke and Michael, and found them at the center of a group of veteran astronauts, all drinking with purpose.

Laura frowned. "How do you do that?"

Kaz looked at her, puzzled. "Do what?"

"Recover so fast. Even in the Lunar Lab we've been zombies all day. It's why we came here tonight, in fact."

Kaz looked away. "It's hard for everyone," he said. He looked squarely back at Laura. "The speeches have been made, and you don't really want that beer. How about we leave?"

She glanced at her friends, then nodded. Kaz asked, "You have your Bug here?"

"Yes. Top's up, fortunately."

"Meet you at my place?"

Laura looked at him for a couple of seconds, then said, "Sure, why not?"

Both of them got drenched running from their cars into the house, and they sat on the couch with towels around their shoulders. Kaz opened a Chianti, rich and warm against the damp.

Laura took a sip, and sighed. Then asked, "So what's the answer to my question?"

Kaz had been thinking about it. "Truth is, we get used to the idea somehow." He looked out at the wet night, rain pouring down the window. "When my first good friend died on squadron, I couldn't accept it. He was a better pilot than I was, superb hands and feet, and more experienced. But on that one flight he came straight down out of low cloud at high speed and hit the water. There was nothing left."

He paused. "It made me mad. I wanted something to blame, *needed* something. So I dug hard into the details—recreating the accident, reviewing the plane maintenance records, looking at fleet reports for similar events. I developed a few probable theories. But eventually I realized that sometimes there's no answer. Flying high-performance machines is a dangerous profession, and occasionally it kills people."

He tipped his head to one side. "The grief is still there. I'll miss him forever—he should be here now, sharing in this life, a friend to laugh with into old age. It's unfair. Worse—it's random."

He took a mouthful of Chianti, swallowing slowly. "When the next friend died, the hole it caused inside me felt the same, but it seemed a little easier to bear. I'd learned the things I could do in response, and those I couldn't. When Tom crashed this morning, I felt that same, irretrievable loss, and a wave of anger that maybe I'd missed taking some action that could have prevented it. I feel the need to find out what happened so we don't repeat it, and the need to take care of his family."

He turned to look at her. "The wound is just as bad, but it's like I've developed a form of scar tissue so I can deal with it. I'll miss each of those guys for my whole life. But I'm still here. If it was me who had bought it, I'd expect them to stay focused; stay busy living too."

Laura raised her wineglass. "Here's to your friends, Kaz, the good men no longer here with you. Especially Tom." They touched glasses and drank them empty.

Then Kaz reflexively did another thing that helped him cope with loss: he pulled out his Gretsch archtop acoustic, a guitar he'd bought used in college and had dragged everywhere the Navy sent him.

They sat on the couch in the semi-darkness as he finger-picked his way through several of his favorites, singing softly, Laura joining in where she knew the words. He tried to avoid the sad ones, yet it felt like every song had certain lyrics that were magnified by Tom's death.

When he finished "Fire and Rain," James Taylor's soulful words echoing in the room, he looked at Laura in the half-light, leaned to pull her close and kissed her.

15

Washington, DC

When the 727's wheels thudded onto the concrete runway at Washington National, Kaz was already tired. It was noon in DC, but it had been a predawn departure from Polly Ranch, and the Eastern flight had been noisy and full, making it impossible for him to catch more sleep. Even his good eye felt gritty.

Now a Checker cab carried him across the 14th Street bridge into south DC, past the Jefferson Memorial and the Navy Yard, and then out into Maryland towards Baltimore. As the cab wound through the forest of the Patuxent Research Refuge, Kaz wondered, not for the first time, why Phillips had called for a face-to-face. The only change to the situation was Tom's death, three days previously. Adding a new commander to the mix made a big difference for the NASA trainers, but he didn't think it was something the NSA head should worry about. Unless there was something he didn't know.

He corrected himself: Sam Phillips was always dealing with things Kaz didn't know. The man faced a daily onslaught of intelligence from multiple sources and ever-changing advances in technology; the way the SIGINT was gathered could be just as important as the information itself. Then the head of the NSA had to sort the wheat from the chaff, feeding the key information, conclusions and recommendations up the chain to the military, who passed it via the Joint Chiefs to the President and other federal agencies.

Like the CIA.

Kaz squinted out the taxi window at the blur of trees. He'd heard about the CIA's new bull-in-a-china-shop boss, James Schlesinger. Could that be why he'd been summoned—in response to pressure from Nixon and his man at the CIA to take extra tactical advantage of Apollo 18's military agenda?

"C'mon in, Kaz!"

General Phillips, smiling warmly, stepped around his desk to greet him and they shook hands. Phillips's lean, pleasant face matched his tall, spare frame. The chest pocket of his short-sleeved white dress shirt had a notepad and a pen in it. His narrow brown tie, held with a clip, was tied in a neat Windsor knot. Pleated worsted pants were cinched high with a thin brown leather belt that matched his shiny brown shoes. A thoughtful military man in civilian clothing.

Jan appeared, unasked, carrying a tray with two coffees. Kaz thanked her and reached for his, grateful for caffeine. Phillips grabbed the other mug and led him to his small meeting table, where they sat. A green file folder, with TOP SECRET in red letters on its front, was already in the center of the table.

"How are you liking Texas?" Phillips asked.

"It's flat, hot and wet," Kaz said, smiling. "But I've been doing some flying, and it's been great to reconnect with Luke and Michael."

Phillips leaned to the left and called through the open door. "Jan, is Mo here yet?"

Kaz's mind raced ahead. "Mo" would be the overall military boss for Apollo 18—Admiral Maurice Weisner, the Vice Chief of Naval Operations.

"I'm just getting him a coffee now, General," Jan called back.

There was a knock on the frame of the door. "Permission to come aboard, Sam?"

Mo Weisner entered, smiling, cradling a coffee. Kaz stood to shake hands with the Admiral as Phillips waved him to the empty seat at the table. Weisner had been a junior officer in World War II whose ship had been sunk by Japanese torpedoes; he had lost 200 crewmates. After he'd retrained as a pilot, he'd torpedoed and sunk a Japanese destroyer escort, and gone on to command three squadrons. His gold naval wings, Distinguished Flying Crosses and other ribbons were neatly pinned above his name tag on his short-sleeved uniform shirt.

He sat and turned his heavy-lidded gaze on Kaz. "Good flight in?" The broad vowels of his Tennessee childhood made "in" a two-syllable word.

Kaz nodded. "Yes, sir, the Eastern breakfast flight." He held up his mug. "My fourth cup."

"I've read the prelim report of the crash," Weisner said, small talk over. He trained his intense brown eyes on Kaz. "They say no obvious cause. I heard you were there. Was it mechanical or did Tom make a mistake?"

"Weather was good, no other planes around, no sign of a birdstrike. My best guess is something failed in the machine. The accident board is sifting through the evidence."

Phillips and Weisner both nodded. As fixed-wing pilots, neither of them trusted helicopters.

"How's Miller doing?" Phillips asked.

"As you know, sir, he's been training alongside the crew in case something like this happened. He stepped right in and he knows his stuff," Kaz said.

"Sure, but are they gonna make it work?" Weisner asked. He'd led men in wartime. It was the key question.

"Tom was a special guy and he'd grown close to Luke and Michael. But Chad's up for it. Apollo 18 will be ready for launch."

Launch—the day the newly formed crew would leave Earth to do whatever these two senior officers decided.

Weisner glanced at Phillips, who said, "We've got some new intel about Almaz. We think they've significantly upgraded the optics." He lifted the pale-green folder and passed it to Kaz.

Inside was a collection of photographs, some with arrows and notes on them in silver and black ink. Kaz picked the first one up and tipped it into the strong light coming from the window. His dissertation at MIT had included an analysis of Soviet space assets, and his memory was clear on early designs for their space station.

"They've changed the mold line," he said, tracing his finger along the new shape of the spaceship's hull. One by one, he examined the remaining photos, looking closely at the print that showed the most magnification. "The optical window is different and the radiator arrangement has been shifted."

He looked up. "I agree with you, General. They've put a whole new capability in there." He thought a moment. "Do we have any ground-based intel on how good it might be?"

The senior men glanced at each other and, again, it was Phillips who spoke. "The CIA's been hearing some things that indicate the Soviets have used different parts suppliers and have also sent new scientific personnel to the assembly plant in Moscow."

Weisner continued. "Our best guess is they've made a significant improvement over the original design."

Kaz nodded, visualizing the components of the various systems. "The raw size of the optics in Almaz will outmatch their unmanned spy satellites, no question." He glanced back at the photographs. "That change in its outer shape means they could have put in reflective optics, using the whole interior diameter for focal length." He ran the numbers in his head. "Which means they could see things down to the sub-meter level. Maybe down to a little over a foot."

He looked up at Phillips and Weisner. "This version of Almaz could spot the two of you walking down the street and tell who's who."

"That's what my analysts have been telling me," Phillips said. "That kind of capability means we have to rethink our deployed assets all over the world, from what's on our ships' decks to our remote base activities to parking the President's car. Almaz is going to make us change and curtail what we're doing. We may have to start performing our critical ops at night, which will increase difficulty and decrease our chances of success."

Weisner said, "As you know, we've got some cutting-edge stuff going on in the high desert that's going to radically change warfare. But only if we can test and prove it in secrecy. You've been a test pilot, Kaz. You know what first flights are like in newly developed aircraft. There's no way we can do those in darkness."

Kaz set down the photos, no longer focusing on the technical details. He could feel where the conversation was heading.

"When does Almaz launch?" he asked.

Phillips said, "We've been watching their normal Proton preparations. Our best guess is in about two weeks. Somewhere in the first week of April."

"Then they'll need time to get Almaz checked out in orbit," Kaz said. "A camera that sophisticated will be too complex to load, point and operate remotely from the ground, so to get the capacity they want, they'll need to launch a crew on a Soyuz to rendezvous with the station and get the system working. The pictures will all be on wide-format film, which they'll need to deorbit in canisters or keep on board until the crew returns, maybe after a month or two."

He looked at the NSA chief. "Have you seen any indication of Soyuz crew launch prep?"

Phillips shook his head. "Not yet, no. We're still confident Apollo 18 is going to launch before the first Soyuz crew heads for Almaz."

"So as you've already figured out, that's our window," Weisner said, "when Almaz is parked in orbit, waiting for its crew." He looked hard at Kaz and added the key word. "Defenseless."

Kaz returned his stare. What these men were implying was clear, and stunning.

"So we won't just be taking close-ups of Almaz anymore."

Both senior officers shook their heads.

"You're ordering the crew of Apollo 18 to disable a Soviet spaceship?"

They nodded.

A chill ran up his spine. Kaz said, "So for the first time in history the United States is going to take hostile military action in space."

16

MSC Headquarters, Houston

"We're going to do *what*?" Luke sounded both angry and incredulous.

Kaz had phoned ahead for an urgent meeting of the key players before he'd left Washington. The three crewmembers, along with Al Shepard and Gene Kranz, had gathered in Gene's office. The door was closed.

He'd brought the top-secret file back to Houston with him, and the men in the room were examining the new pictures of Almaz.

"This comes right from the Joint Chiefs, with the approval of the White House. Apollo 18 has been tasked to disable Almaz before its crew arrives."

Luke picked up one of the photos and stared at it. "How the hell are we gonna do that?"

"Good question. The NSA ops team had a few suggestions for vulnerable points we could get to with a cutting tool—antenna cables, radiator cooling lines, solar panel cables, docking targets, fuel lines. But this means we need to maneuver very close, and be ready for a spacewalk when we get there."

Chad blew out sharply through his nose. "Does Washington understand what they're asking? This is going to be extremely dangerous."

"Yeah, I said the same thing, and the response is that they want 'all possible effort.'" Kaz mimed the quotation marks for emphasis. "The new CIA chief, Schlesinger, has made it highest priority, and he has the President's ear."

Gene Kranz was already thinking of the practicalities. "We've got some small bolt cutters in the spacewalk inventory, but we might need to get a bigger set on board. We can't cut anything that's got current running through it, but we could cut comms or cooling lines. Maybe fuel, depending."

They all considered that.

Michael asked the next obvious question. "Who's gonna go outside?"

Gene thought out loud. "The existing plan for you, Michael, to do the spacewalk on the way back from the Moon to retrieve *Pursuit*'s external film canisters was already tight for weight margins. We'll likely have to trade that to get this done."

Michael shook his head. "But I'm going to have my hands full flying *Pursuit* close enough to Almaz to pull this off. I can't do the spacewalk at the same time." They all saw him realize what he'd just said: he was losing his spacewalk.

Gene nodded. "Agreed. That leaves Luke or Chad. I don't think we have the CO2 scrubbing reserves to send you both out, and Michael's going to need help maneuvering that close to another ship." He looked at both men, his mind ticking through the trade-offs.

Al Shepard spoke. "It needs to be Luke. Michael's the Command Module pilot, and Chad, as mission commander, needs to be inside honchoing all the moving parts."

Luke kept such a tight grip on his expression, Kaz couldn't tell what he was thinking. If it had been him, he would have been equal parts daunted and thrilled.

Chad stared at Al, his jaw clenched. "I don't like this. This is a third change of plan, and we've got less than four weeks until launch! We have no good way to simulate maneuvering so close to Almaz, and very little time to write and practice new procedures. This is a recipe to screw up before we even leave Earth orbit!"

Al nodded, his face serious. "You're right. And you may fail to disable that Soviet spy ship no matter what you do. But the reality is that this sort of op is why we *had* a MOL program, and you three were chosen specifically as a military crew to carry out military tasking. These orders are coming from the Joint Chiefs and the White House."

He looked at each man in turn. "This is now top priority. The least we're going to come away with is clear, close-up pictures of this thing. And with a little luck, Luke will hurt Almaz badly enough that we can protect America's secrets for a while yet."

Gene added, "We have procedures for fast rendezvous with non-cooperative targets from multiple Gemini flights, and we did maneuvering and orbital spacewalk tests during Apollo 9. The simulation hardware is still stored onsite, so we can put together enough reality to do some training. It won't be pretty, but I think we can be ready."

Kaz thought he better point out a fundamental concern. "These photos we're looking at here are top secret. We need the changes in training to be kept quiet, and a total media blackout during Almaz ops."

Gene said, "Right, I'll keep the team size to a minimum, and allow no TV coverage or visitors." He thought further. "There'll be people in Florida gathering to watch the launch, but I think it's best to black out the whole flight after that, not just the Almaz maneuver. NASA PR and the Air Force rep can deflect questions for us, citing national security if they have to."

Chad still looked like he'd eaten something sour. "We'll do it. But when we get there, I'm gonna have Michael keep *Pursuit* at a safe distance until we figure out what's actually possible. And if it turns out we can't do it, everybody will just have to be happy with more pretty pictures to add to Kaz's file."

He was the first to stand as the meeting broke up, and Luke and Michael followed him out the door.

17

Ellington Field, Houston

Apollo 18 was L minus 18—18 days from launch. Time to move operations from Texas to Florida, and the astronauts were flying themselves there.

Chad, strapped to his ejection seat in a blue and white NASA T-38 jet, leaned to the left to catch the eye of his groundcrew chief, and raised his right hand high above the cockpit, spinning his finger. Michael and Luke, in their own jets, saw the motion and did the same.

The groundcrew had parked air blowers, called "huffers," beside each of the three T-38s, and had connected the huffers' long hoses to the jets through doors in the planes' bellies. At the hand signal, they switched the huffers to max output, forcing air under high pressure into the T-38 engines, spinning the turbines like pinwheels. Once each engine got turning fast enough, the pilots brought their throttles to idle, letting jet fuel spray into the combustion chambers. Spark plugs flashed and the fuel/air mixture exploded into life, driving the turbines harder, sucking more air into the front intake of the motors. The groundcrew disconnected the huffers, and the engines wound up to working speed.

Kaz was in Chad's back seat, taking advantage of the ride to the Cape, and watched as the instrument panel came to life. Dr. McKinley, as the crew flight surgeon, was with Luke, and Michael's back seat carried an Air Force photographer—who already had his camera out, taking pictures of the start procedure.

Chad looked across at the other two pilots, and got a thumbs-up from each. He hit his mic: "Ellington Ground, this is NASA 18, flight of three, ready for taxi." Luke and Michael flicked their mic buttons briefly, and Kaz heard the two quick chirps in his helmet, confirming everyone was on frequency.

"Good morning, NASA 18 flight, altimeter is 30.12, set squawk 3210, cleared taxi for 35 Left. Have a great spaceflight."

"Copy 30.12, 35 Left, 3210 set. Will do, thanks."

All three pilots reached both hands up and motioned outwards with their thumbs, signaling the crew chiefs to pull the chocks clear of the main wheels. Once safely beyond the wingtip, the crewmen stood at attention and saluted. The pilots saluted back, pushed the throttles up and taxied clear.

Luke followed Chad, with Michael behind him, all offset slightly to avoid each other's jet engine blast. They left the ramp, turning right in close sequence, and headed along the taxiway to runway 35 Left.

Kaz stayed quiet, observing. Some pilots liked to chat, but Chad was all business. As they reached the wide pavement by the end of the runway, the other two jets pulled alongside. Kaz looked across at JW. Even under the helmet, oxygen mask and sunglasses, he could see the doctor's broad smile and knew what he was thinking: this crew was going to the Moon, and he was in the thick of it.

Chad leaned to check with Luke and Michael and saw them nod. Takeoff checks complete, everyone ready.

"Ellington Tower, NASA 18 flight of three, ready for takeoff 35 Left."

"Roger, NASA 18 flight, winds 350 at 11, cleared takeoff. Godspeed."

Chad clicked his mic button twice, closed his canopy and led the trio onto the runway, Luke lining up on his right wing, Michael on his left, both raising a thumb when in position.

Chad made a wind-up motion with his finger, and they moved their throttles ahead into a detent, giving full thrust just short of afterburner. He glanced left and right, then raised his chin and dropped it. At the signal, all three pilots released the toe brakes and jammed their throttles fully forward to the hard stop. Max thrust for takeoff.

The J85 engines responded instantly. Sparks flew, and like a giant blowtorch, the raw fuel ignited in the afterburners, yellow-gold flame visibly erupting out the exhaust at the rear. Now pushing with 6,000 pounds of thrust, the jets began to accelerate down the runway.

Chad pulled his throttles back a little bit to give the other two pilots some extra margin to hold position on his wings. As the airspeed indicator wound quickly up through 140 knots, he eased back on the stick, and the nose pivoted up. Kaz glanced out to see Michael and Luke doing the same. At 160 knots, the jets' thin, short wings were generating enough lift to raise the planes' main wheels off the runway. Chad paused a couple seconds, then raised the gear and flap handles. Staring intently to hold formation, the other pilots found the knobs blindly in their cockpits and did the same. All eyes watched the other airplanes' wheels fold up cleanly out of sight, the covering doors briskly snapping closed.

The transition was complete: the T-38s were no longer compromised beasts of the ground, but clean birds of the air, accelerating up into their natural environment.

The crews settled comfortably into position, tightly and naturally holding formation, a triangle of roaring metal climbing into the south Houston sky, pointed a little bit south of east. Headed to Cape Canaveral—and launch.

They leveled off at 37,000 feet, the sparkling blue waters of the Gulf of Mexico far below them, and Luke and Michael had drifted their jets out to loose formation. The T-38 had no autopilot, and the constant corrections needed to hold heading, altitude and airspeed were tiring. Soon Chad asked, "You want to fly, Kaz?"

"Glad to." Kaz lightly rested his hands on the stick and throttle, and glanced at the navigation chart on his knee for orientation.

"Great, thanks. You have control."

"I have it." Verbal confirmation was standard practice after several airplanes had gone out of control because each pilot thought the other was flying. Kaz shook the stick very slightly as a secondary confirmation, feeling the T-38 twitch in response.

Conversation in a two-seat jet is surreal and fragmented, yet strangely intimate, even with the background din of rushing air and noisy turbojet engines and having to keep a constant ear to the steady patter of Air Traffic Control. Both people face forward, so you can't see when the other is talking; the words just suddenly sound inside your helmet, almost as if they were your own thoughts.

Kaz had been thinking about the flying, and also about Laura, when Chad's voice snapped him out of his reverie. "Kazimieras Zemeckis—it's an unusual name. Where's your family from?"

"Lithuania. It's a Litvak name—Lithuanian Jewish. I was born in Vilnius just as the war started, and my family fled, managing to get one of the last passages to New York." A short pause, as they both listened to the muffled sounds of flight. Then Kaz added, "Good thing they did. By 1942, the Nazis had killed almost the whole community, seventy-five thousand Litvaks."

"So, you're a Jew?"

"Yes, but non-practicing." Why was Chad asking about this? He tried to lighten the mood. "My mother still hopes I'll find a nice Jewish girl to straighten me out."

Air Traffic Control called with a frequency change, transferring them from Houston to New Orleans as they worked their way eastward. The morning sun was bright in Kaz's eye, and he had his dark visor rotated down into place.

"Any other Jews in the program?"

Kaz was startled. Religion was not a normal topic of conversation among astronauts. Yes, the Apollo 8 crew had read from Genesis on Christmas Eve, during their return flight from the Moon, and Buzz Aldrin had taken Communion while on the surface. But this was a weird thing to ask in the cockpit.

"Uh, not that I know of."

Kaz knew that Chad had been raised in the Midwest, but where was this coming from?

"The Soviets have one," Chad said. "Boris Volynov. He got yanked from his first flight on Voskhod in '64, but eventually flew in '69."

Kaz shook his head. Why was that important? And why would Chad have noted it in the first place?

"Huh," he replied. "I didn't know that."

Chad continued. "Have you ever been blocked for an opportunity because you're Jewish?"

"Nah," Kaz said, now determined to lighten this up. "I just tried to come first at everything so no one could say no to me. And here I am today, riding with an Apollo commander on his way to launch!"

Chad grunted, and went silent.

Kaz made a note to check whether Chad had made similar off-color comments to Luke or Michael. The man was a great pilot, but maybe more of a redneck than Kaz had thought.

The long silty tendrils of the Mississippi Delta were passing off to their left, a web of sandbars like a chicken's claw reaching out into the Gulf of Mexico. Kaz turned slightly over the southern tip, heading 100 degrees, following the jet route. Michael's voice broke in. "Hey, Boss, the photog wants some formation shots with New Orleans in the background. Okay if you two close up, and we'll move around for good angles?"

"Sure," Chad said, and Luke brought his T-38 into tight formation. Kaz watched as Michael's jet moved around, getting pictures from several perspectives. They were halfway across the gulf when the photographer decided he had enough.

Chad took control back from Kaz as they entered an area of wispy cirrus cloud that was getting thicker, telling the other two pilots to move into closer formation.

As they crossed the Florida coast, Chad selected NASA Ops on the radio, turned down the squelch and called ahead. "This is NASA 18 flight, a hundred and twenty miles back. We should be there in fifteen minutes."

The responding voice was scratchy with static. "Good morning, 18 flight, we're ready for you, weather's good, plan on landing 31."

"Wilco, thanks." Chad switched back to Air Traffic Control, and asked to begin descent. Florida rolled quickly by underneath, the crew focusing on holding formation as they went in and out of cloud, the jets extra-sensitive at just barely under the speed of sound. As they crossed over Orlando, they switched back to Ops frequency.

"NASA, 18 flight, be there in five. We'd like a couple passes of the pad for photos, and then we'll come into the break for 31."

"Roger, 18 flight, no traffic, cleared as requested."

Chad pushed the jets lower as Merritt Island and the oversized buildings of the Kennedy Space Center came into view. Kaz peered ahead to the coastline, and spotted the massive white and black Saturn V rocket next to the orange framework gantry of its launch tower.

Michael moved his jet slightly away to give the photographer a good angle as they raced past the launch pad a couple hundred feet above the 500-foot tower. They made a wide dumbbell left turn over the Atlantic shore, coming down the coast for a second pass.

With all three jets now almost out of gas, Chad continued down the coast, turning to line up with runway 31. He waved Michael to the far side, moving the jets into echelon right, positioned like the last three fingers of his right hand. They flashed in close formation across the shore, down low and fast over the runway, and Chad broke hard up and left over the small crowd of NASA support crew and media waiting for them. Luke counted "thousand one" and yanked his jet left to follow, Michael doing the same in perfect sequence. They each slowed and dropped gear and flap as they headed downwind, and landed on the 10,000-foot runway, one behind the other.

Chad slowed to taxi speed so the others could catch up, and the three of them rolled in unison up to the waiting groundcrew. They turned in, parked neatly lined abreast and, at a nod from Chad, chopped throttles to Off together. The engines wound down quickly as they opened their canopies, and it was abruptly quiet. They started pulling off gloves and helmets, welcoming the salty Florida breeze on their faces.

They were here, and their rocketship was ready for them on the pad, pointed at the sky.

18

Baikonur, Kazakh Soviet Socialist Republic

The Syr Darya river winds for 1,400 miles, from its source high in the Kyrgyz Tian Shan, Mountains of Heaven, across the flat southern steppes of Kazakhstan, until it finally empties into the broad Aral Sea. The ice-fed headwaters gleam a surreal pale blue, carrying the reflective, finely ground silt of glaciers; the ancient Persians called it the True Pearl River. But by the time it twists down through the towns, reservoirs and endless agricultural irrigation schemes, its waters thicken to an opaque, oily brown. A nondescript-colored snake of a river bringing muddy water to soothe the thirst of the nomadic two-humped Bactrian camels.

The spring thaws and ice jams regularly cause it to overflow its banks, spreading its silt up across the surrounding gray land, turning the soil a fertile, rich brown. Kazakh farmers work its shores, growing crops and grazing their sheep, cattle and horses. Their word for the river's fertile soil was the name given to the town at a long, sweeping bend in the river.

Baikonur. The rich, brown earth.

It wasn't just the river that had flowed from the east. The invasion and conquest of the region by Genghis Khan's Golden Horde was still visible in the high cheekbones, black hair and epicanthic eyelids of the Kazakh farmers. When the Tashkent railway opened in 1906, it brought a wave of different invaders, from the northwest: the round-eyed, pale-skinned ethnic Russians.

In 1955, the vast flatness of this southern land caught the eye of the Soviet space program; Chief Designer Sergey Korolyov ordered the construction of the Baikonur Cosmodrome. A new word, invented for a whole new idea. Not just an aerodrome, but a *cosmodrome*: a gateway to the cosmos.

Sputnik roared off the Baikonur launch pad and into orbit just two years later, its yellow rocket flame reflecting in the waters of the Syr Daria. Four years after that, Vostok 1 carried Yuri Gagarin around the world in 108 minutes.

But a dozen years had passed since that triumphant day—years where the Soviet domination of the cosmos had waned, and decisive leadership from the distant city of Moscow had faded. Even the first spacewalk in orbit, by cosmonaut Alexei Leonov, was soon eclipsed by the Americans who walked on the Moon.

Vladimir Chelomei, the current Chief Designer and the Director of Spacecraft Factory OKB-52, stared for a moment down his long, sharply pointed nose at his leather dress shoes and took a hard pull on his cigarette, welcoming the acrid smoke deep into his lungs. "Desyat lyet," he muttered to himself. Ten years. *And Korolyov's been dead for seven of them.* Chelomei shook his head slowly. But now Korolyov's mantle was his to take, once the Almaz military space station launched.

He and his team had first conceived of the rocket needed to lift it in the early 1960s. It would be the Soviet answer to Apollo's Saturn V, a way to win the space race and ensure that a Russian was the first man on the Moon. Gagarin had been the first to space, after all, and a Soviet man should have been the one to make the first footprints on the Moon.

But politicians aren't engineers. They'd bet on a different rocketship, Vasily Mishin's ridiculous N1, with its 42 rocket motors. Of course it had failed, during four agonizingly wasteful attempts in a row. It had even destroyed its entire Baikonur launch pad! Chelomei had tried everything within his power to change his nation's course, all the way to appealing to Khrushchev himself. But Mishin's political connections had prevailed.

Misplaced arrogance had cost Russia the Moon.

Not this time, Chelomei thought. They would win this second space race, not just for science, but also for something much easier to understand: the national security of the Motherland itself.

Almaz. A powerful Soviet orbiting spy telescope, to be operated by cosmonauts.

Chelomei was standing beside the rocket that would carry his spacecraft into orbit. It was 60 meters long, the enormous size seemingly amplified by the fact that it was lying on its side on railcars. As he waited for the Baikonur launch-pad train to start moving, he paced slowly past the six huge exhaust nozzles and down the length of the behemoth.

The UR-500K monster rocket they'd dubbed the Proton was a proven beast of a machine. *His* rocket. He stopped walking and looked to the left and then the right, taking in the sight. The Proton was still hollow and light, the huge fuel tanks kept empty until it was vertical on the launch pad, ready to receive the full load of volatile hydrazine. Chelomei knew every millimeter of it; he'd been key to the thousands of decisions that had brought it into existence. He and his engineers had solved one problem after another, even how to design it so it would fit on its railcars, able to squeeze through the railway tunnels between the factory in Moscow and the launch pad in Baikonur.

He exhaled loudly through his nose and walked towards Proton's pointed tip, to look at the real purpose of all this engineering: Almaz. His baby, no matter the long gestation period, was in position at last, attached with explosive bolts to the third stage of the rocket that would push it to orbital speed. He glanced to his left. All of this complex plumbing would be garbage then, the first and second stages tumbling to crash onto the empty Kazakh/Altai steppes, the third stage falling into the Pacific Ocean.

His eyes followed to the right, along the smooth shape of Almaz's protective shroud, sculpted down to the pointed metal tip that would be forced up through the air. The shroud wasn't just to help with the aerodynamics, though, but to disguise the shape of Almaz so it wouldn't give away its many secrets to curious launch guests and media cameras. Or the American satellites spying from above.

A klaxon sounded, interrupting his thoughts. He heard shouts of readiness from the workers along the rocket, and the deep rumble of the green and yellow diesel electric locomotive filled the hall. The giant sliding door just beyond the nozzles of the rocket began to move sideways on its tracks. He walked quickly towards the opening, ready to see the spectacle of his rocketship moving out into Baikonur's late March sunshine.

The phone rang on General Sam Phillips's desk. He leaned forward and saw one of the three secure lines flashing. He picked up the receiver and pushed the button.

"Phillips here."

"Sam, it's John McLucas. Got some good news." McLucas was head of the National Reconnaissance Office. "Looks like the Russkies have rolled their latest Proton out to the launch pad at Baikonur. We got lucky on timing with the KH-9 satellite we launched and caught them raising the rocket to vertical at the pad. We're pretty sure it's the launch you and Schlesinger were asking about."

Phillips glanced quickly at his desk calendar, counted days and nodded in satisfaction. The timing for Apollo 18 still made sense.

GO for launch.

They were a strange little group.

Three men, a woman and a boy dozed on the bench seats of two battered vehicles. Another man was awake, outside leaning on the rusting square front bumper of his olive-green ZIL-157 truck, staring at the sky. Occasionally he would glance at his aged watch and raise a pair of powerful binoculars, peering intently at the western horizon.

A good time to rest. The hard work would start soon.

His six-wheeled truck had a heavy winch mounted on the bumper, and strapped into the covered rear flatbed was an assortment of acetylene tanks, torches, cutting tools, hammers and wrenches.

The second vehicle was a four-wheel-drive UAZ-452 camper van, called a "bukhanka" for its homely resemblance to a loaf of bread. It had basic cooking facilities and fold-down cots, plus a heater for the cold nights. The early April days were only occasionally getting above freezing, and everyone was bulkily bundled in many layers of woolen clothing as they dozed, their heavy rubber boots lined with thick valenki felt.

The man on watch took a long, deep drag on his cigarette, welcoming the searing heat into his lungs. His name was Chot, and he was descended from the original inhabitants of these northern foothills of the Himalayas. The borders of four countries met just to the south of where the trucks were parked, and his features reflected the history of them all: Mongolia, China, Kazakhstan and the Soviet Union. His nationality was Soviet, but he was proudly Altaian.

He checked the time. "Oi!" he called, loudly. Chot's wife, son and brothers began to stir. Two p.m. in Baikonur. Time for a rocket launch.

The flight path of every Soviet rocketship on its way to space, ever since Sputnik, had passed directly over the Altai Oblast. As the rockets had gotten bigger, the Moscow designers had added multiple stages—sections that would boost the rocket in height and speed, and then, empty of fuel, separate and fall to Earth. Hulking cylinders of pressure tanks, engine bells, electronics and metal, tumbling violently to the ground on a regular basis. The Soviets knew roughly where the impacts would occur, and warned the villages directly under the predicted flight path to evacuate as needed. In reality, the Soviets played the odds, counting on the sparse population and political unimportance of the region to make any collateral damage of low concern. When there was a rocket failure, and the fuel-rich impact explosions led to loss of life, Moscow would pay recompense to the families and ensure there was no publicity. Cheap insurance to allow the space program to function.

Chot fixed his binoculars on the horizon. Having seen many launches, he knew exactly where to look. Sometimes the sun and cloud would align so that he could see the flame and smoke of the rocket itself, especially the larger ones. Today was the biggest: a Proton. He'd looked at the upper clouds and surface winds the night before, estimating from experience how they would affect the trajectory. The rocket's second stage would fall close to where he had positioned his family. If he had guessed wrong, some other group would find and claim the wreckage. He hoped he was right—the metal was worth a lot, and they needed the money.

There!

Through the binoculars he could see the actual smoke trail; squinting, he thought he could just make out the brightness of the flame. *Good.* No delays today. He checked his watch again, and went over the timing. The second stage would separate after about five minutes, and its fall to Earth would take another nine or so. In fourteen minutes, they'd know.

"Start the engines!" he called to his brothers, still staring hard through the binoculars to track the change in smoke that signified rocket staging. It was his job to spot the falling rocket body, and then there would be a race to get to the impact site. Whoever got there first had salvage rights. Just in case, each truck also carried a rifle.

He saw the smoke change, and knew his prize was now on its way. Letting the faint smoke of the third stage of the rocket drift out of sight to the east, he concentrated on where the falling section must be. Sometimes it would glint in the light as it tumbled down. He adjusted the binoculars slightly, hoping for a glimpse.

Was that a flash? He wasn't certain, but it was right where it was supposed to be. Chot could feel his heart racing. The rest of his family was staring upwards as well, everyone straining to see it first.

His young son had the sharpest eyes, and called out in his high voice, "I see it!" The boy pointed up and slightly south of where they were.

"Keep your eyes on it!" Chot ordered.

There was an odd roar of wind noise, a streak of something moving fast, and then an echoing thump of impact—a cloud of frozen dirt thrown up by the impact. "We're close!" he yelled, marking the direction. He jumped into the passenger seat of the ZIL, pointing out the direction for his brother.

I hope there's fire. They could use the smoke as a beacon.

And there it was! A small dark plume as the last of the hypergolic fuel burned itself out, released to the air by the impact. His brother saw it and pushed the truck to its limits, bouncing heavily over the rough ground, leaving the smaller van behind.

Chot scanned left and right, and saw no one else. A *great day!* His experience and cunning would provide for his family.

They came around a copse of evergreens to see the wreckage itself, largely intact on a long, sloping hillside, the smoke fading. No one else was here. The salvage was theirs!

His brother swung around and braked to a stop, carefully upwind to avoid the noxious fumes, and shut the truck off. In the distance they could see the bukhanka following their track. The hunt was over. Now they could get down to the business of stripping the carcass.

Chot looked to the sky. He didn't know where the rocket was going or what it was carrying, or even if there were people aboard, and in truth he didn't care. He was just happy that the Soviet Union had a space program.

It fed his family.

19

The Beach House, Cape Canaveral, Florida

"Pull!"

Kaz had already cocked the trap mechanism, rotating it back against the heavy spring. Hearing the yell, he yanked smoothly down on the nylon cord. An orange clay disk spun out of the track at the tip, arcing smoothly up and across in front of the beach house.

Blam!

The harsh, spitting sound of the 12-gauge shotgun echoed loudly off the clapboard and out across the beach, fading into the breaking surf of the Atlantic Ocean. The flying clay disk instantly disintegrated into shards. Hitting such a moving target took complete concentration, and was a fun distraction for three men about to undertake an unprecedented military mission in space.

"That's four dead pigeons out of five. Beat that!" Luke said, turning on the wooden deck to challenge Michael and Chad, lounging in their deck chairs. The grinding sound of the blender carried out onto the deck. JW was in the kitchen making margaritas.

Michael drained his beer and stood up, taking the gun and earmuffs from Luke. He yelled to Kaz. "You okay for five more?"

"All set!" Kaz, in the shade by the corner of the building, saluted him with his half-empty beer.

Michael put on the earmuffs, adjusting them around his sunglasses. He loaded two new shells into the shotgun barrels, braced his left foot, cocked and raised the gun to his shoulder and yelled, "Pull!"

The disc flew, and Michael tracked it with the long barrel, matching and leading its motion. He pulled the trigger, the recoil slamming the gun hard into his shoulder and cheek. The orange disk continued on its flight, falling and shattering amongst the saw palmetto.

"Uh-oh—bird away!" Luke called.

"I'm just getting sighted in." Michael repositioned and yelled "Pull!" again. He hit the next two, ending up with three out of five. "Looks like a silver medal for me," he said ruefully. "Your turn, Boss."

Chad moved his eyes lazily from one to the other. "You boys forget that I grew up on a farm. Varmint shooting was part of the job description." He set down the margarita JW had just handed him, and held a hand out for the gun. "Give me that."

As Chad loaded, JW walked down the porch stairs towards Kaz. He handed him a margarita, and toasted him with his iced tea.

Chad leaned over the railing. "You boys ready down there?"

"All set, Commander!" Kaz called.

Chad yelled, "Pull!" and pivoted, squeezing smoothly on the trigger, shattering the clay pigeon. Five tries, five hits.

He turned with a smirk. "And that, boys, is how it's done."

Luke and Michael raised their glasses in defeat as Chad put the shotgun back into its case and settled again into his chair. Kaz called up from below. "Sun's setting in an hour or so. Anyone up for a beach walk with me and JW?"

Chad waved his hand. "I'm easy here. You boys go right on ahead."

—

The narrow sandy path led 200 feet through the scrubby palmetto and sea oats before opening to the wide, pale sand of Neptune Beach on the Atlantic coast. The area had been home to a small seaside cottage community in the 1950s, but when the Air Force and NASA had started to expand space operations for Project Apollo, they'd acquired the land and torn down the small store, gas station and all but one of the scattered weatherboard houses. A far-thinking government official had spotted its solid foundations and new construction and decided to spare it from the bulldozers. NASA had christened the cottage the Astronaut Training and Rehabilitation Building to satisfy the fiduciary oversight of the Inspector General, but everyone knew it as the Beach House—a private place for crews to relax in the days leading up to launch. A rare island of no responsibility to counteract the mounting tension and extreme unspoken risk.

Kaz was glad Chad had decided not to come on the walk. He was still a little unsettled by the conversation they'd had on the trip from Houston, and was happy for some time with him out of earshot. As they all stopped to stare out to sea, he asked, as casually as he could, "So how's everybody getting along?"

Luke and Michael exchanged a glance, and Michael shrugged. "Things are different without Tom," he said, "but we're sorting it out."

Luke added, "Chad flies as well as he shoots."

Kaz said, "But he's not Tom, and he had to step in only three weeks before launch. It's got to be a lot to deal with."

Luke picked up a sand dollar and skipped it into the waves. "Well, he's got more of a temper on him than Tom did."

Michael nodded. "Yeah, he does. Plus, you can take the boy out of Wisconsin . . ."

"Anything Doc and I should know about?"

Michael glanced back at the beach house in the distance. "It's just that they've got their share of rednecks and tobacco chewers out there. Sometimes some of that attitude sneaks through."

"Chad keeps it in check for the most part," Luke said, leaning down for another sand dollar. He turned to Kaz. "It's not a popularity contest. Some of the early astronauts were right assholes to work with, but they knew how to get shit done. Michael and I have thick skins and a job to do."

Kaz turned to Michael. "Is there anything more than that? It would be good to know before you're all in space."

Michael shook his head. After a small silence, he said, "I'd prefer if he didn't call me 'boy' quite so much. But it's just how he was raised. We'll get through it."

Luke nodded. "We'll do fine." He looked out at the ocean. "But it sure would have been good to fly with Tom."

20

Ellington Field, Houston

As was often the case, the accident investigator was an unwelcome man.

When Tom Hoffman had crashed, NASA had immediately appointed an investigation board headed by the Chief of the Astronaut Office, Alan Shepard. The seven-member panel had moved quickly to cordon off and photograph the crash site, gathering and protecting all potential evidence. They were given unfettered access to Hoffman's Air Force and NASA medical records, as well as the coroner's report. They seized the maintenance history and daily sign-out log of the crashed helicopter, plus the Ellington Tower flight logs and audiotape of radio communications. The fuel truck had been impounded and sampled so they could check for possible contamination. The Houston Air Traffic Control Center provided radar tracking information of the helicopter's transponder, giving them exact speed and altitude. They consulted the Ellington Meteorological Office's record of the weather conditions, including temperature and wind, critical factors in rotary wing flight.

Once the body had been removed from the crash site, NASA maintenance techs had catalogued and retrieved all debris. The high vertical impact speed had kept the pieces of the helicopter in a surprisingly small area. The subsequent fire had reduced much of it to ash and rubble, including the light sheet-metal cabin and bubble canopy, but the seats, the tail rotor frame and the central heavy metal of the engine and transmission were relatively intact.

Piece by piece, the bits of wreckage were methodically photographed, tagged, loaded into a van and then laid out in a spotlessly cleaned and roped-off section of a secondary maintenance hangar. A silhouette of the helicopter was painted on the floor, and as each piece was identified, it was meticulously placed in its proper location.

Yet despite their methodical work, the NASA accident board had been unable to determine the root cause. The helo techs at Ellington Field had analyzed each charred piece but had found no obvious reason for the crash. A healthy pilot and a flightworthy aircraft had inexplicably fallen from the sky.

Al Shepard was frustrated with the inconclusive result. While the Apollo program was ending, Skylab and the Space Shuttle were starting. He needed any dirty laundry to be kept in-house in case a public hue and cry about cowboy astronaut antics or slipshod maintenance processes caused the already shrinking space budget to shrink further. He also owed an answer to Tom's family; he didn't want them to live with the ignominy of "probable pilot error" for the rest of their lives. But his team had found no smoking gun amidst the wreckage.

Shepard needed to get it resolved. As much as he disliked widening the circle, he called his ex-Navy contacts at the National Transportation Safety Board, and they sent their most seasoned investigator—a former Air Force Master Sergeant and senior instructor at the USAF Inspection and Safety Center, with a specialty in helicopters. A native Houstonian.

Miguel Fernandez stood between the two painted outlines, surveying the twisted, blackened metal. Extra lights had been erected on portable stands, and they starkly highlighted the angular debris, casting harsh shadows.

Looks like a dragonfly that fell into in a campfire, he thought.

Fernandez had flown in from Kirtland Air Force Base in Albuquerque the evening before, taking advantage of the travel to spend the night at his mom's place. His NASA guest pass had been waiting for him when he drove up to the Ellington hangar that morning. The reception at the ops desk had been cool, as it usually was in such circumstances. If Fernandez found something they'd missed, they were going to look bad. The duty officer had escorted him to the debris site, fetched him the coffee he'd requested, and left him on his own.

He sighed, and sipped the thick black liquid from the styrofoam cup. No one ever wanted to stick around and watch him work.

Fernandez had read the board's preliminary notes during the flight to Houston, thinking about the possible causes the investigators might have missed. He walked slowly amongst the wreckage, occasionally squatting, looking for signs that might prove any of his theories. After that first quick survey, he drained the last of the bitter coffee and retrieved his clipboard, pen and rubber gloves from his satchel. The many crashes he'd investigated had required him to develop a way to keep everything straight while missing nothing. He deliberately cleared his head of the morning's distractions and started focusing on the details.

After 45 minutes of stopping, bending, picking up parts in his gloved hand and peering at them through his high-powered reading glasses, he stepped out of the painted area at the tail boom. Fernandez was pretty sure he'd found the cause.

He tucked his clipboard back in his satchel, took his gloves off and carried his coffee cup back to the ops desk for a refill.

The duty officer looked hard at him, trying to determine if he'd discovered anything. "How's it going?" he finally asked.

"Nothing conclusive yet." Fernandez decided to reduce the hostility. "Your boys did a really nice job with the wreckage, very professional. Best I've seen anywhere." It wasn't true, but there was no harm in saying it.

A small smile appeared on the DO's face. "Thanks. I'll pass it on."

Miguel slowly walked back, sipping coffee as he mentally reviewed his inspection of each part. He set the cup on the floor and pulled the NASA board's summary notes from his bag. After he reread their recreation of the flight profile that had preceded the crash, he nodded. It all made sense.

He finished his coffee, then retrieved his Canon F-1 camera and 50 mm macro lens from his bag and also pulled out his magnifying glass and a clean pair of gloves. He slung the camera around his neck and walked to where the largest pieces sat—the engine, transmission and rotor hub. He stopped, took some establishing shots, donned his gloves and then bent down to look closely at the part he'd noticed earlier.

It was badly damaged. The force of the impact had broken the bolt and the mechanism, and the intensity of the fire, right there by the fuel tanks, had blackened and distorted the remnants. An easy thing to miss if a person hadn't seen something like it before and known to look.

He used the lens to get a magnified close-up, taking several frames from multiple angles. Then he picked up one of the pieces and took more photos. He brought the magnifying glass close, examining the shear plane of the broken bolt and the telltale marks on its remaining thread. He compared it to the remains of the matching bolt on the other side of the mechanism. He looked carefully around the nearby floor, verifying that the missing piece wasn't there somewhere.

He had a thought, and walked over to a rectangular painted area where the reconstruction team had laid out pieces of wreckage they weren't able to identify, and he sifted through each piece, just to be sure. It wasn't there, either.

The pitch-rod holding nut was missing.

Without it, the pilot wouldn't have been able to control the helicopter. As the nut loosened, the helo would have felt sloppier and vibrated more, but as soon as the nut popped off, the pilot would have lost pitch and roll control. Evidence of the rotors hitting the tail boom was obvious. The crash was inevitable.

But why had the nut come off? Critical components like this one were cinched to a specific torque and then lock-wired into place. The nut on the other side, though damaged, was still secure.

His examination with the magnifying glass had told him the answer, and the photos would verify it. The lock wire wasn't there. And the speed with which the nut had backed off revealed that it hadn't been torqued properly into place to begin with.

Fernandez looked around the tidy, professional NASA hangar, at the blue and white T-38s on stands and the technicians in white coveralls purposefully doing their maintenance work.

He saw two possible causes.

The first. Someone had skipped key steps in their procedures while installing the nut, and the confirming integrity check and sign-off had also missed it. Very unlikely. Both NASA and the Air Force used independent checks as part of standard procedure to keep just this sort of thing from happening.

The second cause. Someone had deliberately removed the lock wire and loosened the bolt. Someone with access to the helicopter after it had passed its daily inspection. Someone who was trusted inside the NASA organization.

That was much more probable—and the sabotage had led to death.

NASA had hoped he'd give them a simple answer so they could deal with it and get on with flying in space. But this was manslaughter at the very best, and homicide at the worst. Also, it crossed the jurisdictional boundaries of NASA, the Air Force and the NTSB, not to mention the local police. Once it came under the public scrutiny of a media fascinated by astronauts, it was going to get even uglier.

Fernandez had done his job and was sure of his conclusions. He mentally reviewed his reporting chain, deciding who to phone. He sure as hell wasn't going to tell anyone here. Time to hand this mess over to the powers that be.

The rest of it was above his pay grade.

21

Astronaut Crew Quarters, Kennedy Space Center

"Steak, eggs and toast? You sure about that, Boss?" Michael eyed Chad's full plate, willing himself not to picture what that food would look like if it came back up.

"I've never been motion sick in my life, and I'm not going to start today." Chad slid a sunny-side egg onto the steak, lifted both onto the buttered toast, cut a large bite and forked it all into his mouth. "Last decent meal we're gonna get for a while," he said, chewing.

Luke shrugged. "A wise old chief petty officer at sea once told me it's best to eat smooth food; makes it easier when you vomit." As Navy men, he and Michael had breakfasted on a banana each, water and coffee.

Al Shepard bemusedly watched Luke pour himself another cup. "Go easy on that, Marine. On my first flight I drank so much coffee I had to piss in my pressure suit, then lie on my back in the puddle, waiting for launch." He smiled at the memory. "A glorious first in space history."

Luke set the cup back down.

Kaz checked his watch. "About time to get dressed, fellas."

Luke and Michael pushed back from the table, then leaned into the kitchen to shake hands with the staff. Chad took one last forkful, and got up and followed them down the hall.

Al tapped Chad on the shoulder as he walked past. "Get your guys to take one last leak before they suit up."

A spaceship is, in essence, a bubble of Earth's air in the empty vacuum of space. The thin aluminum hull holds the internal pressure against the nothingness, so the crew can work comfortably wearing normal clothes, without oxygen masks. But during the riskier parts of flight, like launch and landing, when a sudden jar could pop a hull seal loose, astronauts need an extra layer of protection. Ever since Al Shepard's first flight, they'd worn a pressure suit, just in case—a form-fitting personal bubble of oxygen.

Hanging on racks in the suit-up room were three Apollo pressure suits, each custom-made for the crewmember, all of them in white to reflect the Sun's intense heat. To save weight and stowage space, Chad and Luke would wear the same suits to walk on the Moon.

Michael waddled out from the washroom, wearing a urine collection condom, heavy absorbent underwear, stick-on medical sensors and a full-body cooling suit woven with water recirculating tubes. Luke came out after him.

"Hey, Michael, your ass looks big," he said.

"Have you glanced in a mirror? You look like a snake that ate a toad!"

They padded to their suit techs, waiting patiently by tables loaded with spacesuit gear. A tall rack covered in dials and knobs stood nearby, ready to test pressurization and communication.

As the tallest of the three, Michael had the hardest time getting into his suit, a one-piece garment that opened from the back with a heavy zipper. He bent his head and narrowed his shoulders, squeezing in until his hands and feet found the arm and leg holes, finally stretching to full height as his head popped through the neck ring and his feet slid into the built-in booties.

He glanced at Chad and Luke, who were still squirming into their suits. "Every time I do that I feel like a baby climbing back into the womb."

Luke chuckled. "Freud would have a field day with you."

Michael pulled hard on a long, webbed tab between his legs, tugging the stiff zipper all the way around until it was sealed. His tech guided a black and white cloth cap over his head, and Michael pulled the chinstrap tight, getting the ear cups snug. He grabbed the flexible twin mic booms and bent them into place by the corners of his mouth; once he had his helmet on, there'd be no way to adjust them.

The tech raised his eyebrows. "Ready for air?"

Michael nodded, already overheating in the sealed rubber suit. The tech clipped a hose into a matching valve on Michael's chest and threw a switch on the control panel, and Michael could feel cool, dry air blowing through the suit, up and out around his neck.

"That's better," he said. He put his Omega Speedmaster watch on his wrist and pulled on thin white cotton gloves.

The tech held up a thick black rubber glove, and Michael pointed his fingers and thumb together to slide his hand inside. The tech expertly clicked the glove's pressure ring into place against the matching blue ring on the suit's left cuff, and then did the same with the glove and red ring on the right.

"Are they color-coded so we know our right from our left?" Michael asked. It was an old joke, but the tech laughed, cutting the guy some slack since he was about to go ride the world's biggest rocket.

Michael glanced at the wall clock. "Time to start breathing oxygen?"

The tech nodded and lifted Michael's helmet from the table. It looked like an inverted fishbowl with cloth stuck down one side. Michael took it from him and wiggled it over his head, the cloth section to the back, careful not to let the metal locking ring scrape the skin off his nose. He'd done that once in training, and now knew better.

The tech disconnected Michael's cooling airflow, locked the helmet latches in place and then hooked up recirculating oxygen and water lines. Michael was now relying on a machine to breathe, and would be until they landed back in the ocean at the end of the mission, over a week later.

The endless training and practice were over. Shit was getting real. He, Michael Henry Esdale, an unlikely little kid from South Chicago named for his two grandfathers, was about to get into a rocketship and blast off the face of the Earth. So many times he'd been told no in his life, a Black man trying to succeed in the white man's realm. It had been years of slogging to always be the best, to leave no doubt, and even then some people told him he was only here because of race politics. That he hadn't earned his opportunities, but had been handed them as some sort of favor. Michael shook his head to clear the thought. He'd earned his ticket, and it was him who was going to fly that thing.

The pure oxygen tasted dry and clean, and Michael felt his head clearing as his body absorbed the gas. Over the next few hours, the nitrogen in his blood would be gradually replaced by oxygen; that way, when he got to orbit and popped his helmet off in the low-pressure all-oxygen atmosphere, his blood nitrogen wouldn't suddenly bubble and give him the bends. As scuba divers knew, bubbles in the blood were bad, causing huge pain in the joints, and potentially death.

There were brown leather La-Z-Boy recliner chairs for each crewmember, and Michael settled into his while the tech cranked up the suit pressure, checking for leaks. As the suit stiffened, the neck ring of his helmet was pushed up to his mouth. It was uncomfortable, but workable; this is what it would be like during an emergency deorbit and splashdown. Michael moved his arms and flexed his fingers, picturing how he would reach switches against the hard resistance of the suit. The tech looked intently back and forth at the pressure gauges and a stopwatch, and eventually nodded in satisfaction. He twisted a large knob counterclockwise, and Michael gratefully felt the suit soften and his neck ring lower to its normal height. Suit check complete, he pulled out his launch emergencies checklist, flipping through it with his black-gloved hands.

Luke's voice carried to Michael through the communications lines. "Find anything new in there?"

Michael looked over, slightly sheepish. "Never too late to review."

In truth, Luke was happy to see it. Michael had the lion's share of the piloting to do after launch. They'd be heading immediately for Almaz, and Chad would be busy getting Luke and his suit and gear ready for the spacewalk. This was the first spaceflight for all of them and the pressure was intense to do things right.

Chad's voice cut in. "How are you boys doing?"

Luke leaned forward and twisted his suit so he could see Chad in his recliner. "No leaks, Boss." As the technician put the last of Luke's checklists and safety equipment into his suit's pockets, he added, "We must be getting close."

"Same here, Chad," Michael said, raising a thumb. "My suit fits like a glove."

"Especially the gloves," Luke joked.

The suit techs stepped back next to the consoles, their work complete. JW donned a headset and made one last assessment of medical status with each crewmember, while a NASA photographer walked around and took a few photos.

Al Shepard's voice came over the comms. "You gentlemen ready to go see your spaceship?"

Three hands immediately came up, thumbs raised.

"Right. Time to go get us a launch."

The ride to the pad was nine miles through palmetto scrub and a cluster of oversized rocket assembly buildings. As the van lumbered smoothly along the coral pavement, Chad spotted a bald eagle through his window. It swooped low along the road, spread its wings wide and landed in a large nest, high in a longleaf pine.

Like home, he thought. He'd loved watching birds on the farm, envying their effortless grace in flight. It was part of the reason he'd joined the Air Force; that and to prove himself, to make his parents proud. And now he was on his way to take his place among the greats. He looked down at his white pressure suit, a satisfied smile curling his lips. *I'm going to leave my footprints on the Moon.*

Al Shepard's voice broke in on his thoughts.

"Gentlemen, if I may." Al raised his hand to get everyone's attention. "It's time for the Astronaut's Prayer."

Chad had never heard of this, and from the expressions on his crewmembers' faces, they hadn't either.

His expression serious, Al looked each one of them intently in the eye, and then bowed his head. "Lord, please don't let these men fuck up." He raised his head, smirking, and they all joined him on the "Amen."

It was a joke, but it was also sincere.

The van slowed to a stop next to the Launch Control Center, a long, four-story white building. Al got up and shook hands with Chad and the other crew, wishing them luck, as did JW and Kaz, and then they all climbed out. They'd watch the launch through the fourth-floor windows of the LCC and then fly immediately back to Texas on a NASA Gulfstream jet to be in Mission Control in time for the rendezvous with Almaz. Chad was happy to see them go. It was his show now.

As the van pulled back out onto the road, the suit tech waved his hand to get their attention, and pointed forward. He knew what the view was about to be and wanted to be sure these men didn't miss it.

The van rounded the curve, and suddenly Chad could see the launch pad. Still three miles away, yet clearly visible high above the flood plain, the Saturn V rocket was like some ancient Egyptian monument to the gods, standing proudly next to Launch Pad 39A's gantry tower, gleaming white in the morning sunshine.

Their rocket. *His* rocket.

"Look at that!" Michael said in wonder, his voice muffled by the helmet.

The reality of it struck Chad like a face slap. No more simulations. It was time to show the world who he was.

The van rolled through the open gates at the base of the pad, and the driver downshifted to climb the long, sloping grade up to the rocket. The launch area was crisscrossed with train tracks and metal plates, and the van vibrated as it drove over them. The driver swung wide, stopped and then backed close to the tall gantry. He set the brake, climbed down, walked around and opened the wide rear door, facing the elevator that would take the crew up to the capsule atop the rocket.

Michael clambered out first, and the driver held out his hand.

"Boarding pass?" he demanded sternly. His face broke into a wide grin at the look on Michael's face, and he reached forward to shake his gloved hand. "Have a great flight, sir!"

He repeated the gag for Luke, who laughed obligingly. Chad stepped down, shook the man's hand and then leaned back so he could stare upwards along the full length of the Saturn V. The monstrous rocket was crackling and venting with the super-chilled oxygen being pumped into its tanks. An enormous, brooding dragon, about to belch fire and hurl itself up off the pad, into the blue of the Florida sky.

A white-suited tech was patiently holding the elevator door open. Chad tore his gaze away from the spectacle, trying to fix the image permanently into his memory, and led his crew into the elevator.

The Saturn V stood 363 feet, as tall as a 34-story building. The elevator was designed for freight, with just a framework of metal in place of walls, and the crew watched the rocket flash by as they climbed.

The thick first stage was 33 feet across—so big it couldn't fit on any road or railcar, and had been brought to KSC from the factory in New Orleans by barge, a thousand-mile trip that had taken 10 days. It was now filled with nearly 5 million pounds of oxygen and kerosene; once the engines lit, it would burn through the fuel at 15 tons a second.

The white skin of the rocket looked rough, as it was covered by a thin coating of ice. The chilled liquid oxygen inside it made the whole rocket cold, and when the humid Florida air condensed on the skin, it froze.

A tall cold one, Luke thought.

The ice would shatter and fall off as the engines lit.

The elevator clattered them up quickly past the black-and-white checkerboard pattern of the wide metal sleeve that protected the five second-stage motors and joined the two rocket segments together. The first stage was going to push with 160 million horsepower, and this hoop of metal had to be strong enough to handle the force and vibration.

As they passed the 20-story mark, the width of the rocket narrowed to the third stage, its hydrogen and oxygen tanks feeding a single engine that would push them out of Earth orbit to the Moon. Like the second stage, it had been built in California; both had traveled to the launch pad by ship through the Panama Canal.

Luke leaned forward and looked down. *Whoa!* He felt unexpected vertigo. The elevator was slowing as they reached the Command Module level, and he lifted his eyes towards the beach house to settle his gyros. He could see the thin strip of sand just beyond it, pale brown against the Atlantic waves.

The doors opened with a clang. Chad picked up his ventilator pack and strode off first. Michael followed, then Luke, walking along an outer railing and through a gantry door, then out to the final swing arm that led to their spaceship.

Michael leaned his helmet close to Luke's and yelled, "Like a gang-plank!"

Chad had already started down the long, thin walkway of the swing arm. It was 320 feet above the launch pad, a latticework of orange-painted metal, with open sides and top. The metal grid of the floor was covered with rubber mats to block the dizzying view.

Luke yelled back, "You're next, Michael—now or never!"

At the far end of the walkway was a small, tent-like enclosure nestled against the sloping side of the spaceship. It was covered in white fabric, and, with NASA's typical artistic flair, it was called the White Room. It was just big enough for the suit techs to get one crewmember ready at a time. When Chad disappeared inside, Michael began walking.

He stayed solidly in the middle to avoid getting buffeted into the siderails by the wind. Like most pilots, he hated heights when he didn't have wings to support him. He kept his gaze focused on the White Room door at the end, and felt irrationally safer when it opened and he was able to step inside. Chad was already swinging himself into the capsule's darkened interior.

Luke took a few paces out onto the gantry and looked around while he waited his turn. His eyes followed the long crushed-gravel trail of the giant tracked crawler that had slowly carried the rocketship to the pad. At the far end were the Vehicle Assembly Building and the Launch Control Center; he peered at them, imagining the hundreds of engineers and technicians at their consoles, staring back at him through its windows.

He swung his gaze to the left, and could pick out the flag and crowds at the NASA Press Site. Squinting, he could just see the low, dark rectangle of the digital countdown clock. Farther left, across the water of the Banana River, he could see glinting reflections from the thousands of cars that were parked there, the spectators jockeying for position on the beach. His parents were somewhere in that mass of people, and he raised a hand and waved to them, thinking of how they must be feeling and silently thanking them.

Movement caught his eye, and he realized the door had opened and a tech was waving at him. He hustled down the gantry.

The techs were fast and methodical as they checked Luke's suit. He handed them his ventilator and lifted his feet individually so they could slip off his protective yellow galoshes. Then he grabbed the handlebar above the hatch and swung his legs inside, fighting the bulky suit. Chad was already strapped into his seat on the left, and a tech was tightening Michael's restraint straps on the right. Since Luke would be doing the Almaz spacewalk soon after launch, he was in the center seat, nearest the hatch; it would simplify configuring his umbilical and getting himself efficiently outside. Lifting his weight, Luke slid on his back into place.

The tech leaned his face close and asked Luke to hold his breath so he could swap the hoses from the ventilator for the built-in ship lines. Luke could feel him making connections, and suddenly sound crackled in his headset. The tech leaned into Luke's sightline.

"One, two, three, how do you hear me, Luke?"

"Loud and clear, thanks."

The tech cinched down Luke's straps, double-checked that the checklists were still Velcroed and clipped in position, and gave his visor a wipe with a chamois cloth. Then he looked Luke in the eye.

"All good?"

"All set," Luke said.

As the tech retrieved the last of his equipment and gave the cabin a final once-over, Luke looked around. Lying on his back, he could turn his head left and right, its weight supported by his helmet. He listened to the low hiss of ship's oxygen flowing up and behind his head, feeling it blowing steadily down across his face to keep his visor from fogging. He glanced at Chad and then at Michael; both of them were all business, lit by the sunlight from the overhead windows as they focused on their instruments, double-checking against the checklists mounted in front of them.

Facing the crew was a complex array of over 600 switches, instruments and indicators that allowed them to control the spaceship, now as familiar to each of them as any airplane they'd ever flown. No one could reach all the switches, so they each had specific responsibilities. Squarely in front of Luke were the propulsion system, atmospheric control and the cluster of emergency lights that lit up in yellow and red to signal that something was wrong. There were still a few lights on, as the vehicle wasn't quite ready for launch, and Luke checked from memory that the pattern was correct.

He felt a tap on his helmet and leaned back to see the tech, his eyebrows raised in a polite question. Luke gave him a thumbs-up, and watched as he checked with Michael and then Chad. Then the tech waved, clambered carefully out and closed the hatch.

Luke looked at the digital mission timer squarely in front of him, counting down: two hours, ten minutes to launch.

Fifteen miles to the east, a ship called the *Kavkaz* waited patiently. She wasn't particularly big, and her hull was better suited to the landlocked Black Sea than the open waters of the Atlantic, but she was based on the classic Mayakovsky fishing trawler design and could handle the rougher seas well enough. Only 85 meters long, she had a more-than-ample 14-meter beam, and her 2,200-horsepower single-screw diesel could push her through the water at a useful but unimpressive 12.5 knots.

Kavkaz's true merit didn't rest on her hull and engine, though. It was in the gleaming white dome and multiple antenna towers mounted on her upper decks. She was a Primorye-class surveillance ship with high-speed satellite datalinks back to the Soviet Union, and she was patrolling the Florida coast just outside of the US 12-mile limit. And she had been tasked by HQ in Leningrad to observe this final Apollo launch.

The Captain was content. It was not a complex mission, and the mid-April Florida warmth was a very welcome break for his crew. They'd spent the previous two months in the North Sea, and when the orders had come to steam south, everyone had been glad. It was the twelfth Apollo launch, and they'd all been virtually identical. *Proshche parenoy repeh*, he thought. Simpler than a steamed turnip.

He'd told the chief communications officer to pipe the NASA countdown through the ship's loudspeakers, and every crewman who wasn't needed belowdecks was up on the rail, most with binoculars and cameras hanging around their necks.

The American voice echoed through the Soviet ship. "This is Apollo Saturn Launch Control. We've passed the thirty-six-minute mark in our countdown, and completed the range of safety command checks, all still going well. A short while ago Spacecraft Test Conductor Skip Chauvin asked Commander Chad Miller if the crew was comfortable up there, and Chad reported back that 'We're fine—it's a good morning.'"

The Captain, who spoke English passably, looked across the calm seas towards the Florida shore. *I agree, my fellow captain, it's a very good morning.*

The US Coast Guard cutter *Steadfast* was trailing the *Kavkaz* by a half mile, making sure they didn't stray too close. It was a cat-and-mouse game both of them had played many times before, and they were easy with it. The recently signed US-Soviet Incidents at Sea Agreement had made the rules clear for both sides: stay out of each other's way, follow the regulations and, most important of all, take no hostile-looking actions.

The Captain checked his watch: 15:00 in Moscow, 08:00 here in Florida. Just over a half hour until launch. He checked his binoculars and his camera as well. He didn't want to miss this.

The small black-and-white portable television was out of place in the Berlin cathedral. Alexander, now the senior lector for Father Ilarion, had brought it and set it up in the vestry at the monk's request. He extended the twin silver aerials, twisting and tilting them until he had a clear picture from the local station. He pushed the small buttons on top while the NASA announcer was talking, setting the volume. Alexander stepped back, and the picture faded. He grunted, readjusted the antennas and stepped back again. The picture held this time.

In truth, Alexander was excited for the chance to see the last Apollo launch, the last of America's planned manned Moon missions.

He heard the hieromonk coming down the hall and double-checked that the TV picture was still good. He'd positioned two chairs facing the screen.

"Pochti parah?" Father Ilarion asked. Is it almost time?

"Da. Minoot pietnadset." Yes—about 15 minutes.

The NASA announcer was speaking. "All still going well with the countdown at this time. The astronauts aboard the spacecraft have had a little chance to rest over the last few minutes. In the meantime, we have been performing final checks on the tracking beacons in the

Instrument Unit, which is used as the guidance system during the powered phase of flight."

"Shto skazal?" What's he saying?

The monk's grasp of English remained minimal. Alexander translated, summarizing as the NASA public affairs officer spoke. Ilarion leaned towards the small screen when they showed a close-up of the rocket on the pad. He frowned.

"What's that steam coming out of the ship?"

How should I know? Alexander thought with some exasperation. *Why do people think interpreters have knowledge beyond language?*

He guessed. "It's excess fuel as they fill the tanks to the brim."

Father Ilarion nodded. "What an amazing thing!"

They listened as Houston Mission Control started communications checks with the capsule. Alexander raised his hand, palm open, for silence.

"Apollo 18, this is Houston on VHF and S-band. How do you read? Over."

They both held their breath to listen for the voice crackling across the thousands of kilometers.

"Houston, Apollo 18. Have you loud and clear."

A wondering smile spread across Ilarion's face.

"This is Apollo Saturn Launch Control. We've passed the eleven-minute mark, all still GO at this time. The spacecraft is now on the full power of its fuel cells. The Commander has armed his rotational hand controller, and we have now gone to automatic on the Emergency Detection System. We're aiming for our planned liftoff at thirty-two minutes past the hour."

The voice echoed tinnily from the multiple small loudspeakers mounted on poles along the Banana River causeway. Cars were parked at all angles, thousands of them jammed together on the narrow strip between the road and the beach. With launch just 10 minutes away, the early-morning lineups at the food trucks and portable toilets had evaporated, and all faces were turning towards the launch pad, seven miles to the north. The morning sun was already hot, glaring down on the deck chairs, blankets and sunglasses of the excited crowd.

Laura sat on the back bumper of a Dodge van, holding a black coffee and rubbing the overnight grit from her eyes. She and three others from the Lunar Receiving Laboratory had made a last-minute decision to road-trip to the Cape for the launch, a monotonous, 15-hour five-state haul across I-10 and down I-75. Their NASA badges had gotten them early access to the causeway the night before, and they'd slept in the van backed right onto the beach, which meant she now had an unimpeded view straight across the water to the Saturn V.

Don Baldwin, his Hawaiian shirt adorned with rockets and clouds, sat next to her. "Got lucky on the weather."

She looked around at the blue sky and the light skiff of wind on the water, then stared across the water towards the rocket. "I'm glad we made the drive." She said it partly to convince herself; it had been an uncomfortable sleep. As the announcer called "Mark, T minus ten minutes and counting," she shook her head to clear it and sat up straighter.

The loudspeakers blared the familiar GO/NO-GO dialogue, STC querying each console in Launch Control for their readiness. Laura felt her gut clench as several of them reported problems, and then relax as they worked through them. She listened for Chad Miller to add his "GO," and then a different voice came on. "Apollo 18, this is the Launch Operations Manager. The launch team wishes you good luck and Godspeed."

She glanced at her watch, her heart starting to race. Four minutes to launch. Some of her experiments were inside that beast, and she'd helped to train the crew. She focused her camera lens on the rocketship, squeezed her finger on the shutter button and took the picture. Her thumb found the lever and advanced the film.

C'mon, baby, we scientists are ready! Time for all you engineers to do your stuff. Get that crazy monstrosity off the ground!

—

The Saturn V's F-1 engines were beasts with a power the world had never seen. Five of them waited at the bottom of the rocket, sleeping in suspended animation, their blood vessels dry, their hearts and bellies empty. Hungry and ready for the fuel and spark that would bring them to life.

Ten minutes before launch three valves had clicked open, allowing the first of the kerosene and chilled oxygen to gush down from the tanks, high above. This potential explosive power now waited to be mixed, just one valve away from exploding into the barely controlled hellfire that would push the massive weight up and away from the Earth.

Luke was aware that the pre-valves were open; he knew the entire sequence by heart. The giant dragon beneath them was awakening. He'd wondered how he would feel just before launch. *Not afraid*, he observed. *Good*. Either this thing was going to work or it wasn't. He felt . . . ready.

Movement on his right caught his eye. Michael's left knee was bobbing up and down, an unconscious release of pent-up emotion and energy. Luke was glad both of his knees were still.

He glanced at the clock. One minute to go. Sixty clicks of the second hand and the games would truly begin. He watched Chad reach and push the button to align the gyros, giving the rocket a final snapshot of orientation for accurate steering. It was the last crew step prior to launch.

Luke turned the page of his checklist and put his thumb next to the top of the table. Chad and Michael would be watching lights and instruments, but he'd be looking at height versus speed. The whole 11 minutes and 39 seconds was laid out in the table. When his thumb got to the bottom, they'd be 93 miles up, going 25,599 feet per second. 17,500 miles per hour. Five miles a second.

22

Launch Pad 39A, Kennedy Space Center

Starting the world's most powerful engine wasn't easy. It took about nine seconds to crank one up—the time an Olympic sprinter could run 100 yards. The time it takes to tie one shoe.

The most dangerous nine seconds of the whole flight.

The amount of fuel needed to push the Saturn V off the pad was staggering: 3,400 gallons every second. That required fuel pumps with their own jet engines, just to spin them fast enough. The rocketship had five of these jets pumping the kerosene and oxygen into the rocket chambers, where it would mix, explode and storm out the 12-foot-tall exhaust nozzles in a 5,800-degree, 160-million-horsepower inferno.

The crew's eyes were glued to the engine instruments as the clock counted down into single digits.

"T minus ten, nine, and we have ignition sequence start."

Four fireworks ignited inside each engine: two to spin up the fuel pump, and two to burn any flammable gases lurking in the exhaust nozzle.

"Six, five, four . . ."

Two big valves opened, and liquid oxygen poured from its high tank down through the spinning pump and into the rocket, gushing out the huge nozzle under its own weight like a frothy white waterfall. Two smaller valves clicked open, feeding oxygen and kerosene to fuel the jet engines, spinning the pumps up to high speed. The pressure in the main fuel lines suddenly jumped to 380 psi.

Conditions were set, with everything ready to ignite the rockets. Just needed some lighter fluid.

Two small discs burst under the high fuel pressure, and a slug of triethylboron/aluminum was pushed into the oxygen-rich rocket chambers. Like the ultimate spark plug, the fluids exploded on contact.

"Three, two . . ."

The middle engine lit first, followed quickly by the outer four; if all five had started at once, they would have torn the rocketship and launch pad apart. Two more big valves opened, and high-pressure kerosene poured into the growing maelstrom.

Luke felt the rippling vibration through his back and heard the deep, rumbling noise from 300 feet below. *Different than the simulator!* He glanced left to where Chad's eyes were focused. The five engine lights had gone out, confirming full thrust.

"One, zero, and liftoff, we have liftoff, at 7:32 a.m. Eastern Standard Time."

Hell, unleashed, creating 700 tons of thrust in each of the five engines—enough total power to lift more than 7 million pounds straight up. The ultimate deadlift.

The last of the ground umbilicals feeding the rocket disconnected and snapped back. The four heavy hold-down arms that had been clamping the base to the pad hissed in pneumatic relief and pivoted away.

The Saturn V was free.

Chad's eyes clicked around his instrument panel, confirming. The small, square Lift Off light was glowing, he could feel the vehicle moving, and the digital mission timer was counting upwards.

"The clock is running, Houston."

Apollo 18 had begun.

Father Ilarion's jaw had gone slack. What he was seeing on the small screen was far removed from his daily life, and yet the power and danger were palpable to him.

As the final 30 seconds before launch had ticked down, he'd grabbed Alexander's hand, squeezing hard. While the announcer's voice counted through the last 10 seconds, Ilarion's grip intensified until his entire arm was shaking, the flames from the engines filling the screen and the rocket lifting off the pad, agonizingly slowly.

"Slava Bogu!" Ilarion said in abject wonder. Praise God! His eyes remained locked on the flickering image, but he didn't understand what the NASA announcer was saying. "Is everything still all right, Alexander?"

"Yes, Father, the rocket is working perfectly. The astronauts are having the ride of their lives." He pried his hand out of the hieromonk's grip and shook his tingling fingers.

The two men watched without speaking, the blue TV light oddly illuminating the icons on the bare plaster walls as the image on the screen shrank to a wavering flame in the sky.

"Roll and pitch program, Houston."

The three crewmen were intensely hawking their instruments. The rocket had climbed clear of the launch tower and then turned to steer up the east coast; they could see the precision of it in the motion of the black-and-white ball of the artificial horizon. As Chad radioed the expected motions to Houston, Luke noticed the sunlight changing angle through the windows, confirming that the ship was guiding properly.

"Roger, 18. Thrust good on all five engines."

Hearing the voice of their CAPCOM was reassuring. It meant that a team of experts was comparing expected height and speed to what the ship was actually doing, and that they matched.

Luke traced his thumb along the table in his checklist, confirming what Houston was telling them. He tried to hold his hand steady against the deep, powerful throbs and fast, jittery shaking, but the vibrations made it hard to line up the numbers. The relentless roaring of the engines filled the cockpit with a symphonic cacophony punctuated by terse communications with the ground.

Luke leaned his head forward against the motors' thrust and caught Michael's eye. "How's that for a cat-shot?" he said, referring to the steam catapult that had once launched their jets from aircraft carriers.

Michael grinned. "Better!"

As the fuel rapidly burned and the vehicle got lighter, it accelerated faster and faster through the thinning air. Luke felt his head and arms getting pushed back as the g-force mounted. He leaned against the headrest, which was buzzing as the rocket shouldered itself through the atmosphere.

He checked his gauges. "Cabin pressure's dropping." Open valves were letting the air inside the cockpit vent as the pressure around the ship dropped with altitude. They'd let it fall all the way to 5 psi and then close the valves to hold it there, using pure oxygen for the rest of the flight. An elegant way to flush the spaceship of Florida air.

"Shake it, baby!" Michael's voice quavered slightly with the intensity of the vibration.

The air had been pushing back against their increasing speed, putting a heavier and heavier load on the structure of the ship. The engineering name for that pressure was Q, and they had just hit the speed and height where it was at maximum. Max Q. From now on, with the air getting rapidly thinner with height, the forces would drop. It was the heaviest load the rocket's structure was designed for, and Luke was glad to be safely through it. He gave Michael two thumbs up.

The CAPCOM's voice confirmed the good news: "18, you are GO for staging."

Soon the first stage of their rocket would run out of fuel and would shut down, separate and fall into the Atlantic. But for now the crew was still being crushed at nearly four times their weight, getting close to the design limit for the rocket itself. Rather than slam all five engines to a stop at once, the computer shut down the center motor to drop the forces while the remaining four burned the last of the fuel.

"Inboard cut-off," Chad reported. Luke instantly felt the load on his body lighten, like there was one less person lying on top of him. But the remaining four engines kept pushing as the ship got lighter, and the g-load rapidly climbed again.

"Christ!" he grunted. He'd pulled lots of g as a fighter pilot, but wasn't used to the relentless load of a rocket. It was getting hard to breathe against the steady weight.

"Hold on!" Chad yelled.

Wham! The crew was thrown forward against their straps as the four big engines stopped and the now-empty rocket body separated.

Slam! They were snapped back into their seats like they'd been rear-ended as the second stage lit, five new engines exploding into life.

"Holy shit!" Luke exclaimed. He'd been warned by previous crews of the violence of staging, but it was far more physical than he'd anticipated. Like crashing into a wall.

"Looks like we got all five," Michael reported. The second-stage engines had lit properly, settling in to their six-minute push to near-orbital speed.

The NASA Public Affairs announcer spoke: "Apollo 18 now forty-six nautical miles in altitude, eighty nautical miles downrange. Coming up on tower jettison."

They no longer needed the nose-mounted rocket that had been poised to yank the capsule off the Saturn V in an emergency close to the ground. A small rocket in its tip fired for a second and pulled it clear, and it tumbled, unused, into the ocean.

The flash of the tower separating reminded Luke that they were now 50 miles above the surface—the imaginary line where the US Air Force had decided Earth's atmosphere legally ended. His thumb slid past the critical altitude in his checklist. "Congratulations, fellas, welcome to space! We're officially astronauts!"

"About frickin' time," Chad muttered.

The spectacle of the launch was magnificent from the Captain's ringside seat aboard the *Kavkaz*. As the American rocket rose off the pad, his men had broken into spontaneous cheers, and then again as they heard its rumble nearly a minute later. Their binoculars and cameras pivoted as one, tracking as it climbed almost perfectly vertically and then started to pitch over and head on its way.

A frown crossed the Captain's face as he studied the rocket through his own binoculars. He'd positioned the ship almost perfectly east of the launch pad so the rocket would pass directly overhead. Instead, it was accelerating unexpectedly to the right, moving north.

The sensors mounted on the antenna towers on his ship were grabbing multiple frequencies, including transmissions from the ascending rocket. His optical sensors were also tracking the bright light of its engines. He turned to his communications officer. "Do you have a solid directional lock on the rocket's transmissions?"

"Da."

"Get me their launch azimuth."

The comms officer set to work. He rapidly plotted the angle and estimated distance to the ascending Saturn V from the ship, building a series of points on his chart. He wished they also had a radar lock on the rocket, but they were restricted from pulsing energy at it. Still, with enough plot points, he should be able to figure out where Apollo 18 was headed. He expected the resulting line to be mostly easterly, like all previous Apollo launches. But as he added pencil marks, he stared at his chart: there was no denying the data. This line was tracking northeast.

As soon as he was certain he had it right, he aligned the straight edge of his chart protractor through the points, averaging the dispersion. He smoothly drew a pencil line on the chart, angling up from the Florida coast. He extended the line, and was intrigued to see it ran almost parallel to the coast of the Carolinas.

Flipping his protractor around, he took an accurate reading of the angle as it crossed the latitude and longitude grid lines. He sat back briefly and visualized the extended line all the way to the equator. He checked his numbers, and turned to report. The calculation had taken him less than 90 seconds.

"Tell me," the Captain said.

"Apollo 18 launched out of the Kennedy Space Center inclined at fifty-two degrees, meaning it was tipped fifty-two degrees from the equator." The comms officer had worked with the Soviet satellite fleet, and knew what that meant. "The same orbital inclination as our launches from Baikonur."

The Captain nodded. "Prepare an encrypted message for immediate LF transmission to HQ in Severomorsk," he said. He dictated the message, proofread the officer's transcription and signed off for urgent transmission, warning his communications officer, "Keep this information to yourself."

He turned back to stare at the sharp trail of smoke in the sky. *Where are you going, my fellow captain? Are you truly a moonship? Or do you have some other star to guide you?*

"18, Houston. You are GO for orbit—GO for orbit."

They were 1,100 miles from Kennedy, 110 miles above the Earth, still accelerating.

"Glad to hear those words, Houston," Chad replied. The second stage had done its work perfectly, and the third stage was now in the fine-tuning phase that would deliver them to the exact altitude and speed needed for their intercept of Almaz. They'd been rocketing for over 11 minutes, and this final stage was carefully pushing them with just a little over half a g.

"Almost there, boys," Michael said, his attention focused on the digital readouts and the timer as the speed climbed to over 25,000 feet per second.

And then it was over. The third stage shut itself down exactly on time, and the smooth, easy push of its single engine was instantly gone. For the first time in their lives, the three men were weightless.

Luke burst out laughing. "We're here!" He plucked his checklist off the Velcro and floated it in front of his helmet, gently spinning it. "Would you look at that!"

Michael leaned back and peered through his overhead windows. The blackness of space and the curve of the blue North Atlantic horizon filled his view. "Mother of God!" he said.

"Work to do, boys," Chad interjected, bursting their bubble. They each turned the page in their checklists and began the urgent steps that would convert their vehicle from a rocketship to a spaceship.

"Houston, we're with you on Launch page 2-10," Chad said.

A pause. No response.

"Houston, do you read?"

The returning call was scratchy and garbled.

Michael spoke. "I think I heard him repeat that we were GO for orbit there at the end."

Chad nodded. "Agreed. It's likely just bad comms through the North Atlantic relay ship." He glanced at his flight plan. "We'll have them back through the South Pacific ship in an hour or so."

Chad turned and looked at them both.

"Step one complete, boys. Now let's go find us a spy satellite."

23

Kennedy Space Center

The white and blue NASA helicopter was waiting in a roped-off area on the lawn beside Launch Control, its blades slowly turning. Kaz paused to look up at the last of the Saturn V's dispersing smoke, then grabbed the handrail and swung into the passenger bench seat in the back, next to Al Shepard. JW was already strapped in on the far side.

"What a launch!" Kaz shouted.

JW had a huge grin on his face, and Al nodded, unclipping the headphones from the bulkhead and cinching up his lap belt for the short ride to their jet, which would take them back to Mission Control in Houston.

The whine from the engines increased and the rotors spun up. The pilot was a Vietnam vet, and expertly plucked the helo off the ground, turning and pitching to accelerate to the south, towards Patrick Air Force Base.

Kaz looked down out the side window at the roads, already jammed all the way back to the causeway with departing cars and camper vans, thinking that Laura was somewhere down there in that mess. One day maybe he'd be on the ground watching her launch into space. The image made him smile.

The helicopter rapidly covered the 25 miles across the Banana River and along the sands of Cocoa Beach. Soon the Air Force housing and broad runways of Patrick filled the windscreen. The pilot brought the helicopter in fast, flared hard and set it down as light as a feather next to the NASA Gulfstream G-II that was waiting for them. He turned and nodded, nonchalant.

"Well flown," Al Shepard said. Kaz saw the pilot's neck flush red and knew that he'd dine out on that compliment from the first American in space for the rest of his life.

As they climbed out, Al raised a finger to Kaz. "Have them hold the jet. I need to make a phone call." He turned and walked briskly towards the hangar. Kaz and JW transferred the bags and climbed the airstairs onto the G-II.

The plane filled quickly as key Apollo mission personnel arrived at Patrick. By the time Al walked back across the tarmac, his was the last empty seat, next to Kaz. As he settled in, the plane's flight engineer raised the stairs and the pilots started taxiing.

Al didn't speak as the plane climbed away from Patrick, staring out the window as they headed west across the Gulf towards Houston. Finally he turned to Kaz, looking somber.

"Tell me again what you saw that day at Tom Hoffman's crash. From the moment you got to the field that morning."

Kaz didn't ask, but guessed this had something to do with the phone call Al had just made. He kept his tone factual, trying to recall the exact timeline of the morning and who he'd seen when. He described arriving at Ellington, walking through the hangar and then hitching a ride from the ops desk to watch the LLTV fly. He was starting into what he'd observed as Tom's helicopter flew past when Al interrupted him.

"Did you notice Tom's helo on the ground as you drove out to the LLTV site?"

Kaz thought back. "Not really. It was a decent day for weather; several jets had gone flying. The ramp was, maybe, half-full."

Al nodded. "Did you see anyone out on the ramp?" Then, before Kaz could answer, he asked, "Did you go out on the ramp?"

Kaz was startled. "Me? No, I didn't go out on the ramp, and there was nothing unusual that I remember." He closed both eyes, trying to picture it. "There was a T-38 starting, with the normal two groundcrew, one out front and one by the tail." He opened his eyes. "And a fuel truck."

Al looked at him. "Fueling what?"

Kaz shook his head slightly. "I'm not sure. It was driving out towards Tom's helo, but I'm not certain which aircraft it was headed for."

Al drilled further "Who all did you see at ops and in the hangar?"

Kaz pictured his path, step by step. "Standard gate guard, a couple of the instructor pilots. Chad was there—he'd flown the LLTV before Luke. There was some sort of tour group with a NASA security guy. Normal faces at ops and maintenance."

He shrugged. "Sorry, Boss. I don't remember anything strange." He paused, then said, "Why you asking?"

Al looked around the plane. Everyone but them was dozing after the early-morning intensity of the launch. He leaned close and briefed Kaz on the facts of what the accident investigator had found.

Kaz made a low whistle. A backed-off bolt was someone's serious fuck-up. Or worse. He stared at Al, his eyes asking the next obvious question.

Al didn't answer, just said, "I don't think there's any point in telling the crew, do you?"

Kaz nodded. "And not the family, until we confirm the cause. Likely good if Gene Kranz knows, but otherwise this can wait till they get back."

He could see Al relax slightly. He pulled down the window shade, and tipped his chair back. "Agreed. I'll tell him. Now I'm going to shut my eyes until we get to Ellington. We've got a very busy few hours coming up." His voice was flat. "Looking forward to having Almaz behind them, and firing the engine to head towards the Moon."

Kaz's fake eye's socket was stinging with fatigue and the dry airplane air. He pushed the button to recline his own chair, and tried to find a comfortable position to doze, deliberately turning his mind away from all the troubling implications.

Navy pilots need to learn to nap anywhere, anytime. Soon both men were asleep.

The telex from the *Kavkaz* made the beige desktop machine in Severomorsk, home base of the Soviet Northern Fleet, chatter noisily as it printed the one-page message. The naval communications operator waited until the noise stopped, then leaned across to scan the security clearance and destination printed across the top. His eyes widened and he flicked his gaze away, deliberately not reading the contents.

He took extra care tearing it off the printer roll, and placed it neatly into a pinkish internal mail envelope marked ОСОБОЙ ВАЖНОСТИ—TOP SECRET. He hand-carried the envelope down the hall to the office of his superior, knocked briefly on the door, then set it into the man's inbox like it was hot to the touch. Keeping his gaze averted, he retreated quickly, glad to have done his part properly. Glad it wasn't his responsibility now.

His boss yawned, reading a message from a submarine commander who was taking his vessel back to dry dock. It was essentially a list of the major systems that needed work. He sighed, thinking, *Our fish are fast, but our parts don't last.* He scrawled his signature on the forwarding envelope, addressed it to the Severomorsk Quartermaster, put the multi-page message inside and flipped it into his outbox. He added an annotation to the tracking table in his green baize notebook, and reached across to his inbox for the new arrival.

Pink folder. TOP SECRET. *Atleechna!* Something worthwhile, hopefully!

He hadn't gone into Naval Communications and qualified for the highest security rating so he could push shopping lists around like a flunky clerk in a warehouse. He unwrapped the string holding the flap closed, and slid the page out.

He read it quickly once, and then again, more carefully. He thought for a minute, and then double-checked who the Captain of the *Kavkaz* had directed it to. He flicked his notebook open to the last page, to the list of naval departments and interfaces with other government organizations.

Nodding, he swiftly made a couple of neat notations on the routing envelope highlighting the urgency, and added a subsequent destination. As he started to slide the page back inside, he stopped and rechecked the message timestamp. Frowning, he glanced at his watch, and then reached for his desk phone. He ran his finger again down the list in his book, found a number and dialed it.

This one couldn't wait for internal mail. There was a potential real-time threat to the Motherland, and it was outside of the Navy's jurisdiction.

He listened to the ringing on the other end, rereading the message, preparing exactly what he was going to say.

It took three more phone calls and a total of 36 minutes for the *Kavkaz*'s message to get cleared from Severomorsk through the bureaucratic layers all the way to Vladimir Chelomei, as the Almaz Program Director. The tinny telephone speaker on his desk rattled as the *Kavkaz* Captain's words were read to him verbatim, including the timestamp. Chelomei's thoughts clicked like tumblers as he unlocked what the information meant—what the Northern Fleet communications officer had grasped a small piece of.

Those American bastards are heading for my ship!

Gene Kranz leaned back in his chair and looked at his Instrumentation and Communications officer.

"INCO, why isn't 18 hearing us?"

Gene's voice was carried via headsets to everyone in Mission Control, but because of the military nature of the mission, it was blocked from going beyond the building.

"Not certain, FLIGHT. Likely a problem with the relay ship—we haven't had to station one this far north before. They got a good tracking lock, but voice is intermittent. Should be better when we pick up the South Pacific ship at seventy-two minutes."

Gene thought about it.

"FDO, how we looking?" Gene pronounced it "fido." FDO was the Flight Dynamics Officer, in charge of tracking the vehicle's position.

"Right on the money, FLIGHT. Perfect set-up for the rendezvous."

Gene nodded. "Let's work the updated tracking and start getting preliminary numbers for the first burn." The Apollo spaceship had launched into orbit perfectly aligned with Almaz, below and behind it, catching up. It was going to take two careful engine firings to raise the orbit enough so they could fly alongside. "Meanwhile, INCO, let's look hard at onboard comms so far, make sure we're not seeing anything wrong with 18's hardware."

"Copy, FLIGHT, in work."

Gene looked at the digital clocks on the front screen and addressed the whole room.

"When we pick them up over the South Pacific, Luke will be getting his suit ready to go outside, and we'll need to verify all systems are good to support that. We'll also be fifty minutes from the first burn, so we'll need updated tracking to get the right numbers on board.

"Let's be ready, people. This is an Apollo like no other."

The technician at Motorola was an expert with a soldering iron. She'd learned her skill in her dad's garage in Phoenix, the two of them building Heathkit radios and amplifiers together, him admiring her steadiness of hand and fierce concentration as she fed in the minimum amount of metal and flux for neat electrical connections.

When Motorola had hired her, she and her father had both taken great pride in the fact that she was now being trusted to assemble Apollo communications hardware. The complexity of circuitry required methodical assembly and exact handiwork, wiring and soldering each layer into place. The necessity for perfection demanded extra levels of inspection. After she'd bent over, staring intently through her protective glasses to accomplish a task, she'd move out of the way while a supervisor verified the quality of her work. Layer by layer, one soldered connection after another, they had built the main communications blocks for the Apollo Command and Service Modules.

She wore a cotton suit over her clothes, her hair tied up inside an elastic cap, to avoid stray strands or lint getting into the circuitry. Her mouth and nose were covered by a mask so that her humid breath didn't add any moisture. The room of technicians looked somehow robotic, all individuality blurred; anonymous pale-blue figures at electronics benches, intent on their work.

As she had leaned forward to accomplish one particular join, her mask bunched slightly under her nose. She ignored it, focusing on getting the tip of the soldering iron perfectly in place to heat the adjoining exposed wires. She wrinkled her nose at the tickling sensation caused by the mask and wiggled her pursed lips side to side. But it was no use, and she sneezed. She stifled it, as she had stifled other sneezes, focused on keeping her hands steady as she fed in the solder and flux.

She finished, pulled her hands away and tipped her head to one side, examining her work. She allowed herself a small smile under the mask. It looked perfect. She rolled her chair slightly away as the inspector leaned in to double-check. Satisfied as usual, he nodded, and made a checkmark in the long list on his clipboard. She adjusted the mask slightly away from her nostrils and continued working.

Unknowing.

Her stifled sneeze had jostled her arm and created an imperfection on the underside of the join. Like a pebble, a small ball of solder had cooled separately, trapped and hidden under a thin covering strand. A little sphere of metal, held securely in place against gravity.

Pursuit was the last Apollo Command Module to fly, and not all of its equipment was as rigorously tested as the first flights had been. The qualification process had already been proven, and money was tighter than ever. The original heavy vibration testing had been reduced to an approved laboratory shake test; the solder imperfection held through it, and the transponder passed its subsequent functional check flawlessly and was carefully installed in *Pursuit*'s avionics bay.

But the combination of actual launch vibration and acceleration shook it loose. The heavy forces at Max Q stressed the thin metal covering strand, and the sudden jolt of staging broke the ball free. The second-stage engines' acceleration pushed the small drop of solder into the adjoining circuit board and held it there. A tiny bit of metal, fallen out of harm's way, held in place by the forces of the launch.

When the third-stage motor shut off, the spacecraft was suddenly weightless, orbiting around the Earth. The little metal orb drifted gently up from its resting place, becoming a tiny conductive balloon in a playground of circuitry.

Small thrusters fired to point *Pursuit* in the right direction, giving a gentle acceleration to the ship. It moved sideways, floating the metal pebble into a new part of the transponder's circuitry. As Chad pushed the comm button to talk, the circuit was activated and shorted across two wires touching the solder ball, welding it into its new resting place. The electrical short dropped the current well below normal, and the signal didn't get through. Chad's voice dead-ended inside the box.

A stifled sneeze, 19 months earlier in Phoenix, Arizona, had caused the failure of the primary voice circuitry for *Pursuit*, Apollo 18's Command Module.

The crew was just talking to themselves.

Top Secret

CENTRAL INTELLIGENCE AGENCY-
UNITES STATES OF AMERICA

The President's Daily Brief-Addendum
16 April 1973-08:00 EST

FOR THE PRESIDENT ONLY

PRINCIPAL DEVELOPMENTS-Addendum

NASA reports a successful launch at 07:32 EST this morning of Apollo 18, with an all-military crew reporting to Vice Chief of Naval Operations, Admiral Maurice Weisner, and the Joint Chiefs. Initial mission tasking is in support of the NSA and CIA, to photo-document and, if possible, disable the Soviet spy satellite Almaz ('Diamond'), which launched from Baikonur USSR on 3 April. Almaz has the most capable on-orbit optical spy capability of any spacecraft, Soviet or American, estimated to be able to resolve objects on the surface as small as one foot. If operational, this would have significant negative SIGINT impacts for the USA.

Almaz needs to be operated real-time by cosmonauts on board, required for film loading, unloading, processing and subsequent film de-orbit/parachute return to the USSR. Almaz is as-yet unmanned and thus pre-operational, with no CIA/NSA indications of the upcoming cosmonaut launch date.

At approximately 10:35 today Apollo 18 astronaut Captain Lucas Hemming, USMC, will perform a solo spacewalk to photograph and disable Almaz by cutting external cables and/or cooling/fuel lines. Unlike all previous Apollo missions, there is a total public blackout of communications and crew activities during this 2-hour phase of flight, and potentially subsequent.

Once Almaz ops are complete, Apollo 18 will fire its engine to leave Earth orbit for the Moon at approximately 11:30 EST. Transit to the Moon will take 3 days. The flight profile will more closely resemble all previous Apollo missions from that point forward.

-Addendum End-

24

Pursuit, Earth Orbit

"Woo-hoo, sorry, guys. That one's a real stinker!"

The air pressure inside the cabin had dropped steadily, as planned, during launch, and was now holding at one-third of what it had been in Florida. The gases in everyone's guts had expanded, and all three of them were farting.

Michael winced. "Geez, Luke, keep that in your own spacesuit, would ya?"

"How's the alignment going, Michael?" Chad had jettisoned the exterior covers that protected the optical systems during launch, and Michael was sighting through the built-in cameras, carefully turning *Pursuit* to align with specific stars. When he was sure he had it exact, he entered the data into the navigation computer. They needed precise orientation for the upcoming maneuver to raise their orbit up to match Almaz.

"Looking good, Boss. The stars are right where they were in the sim."

"Well, that's a relief," Luke said. He was folding his launch seat out of the way to make room for his spacewalk. "That Saturn V sure gave us a hell of a ride!"

Michael chimed in. "I felt like a crash test dummy!"

Chad interrupted. "Boys, you got any snags we should tell Houston about?"

They both shook their heads at Chad, who was still strapped into the left seat. Making eye contact while weightless was new to them all; it was strange to have no common up or down as a reference.

Chad confirmed the S-band comm switch was in transmit/receive. He leaned to his right and watched as the radio signal strength jumped, showing communications lock with the *Rose Knot* relay ship, 106 miles below, off the Australia coast. He pushed the black transmit trigger on his rotational joystick.

"Houston, Apollo 18's back with you."

No response.

Chad rechecked his switches and leaned over to the communications sub-panel to verify that everything was set correctly. He called again, and frowned when Houston didn't respond. Michael floated over and tapped the keyboard display that showed digital uplink activity from the ship.

"Data's flowing fine, Boss."

The CAPCOM's voice broke in. "Apollo 18, it's Houston, how do you read?"

Both men exhaled in relief. "Try using your mic to answer," Chad told Michael, who pushed his trigger. "Loud and clear, Houston, how us?"

No response.

Michael pictured the communications system in his head, considering possible causes. "Data's good both ways, and we're hearing them fine. So we have a problem with voice downlink."

Chad agreed. "Houston, if you hear, we're swapping to VHF." He reached up and threw the switches to select the simpler, traditional aircraft radio system, and tried again.

"Houston, this is 18 on VHF, how do you hear?"

There was a light buzz of static in the headsets. Luke had stopped what he was doing to watch them work the problem. This had suddenly gone from annoying to serious. He said, "Can you send a null data command to let them know we're hearing them?"

"Good idea," Chad responded. He thought for a second, and then punched in five zeroes and pushed Enter. The computer rejected the command and the Operator Error light came on. He typed 11111, reselected S-band communications and waited for Houston to call again.

"Apollo 18, Houston, we see your null entry. How do you read?"

Chad pushed Enter. The Operator Error light came on again.

A smile spread on Michael's face. "You're setting up a code!"

Chad shrugged. "Let's see if they catch on." He ran his thumb down the flight plan. "We only have comms via this ship for another ninety seconds or so."

"Apollo 18, Houston. If you hear us, please retype all ones and Enter."

"Bingo!" Chad said, punching in the numbers.

The CAPCOM's voice sounded relieved. "18, we see that, thanks. All systems look good to us except downlink voice. It might be a weak transmit signal, so we'll try again on the big dish at White Sands in twenty-two minutes, and will have other ideas there. If you copy, press all zeroes and Enter."

Chad did as instructed.

"18, we see that. If you have any serious issues on board, type all ones. If nominal, type zeroes."

Chad sent five zeroes.

"Good to see, 18, thanks. Talk to you in twenty."

Chad turned to his crew.

"Looks like we're still on for now, but this is a primitive workaround. Luke, keep getting things set for the spacewalk. Michael, get out the comm system schematics. I do *not* want a simple comm problem to lose us the Moon."

Michael was by the window, his face lit by a faint glow. "I'm on it, but guys, stop for a minute and watch this. First sunrise in space."

Chad and Luke looked up through the windows to see the sunrise happening as they raced towards it at five miles a second, the faint purple glow of the night horizon quickly overtaken by the dawn.

Luke gasped as the Sun burst into view.

"That's the most beautiful thing I ever saw," Michael said reverently. "It's like someone just poured a rainbow onto the edge of the world."

"Nice," Chad said. "But it also means we've got ninety minutes. By the next sunrise, Almaz should be in our sights."

"Right," Luke said, and began gathering more gear for his spacewalk.

"Where are you in EVA prep?"

"Doing good, Boss. I've got my long umbilical attached on the backpack, coiled for you to pay out as I go. Over-gloves and external visor are ready."

Luke rummaged in a narrow open locker, carefully retrieving a large, square Hasselblad camera with a stubby lens, mounted on a pistol grip. He clipped it into the frame built into the chest of his spacesuit, listening for the click, and then unclipped it and stowed it with his other gear. He reached back into the locker and pulled out yard-long orange bolt cutters. After the mission changed, he and an EVA tech had bought them at a Houston hardware store. They'd wired a small metal ring to one of the handles so Luke could make sure they didn't float away while he was outside. He tucked the tool under a bungee next to the camera.

Michael had unfolded the pull-out page with the communications system schematic from his thick reference checklist and was tracing wire lines on the diagram, looking for possible culprits. "Boss, check my thinking here. Our voice comm problem affected both of us, and only for downlink, so it's got to be a specific failure in a common location." He double-tapped a rectangle on the drawing. "My guess is inside the main USB transponder."

He flipped to a following page. "We can get at it in the avionics bay if we need to, but we'd need to tear things down some to get there."

Chad thought about it. "Let's wait and see what Houston says." He checked his watch. "Speaking of which."

Right on cue, a voice cut in on the cabin speaker. "Apollo 18, this is Houston via White Sands, how do you read?"

"Houston, I have you loud and clear." Chad paused. "How me?" The crew collectively held their breath.

"18, Houston, you're weak but readable. We're just confirming tracking now, will have the Almaz rendezvous burn pad up to you shortly."

"Copy, Houston." Weak but readable was good enough for now.

Gene Kranz wanted everyone in Mission Control to hear what he was about to say. "Everybody, listen up. This is FLIGHT. Give me a green when you're ready." He had a multicolored matrix on his console, with one small square for each officer in the room. When they each pushed the green button on their desks and Gene saw all lights turn to green on his, he knew he had everyone's undivided attention.

"INCO, talk to me. What's the workaround for 18's comm problem?" With the first maneuvering burn rapidly approaching, the room needed answers.

"FLIGHT, it's a weak signal on their return voice loop," INCO said. "Looks like a partial short somewhere, likely the connectors or inside the USB transponder box itself. For now, we'll have workable comms through the big antennas in Madrid and Canberra, as well as stateside. We'll have everything but return voice through all other sites. Once we get past the Almaz rendezvous and TLI burn, we have crew actions that should fix the problem."

Gene didn't like the word "should."

"INCO, what's your confidence in the crew repair actions?" Without there being a high probability they could fix the comm malfunction, he didn't want to fire the big engine that would take the ship out of the relative safety of Earth orbit and send them on an unstoppable three-day voyage across the void to the Moon. Counting three days there and three days back, it was basically a week of the crew's lives he'd be gambling with. He needed the communications to work.

"FLIGHT, worst case, we'll have what we just saw through White Sands—weak but readable. As we get farther from Earth it will get better, since we'll be in range of one or two of the big antennas on Earth all the time. No gaps. Also, deploying the high-gain antenna on *Pursuit* will help boost the signal."

Gene nodded. He had one more key question. "Will the Lunar Module have the same problem?"

"Nope, FLIGHT, the LM's independent."

Gene looked around the room. "We're about to talk to 18 again via Madrid, and then we have the first rendezvous burn." He paused. "Anyone have any concerns?"

Silence.

Not ideal, Gene thought. *But we've seen far worse. We found a way to get Apollo 13 safely back; we should be able to solve this little problem.*

"Good work, INCO," he said. "Everyone, let's uplink the rendezvous data ASAP. I'll be looking for a GO for the burn from each of you as soon as it's on board."

Gene raised his eyes to the front screen, watching the white projected image of the Apollo spacecraft crossing the North Atlantic west of Ireland. Just ahead of it was a red rectangle, tracing the same curved path across the globe.

What secrets do you hold, Almaz? We're about to go find out.

"Luke, you got everything stowed for the burn?"

Luke was hanging on to Chad's headrest, staring out the window at the orange dryness of the Sahara Desert. "Sure do, Boss. I'm ready to surf."

Michael leaned across to check the instruments in front of Chad. "Attitude looks good, Boss."

Chad nodded his agreement. The spacecraft had pivoted exactly in space to align with the instructions sent up from Mission Control. Next communications would be over Madagascar, but this engine firing to raise their orbit up to match Almaz was taking place in between ground sites. No one was watching except the crew.

"Michael, as soon as this burn's done, I'll get out of the left seat, and you can fly *Pursuit*."

"Roger that, I'm ready."

Their eyes were fixed on the digital counter.

"Ten seconds, Luke," Michael cautioned.

"All set, thanks." Luke had the Hasselblad in his free hand, and the electric film advance was whining and clunking as he snapped images out the window. "I can't believe this view of the Nile."

"Three, two, here we go," Chad said.

With a low rumble they could feel through the hull, the liquid hydrogen J-2 engine ignited 100 feet below their backs, instantly pushing with 200,000 pounds of thrust. Luke clattered against the aft bulkhead. "Whoa, Nellie!" he said, trying to keep the camera from banging the window.

"I told you to hold on!" Chad said.

A checklist detached itself from the Velcro with a ripping sound and sailed past Michael's head. Luke grabbed it out of the air and handed it back.

Michael said, "Temps and pressures look good, engine's gimballing fine." The single J-2 engine bell was pivoting precisely on its mount, ensuring the thrust was pushing *Pursuit* in the right direction. Through his seat, he could feel the small steering corrections and vibration. "Engine cut-off in fifteen seconds."

Chad raised his right hand and pointed to the pressure gauges. "Three, two, one." They confirmed that the timer and lights agreed.

"Good cut-off."

"Guys, as soon as you get a chance, take a look. You can see all the way from the Rift Valley to the Horn of Africa!"

Chad safed the switches, unbuckled his straps and carefully floated out of his seat. "Coming up for a look. Michael, the ship is yours."

"Aye aye, Captain! I have control." Michael floated into the left seat and loosely buckled himself in place. Their orbit was now shaped like an oval, with the high point raised to equal Almaz's altitude. They had one more engine firing over the Pacific so they'd match the Soviet ship's circular orbit exactly, and then they'd be in visual range for Michael to maneuver up close. He'd been practicing it in the sim relentlessly ever since Kaz had brought the orders from Washington, but today was the real thing. He noticed that his palms were damp and wiped them on the heavy cloth of his spacesuit, then gently held onto the hand controllers, picturing the motions he'd be making.

"Hey, Luke, what was that Astronaut's Prayer again?" he asked.

Luke laughed.

Michael exhaled to concentrate, and focused on what was coming.

Lord, please don't let me fuck this up.

Operating the ship had kept Chad fully occupied, and the seat straps had stopped him from fully sensing weightlessness; it had seemed more like an extra-realistic sim than actual spaceflight. But as he floated out of his seat to change positions with Michael, the reality of where he was physically struck him.

Whoa! His balance system was working hard, trying to sort out what was going on. He reached for the handrail next to the window, jerkily missing it once and then grabbing hard to steady himself. A wave of dizziness went through him, momentarily blurring his vision. He closed his eyes to let it pass.

Luke was floating next to him. "You good, Boss?"

"Never better," Chad said flatly, opening his eyes and focusing on the horizon. The medicos had warned him that he might feel motion sickness, but he'd spent a decade flying and testing fighters and had dismissed their concerns. Like all military pilots, he was proud of his iron stomach.

Luke tried to distract him by pointing out the window. "I wonder if there are people on that speck?" A tiny, circular volcanic island in the South Indian Ocean was passing underneath, its shadow pushed long across the ocean by the rapidly approaching sunset. Chad slowly pivoted his whole body to look, keeping his neck rigid to stop his head from moving.

He flicked his eyes down to see. "Real garden spot," he grunted. He closed his eyes again, slowly.

As they drove into orbital darkness, the light around them swiftly changed from bright white to orange to blood red, like a fading flare was illuminating their faces.

Chad gagged, his whole body convulsing as he tried to contain it. He fumbled in his leg pocket, yanking out a sick bag just in time to get it positioned over his face as the steak and eggs shot out of his mouth like a jet. Luke grimaced and pulled himself across the hatch to the other window. He poked Michael and silently pointed with his chin.

Did they really have to make the bag transparent?

They both winced and watched in morbid fascination as Chad gagged again, the vomit ricocheting off the far end of the bag and flying weightlessly back onto Chad's face. The cabin filled with the sour smell of vomit.

Luke pulled a cotton napkin out of his shoulder pocket and silently waved it to get Chad's attention.

Chad took it from him. He squeezed the sick bag closed with one hand and mopped his face from forehead to chin with the other.

Michael tried humor. "Well, at least we can't smell Luke's farts now."

Chad took one more swipe at his face and then stuffed the cloth into the sick bag, rolling and sealing the open end with the attached red twist tie. He pulled his own napkin out of his shoulder pocket and more carefully wiped his face and hands.

"I'll get you some water," Luke said. He squeezed past Chad to flick the pressurization switch, and pulled out the water dispenser, squirting it onto Chad's napkin.

"Thanks," Chad mumbled, wiping his face once more. He held up the half-full barf bag, a disgusted expression on his face. "What do we do with this for the next week?"

"I'll chuck it when I go outside," Luke said. "Maybe I can use it to disable Almaz."

"Very funny," Chad said as he Velcroed the sick bag next to the hatch, his newly empty stomach making him feel much better. He took a deep breath and checked his watch.

"We're going to have to start cabin depress soon for the EVA." He looked at Luke.

"Let's get you dressed for battle."

"Apollo 18, Houston, back with you through Madagascar. Looks like your burn was right on the money. We're genning up prelim numbers for your second burn now."

CAPCOM paused. "If you copy, type five balls."

Michael had the digital response ready and pushed Enter.

"We see that, and all systems look good. If you have any problems, type five ones."

Maybe this isn't so bad, Gene Kranz thought, sitting in his Flight Director chair. *Might be better for everyone if they can't tell us exactly what they're doing when we're close to Almaz.*

ALMAZ

25

Rendezvous, Earth Orbit

The Apollo crew had put their gloves and helmets back on, and the suits were stiffening as the pressure inside the capsule dropped in preparation for Luke's spacewalk. Luke was watching the vomit bag inflate with the air trapped inside it, and hoped it wouldn't leak or burst before they got to hard vacuum. He asked, "How you feeling, Boss?"

"I'm fine. Michael, how'd the burn look?"

"Right on the money. We should see Almaz ahead and above us soon."

As soon as Michael caught sight of the space station, he'd manually maneuver *Pursuit* up close and try to match speeds exactly so Luke could physically reach out and touch the Soviet ship.

Tricky flying, but Michael had talked at length with astronauts who'd done the same sort of thing during the Gemini program. Wally Schirra had got to within a foot of another Gemini ship, and easily held his position there.

Luke was in front of one window and Chad at another, both peering into the blackness. The horizon was a faint purple glow arcing around the Earth.

"We're still night for a few minutes," Chad said. "I don't see the ship yet. How soon until we get comms back with Houston?"

Michael held the Flight Plan in his overinflated left glove and clumsily ran his finger down the column. "We'll have them in ten minutes or so."

Chad thought about it. "The plan is to wait for Houston's GO to open the hatch, but if we see that we're getting there early, I'll make the call."

Luke floated away from the window to give Michael a clear view and grabbed onto *Pursuit*'s hatch opening handle. "I'm ready," he said.

The wooden door of Mission Control opened abruptly, and Al Shepard strode in. Kaz caught it swinging as he and JW followed, and quietly closed it behind them. Al had phoned from ops at Ellington, and the three of them were up to speed on *Pursuit*'s communications problem. They climbed the tiered steps past the floor-level console, heading to join the officers at their assigned positions: JW to SURGEON on the second level, Kaz beside him to assist the CAPCOM, and Al up two more levels to the center back at DFO, Director of Flight Ops. They each reached into cabinet drawers under the consoles and retrieved headsets, plugging in and becoming part of what was going on.

Gene Kranz waited until all three were settled and then took a moment to summarize mission status for everyone.

"As you can see on the screen, Apollo 18 is mid-Pacific and should have just completed the second burn, making them co-altitude with Almaz. They're also suited, with Luke Hemming ready for the EVA. Cabin depress should be just about complete to vacuum, waiting for our GO to open the hatch.

"As soon as we pick them back up off California, SURGEON, I want an immediate update on Luke's suit telemetry."

He looked to the front row at the Guidance Officer. "I'll need trajectory as soon as we can get it, to make sure the second burn went well and to run the calculations for the upcoming Trans-Lunar Injection burn.

We need to get those numbers on board prior to losing uplink—timing is very tight. TLI is going to happen beyond comm range, and we need to give the crew everything they need while we have them."

Gene glanced at the digital clock at the front of the room, then said, "We'll pick them up in ten minutes, and TLI is set for thirty minutes from now. Be ready, people. This is a critical half hour."

He glanced back at Al Shepard and raised his eyebrows to see if the Chief Astronaut wanted to say anything. Al gave a curt nod of approval and raised his right hand in a thumbs-up.

"Okay, back to work, everyone. Let's do this right."

"There it is!" Michael's voice was a mixture of awe and focus. "Right on the money!"

As if a cloak had been suddenly pulled away, the rising Sun lit Almaz, centered in *Pursuit*'s windows. Chad had a stopwatch Velcroed on the window frame. He aligned a small transparent ruler with the length of Almaz, started the stopwatch and read the calculated distance to Michael.

"We're eleven hundred feet away. I'll have a closing rate for you shortly."

"Roger," Michael responded, carefully firing the maneuvering jets to hold Almaz centered in the window. "I think we're a little closer than eleven hundred, and see a healthy closing rate."

Chad watched the second hand move on the stopwatch, thinking. "Luke, we're only ten minutes or so from needing you in position. Let's get the hatch open now."

"Roger that, Boss. In work." Luke double-checked that the rotary switch was turned to Unlatch, and began pumping the handle. With each stroke, the 15 rubber rollers that held the hatch tightly in place rotated away from the structure.

Chad made another careful sighting with the ruler and checked it against the stopwatch. "Looks like eight hundred feet, and closing at"—he calculated—"five feet per second." He frowned. "I'll need a couple more range marks before you can trust my speed calls."

"Understood," Michael said. He was happy that what he was seeing looked just like the visual simulator they'd set up for him in Houston. No surprises.

"All latches retracted, the hatch is loose. Opening it now." Luke had his left hand on Michael's seat, stabilizing as he pivoted the hatch out and open on its hinges. He glanced up, relieved to see the barf bag still secure on its Velcro. As he moved, his feet rotated quickly across the cabin and accidentally kicked Chad, tumbling him.

"Watch what you're doing!" Chad grabbed on to a bulkhead rail to stabilize himself, then repositioned in front of his window.

"Sorry, Boss." Luke cautiously moved his feet back between the two seats and began pulling himself up and through the hatch.

A voice in their headsets. "Apollo 18, this is Houston, how do you read?" Michael pushed the mic trigger. "Have you loud and clear, Houston, how me?"

Static. Gene Kranz looked at CAPCOM. "Did you get that?"

"Sorry, FLIGHT, no, unreadable." He looked at the forward screen. "They're still at max antenna range. It should get better as we get closer."

"Copy." Gene queried his other consoles, relieved to hear that the trajectory looked as expected, and the maneuvering fuel burn had been lower than budgeted.

JW said, "FLIGHT, this is SURGEON. Luke's heartbeat and respiration are high. I think he's started his spacewalk."

Gene looked at his Environmental Control officer for confirmation.

"FLIGHT, telemetry shows the hatch microswitches are open, and the cabin at vacuum. I agree, the EVA has begun."

Gene nodded, and glanced at the wall clock. "CAPCOM, tell them they have our GO for EVA."

As CAPCOM's voice passed the information through their headsets, Chad snorted. "No shit, Sherlock." After the kick from Luke had spun him, he was feeling queasy again. He focused on taking another distance measurement.

"Holy crap, this is beautiful!" Luke's lower torso and legs were still inside the capsule, but his head and shoulders were outside. "First things first." He cautiously twisted and reached down to dislodge the barf bag, and then carefully threw it in a straight line backwards to their direction of flight, so it would fall into a lower orbit. "Bomb's away!" He checked that his bolt cutters had floated out clear of the hatch on their tether, confirmed that his camera was secure and reached for the nearest handrail.

"Boss, you would not believe this view! I'm ready to move out if you're set to feed me umbilical as I go."

Chad said, "Michael, I show five hundred feet and three feet per second. You agree?"

"Yep, that matches what I see."

"Okay, Luke, I'm with you. Your umbilical's clear." Chad's voice sounded strained.

Luke smoothly pulled his feet clear and out, and pivoted his suited body like an obese rock climber, walking his hands along the rails that were mounted across *Pursuit* to the adjoining Service Module. A foot restraint was installed at the far end for him to click his boots into, so that he could have both hands free.

In case the CAPCOM could hear him, Michael reported, "Houston, 18, we're at four hundred feet and closing at two and a half. Luke just got outside and is getting into the foot restraint." No response.

He looked up again at Almaz, trying to judge how fast he was drifting towards it. He glanced across at Chad.

"You got a new data point for me, Boss?"

Chad didn't respond. Then both Luke and Michael heard him retching in their headsets.

Throwing up inside a sealed spacesuit was a misery. The flown astronauts who had told them about it had described the stink, the smeared visor, the stomach acid getting into their eyes, and trying not to inhale any of the floating chunks and bile.

Michael took another hard look at Almaz, assessing his approach speed. He gave two small decelerating pulses on the hand controller, and liked what he saw.

"Luke, how you doing?"

"Michael, it is fricking gorgeous out here! But I'm having trouble swinging around to get my feet in. Can you check that my umbilical isn't snagged?"

Michael looked at Chad again, who'd made no response to Luke's call. He released the controls and twisted in his seat, reaching as far as he could, feeling for the umbilical. It was pulled taut on the hatch mechanism, and he shook it like a garden hose to try to work it clear. He felt it give, and some extra length played out through his hand.

Luke said, "That did it, thanks! I'll get my feet in now."

Michael let go and his seat straps floated him back, centering him in position. He looked once more at Chad.

"Boss, how you doing?"

"I'm okay," Chad said thickly.

"Roger, if you can get me another data point, that'd be great." He hoped the task might help Chad work through his nausea.

"Apollo 18, Houston, comm check."

"Have you loud and clear, Houston, how us?" Michael said, then focused on the Soviet ship, correcting the sideways drift that had started while he was dealing with the umbilical.

His eyes caught unexpected movement. *What the hell is that?* A solar array turning? A comm antenna tracking them, maybe?

Luke's voice was in his ears. "Man! My left foot just won't . . . uhh . . . c'mon, twist in there!" His attention was focused down, trying to get into his foot restraint.

Michael peered hard at Almaz, trying to reconcile what he was seeing. "Houston, you hearing Luke? He's almost in position. Range and closure all good." *What is that?*

—

In Mission Control, the CAPCOM looked at Gene. "FLIGHT, I didn't get that, sorry." The voice comm from *Pursuit* was fading in and out.

Kaz pushed his mic button. "FLIGHT, I think I heard Luke say something, and pretty sure that Michael said good range and closure."

Gene nodded. "Let's just watch the data. They're busy enough without us calling for voice checks."

JW spoke, slight concern in his voice. "FLIGHT, SURGEON, Luke's heart rate and respiration are spiking."

"Roger, keep a close eye, let me know if it gets beyond limits."

Luke finally had his feet anchored. "There!" he said, the word a long exhale, heard by Michael and Chad, but lost in the bad connection with Mission Control. "That sure was harder than in the sim. Leaning back now."

He looked down and checked the camera on his chest. "Hasselblad's all set. Time to get some photos." To point the camera he needed to use his whole body, concentrating on alignment as he looked up at Almaz, about 200 feet away.

The bright white reflection off Almaz's exterior radiators momentarily blinded him. He squinted and turned to the side, away from the reflection, attempting to photograph one end of the Soviet spaceship.

The shape he saw was not what he expected.

"Hey, Michael, what's that end cone thing on Almaz? It's not like we briefed. It looks like some sort of add-on." He pushed the shutter trigger on the camera and started a slow pivot to the right to get the full, planned photo survey of the exterior. "Maybe it's some sort of return capsule?"

Chad was still keeping very still, fighting his nausea. Michael's hands were busy on their joysticks, slowing *Pursuit*'s closure rate, easing the two vessels closer together. He'd been glancing at all edges of Almaz to assess speed and angles at the same time as he was trying to figure out what he'd seen at the base of the solar array.

Just then, Luke spoke rapidly, his voice loud.

"Guys! There are two spacewalkers on Almaz! Houston, Almaz is manned! It has cosmonauts aboard, and two of them are outside!"

A beat as he considered that. "It's like they've been waiting for us!"

26

Almaz, Earth Orbit

Michael's voice was urgent. "Houston, 18, are you copying Luke's calls?"

Radio silence.

Christ! What do we do now?

"Boss, are you seeing this?"

Chad turned to face Michael, his visor smeared with vomit. The sudden motion triggered his nausea again, and he bent forward, pulsing weightlessly as he retched.

Michael shook his head in frustration and stared back through his window, slowing the approach, the vehicles drifting to within 50 feet of each other.

Luke's voice came through Michael's headset. "Okay, I've got a full photo survey done. The cosmonauts seem to be staying put. Maybe they're supposed to be observing us?"

Michael watched them; their visors were turned to his ship, both holding onto an Almaz handrail. "Maybe, Luke. I'll ease a little closer and set us up to fly slowly along the full length so you can get better-resolution photos. You got enough film left?"

"Yep, plenty." He paused, looking at the cosmonauts. "I don't think I should try to disable their ship. You guys agree?"

Michael looked across at Chad, still curled up on himself. Chad raised a thumb.

"Chad agrees, and so do I. Let's just get the close-ups, and then I'll maneuver us away."

Luke adjusted zoom and focus on the lens. "Maybe they'll wave on our way by."

"Almaz, Almaz, how do you hear me?" Chelomei's voice crackled in cosmonaut Andrei Mitkov's headset.

"We hear you clearly, Comrade Director. The American ship is ten meters away and slowly closing, with the hatch open and one spacewalker outside. He has a large set of what look like bolt cutters with him. They are maneuvering now, repositioning forward, towards our re-entry capsule."

Chelomei's worst suspicions were confirmed. These men had been sent to attack his ship. "Mitkov! Be ready to physically stop the American from damaging Almaz. Take action as required."

"Understood. Both of us are moving forward towards the capsule now."

Chelomei whipped his head around at the flight director and shouted, "Where's that video feed?"

"We're just getting a solid relay lock now, Comrade Director. We'll have it on the front screen in a few seconds."

As if on command, a fuzzy black-and-white image appeared next to the Earth map at the front of the room. It showed a section of Almaz's curved hull against the blackness of space, with the broad arc of the Earth below.

"Where is the American ship? We need to turn to face it!" Chelomei had a plan, but he had to get Almaz properly aligned against the aggressors.

The flight director gestured impatiently at his comm tech, who spoke to the crew. “Almaz, we need updates on the relative position of the other ship, in orbital coordinates.”

Mitkov paused from moving hand-over-hand along his vessel, and released one hand to pivot his whole spacesuit and look. The other cosmonaut paused behind him.

“They are aft and below us, five meters away now, co-aligned. Their command capsule is abeam our return capsule, holding distance steady, drifting forward slowly,” he reported.

“Copy.” The comm tech turned and looked questioningly at the flight director, who was holding his two hands up, picturing the orientation. He twisted one wrist, deciding on the needed rotation, then spoke urgently to the officer in charge of Almaz attitude control. “Start a max pitch rate pure down, and be ready to cancel the motion and track as soon as they come into the field of view.”

The console officer rapidly typed on his keyboard and then paused briefly, his finger sliding across the screen to verify accuracy. With a small flourish, he raised his hand and stabbed the transmit button.

All eyes turned to the large screen, waiting for the video to reveal the attacking American vessel, squarely in Almaz’s sights.

“Shit, they’re moving, Michael!” Luke’s voice was urgent.

Michael had been watching the Soviet spacewalkers as they slowly clambered along Almaz’s hull, and he misunderstood. “Yeah, I see them. And it looks like their suits have backpacks, so no umbilicals.”

“Not them, the whole ship! I just saw the thrusters fire. It’s pivoting towards us!”

Michael moved his head left and right to take in the whole vessel. The blunt end was rotating downwards. He carefully tipped his joystick forward to match the rate, and then tapped his hand controller to start moving aft along Almaz.

“I see it, and am pitching to match. Should be good for you to start on the final photo pass anytime.”

Luke took one more look at the two cosmonauts moving towards him, like white birds on an elephant's back, and then focused on his camera work. "Roger. Their pointy capsule is in my field of view now, starting pictures." He pressed the shutter trigger, carefully twisting his spacesuit to hold the image centered.

The CAPCOM's voice broke in. "Apollo 18, Houston, no response necessary, but your final TLI numbers are on board. New TIG is 3:25:00, need to get Luke inside prior-to. We should have you over Cape Town during the burn." A brief pause. "You have a GO for Trans-Lunar Injection."

Chad mutely raised his thumb again.

"Roger, Houston, 18 is GO for TLI," Michael said. He glanced at the clock and realized that was just 14 minutes away. He watched Almaz moving in the window and did a quick mental calculation.

"Luke, did you copy that call? You'll need to hustle inside as soon as this sweep is done so we can get the hatch closed prior to the burn."

"Copy, wilco, no sweat." A pause, and then Luke asked, "Michael, is Almaz pitching faster now?"

"Working on it," Michael responded, staring out the window. He'd added a couple pulses to his joystick to match rates with Almaz. *What were the Soviets up to?*

Luke's voice came again, and higher pitched. "Hey, the cosmonauts are getting pretty close to me. One of them's carrying a big monkey wrench, and the other has something like a drill!"

Chad straightened himself and rasped, "I'm gonna poke my head outside." He cautiously maneuvered under the hatch opening, trying not to trigger any more motion sickness, pivoting his whole body and moving his head and shoulders out into space.

"What the fuck?" Luke sounded incredulous. "Are these assholes coming for me?"

"What's going on?" Michael could only see the wide fuselage section of Almaz in his window.

Chad called, "The lead cosmonaut has pushed off of Almaz."

He watched in disbelief as the spacewalker floated across to *Pursuit* and grabbed a handrail near Luke. He moved closer, then swung his wrench towards Luke's visor.

"Luke, watch out, on your left!" Chad yelled.

Luke, his feet locked in their restraints, deflected the blow with his suited forearm and swung back with the bolt cutters. "You bastard!" he yelled.

The cosmonaut got his arm up in time to protect his visor, and the bolt cutters bounced off.

Now the second cosmonaut made the leap and began maneuvering towards Luke from the other side. He started twisting back and forth in the foot restraints, swinging the bolt cutters in an arc to keep them both at bay, his other hand held high to ward off blows.

Michael could hear Luke's grunting and harsh exhalations. "Boss, we need to get Luke inside now!"

"Agreed! Luke, pop your feet out of the restraints and I'll haul you clear!"

Michael pushed his transmit button. "Houston, if you're hearing this, the cosmonauts are on *Pursuit* and attacking Luke!"

Chelomei was yelling. "Increase the rotation rate! We have to get that ship in front of us!"

"Yes, Comrade Director." The pointing officer sent another command, firing Almaz's thrusters yet again. He checked the updated values. "We're at max design pitch rate for the solar panels now."

All eyes turned to the front screen. Rising up from the bottom of the video image was the conical white tip of the Apollo capsule.

Chelomei pointed to the screen. "Arm the R-23!"

The mechanisms officer, sitting one row ahead, responded. "Sending the command now."

As Almaz turned, the spacewalkers came into view—three fat figures in a clumsy slow-motion dance, intent on mutual destruction. The cosmonauts held tight to *Pursuit*'s handrails with one hand, swinging their makeshift weapons with their free arms, as the astronaut, one foot still braced, brandished his bolt cutters.

Bile rose in Chelomei's throat. His ship, *his* Almaz—so capable, so much of a threat that the Americans had decided to attack it in front of his eyes! He'd known this might happen. And he'd prepared for it.

He grabbed the headset off the desk and shouted into it. "Mitkov, both of you get back to Almaz. You need to be clear of the American ship, and fast!"

The grunting of the two cosmonauts in combat transmitted steadily, blocking the incoming call from Earth.

Chelomei tried again. "Mitkov, do you hear me? Return to Almaz!"

No response. The tech repeated the Director's words multiple times, urgently trying to get through.

Finally, Mitkov replied. "Moscow, I hear you! We're returning!"

Chelomei pivoted towards the flight director. "How much time do we have?"

"About thirty seconds, Comrade Director, forty-five maximum until we're out of antenna range."

They watched the screen, the Apollo ship remaining centered as the console operator reversed the thrusters on Almaz to hold steady. An astronaut was sticking out of the American hatch, guiding the umbilical of the spacewalker, who had got both feet free and was now floating up towards Almaz. One of the cosmonauts was traversing the gap between the vessels, the other still holding on to the American ship, ready to push off.

Chelomei spoke, his command loud enough for everyone to hear it without their headsets.

"At fifteen seconds, send the signal. All rounds! Fire the R-23!"

Vladimir Chelomei had not sent a defenseless ship into space.

The Kartech R-23 cannon was a unique design.

It had originally been built as the tail gun for the supersonic Tu-22 bomber, with a single short barrel to avoid the aircraft's turbulent airflow. As its bullets fired, the expanding gas from the explosion not only pushed the projectile out of the barrel, but also rotated a four-chamber revolver mechanism that loaded the next round. At full speed, the cannon spun at 2,600 rpm, a blistering 43 rotations every second.

It was the Soviet Union's fastest-firing single-barrel cannon, small, light and purpose-built. To keep its overall length short, the chambers loaded oddly, from the front, the pointy bullets encased in cylindrical galvanized metal sleeves, like deadly silver lipsticks.

For the cannon to fit onto Almaz, though, the engineers had to make it even smaller and lighter, choosing lower-caliber 14.5 mm bullets that allowed for a slimmer barrel and revolver. The entire space gun, loaded with 32 rounds, weighed just 70 pounds. Then, to further minimize mass and complexity, they'd removed the gun's aiming mount, simply bolting the R-23 to Almaz's hull. In order to line it up with the target, they had to turn the entire 20-ton space station.

The new design's rate of fire was 1,800 rpm; that meant all 32 bullets could be expended within one second. A brief hail of hardened steel through the emptiness of space, each spinning projectile traveling at over 2,000 feet per second.

All it needed was someone to pull the trigger.

With 15 seconds left in the comm pass, the Moscow technician pushed the button on his console to initiate the fire command. The signal traveled up via relay satellite and then down to the relay ship in the North Atlantic, which sent it directly back up to the receiving antenna on Almaz. The spaceship's decommutator routed the signal through Almaz's onboard wiring and amplified it into an electrical fire signal that the R-23 could recognize. It also sent a command to the ship's thrusters to ignite the maneuvering engines to counteract the impending recoil of the gun.

When the electrical signal reached its destination, the space cannon flashed into operational life.

The firing pin slammed into the percussion primer at the base of the loaded round, causing an instant explosion, which ignited the main nitrocellulose charge. The ensuing blast hurled the bullet down the rifled barrel and spun the revolver to accept the next round. Each successive round's explosion sped up the rotation until the cannon was turning at full speed.

As the chambers rotated, the used, empty cartridges flew out in a glittering trail of tiny satellites, slowly tumbling as their orbits decayed, to fall and burn up in the atmosphere.

But the sixteenth round jammed.

The problem was the strange bullet design. To securely hold the projectile in its unusual casing, a specially built machine at the OKB-16 factory squeezed the galvanized steel from both sides, crimping it solidly in place. Round 16 had an undetected bit of a broken high-tempered steel lock washer stuck to its underside, which the machine had crimped into its casing. The round looked normal, but the primer chamber was nearly penetrated.

As the rotating drive mechanism forced the defective round into the cannon's chamber, the casing crumpled, the primer chamber burst, and the heat and friction of the collapsing tube ignited it. The main charge sympathetically exploded, and the resulting sudden burst of expanding gas shattered the fast-spinning revolver.

Instantly, pieces flew in all directions—a deadly pinwheel shedding hardened steel parts. Some flew harmlessly off into space. But several were hurled into the pressure hull of Almaz, their ragged edges cutting through the thin aluminum as if it wasn't there. The air in the ship's main cabin started spewing out through the jagged holes.

One fragment followed an especially unlucky trajectory. Mounted just inside the hull was a bundle of tubes and cables carrying cooling glycol and electrical power, routed together for easy maintenance. A finger-sized piece of broken steel ripped through the bundle, cutting power to multiple Almaz systems and splitting fluid lines that immediately began spraying liquid into the rapidly dropping pressure inside the spacecraft.

Almaz was fatally wounded, a robot whale, mortally stabbed by its own explosive harpoon.

The 15 bullets that the cannon had successfully fired formed more of a spray pattern than the engineers had expected. Twelve of them had sailed past Apollo and the spacewalkers, destined to eventually fall to Earth and vaporize in the upper atmosphere.

One round nicked the edge of Apollo's open hatch door, scoring the metal and carrying away a small piece of the rubber seal that the North American Aviation technicians had carefully fitted and glued in place around its circumference.

Another collided with Luke's oxygen and power umbilical adapter, which attached to his suit just below his chest. Traveling at 850 meters per second, it tumbled through the delicate pressure regulator, wires and valves, tearing them open.

The third bullet struck senior cosmonaut Andrei Mitkov as he was floating back to Almaz. The bullet caught his helmet as neatly as if it had been fired by a sniper, hitting him squarely above his visor, creating a punctuation mark between the middle letters of CCCP.

The 175-gram projectile, designed to penetrate metal, passed through the successive layers of fiberglass, flesh, bone and brain as if they weren't there. The exit hole out the back of Mitkov's helmet was only slightly larger than the entry hole. A small spray of gray and red followed the bullet, quickly spreading and vaporizing in the vacuum of space.

Mitkov's body spun backwards with the force of the impact, tumbling like a rag doll until it struck Almaz. His lifeless arms flew forward on impact as if giving the ship a final embrace. His ivory colored Yastreb suit deflated against his body as he slowly bounced clear, floating silently away towards the darkness.

The remaining cosmonaut, still clinging to *Pursuit*, watched in horror.

As the rapid darkness of the orbital sunset overtook it, Almaz slowly tumbled in space. The effect of firing the gun and trying to counteract it with the automated thrusters had been only a best guess by Chelomei's engineers. In reality, the forces had combined to add one last torquing moment to the ship as it died.

Inside the punctured hull, the pressure rapidly dropped to zero. Unlike the Apollo capsule, the main section of Almaz had never been intended to function in the vacuum of space. The spraying glycol from the severed coolant line had bubbled and evaporated as if it were boiling. The film canisters, with their hard-earned, precious first images carefully exposed and recorded on the wide celluloid filmstrips, had burst open. The temperature had dropped rapidly, and the ship's automated systems failed, one by one, as they vainly tried to keep critical systems warm on battery power.

A faint, thinning trail formed behind Almaz, where the venting atmosphere had spewed small fragments and liquid as the pressure had dropped. The hull's rotation had left a curved arc in the darkness. A keen observer might have been able to follow the track back to the slowly tumbling, lifeless body of the cosmonaut.

In Moscow, everyone was quiet at their consoles. Chelomei looked around, glowering. There'd been no time for confirmation that the cannon had fired, and the next communications ship was still 40 minutes away, over the South Pacific.

Questions tore at him. Had he made the right call? The Americans had been the aggressor! It had been *they* who had deliberately intercepted *his* ship, and they had put an astronaut outside carrying bolt cutters, irrefutable proof of destructive intent.

Chelomei clenched his jaw. All he'd done was react defensively, a course of action that had been cleared in advance. He'd been right to decide to arm Almaz. He'd known just what a valuable asset it was, and that it might come under attack. Events had now proven him correct.

He glanced at the timer on the front screen: 38 minutes until they could recontact Almaz and its crew. A little over half an hour to organize his thoughts, preparing for the inevitable avalanche of questions.

He began preparing his answers. The United States of America had attacked the Soviet Union in space. It was a purposeful, dangerous new escalation of the Cold War. Only *his* forethought had allowed them to be ready, and to respond. He nodded to himself. He was in the right and had acted as a soldier should.

Let them ask questions.

But first he had to talk to the crew to find out the result of his orders. Then everyone would be able to see how Almaz, how *he*, had helped change the course of Soviet history in space.

"What's going on?" Michael yelled. Almaz had spun faster than he could keep up and was now starting to roll. He'd pulsed his thrusters to keep clear, and was eyeing the countdown clock to the TLI burn that would take them towards the Moon.

"Bastards fired a gun at us!" Chad hissed, then choked as he suppressed another wave of nausea.

"They *what*?" Michael hurriedly rescanned his gauges. "I don't think they hit anything vital. All temps and pressures look normal." He rechecked the timer. "We have to get that hatch closed. Luke, are you in?"

"Almost," Chad grunted.

Michael focused on the small DSKY screen, double-checking the numbers as he maneuvered to the right orientation for the Trans-Lunar burn. Out of the corner of his eye, he saw Chad pull Luke into the center of the capsule and then reach past him to close the hatch.

"No time for cabin repress now, guys," Michael warned. "As soon as you get the hatch secured, hang on. We're almost at burn time. Chad, I need your eyes on the gauges with me."

Chad exhaled heavily as he worked to crank the hatch handle. "How soon do we get comms back?"

Michael awkwardly peeled his flight plan checklist off the Velcro, his glove still inflated against the vacuum in the cabin. "We'll pick up South Africa one minute into the burn. Unlikely they'll hear us, though."

Chad grunted an acknowledgment and eased himself across into the right-hand seat.

Michael's eyes flicked from instrument to instrument like a hawk watching potential prey. "Ignition in forty-five seconds. Attitude looks good, temps and pressures normal."

Chad was doing the same on the other side of the cockpit. "I see good attitude, 180, 312, 0," he said, sounding hoarse but much more in control. "I confirm a burn of 10,359.6 feet per second, duration 5:51." He paused. "Ullage settling."

"TIG in ten seconds." Michael glanced to his right. Luke was floating by the window, where he could see out. "Luke, hang tight," he called and locked his gaze back onto the gauges.

"Three, two, one, here we go!"

The single J-2 rocket engine burst back into life, to push them this time all the way up to escape velocity—fast enough to leave Earth orbit and coast to the Moon.

"Steer, baby, steer," Michael muttered. Pushed back into his seat, he could feel the guidance system adjusting the motor's exhaust direction, counteracting the fuel sloshing in the tanks.

"Tank pressures look good," Chad said. "No comms yet." Sunlight was flaring in the window as they approached sunset over the Central African coast.

Michael glanced back at Luke. "Good riddance to Almaz! Can you see it in the rear-view mirror?"

Luke, pressed by the acceleration into the rear wall of *Pursuit*, didn't answer.

"Luke, what went on out there? It sounded like a frickin' rodeo!"

Still no answer.

Both Chad and Michael twisted their suits to look at Luke. Michael reached to grab one of his feet and tried to pull him forward with one hand, against the push of the engines. "His suit feels soft!" he exclaimed in alarm.

Chad grabbed for his other foot, and they urgently pulled him forward. Michael spotted the bullet's damage. "His umbilical's wrecked!"

Luke's body turned, and Michael saw that his visor was clouded by condensation. He strained to see inside. "His eyes are closed."

"Shit!" Chad said, taking command at last. "The switches are on your side—start an emergency repress! I'll watch the burn."

Michael whipped to his left and moved the valves to let oxygen pour into the cabin. He watched the cabin pressure indicator, preparing to pop Luke's helmet off the moment it rose high enough.

The needle on the gauge stayed at zero. He tapped it rapidly, hoping the mechanism was stuck.

No response.

"Boss, I think we may have a cabin leak!"

The two men looked at each other across Luke's inert body, their thoughts racing.

"It's either the hatch didn't seat or a bullet hole," Chad said. "Hatch is quicker to check." He stared at Michael through the smears of vomit on his visor. "I'll keep watching the burn. You cycle and clear the hatch."

Michael unsnapped his harness and, fighting the force of the engine, closed the oxygen switches and reached behind him to the hatch handle, cranking fast to reopen it as quickly as he could. He watched as the mechanical rollers retracted, and pushed hard on the door as soon as they released. The darkness outside in contrast to the interior lights made it hard for him to see the rubber seal.

He rapidly traced the hatch edge and found the scored metal where the bullet had grazed it. He felt sick when he saw the torn rubber.

"Chad, looks like a small section of the door seal is missing! I'll grab the patch kit—I think it'll hold."

He had to move Luke out of the way to access the aft storage cupboard, cursing under his breath as he hunted for the right container. When he found it, he tore it open, pulling out the heavy plasticine-like block inside. Pivoting back up to the hatch, he rolled the sealant into place, making it extra thick where the rubber was missing and using his gloved thumb to smear it smooth along the metal. The patch kit container bounced free and floated through the hatch, out into the darkness. *Fuck!* He checked his work.

"Okay, Chad, I've got a good glob in there. Should do it. Closing the hatch now!"

Bracing with his other hand, he got a secure grip and pivoted the hatch towards himself, carefully keeping an eye on his makeshift repair to be sure it stayed in place.

As he had the hatch nearly closed, something blocked it. He pulled harder, then leaned back slightly to see the whole circumference, wondering what was in the way.

What Michael saw, he couldn't believe.

Pinched between the swinging hatch and the structure of *Pursuit* was a gloved hand.

Someone was trying to get in.

COSMONAUT

27

Pursuit, Trans-Lunar Burn

"How's it looking?" Gene Kranz's words were clipped with urgency.

Apollo 18 had just come into range of NASA's Deep Space Network satellite dish near Johannesburg, South Africa. The downlinked data was starting to appear on the Mission Control console screens, and Gene urgently wanted to know how the Trans-Lunar Injection engine firing was going.

"Burn's underway, FLIGHT." A pause as the Flight Dynamics console operator evaluated the rows of flashing numbers he was seeing. "Everything looks right on the money."

The Environmental Control officer spoke, mild surprise in his voice. "FLIGHT, EECOM here, they're still at vacuum."

Gene thought about it. Time had been tight, and the crew would have had no real need to deal with the distraction of repressurizing until after the burn.

"Copy, EECOM." He visualized what the crew was doing, double-checking. "Confirm the hatch shows closed?"

"Roger, FLIGHT."

So crew was inside, the ship was behaving itself, and they were on their way to the Moon. *Just need to get this damned comm snag fixed.*

"CAPCOM, let them know we're here, and that we see good numbers on the burn so far."

As CAPCOM keyed his mic to speak, the EECOM said, "FLIGHT, wait!"

Gene looked over the top of his console at the officer, who had turned so he could make direct eye contact. "The switches no longer show closed. The crew is opening the hatch during the TLI burn!"

Gene looked to his left. "SURGEON, you still getting Luke's data?"

JW shook his head. "FLIGHT, his signal seems intermittent. Not sure what to make of it."

Gene frowned. Biomedical sensors were notoriously unreliable, especially since the crew didn't like everyone knowing their heartbeat and often weren't too careful about attaching the electrodes. He looked at the front screen. There were still three minutes left in the burn, and that would take them almost to the end of the communications pass. Then they'd have a 23-minute gap until they could talk to them through Australia.

"CAPCOM, let's wait until there's forty-five seconds left in this comm pass to update the crew with what we're seeing."

Kaz, standing behind the CAPCOM, looked at Gene and nodded. Let the crew work the problem, but backstop them with the latest data from Mission Control before they went silent again.

"Listen up, all consoles," Gene said, pausing until conversation quieted. "Looks like we're headed to the Moon, but with bad comms and maybe a hatch problem. We still have Lunar Module extraction and S-IVB separation to get through before we'll have good two-way communication. We need to help the crew but stay out of their way until they get through this phase."

He paused and looked around at his team.

"I want a crisp update for them in twenty minutes. All systems abnormalities, and any changes to the flight plan." He turned to his left.

"And INCO, I want my comms back ASAP. We need to get this flight back to normal."

The glove was smooth and white, the rubberized fingers bulging with pressure as the cosmonaut held on against the accelerating spaceship.

"Chad! One of the cosmonauts is trying to get in!"

"What?" Chad pivoted his suit hard to see, pushing Luke's inert form out of his way. "Shit!"

He glanced back at the engine instruments. "We've got a minute left in the burn," he said, "and we've got to get air to Luke, fast. Bring the cosmonaut inside, and let's get the oxygen flowing ASAP!"

Michael pushed the hatch open and held out his gloved hand. The cosmonaut's other arm came arcing out of the darkness and grabbed it. Straining against the rocket's acceleration, he helped the cosmonaut inch into the cramped space. Michael yanked the Soviet suit's life-support backpack in last, trailing on its hoses, then squeezed up and around the cosmonaut's feet to check that his makeshift pressure seal repair was still in place. He pulled the hatch closed and lunged for the locking handle, rapidly cycling it, counting strokes.

As soon as it was locked, he pivoted and threw open the cabin repress switches to get some life-giving oxygen flowing. Sweating heavily, he reached down and pulled himself back into his seat.

Chad's voice cut in. "Three, two, one—burn's complete."

The sudden freedom of weightlessness was like coming inside out of a gale.

Michael kept his eyes glued to the cabin pressure gauge, which was rapidly climbing towards 5 psi. "Hatch seal's holding," he reported. As soon as it passed 3, he reached under the cosmonaut to get to Luke's helmet. Chad was already there, pulling at the neck latch. As the helmet came loose, Michael guided it up and off Luke's head.

Michael yanked off his right glove and jammed a finger up under Luke's jawline, feeling for a pulse.

Nothing.

He used his thumb to peel Luke's eyelid quickly back, but saw no response. He held his palm over Luke's nose and mouth. Nothing.

Unlatching and peeling off his own helmet, he grabbed Luke's jaw with his still-gloved left hand and pushed back on the top of his head with his right; sealing his lips over Luke's cold mouth, he blew hard into his lungs. He turned, hearing the rattle of the exhale, and then filled Luke's lungs again.

No response.

Bracing Luke with one hand, he slammed his other into Luke's chest, trying to shock the heart back into action. The thickness of the spacesuit absorbed much of the blow. Their suited bodies bounced off the panels in weightlessness.

"Help me!" he yelled to Chad.

The two of them took turns slamming their gloved fists into Luke's chest, as Michael repeatedly blew more oxygen into his lungs.

But Luke's skin didn't pink up and his eyelids didn't flutter. Saliva floated from his slack mouth in a sticky, weightless web.

Lunar Module Pilot Luke Hemming, Captain in the United States Marine Corps, veteran of three hours of spaceflight and one spacewalk, was dead.

Bumping against them in the confined space, the cosmonaut was moving, hands twisting to open glove locks, then reaching for the neck handle that released the white helmet, CCCP printed in large red letters across its front.

Michael gathered the floating gloves, then helped to guide the helmet clear.

The cosmonaut, who was wearing a tight brown leather headset underneath, unclipped the chinstrap and peeled it off. Longish brown hair floated free in the weightlessness.

Michael frowned. The thick hair, matted after the spacewalk, was cut square across the front, in bangs. He saw no trace of a beard or sideburns. The guarded brown eyes now looking challengingly into his were unmistakably feminine.

The cosmonaut was a woman.

"Spasiba," she said evenly, nodding slightly. "Senk you."

Chad pivoted up from the other side of the cabin. He'd taken his helmet off, and the sharp smell of vomit came with him. "A woman! Good Christ!" He gestured at the jammed cabin, loose articles floating everywhere, the extra crewmember overfilling the already cramped confines. "What are we gonna do with *her*? Shit!"

Michael tried to take stock. "Luke is dead, the TLI burn's complete so we're going to the Moon regardless, our comms are still bad, and now we have a female Commie stowaway!"

Who was watching them both warily.

"We gotta get comms back ASAP." Chad grabbed his flight plan. "Next pass is Australia in"—he checked the digital timer—"four minutes. Maybe we'll get lucky and they'll hear us this time."

Michael said, "I need to pull the Lunar Module out of the S-IVB. And we've got to figure out what to do with—her." He looked at the cosmonaut and spoke deliberately, indicating himself. "My name is Michael." He pointed to her. "What is your name?"

She held his gaze. "My nem, Svetlana." She turned and looked at Chad, expectant.

"I'm Chad." He pointed at her, frowning. "You just wait there." He opened both hands, palms towards her to signify that her whole body needed to stay put. "Michael and I have work to do."

She stared back. Chad gave her a long look. *Must be a tough chick to hang on outside during all that.* He turned to Michael.

"You get into the LM extraction checklist. Before I do anything else, I need to clean up my suit."

Michael looked at the two of them, and at Luke's inert body. "What a shitshow."

The technician at Honeysuckle Creek had been waiting for this moment. It was 2:20 a.m. on Tuesday 17 April. The temperature outside had gone down to just above freezing, an early taste of Australia's approaching winter. She'd turned the antenna system heaters on and set up the automated tracking, and now she double-checked her watch.

Apollo 18 was to be the very last of the Moon missions. She hadn't been lucky enough to work any of the previous flights, and was excited to be part of this one. Though she just had to throw a few switches and wouldn't actually talk with the astronauts, she didn't care. She held her Kodak Pocket Instamatic camera at arm's length to try to get her face and the operator's console in the picture, smiled proudly and pushed the shutter. The flash lit up the empty room. Her mum was going to be so excited to see that photograph.

Setting the small camera on the desk, she rechecked the digital timer and pressed the mic button on her headset cord.

"Houston NETWORK, this is Honeysuckle Creek, all set for the Apollo 18 pass."

The voice crackled back through her earphones.

"Roger, Honeysuckle, acquisition should be at 02:25:30 your time. Appreciate the late-night help."

The Australian technician was thrilled to know she was talking directly to Mission Control in Houston. She listened to the status report.

"FLIGHT, Honeysuckle's ready, should have signal on time."

"Copy, NETWORK, thanks."

A shiver went down the Australian technician's back. *That was Gene Kranz, the man who saved Apollo 13!*

She watched the oscilloscope on her left, waiting for the spike that would show a return from the Apollo craft as it appeared over the horizon. Exactly on time, the display jumped. She made sure her voice was calm, matching the tone from Houston.

"NETWORK, Honeysuckle, I see it on the scope now. You should have comms and data shortly."

A pause.

"Yep, thanks, we're seeing it now."

The CAPCOM's voice came into the Honeysuckle technician's headset, halfway around the world.

"Apollo 18, Houston, we're with you through Australia. How do you read?"

All she heard was a burst of random noise.

"18, Houston, we heard some static, but you're still unreadable. Should be fixed when you get rid of the S-IVB, and the high-gain antenna deploys. We're evaluating trajectory now, but you're looking good for LM extraction. If you copy, type all zeroes."

There was a pause.

"Okay, 18, we see that, thanks."

A frown creased the Honeysuckle technician's forehead. She'd been half listening to the earlier Houston conversation about a comm problem, but hadn't realized the crew couldn't talk to Earth.

"Holy dooley!" she muttered.

"18, Houston, the LM extraction maneuver start time will be 3 plus 55 plus 27, separation time 10 minutes later."

Michael glanced at the timer, double-clicked his mic button and sent all zeroes, to acknowledge. "Maneuver starts in 90 seconds, Chad."

Chad nodded, carefully wiping out his suit with biocide.

The demands of the task helped Michael focus; he needed to physically separate *Pursuit*, flip it around and mate it with the lunar lander, still housed inside the S-IVB rocket, and then extract the lander. It was a delicate sequence he'd practiced thousands of times, but never like this. He pantomimed his upcoming hand movements on the controls, deliberately ignoring Luke's feet floating next to him and the cosmonaut—Svetlana—occasionally bumping into his shoulder.

"Apollo 18, we see the S-IVB maneuver is complete. You have a GO for T&D."

Transposition and docking. Time to put all that training to work. Michael reached forward and pushed the Launch Vehicle Separation button.

Bang! The sound of pyrotechnics rang through the ship as long lengths of explosive cord cut the metal structure joining them to the rocket. Michael felt Sveltlana turning in alarm. "It's okay," he said, giving her a reassuring thumbs-up. *Do Russians even know what that means?*

Chad was watching through his overhead window. Bits of metal and cover panels were drifting slowly clear. "Looks like a clean separation."

"Okay, here we go." Michael tipped back on his joystick and *Pursuit* responded, smoothly turning through a half circle to align for docking. The curve of the world rotated into view as he worked to center the Lunar Module in his window. The ship that Luke had named *Bulldog*. He pushed the thought out of his head.

"Moving in now." He pushed forward on the other joystick, and *Pursuit*'s small thrusters fired in response, small pops of noise filling the cabin like someone was tapping on the hull with a hammer.

"18, Houston, as soon as you can we'd like you to deploy the high-gain. We expect that will resolve our comm problem."

Now that *Pursuit* was clear of the rocket, there was room to pivot out the large four-dish antenna.

"Roger, in work." Chad reached forward and threw the switches as Michael stared intently out his overhead window, maneuvering *Pursuit* closer to the docking target. Small pieces of debris and ice tumbled slowly across his view.

"Lots of small bits in the way, but *Bulldog* looks clean," Michael reported. The top of the Lunar Module protruded from the rocket body, harshly lit in the direct dawn sunlight.

No answer from Houston. Chad rechecked the antenna deploy indications.

"Switching the high-gain antenna to REACQ," he said, and flipped the switch down to force the antenna into reacquisition, making it search automatically for the radio signal from Earth.

"Almost there, Chad." Michael spoke intently, focused on hitting the target dead center. He stared unblinkingly out his window, making tiny adjustments with his hand controllers as *Bulldog* filled the field of view.

There was a metallic scraping sound, and they felt a small, sudden deceleration into their seat straps. Luke and Svetlana's suited forms bumped forward in the cockpit.

"Capture, Houston!" Michael reported with satisfaction.

Three small latches on the tip of *Pursuit*'s docking probe slid into place and clicked inside *Bulldog*'s docking mechanism, the indicators on the panel going from barber pole to gray. The two ships were mechanically attached.

Michael exhaled in quiet relief. He threw the switch to retract the docking probe, to pull in and solidly lock the ships together. They could hear the low grinding of gears. All that remained was to release *Bulldog* from the rocket body, and for Michael to back away and slide it out. Houston could then fire the thrusters on the rocket and move it safely clear.

"Apollo 18, we show a successful docking. Nicely done. Please give us a voice check." No hint in the CAPCOM's tone that this voice check was critical.

Chad glanced quickly at Michael, took a deep breath and pressed his comm trigger. "Houston, Apollo 18, how do you hear?"

The relief in the CAPCOM's voice was palpable in their headsets. "We have you loud and clear now, 18! How us?"

"Loud and clear also, Houston. Glad to be talking with you again." Chad paused, his voice going flat. "As soon as we can, I need to talk privately with the Director of Flight Ops."

He glanced at Luke's body, and at the cosmonaut.

"We've got some major issues to discuss."

28

Mission Control, Houston

Kaz pushed the button marked Speaker on the beige telephone on the desk in the Director of Flight Operations observation room. He heard the buzz of the dial tone, and then tapped in the Washington number. He glanced up through the window at the operators at their consoles, and then around at the other men in the room.

The faces were tense. Deke Slayton, a Mercury astronaut and the Flight Ops Director, was seated behind the desk, visibly pained and angry at the loss of another astronaut. Al Shepard was standing, staring at the large screen at the front of Mission Control. The Manned Spacecraft Center Director, Chris Kraft, stood next to him, a sheen of sweat on his broad forehead from the sprint he'd made from his office in the headquarters building.

They heard the phone ringing, and a female voice answered.

"National Security Agency, General Phillips's office."

"Hi, Jan, Kaz here in Houston, we need to talk to the General right now if possible."

"He's in a meeting. Just hold on a minute while I get him."

The voice of the CAPCOM talking with the Apollo crew came tinnily through a metal speaker on Deke's desk. They were working on opening the hatch between *Pursuit* and *Bulldog*, following the mission timeline as they awaited further instruction.

A sharp click from the speakerphone. "Kaz, Sam Phillips here. What's up?"

Kaz took a breath, quickly clarified who was in the room with him and then summarized the wild sequence of events that had just transpired in orbit.

Phillips had been the director of the Apollo program during several fatal astronaut plane crashes and the fire that had killed the Apollo 1 crew. He understood what Luke's death meant to these men.

"Deke, Al, Chris, I am so very sorry to hear this." They heard him exhale angrily through his nose. "Our intelligence let us down, badly. No one thought Almaz was manned, nor did we know it was armed. As NSA Director the failure is mine, and I am responsible for Captain Hemming's death. My deepest condolences."

Brief silence as Phillips thought further.

"We need to maintain the complete news blackout until we decide our path. I'll call the Joint Chiefs chairman now, and he's going to want an immediate briefing to the National Security Council and the President."

Al Shepard spoke. "Sam, we're working on what to do with Luke's body, and how the crew should deal with the cosmonaut. The only good news is that our spaceships are healthy, and we've got some time to regroup during the three days' coast to the Moon." He paused, glancing at Kraft and Slayton. "But we need a whole new plan for what to do when we get there."

"Yep, I hear you, Al. This will put way more fingers in the pie than anyone wanted. If you don't mind, I'm gonna need Kaz to keep us up to date and to be the one who passes sensitive direction up to the crew."

Al and Deke nodded. That made sense to them.

"Kaz, I'll need you back on the phone in a bit, to give an update at the Security Council meeting with the President."

"Understood, General. Meanwhile, I have a suggestion for what you might discuss with the Joint Chiefs."

This was why Phillips had recruited him. "Go ahead," he said.

"We badly need damage control with the Russians. For now, outside of Mission Control here, no one knows what's happened. Not even the Soviets, I'd guess, who must still be in the dark about what actually occurred, and specifically about the status of their two cosmonauts. We need to move fast to update them that one of their crew is alive, and to offer them a nuanced apology for the nightmare that happened at Almaz that offers them a potential benefit. Give them an option that they can take uphill to Brezhnev, along with the bad news."

He paused.

"We have a healthy orbiter and lander, three people alive on their way to the Moon, and the cosmonaut's and Luke's spacesuits—the crew confirmed that only the umbilical got damaged and his suit's okay. Michael Esdale can fly *Pursuit* around the Moon as planned, and Chad Miller is fully trained to fly *Bulldog* down to the surface."

Kaz made eye contact with the three men in the small room with him.

"The cosmonaut should fly in *Bulldog* with Chad, while Michael orbits in *Pursuit*. We can help the Soviets put the world's first woman on the Moon."

Time to get out of my suit, Svetlana decided.

The two astronauts had already doffed theirs, and had opened the forward hatch of their capsule. The thickset white one—*Tschad, he said he was called, and he acts like the commander*—had gone through into the connecting tunnel. The other, the Black one—*Mikhail*—was reading from a checklist and watching pressure gauges.

The third astronaut, suited with his helmet back on and strapped into the chair next to her, was dead, like Andrei was. She felt a surge of anger, but shook her head. "Pazhivyom, oovidim," she muttered. *I'm still alive, so let's see what's next.*

She unplugged the two hoses to her life-support backpack and wedged it and her helmet, gloves and comm cap behind the headrest of the Black astronaut's seat, against the underlying structure. He ignored her, focusing on activating the Lunar Module.

She was careful with her actions; on Chelomei's instructions, she and Andrei had brought weapons outside to defend the Almaz. She double-checked that hers was still safely concealed in her leg pocket. *Best keep that a secret for now.*

The Yastreb spacesuit was flexible, with an outer thermal coverall and a double inner rubber pressure liner. She slid down the long zipper, peeled back the Velcro flap and started unlacing, like undoing figure skates.

With the long laces floating free, she reached in near her belly and pulled out a rubber stub neck, held tightly closed with double-wrapped elastics. She released and unwound them, and then opened the neck, shaking it loose like the end of a large balloon. She worked her arms out of the sleeves, bent hard forward while prying the neck ring over her head, and emerged through the central opening. It reminded her of self-birth every time she did it. She pushed the upper half down around her hips and slid her legs out, turning and floating free.

She was now wearing only her byelyo—long white cotton underwear—and socks. She thought for a minute, then peeled the thermal coverall off the suit and put it on. *That feels better.* She rolled the inner pressure suit tightly so that the weapon was in the middle and tucked it beside her helmet.

Svetlana had been in space for two weeks, and had become adept in weightlessness. She pivoted smoothly, found a handhold on a support strut and floated silently next to Michael while she rolled up the cuffs on her oversized coveralls.

Michael glanced at her. "All okay?"

She nodded. "Da, okay."

——

Michael called down the tunnel to the Lunar Module. "How's it going, Chad?"

"All the latches look right, Michael. I think we're good to jettison the S-IVB."

Michael pushed the transmit button. "Houston, 18, we show good for separation."

"Roger, 18, concur, you are GO for Pyro Arm and extraction."

There was definite comfort in the familiar technical jargon and practiced actions. Michael set the switches to power the four explosive charges that would sever connection to the rocket body and push the *Bulldog* Lunar Module clear.

"Ready, Chad?"

"All set."

With Svetlana watching beside him, Michael leaned forward, flipped up the protective cover and raised the S-IVB SEP switch. There was a solid thumping sound, and they floated forward against the slight acceleration as springs and small thrusters pushed *Bulldog* free of its launch rocket. Michael stared up through his overhead window as the ships silently floated apart.

"There she goes, Houston, looks like a clean separation."

"Roger, Michael, good news. In a couple minutes we'll maneuver it clear of you."

Michael glanced at the cosmonaut and gave a quick nod, raising a thumb. She stared at him, unblinking.

I wonder if she's ever seen a Black man before.

With what sounded like forced nonchalance, the CAPCOM said, "Apollo 18, if now's a good time, the Flight Director would like to talk with you."

Chad poked his head out of the connecting tunnel to *Bulldog* and nodded at Michael to respond.

"Roger, Houston, we're listening." Michael realized that Svetlana didn't have a headset on. *Probably for the best. Who knows if she actually speaks English?*

Gene Kranz's familiar voice came into their headsets.

"Chad, Michael, I'm on a discreet comm loop, so we have some privacy. First of all, nice work on the TLI burn and S-IVB sep. Despite everything that's happened, you're on your way to the Moon.

"It's a terrible thing that we lost Luke, and my heart goes out to you both. No one here suspected there was a crew on Almaz, and we sure didn't know the ship was armed. Your reactions were a credit to the military services, and Luke will be forever honored by the Marine Corps as their first ever combat fatality in space.

"Take any time you need to deal with it, but when you're ready, we have a few things."

Chad spoke. "Gene, we appreciate it." He looked at Michael, who shrugged. Death wasn't welcome, but it wasn't new to either man. "We're both okay with doing what needs to be done."

"Okay, thanks. As you can imagine, Washington is about to get involved, and we still have to decide what we're going to do when we get to the Moon—orbit and land, or just slingshot around and come straight back home. Those are going to be tough decisions, and Al, Deke and Kaz are working it on your behalf right now."

Chad and Michael nodded.

Gene continued. "For now, we need to decide what to do with Luke's body. The team is looking at options, but we recommend he stay sealed up in his suit for now." The message was clear: Luke's decomposing body would overwhelm the spaceship's air purifiers.

"We understand, Gene, thanks. His suit looks like it's airtight," Chad said. "I recommend we stay on the lunar orbit and landing trajectory for now, stick with the timeline. Keeps options open."

Michael glanced at him. *No way would Chad want to lose the moonwalk*.

"Agreed." Gene paused. "Is the cosmonaut listening? Does she speak English?"

"She's not on a headset, and it seems like she only knows a few words," Michael said.

Gene nodded. "For now I recommend you just treat her like a new crewmember, show her the critical safety and ops items, keep her out of trouble."

Svetlana noticed them both looking at her, and looked questioningly back.

"Makes sense, Gene," Chad said. "We'll let you know how it's going."

"Good. We're going to stay under total media blackout until told otherwise." The implied message: there was no need to limit what they said on the radio. "You two have any questions?"

Chad looked at Michael, who shook his head.

"Nope, thanks for the update."

CAPCOM spoke. "18, we're back with you, if you can pick up in 3-9 of the Flight Plan. We'd like the LM/CM Delta-P, and for you to get the cabin fan filter back on."

"Roger, Houston, in work." Michael flipped the page of the checklist and glanced at the cosmonaut. She calmly watched him, then turned to look at Chad. Michael saw her frown.

Looking over at Chad, Michael saw a faint smile on his commander's face. *What was that about?*

The phone rang on the flight director's console in Moscow. He picked it up and listened intently, making notes in his green daily logbook. He interrupted a couple of times to verify details, and then slowly set the phone down.

He turned to face Chelomei.

"Comrade Director, as you know, our ground stations have been listening for transmissions from the Apollo capsule."

Chelomei's stare burned into him. Ever since they'd sent the command to fire the gun on Almaz, they'd had no comms. It had been more than one full orbit, and neither of the relay ships had been able to get even basic telemetry data from the orbiting station. More ominously, there had been no word from the Almaz crew.

"Khvatit!" Chelomei spat. "Out with it!"

"It seems the Americans also had a comm problem, and recently got it fixed. Our interpreters are now hearing the Apollo crew clearly." He took a deep breath and then spoke in a rush. "The battle at Almaz killed one astronaut and one cosmonaut, and appears to have very badly damaged our ship. They referred to"—he checked his notes—"a 'trail of debris.'"

Chelomei's lips went thin.

"The Apollo Command Module was damaged but has been repaired, and they have fired their engine to leave Earth orbit for the Moon. They have extracted their lunar lander from the rocket body, as per normal. Somehow, after our crew's defense of Almaz, one cosmonaut was still clinging to the American ship as it turned for the Moon, and has since gotten inside."

He straightened in his chair. "Captain Andrei Mitkov is dead, Comrade, killed in battle. His body has floated free. Senior Lieutenant Svetlana Gromova is the one who is aboard the Apollo ship."

Chelomei wanted to scream. *Almaz a trail of debris. And Mitkov killed? The Americans did this!* He glared past the flight director, his thoughts reeling.

He took a lung-filling breath, held it and then forcefully exhaled, pushing it all out, clearing his mind. He pictured what was going to happen, assembling the logic. Since the Americans had not stayed in Earth orbit, they must still be intending to land on the Moon. And with only two astronauts, one would have to be in the lander, the other in the orbiting capsule.

So where would Gromova be?

What would I decide if I were the Americans? He nodded slightly. Having Gromova on the surface as an extra set of hands would be safer than a moonwalker being there solo. He thought through it again, weighing benefits, and reached the same conclusion. The Americans had to be thinking the same thing.

A *Soviet on the Moon. From disaster, potential triumph!*

But they were at the Americans' mercy. They couldn't even talk with Gromova unless NASA let them. Chelomei pictured the assets at his disposal, and what might be possible. He started a mental list of what was needed and who could provide it. He glanced at his watch and realized it was still evening. He grabbed the flight director console's phone and began making calls.

29

The White House

Bob Haldeman stood impatiently at the corner of the long, highly polished mahogany table in the West Wing of the White House. The hastily called National Security Council meeting was starting late. As President Nixon's fiercely loyal Chief of Staff, Haldeman was an unyielding taskmaster, and the delay made the veins in his forehead bulge below his tight crew cut.

Sam Phillips had arrived from his NSA office across town, and the Joint Chiefs Chairman and the Secretary of State were already at the table. Henry Kissinger, the head of the Council, had just taken his corner seat. CIA Chief James Schlesinger was still standing, pipe in hand, talking with Nixon. Haldeman placed a speakerphone in front of Nixon's chair to tie in to Houston and said, "Gentlemen, let's get seated, please."

Nixon looked at Haldeman, who nodded, and then walked around to sit midway up the side of the table, his chair bracketed by US and Presidential flags. He glanced at the phone on the table next to his cigar ashtray, and turned to Kissinger to begin.

"Mr. President, we have . . . a very tense situation . . . that has developed in space." Kissinger spoke like he was dictating a letter, in German-accented chunks. His gravelly voice was serious, his face impassive behind heavy-rimmed glasses.

"I will let Sam Phillips summarize what has occurred. But what we need to decide today is how to advise the Soviets, and how to turn this to our advantage."

Sam Phillips let that sink in before he spoke, and then he chronologically reviewed the events that had occurred that morning in space. As they listened, the faces of the men around the table darkened.

"The bastards!" muttered Schlesinger.

Sam continued. "I spoke with NORAD, and they're tracking multiple objects near the Almaz Space Station, confirming some sort of breakup. They estimate the lighter pieces will decay and burn up fairly quickly, and the main ship will re-enter Earth's atmosphere in about six weeks. A few dense pieces will likely make it to the surface, but the odds are they'll land in an ocean somewhere."

He made eye contact with Nixon. "Mr. President, if you concur, I'd like to get our rep in Mission Control on the line."

Nixon frowned. He hated ad hoc meetings and surprises. Haldeman and Kissinger prepared detailed daily written briefings for him, which he found much easier to deal with. But this was an unforeseen, serious event that required immediate action.

"Go ahead."

Haldeman walked around the table, reached carefully past the president and pushed the blinking button on the phone. Light static came through the speaker.

Sam Phillips said, "Kaz, I'm here with the President and National Security Council members. Can you hear us?"

"Yes, sir, loud and clear."

"I've summarized what you and I spoke about, but what we need is the latest info and recommendations from there at NASA." As he talked,

Phillips made eye contact with James Fletcher, the NASA Administrator, seated across from him.

Kaz was sitting in the Director of Flight Ops room, looking through the glass at Mission Control. *Christ, I'm talking to the President!* His heart raced, but he kept his voice calm, matching Sam's tone.

"Mr. President, this is Lieutenant Commander Kazimieras Zemeckis, MOL astronaut and military liaison to Apollo 18. As General Phillips has probably told you, both the Command Module and the Lunar Lander are healthy, and they're on their way to the Moon, arriving in orbit there in"—he glanced at the timer on the front screen—"sixty-nine hours. A little under three days.

"The crew is asking for direction on a few key issues, and NASA needs to decide a couple things soon, all at your direction, sir."

In preparing for the call, he'd tried to visualize the group he was talking to, and their concerns. "The main question is, do we land on the Moon or not? The military purpose of the landing is still strong—to determine what the Soviets have found there with their unmanned Lunokhod rover. It could have key tactical and scientific importance for America."

Nixon glanced at General Moorer, the Joint Chiefs Chairman, who nodded as Kaz continued.

"With the death of Captain Hemming, we lost the Lunar Module pilot, but Commander Miller can fly the LM to the surface and do a moonwalk solo, if needed. Lieutenant Esdale would operate the Command Module in orbit, as planned. The wild card is what to do with the cosmonaut. She apparently has no English, but the crew's been using sign language."

Kaz paused, thinking that was enough for the moment.

The men around the table were all looking in different directions, visualizing options. The CIA chief took his unlit pipe out of his mouth. "Lieutenant Commander Zemeckis, this is Jim Schlesinger. I want to hear *your* recommendation."

This is unreal, Kaz thought. *I'm just a frickin' pilot!* He took a breath.

"Sir, I think we should land and the cosmonaut should go to the surface too. We can store Captain Hemming's corpse in the cosmonaut's spacesuit like a body bag. The crew tells me she's about the same size as Luke, so she can wear his suit. She'd be more useful in the LM than orbiting with Lieutenant Esdale." He decided to be frank. "She's an unknown and a threat to the mission, whether we land or not, but this way we stick to the plan as closely as possible, and have the best chance to accomplish our key objectives."

Phillips turned to the President. "Sir, Kaz also pointed out to me that this would give us leverage to deal with the Russians. Trade their silence on what really happened at Almaz for a chance to have public American-Soviet cooperation."

Kissinger slowly nodded, then haltingly spoke. "We have been planning your summit with Brezhnev in June on preventing nuclear war. This would give us a good advantage."

Haldeman, the most political of Nixon's trusted men, looked the President in the eye and chose his words carefully. "With you having signed Title IX against sex discrimination, and the Supreme Court's Roe v. Wade decision, the women's libbers would *love* you for being the president that put a woman on the Moon." In front of this group, he didn't mention the recent worrisome developments in the Watergate investigation, but both he and Nixon recognized the looming need for increased popular support.

Kissinger's deep, reasoned voice cut in again. "I can call Dobrynin now to set up an urgent briefing with Brezhnev." Anatoly Dobrynin had been the Soviet ambassador in Washington for over a decade, and he and Kissinger met often.

Nixon looked around the room, waiting to see if anyone had anything else to add, probing his own thoughts. This was a lousy situation, but if they played it right, he might gain the kind of support he'd once felt when he congratulated Armstrong and Aldrin, live on national TV, as they stood on the Moon. They could spin the astronaut's death as something that had happened while rescuing a failing Russian spaceship; the man would be seen as a hero. They could use the fact that the Soviets had opened fire with Almaz, killing an astronaut who was merely taking pictures, as a key negotiating tool with the Politburo. And the world would know that the Russians couldn't walk on the Moon without America's help.

Win-win. He looked around to see all the men waiting for him to speak.

"Guys, let's not screw this up. We need to control the information carefully, and get Russian buy-in ASAP. I want NASA to minimize our risk by keeping the mission as short as possible to meet the military needs. But let's do it. Let's land Apollo 18, with a cosmonaut aboard, on the Moon."

That was nuts, Kaz thought, gathering his papers to walk back into Mission Control. Yawning and shaking his head to clear the exhaustion and adrenaline, he stopped to fill his coffee cup from the communal pot in the hallway, thinking about what steps this course of action required.

The crew needs an interpreter.

He climbed the steps to the Flight Director level, and walked over to Gene Kranz, catching the eye of Al Shepard behind the Flight Ops console. Kaz filled them both in on Nixon's approval. When he mentioned the interpreter, Gene said, smiling, "I'm a step ahead of you."

He raised his chin to point at the CAPCOM console, where a woman with long blond hair was standing, looking awkward. "That's Galena Northcutt. She works in the Mission Planning back room, has a math background and spoke Russian at home growing up. I've asked her to fill in until we can get someone here from the State Department."

The CAPCOM got Galena seated and showed her how to communicate with the crew. Kaz stepped around Gene's console and down one level to stand behind her. He retrieved his headset and plugged in to listen to Gene's updated briefing to the room

"Gentlemen. And ladies." Gene glanced at Galena, the only woman there. "We've just received approval from the highest level to proceed as planned with Apollo 18. We still need to confirm with the Soviets, but the current intent is to have the cosmonaut on board"—he checked his papers for the name—"Svetlana Gromova, ride in place of Luke Hemming. I need TELMU to work suit-check and sizing, and Ops and Procedures to start revising checklists for the Commander to fly the LM without the usual help and to minimize total mission time."

TELMU was the console in charge of the spacewalking suit while on the lunar surface. The technicians nodded their heads at the Flight Director's instruction.

Gene continued. "We're fortunate to have a Russian speaker already on staff, to help CAPCOM and the crew communicate."

Galena looked around uncomfortably and waved.

"We'll gen up more translation help shortly, and the plan is undoubtedly going to shift as the Russians get involved."

He turned and looked at JW. "SURGEON, I need you to sort out a plan for Captain Hemming's body using the cosmonaut's spacesuit."

JW nodded. He'd already been looking up flesh decay rates and off-gassing concerns in a confined living area.

"That is all for now, people. Let's rethink our assumptions, given these new circumstances, and revise the plan to get the crew what they need and Apollo 18 safely to the surface of the Moon and back. CAPCOM, let's get the crew working the timeline, and offer up Miss Northcutt to help them talk to each other. Let's have Kaz talk to the crew directly on this, as he has the latest details."

The CAPCOM nodded.

"You ready?" Kaz asked Galena. Her eyes were wide, but she nodded.

Kaz pushed the transmit button. "Apollo 18, Houston, how do you hear?"

Chad's voice came back through Kaz's headset. "Loud and clear, Houston."

"18, we'd like you to keep working the timeline, but meanwhile we have someone here to translate for you. My suggestion is to get the cosmonaut on a headset, and then we can act as relay for your conversation."

"Copy, Houston, in work."

Svetlana was floating next to Michael, watching with interest as he aligned the ship and methodically recorded the star angles into the computer. It intrigued her how similar it was to the system they had on Almaz. She felt the commander tug on her sleeve.

"Put this on," he said, holding out a headset on a long white cord. She held his gaze as she took it and slipped it into place over her ear, swinging the mic boom in front of her mouth. She frowned, wondering who she would be talking to.

"Houston, the cosmonaut has a headset on and should be able to hear you now." As he spoke, Chad showed her the volume thumbwheel on the cockpit side panel. She nodded and lowered it slightly.

Kaz looked at Galena. "Just repeat what I say in Russian, okay?" She nodded, moving her thumb on the unfamiliar transmit button.

"Svetlana, this is Mission Control Houston. How do you hear me?"

Galena repeated what he'd said in Russian. "Privyet Svetlana, zdyess tsenter upravlenia polyotami ve Houstonyeh. Kak nas slooshetyeh?"

Warily, Svetlana responded, and Galena translated for the room.

"She said, 'Houston, this is Senior Lieutenant Svetlana Gromova, I hear you.'"

Kaz nodded, and continued. "Tell her your name and that you're a NASA flight controller who speaks Russian. You're here to help interpret for her with the Apollo crew and with us in Mission Control. Also tell her we're contacting her team in Moscow to enable them to talk with her as soon as possible."

Galena blinked up at him. The CAPCOM slid a piece of paper and a pen in front of her, and she scribbled the key points and then broadcast it to Svetlana.

There was a pause, and then Svetlana spoke rapidly, Galena taking notes and translating.

"She'd like to know what happened to her crewmate, and to her ship. She also wants to know what's going to happen now."

Kaz looked at Gene, and at Al Shepard. Both men shrugged, as if to say "Tell her the truth." He pushed the transmit button.

"Apollo 18, for simplicity, let's just communicate like usual and allow time for Galena here to translate as we go, sentence by sentence." He paused while Galena interpreted.

"Senior Lieutenant Gromova, this is Lieutenant Commander Kaz Zemeckis. I am sorry to have to tell you that your crewmate has died, and that your spaceship was fatally damaged. We are glad you have survived and are safely aboard Apollo. The mission is continuing to the Moon, as planned, for now. We'll get you more details soon."

Galena translated. There was a pause, then he heard Svetlana quietly say, "Spasiba."

"Thank you," Galena translated.

Gene leaned back to Al's console, shaking his head. Both of them had flown jets in the Cold War and Korea, with Communists as their sworn enemy. Gene muttered, "I never thought I'd see the day."

30

Mission Control, Houston

JW took off his headset and walked up to talk directly with the Flight Director.

Gene gave him his full attention; SURGEON didn't come talk to him often. He beckoned to Kaz and Al Shepard to join them.

"I've been looking at postmortem decay rates," JW said. "Captain Hemming's body will currently be in autolysis, or self-digestion, as his membranes and cells break down. The gas from the bacteria and decay, especially in his gut, is going to get rapidly worse. His body could bloat to double its size, and the gas will vent through his anus and esophagus. The odors of putrefaction will be extremely unpleasant." JW was matter-of-fact, but Kaz felt himself trying not to think that this was Luke he was talking about.

JW continued. "The body will also be stiffening soon, with rigor mortis starting in the neck and torso. That will last about twenty-four hours. The limbs and joints will be too rigid to transfer into the other suit within an hour or two. Oh, and the bowels will have evacuated, so there will be urine and probably feces for the crew to deal with."

Gene raised a palm, signaling JW to stop. *Doctors*. "Sounds like the timeline is critical. What do you recommend?"

"We need to get Luke's body transferred into the cosmonaut's suit and sealed up ASAP. Then they need to store it someplace, hopefully cool, to slow bacterial activity. Maybe even vent it to vacuum, if possible, to kill the bugs."

"Maybe a burial at sea?" Al Shepard suggested. "It would be honorable that Luke's resting place was the surface of the Moon. Pretty sure *Bulldog* has enough weight margin for his body. And keeping him in *Pursuit* all the way back to Earth would add a bunch of risk—atmosphere contamination and re-entry weight and balance."

Gene nodded. He thanked the doctor, then stood squarely in front of his console and addressed the room. "Folks, we need to have the crew transfer Captain Hemming's body into the cosmonaut's pressure suit before they go to sleep for the night. It's already been a long day, I know, but once rigor mortis sets in, it will be too difficult. CAPCOM, please advise the crew, with translation."

Kaz stepped back down to his console and checked that Galena was ready. He spoke: "*Pursuit*, Houston, when you have a minute." Code for *This is important*.

Michael's ears perked up, and he caught Chad's eye. "Go ahead, Houston, *Pursuit*'s listening."

Kaz described the plan, and the reasons behind it. He had Galena translate the key details, especially the planned use of the cosmonaut's spacesuit.

Svetlana's head whipped around at that, looking at her stowed suit.

"*Pursuit* copies all, thanks." Michael said, his voice somber.

Svetlana floated abruptly in front of him, frowning. She waved a finger and shook her head, saying something forcefully in Russian. The only word Michael recognized was "nyet."

Galena listened to the rapid-fire, agitated voice, and translated for all in Mission Control to hear. "The cosmonaut says she can't allow her suit to be used by anyone but her. It's custom-sized, and she'll need it for re-entry and landing. She's demanding to talk to senior management in Moscow, or she won't authorize it."

The room was briefly silent as they digested this.

Gene Kranz shook his head. "Galena, tell her that we're working on getting a link with Moscow as fast as we can, but that she is a guest on an American vessel, and operational needs outweigh her concerns. Tell her we'll have a pressure suit to protect her for re-entry. And repeat what you say in English too, so the crew knows."

Galena read up Gene's words, and Chad replied immediately. "Houston, this puts us in an ugly situation here. She's mad, and blocking us from getting at her suit. I may have to force her out of the way while Michael grabs it."

Kaz raised his hand to get Gene's attention, and got a nod.

"Chad, Kaz here. It's going to take a while for you two to get Luke out of his suit. I recommend you start on that now, and hopefully we'll hear from Moscow while you're in process. Also, she'll likely get distracted at some point, and you can just grab it." He shrugged, as Gene raised a thumb.

"Copy, Houston, concur. We'll start now."

In Moscow Mission Control, known by its Russian acronym, "TsUP," the communication technician was listening to the American chatter coming back from the Apollo ship. "She's asking them to let her talk to us, Comrade Director. Something about not allowing them to use her Yastreb suit." The tech looked puzzled, trying to piece together the one-sided conversation, unable to hear the transmissions up from Houston.

Chelomei stared at him, thinking. *Her suit? Why would they want her suit? Was something wrong with theirs?*

He blew out sharply through his nose. *Damn, I need to talk to her!* He glanced at his watch. Nearly midnight. Another night sleeping on the cot in his office.

He stood, curtly telling the flight director, "I'll be back in the morning. Send someone to fetch me immediately if you hear any other developments." He turned on his heel without waiting for an answer and strode out of TsUP, his steps echoing loudly down the tiled hallway.

He needed to accelerate diplomacy at the highest level. As soon as Moscow woke back up, he'd call his contacts in the Kremlin.

Michael was undoing the umbilical hoses from Luke's suit. "Look here," he said, pointing. Chad leaned in, and saw the ragged metal where the bullet had split the oxygen feed line and regulator.

"That's what killed him." Chad scowled at the cosmonaut, who was glaring back at him as she hung on firmly to the crew headrest, covering her rolled-up spacesuit.

"Look at that Russian bear, showing her lack of gratitude," Chad said disgustedly. "All we did was save her life after they fired on us, and killed Luke here."

Michael had undone Luke's gloves and was pulling them off the lifeless fingers. The pale skin was already starting to blotch with death.

"Help me with the helmet," Michael said as he pinched and released the latch on the neck ring. The two of them guided it clear of Luke's head, the glass of the visor still fogged.

As the helmet came away, Luke's sightless eyes appeared, wide open and bloodshot. Chad looked away, muttering "Christ!"

Michael reached in and closed Luke's eyelids. "Sorry, buddy," he said. He turned the body over, peeled back the Velcro and snaps, and unzipped the suit's long pressure seal.

He reached an arm inside around Luke's body, bending him at the waist, and started prying the upper half of the suit off his shoulders. As he forced the neck ring over the back of Luke's head, the arms slid out of the sleeves and the upper torso popped free, loosely waving in weightlessness like a released jack-in-the-box, banging into structures, filling the confined space.

"Geez, Luke, you're scaring me!" Michael forced the joke to try to settle his own nerves. Svetlana had jammed herself into the far corner, as far clear as possible, now holding her spacesuit tightly rolled under her arm.

Chad grabbed Luke's boots and tugged, moving down the tunnel towards the LM. Michael disconnected the inner plumbing and electrical leads to Luke's body, and then helped work his legs clear.

The cockpit had become a jumble of floating bodies and gear. "I'll stow the suit in the LM," Chad decided, gathering the helmet and gloves and moving down the tunnel.

Michael began removing Luke's liquid-cooled long underwear, feeling like he should apologize to his friend. *This feels too personal.* He pulled down the long front zipper and peeled the stiff, tube-filled fabric away, relieved to see that Luke's low-fiber prelaunch diet had meant he hadn't shat himself. The underwear was damp with urine, but that would dry before the cosmonaut had to put it on. *Tolerable.*

"What are you doing?" Chad had reappeared and was looking past Michael at the cosmonaut. She had partially unrolled her suit and, smiling uncertainly, held it out.

Chad frowned. "Had a change of heart, did you?"

"Maybe she understands better now that we've got Luke out of his suit," Michael said.

"Yeah, maybe." Chad reached his hand out, beckoning, and she released her suit, floating it to him. He looked at her body and then at Luke's. "Let's hope this fits."

They unrolled the suit, flipping it around, inspecting the design differences. "Looks like the Russians enter from the front, through this balloon opening," Michael said. He raised his eyebrows at Svetlana, and she nodded. They fed Luke's legs inside, working them down into place, and then pulled the suit over his arms. Chad had to pry hard to get the helmet ring over Luke's head, as the body was stiffening, but with yanking and pushing, he made it work.

Svetlana held out her helmet. Chad took it and guided it over Luke's head, nestling it into its seal. There was an obvious over-center latch sticking out the side, and he lifted and clicked it into place, tugging and twisting on the helmet to check it was secure.

He looked up at her. "Gloves?" He flexed his fingers to demonstrate. She retrieved them from under the seat, and he slid them onto Luke's limp hands and locked the mechanism.

Michael had been trying to figure out how the air seal at the front of the suit worked. "I see that we need to pinch this internal body balloon closed, but what holds it?"

"Vapross?" Svetlana asked.

"Yeah, how do you Russians do this?"

She floated across and quickly gathered the loose rubber into successive folds with one hand, squeezing excess air from the suit with the other. Two rubber ties floated free, and with practiced motions she tightly wound them around the folds, tucking the bulbous end of each tie into a matching eyelet. She tucked the double-sealed balloon end inside the fabric of the suit, next to Luke's body.

Michael nodded, impressed. "Simple design." He pulled the outer fabric covering closed and began crisscrossing the laces tightly all the way up the torso.

Chad was looking at the umbilical connections, poking with his finger. "Let's hope these one-way valves keep Luke airtight."

Svetlana had chosen her moment. While the commander had been down the tunnel and Mikhail had his back turned, she'd grabbed the weapon from her bundled suit and tucked it flush against the backpack. She'd strapped it into place, muffled inside the thermal insulation cloth to avoid the clink of metal on metal. As she replaced the pack under the seat, she double-checked that the weapon was concealed.

Lucha sinitsa ve rookak chem zhuravel ve nyeba. She wasn't sure what was going to happen, but a bird in hand was definitely better than one in the sky.

She assumed they were lying to her about talking to someone in Moscow. If that happened, fine, but why would they allow it? Capitalist

Americans, with a cosmonaut as a captive prize on their ship? They were going to make a spectacle of her, exploit the opportunity and use her as a bargaining chip. Better to be ready.

Better to be armed.

Michael guided Luke's body up the tunnel to stow it in the LM, and in the sudden lull, Chad noticed he was hungry. And thirsty. The nausea had passed, and his body was telling him it was time to eat.

He leaned back and rummaged in the food locker, looking for packages that were marked for him with an identifying small red Velcro square. He found a brownie in a vacuum-sealed pouch, and the utensils container with scissors. As he was cutting the plastic open, he saw Svetlana watching him.

He realized it must have been a while since she'd eaten. "Hungry?" He held out the brownie.

She nodded. He handed her the package and found himself another. They chewed in silence.

He dug through the packets again and came out with a long, clear bag with grainy powder inside. He grabbed the water dispenser, a pistol-like contraption mounted on a hose, turned the red butterfly valve and carefully injected water into the bag through an opening in the bottom. He shook the bag to dissolve the powder and cautiously unrolled the drinking tube, biting its end closed between sips.

He filled a second one, read the label and floated it to her. "Pineapple grapefruit drink—you'll love it."

She'd been observing, and unrolled the tube and drank.

"Here, you can fend for yourself." Chad found one of Luke's food packages and held it out to her, pointing at the color-coded Velcro patch and then at her. "You—blue. Me—red." He jerked a thumb towards the LM. "Michael, white. Ironic, eh? You get it?"

She nodded as she took the package, rubbing the blue Velcro with her thumb. "Svetlana 'bloo.' Spasiba." She pronounced the English word like it had a new taste in her mouth.

"Yeah, whatever."

She used her fingers to squeeze the last of the juice up the drinking tube, and then rolled the empty package tightly together with the brownie packet. "Kuda?" she asked.

"In there." Chad pointed at a covered opening in the starboard wall. She jammed the empty plastic in and down, compacting the volume, and then held her hand out for his.

"Sure, toots. You clean up." He floated her his empties. She stuffed them away and then looked squarely at him.

"Tooalyet?" She pointed at her midsection and made a brushing-away motion with her fingers.

"Toilet? Right, you'll be needing that by now." He thought a moment. NASA had provided a condom-like adapter for the men to piss into, filling a urine bag. For shitting they had an open-mouthed plastic bag with a sticky seal that held it in place against their naked rear ends. Toilet paper and wet wipes were in attached bags.

Chad shrugged. She'd figure it out. He opened the storage locker and got her one of each.

She turned them over in her hands, nodding as she compared them to the similar Soviet equipment. *Muzhshini!* Men!

She floated to the far corner, turned away from Chad and started to peel off her coveralls.

"Oh, hey, hey!" he objected. "I don't need to watch you crap!" He turned and faced the port wall and went back to revising the landing checklist. "Try not to stink up the place."

Svetlana paused and looked around. One astronaut was in the LM and the other was now deliberately not watching her. The control panel of switches was in front of her. She made a mental note. *An excellent way to get privacy.*

She might need it.

31

Mission Control, Houston

EECOM had been looking at the effect of the sunlight on the side of the ship in the direct glare of the Sun, and temperatures were nearing peak allowable. The standard plan to deal with it was to slowly spin the ship once every 20 minutes, like a slow-motion barbecue spit. With all the problems, they had delayed starting the spin. "FLIGHT," he said, "before the crew goes to sleep, we need to set up rotisserie mode."

Gene asked, "INCO, what'll that do to my comms?"

"FLIGHT, the Hi-Gain antenna won't track as well while we spin, so it'll drift in and out." INCO peered over his console. "We can stop and start the spin when we need to talk, if FDO agrees."

The Flight Dynamics Officer checked a data table on his screen. "It'll use a bit more propellant, but our margins are good."

The astronauts' official sleep period wasn't for several hours yet, but they'd had to get up at 3:00 a.m. for the early-morning launch. The timeline called for a 90-minute nap, and Gene knew after the craziness of the flight so far, as their adrenaline ebbed, they'd need it. A thought occurred to him, and he waved Kaz up to his console. Al Shepard came around to listen.

"How should we handle sleep now?" Gene looked at Al. "Do you think one of them needs to stay awake to keep an eye on the Russian?"

"Absolutely," Al said. "I sure don't want a Commie floating around unsupervised inside our ship."

"I suggest a new sleep rotation cycle, Gene," Kaz offered. "Chad needs to be well rested for his moonwalk. That's our top priority. I expect the cosmonaut is on Moscow time, nine hours ahead, so she'll likely be ready for some shuteye about now too."

Gene nodded. "Let's keep Chad on the planned day/night schedule and move Michael to cover while Chad sleeps."

Kaz said, "I suggest *Bulldog* as the astronaut sleep area, so they get peace and quiet. The cosmonaut can just unplug her comms and sleep in *Pursuit* with whoever's awake."

Gene pushed his mic button. "EECOM, you're approved to set up Passive Thermal Control." He looked back at Kaz. "Let the crew know the new plan."

Kaz nodded and returned to the CAPCOM console, Al and Gene watching him. As a Navy pilot, Al was always ready to take a dig at the other armed services, and Gene was Air Force. He smiled and raised an eyebrow.

"Not bad for a one-eyed sailor."

"Sleep? How the hell do they expect me to go to sleep?"

Chad had listened to Kaz's instructions and was now looking at the new pencil marks he'd made in the Flight Plan. "I'm sure it sounds nice to them, sipping their coffees there in Houston, but it's nuts! How am I going to rest easy with Luke's corpse floating next to me and *her* running around?"

Svetlana glanced at him, frowning slightly at what might have caused his obvious anger. The interpreter hadn't translated the lengthy conversation the two Americans had just had with Houston.

By now Michael was used to Chad's temper. "No choice, Boss. It just makes sense. We've got to have you in tip-top form for hopping around on the Moon, especially when you'll be babysitting her. I'll have lots of time to catch up on my beauty sleep once I get the two of you undocked."

Svetlana looked from one to the other, and back again.

Chad said, "Yeah, okay." But the anger was still clear on his face. "You need any help getting us spinning?"

Michael held his nose to talk. "This is your captain speaking. I'll be putting the plane in rockabye mode for your sleeping pleasure. Please pull down the window shades and have a good rest, travelers. When you wake up, the stewardess"—he stuck out a thumb at Svetlana—"will be ready to serve you a delicious vacuum-packed meal. Sweet dreams, and we'll be there before you know it."

Chad smiled in spite of himself. "Clown."

Michael tapped the data screen. "Maybe take extra clothes with you. It's colder in *Bulldog*."

Chad nodded and rummaged in a locker for a jacket, then floated down the tunnel to the LM.

What was that all about? Svetlana wondered. She peered down the tunnel, and back at Mikhail. He glanced at her and brought his palms together beside his head, tipping it to one side. Then he pointed at the empty crew couch.

He wants me to sleep? She glanced at her watch and did a double take. It was one in the morning. She paused to assess how her body felt, and suddenly experienced a wave of fatigue. Michael had gone back to looking at the control panel, and she stole a look at the backpack, still securely wedged and barely visible under his seat.

Maybe a quick rest wouldn't be a bad idea. *Tiki chass*. Nap time.

She floated onto the right-hand couch and loosely strapped herself in. She took one last look his way, then closed her eyes. Within seconds her thoughts took her into sleep.

Michael glanced over at her inert form, and then leaned to look down the darkened tunnel. He reached over and shut off the cabin overhead lights, then punched in some hexadecimal code on his keyboard to set an alarm for 30 minutes, just in case he dozed off too.

We're on our way, and I'm flying the ship alone. But man, is this fucked up.

The inside of the lander was completely familiar to Chad after the hundreds of hours he and Luke had spent in the simulator. And yet, with weightlessness, it felt strange, like diving inside a ship underwater. With no gravity to define up and down, even this small space was disorienting. He looked around in the harsh sunlight, adjusting his mind to the weirdness. *Like a sideshow fun house.*

Michael had strapped Luke's body up against the ceiling with one of the sleep hammocks. He'd rotated the gold visor down on the helmet so Luke's face was covered. Better that way.

Chad fit the sunshades into place over the two large, triangular landing windows. The labels and tips of all the switches, coated with luminescent paint, glowed in the darkness. He opened a locker to retrieve the other hammock and sleeping bag, and wrapped them around himself, clipping a strap to a handrail to keep from drifting. He consciously uncoiled the muscles in his body, took a deep breath and smoothly exhaled it. He was glad the motion sickness had passed.

A thought struck him. NASA had encouraged them to bring a few small private items, and he'd had a copy made of his parents' wedding picture. He reached down inside the sleeping bag, unzipped his leg pocket and slid it carefully out.

The glowing panels illuminated the black-and-white photo softly. Chad angled it to see the faces. His father, a man he only vaguely remembered, looked at him confidently, hair freshly cut, dark suit ill-fitting, with the pants too short, obviously borrowed for the day. Money had been tight. Chad looked into his eyes. *Could you have imagined this, Father?*

As always, though, it was his mother he couldn't look away from. She'd worn her best dress, a dark print with a large bow at the neckline. She'd added a long white veil that reached all the way to her calves. He rubbed the photo with his thumb. Her highly polished black shoes gleamed over her dark stockings. She was clutching red roses, and not for the first time, Chad counted them. He could see six clearly and, with care, one more, partially covered. Seven roses, an odd number for good luck, bought by this man, for this woman, on a day filled with promise.

Chad brought the photo closer. Her expression captured him most of all.

His mother's face was round, her cheekbones high. Her wide-set eyes looked squarely at the camera. He could sense the joy of the day in the way she held her neck, so straight and proud. The veil wasn't hers, and she knew it, but the day was, and so was a future together with this man. Her broad, full-lipped mouth bore the gentlest of knowing smiles. A smile Chad could still see and feel in his memory.

He touched the likeness just below her eyes. *Were they brown, or blue like his?* He wished he could remember.

He felt against his chest for her locket, fumbling along the thin chain in the unfamiliarity of zero gravity, finding it floating up near his shoulder. He pulled it around and held it between his thumb and forefinger, turning it slowly. A simple silver pendant, engraved with a winter rose. He looked back at the newly married couple. *Did you buy this for her, Father?* It had been hers, worn against her warm skin. He touched it to his lips and tucked it back under his T-shirt.

He shook his head, sighed deeply and carefully guided the photo back down into his pocket, zipping it safely closed. He relaxed his arms and was slightly surprised to see them float up in front of him. He glanced at Luke's body, suspended above him.

Chad had always held his secrets close. It somehow thrilled him to know that no one ever suspected that he was anything but an overachieving farm boy from Wisconsin, as all-American as you could get. Even the couple who had raised him seemed to have forgotten where he came from; they'd done their good deed and adopted a lost Russian boy from the rubble of Berlin, making amends for the wickedness of the

World War. They'd convinced themselves that he was too traumatized to remember much about the violence of his childhood before America, even though he was nine when they'd brought him home. Better to forget it, anyway, in an America that was so deeply anti-communist.

And Chad might have forgotten too, if his brother hadn't contacted him. Oleg, the brother he'd thought had died in the war, who'd left him so alone after their parents were killed. But in Chad's first year of college, Oleg had finally tracked him down. It had been a shock to hear his brother's voice again, even through an interpreter. Chad had found that his spoken Russian was rusty, but was amazed at how easily his comprehension of his mother tongue came back. His secretive nature made him careful not to let on how much he understood; Russia was the enemy, and he didn't really know his brother anymore, not really. It was smarter somehow to keep the interpreter between them. Smarter not to tell his adoptive parents, or anyone, about this connection to his past. And especially smart once his Air Force dreams started to come true and he was on track to fly in space.

And now the cosmonaut doesn't know I speak Russian. Even better, no one else does either. The power of that thought made him smile in the darkness. Pulling the cosmonaut into their ship had opened a Pandora's box of unexpected opportunity. Now that she was going to the Moon's surface with him, he just had to keep his eyes open and figure out what he could do with it.

For a tense hour or two after Luke had died, Chad had thought all his sacrifices were going to be for nothing—that the higher-ups would abort the Moon landing and order them home. His control had been dangerously thin, but now he realized that the cards were falling into place.

He had another thought, and his smile widened.

She's my wild card.

32

Lunar Surface

The rock had lain on the surface of the Moon since well before humanity had begun keeping time.

Throughout all recorded history, small meteoroids and asteroids had drifted through the solar system and smashed into the Moon, kicking up powdery dust that fell slowly in the low gravity, leaving an unblemished, dry beach surrounding this particular small, protruding, gray-brown rock.

Until recently.

In the weeks since the radioactivity had been detected—a possible nuclear power source on the Moon, a chance for the Soviets to regain the upper hand in the space race—the smooth plain had started to resemble a dirt bike rodeo.

Gabdul and his team in Simferopol had backed Lunokhod away and reapproached from all sides, photographing and analyzing this most interesting of rocks, the eight wire wheels churning the regolith. The two-week lunar night had slowed operations, as they'd closed up Lunokhod to keep it warm, but the recently risen Sun had kicked off a renewed frenzy of activity.

The rock was about the size of two fists, sticking up above the dirt. They'd started calling it "Ugol"—Russian for "ember"—glowing eternally. Careful to not disturb it, Gabdul had driven the cameras and scientific instruments as close as he safely could, peering from all angles. They had all wondered whether Ugol was just the tip of a larger boulder underneath; the Geiger counter had shown no significant radiation in the surrounding area, so maybe the lunar soil was a better insulator than they thought. But after much scientific and operational discussion, they'd decided on today's plan.

Gabdul was going to bump the rock.

Not a straightforward thing to do. No one had thought to put fenders on the rover, as the intent had been to *not* run into things. It would be a disaster to damage Lunokhod, or one of its key instruments. If Ugol was part of a deeper bedrock, banging into its unyielding surface could do permanent harm.

During the 13-day-long darkness of lunar night, the Simferopol crew had repeatedly gone out into their Moon simulation yard with the full-scale Lunokhod mock-up, working through options. Having unmoving cameras on Lunokhod made the challenge harder; getting close enough to hit the rock with the rover's heavy frame meant losing sight of it.

They'd decided to touch it firmly with one wheel. The titanium rims and stainless-steel mesh tires were tough, and if Ugol was simply resting on the surface, they should be able to dislodge it. But it was going to need delicate driving, and Lunokhod was heavy, even on the Moon.

After the lunar night had ended, they waited several more days because Gabdul insisted that the Sun be high in the sky to minimize long shadows, and so its glare wouldn't shine into the cameras.

On the simulation field, Gabdul had backed Lunokhod into position and practiced on the approach track countless times: he set the precise distance using camera views, knew to move the hand controller for exactly the right length of time and then give a full reversing input just before letting go. These maneuvers had proven to give the most impulse to the rock while minimizing the chances of damage.

It had taken patience, but today was finally the day.

Sitting at his console, Gabdul leaned forward, steadying his arm. He looked at his navigator, who nodded. The image on the screen showed they were exactly in position. Gabdul mouthed a quiet countdown. "Tree, dva, adeen, pusk!"

He smoothly moved his hand controller forward to its limit, held it firmly while counting in his head, swiftly brought it fully back into reverse and then released it. All eyes locked onto the small TV screen, waiting for the slow image refresh to show them what had happened.

The 10 seconds seemed interminable, as Gabdul muttered "Davai, davai!" under his breath—C'mon, c'mon!

The grainy screen flickered impassively to its new image. It showed nothing remarkable—just the soil beyond the stone and a bit of the horizon. But it was exactly what they'd simulated, with everything still level, nothing visibly wrong. Gabdul glanced at his systems technician, who had been worriedly scanning his updated data.

"Pa paryadkeh," he said at last. All seems in order.

Gabdul nodded, and smoothly pulled back on the controller, commanding Lunokhod to reverse enough for the cameras to reveal the result of their work. He counted rhythmically to three and released again. If all worked as in the simulation, it would show Ugol's new position; if it had moved, they should be able to detect it against the surrounding dirt.

The lead scientist had been standing back, but now she grabbed the back of Gabdul's chair and leaned in to look as the new image popped onto the monitor. She'd printed the previous screenshot, and held it up to compare the two side by side. Her eyes flicked back and forth, left and right, scanning for differences.

The new tire track was obvious. Where there had been undisturbed dust, now there was a darker waffle print, the soil kicked up from the sudden momentum reversal. Gabdul touched the edge of the stone on the paper and then the same point on the screen. "I think it moved!" he said, delighted.

The scientist leaned closer, inspecting where he'd pointed. Ugol's edge had been smooth against the dust, but now, in the bright sunlight, there was a darker stripe where they met.

"I think you're right, Gabdul. Ugol has shifted!"

She stepped back and straightened up, crossing her arms. So Ugol was *not* a solid part of a radioactive outcropping. This puzzling lump of a rock was not attached to a mother lode. She focused again on the screen, one hand on her chin, a fingertip tapping her high cheekbone. *How did you get to this place, little one? Did a heavy impact excavate you from deep in the Moon and chuck you up onto the surface? Are there more like you just below the surface?*

It was a planetary geologist's dream. *What are you, Ugol, where did you come from, and what can you teach us about the universe?*

33

Mission Control, Houston

It was shift change, and the number of people in Mission Control had doubled. Each console was overcrowded as the oncoming crew listened to the details of what had happened, making notes and asking questions, so they could seamlessly take over responsibility. An Apollo mission was like a nine-day multi-person relay race where no one could let the baton of technical information and decision-making drop.

Kaz was briefing the oncoming shift CAPCOM. The State Department Field Office had provided a Russian interpreter, who stood calmly beside them, absorbing all the new jargon.

Just before his shift went off headset, Gene Kranz spoke.

"People, that was a helluva day. You worked through many serious problems, some unprecedented in the history of manned spaceflight." He made eye contact with each console.

"We've got the tragedy to deal with, as well as the complexity of handling a new, non-English-speaking foreign crewmember. But the bottom line is we had a successful launch and have a resting crew, a healthy spaceship and a clear mission."

"The real work is just beginning. Get some sleep. See you back here in"—he checked his watch—"fifteen hours."

Kaz had given the U-Joint a long look as he drove home, but the idea of the noisy bar hadn't appealed to him, especially knowing that another astronaut from the Apollo 18 crew would soon be joining Tom on the honor wall. He'd stopped at the grocery for supplies instead. He wanted a stretch and an easy run, a quiet beer and a bite, and maybe some time with Laura. He turned up and into his Polly Ranch driveway, parked and glanced at his watch as he got out and closed the car door. She'd said she'd try to come over after the long drive back from Florida, maybe get in around eight.

Perfect.

He tossed his bag on the sofa and put the food in the fridge, wrinkling his nose at the house's stale air. *Smells like an absent bachelor's pad*. He opened the screened windows as he changed into PT gear, letting the early-evening breeze blow through.

The sun was nearing the horizon as he stepped out onto the driveway and started his 5BX stretching. The disrupted schedule at the Cape and the long periods of sitting had made him stiff. He'd learned it was best not to think about it; just put the body through the practiced 10 minutes of isometrics, work smoothly to the limits, ignore the creaks. Let his mind separate and wander.

But the day kept crowding into his mind. He pictured what the crew was doing in the capsule as he transitioned from stretching to sit-ups. He guessed they would not be sleeping easily. Chad with his quick temper not responding well to all the changes of plan, and Michael trying to be a calming influence, minding the ship and doing the right thing. Both men on edge with Luke's body hovering unavoidably and a female cosmonaut thrown into the mix.

A lot of tension on board.

He stood to do the back extensions, grimacing, then distracting himself by deliberately trying to reimagine the situation through the cosmonaut's eyes. *What had she just been through?* Her crewmate killed, Almaz wrecked and abandoned, the wild ride she must have had, holding on to the outside of a spaceship with its engine firing. *Like Slim Pickens in* Dr. Strangelove. *Craziness!*

He thought back to what he knew of women cosmonauts. He'd only heard of one, with a name that was oddly easy to remember because of its rhythm: Valentina Tereshkova. What was she—a skydiver and Air Force officer? She had made a short solo flight 10 years earlier, with the Soviets going heavy on the propaganda. But this woman—Svetlana—was likely very different. Working as part of a military spy crew, low-profile, long-duration; it would be a mistake to underestimate her.

He felt the grit of the pavement on his palms as he started into his push-ups, doing them in slow motion for maximum effect. The painful pull across his chest and in his shoulders was almost pleasant; unmistakable feedback that he was at his limit, working his muscles, feeling his own strength.

Tomorrow should be an easier day as the crew transited towards the Moon. Maybe fire the engines once to fine-tune their exact trajectory. A chance for the crew to settle in to the new reality and start focusing on replanning the upcoming landing.

A quiet day would be welcome.

He stood and easily jogged down the drive and turned onto the runway. He glanced at his watch. Forty-five minutes ought to be about right. He set a pace that he knew would get his pulse to 145 or so, and settled into the run.

He'd just cracked open a bottle of Lone Star, his hair still wet from the shower, when he heard the sound of a small engine climbing the driveway. He smiled, opened a second bottle and headed for the front door.

"I am so glad to be back," Laura said, smiling at him tiredly as she climbed out of her Beetle. She had on a new Walt Disney World T-shirt featuring Minnie Mouse posing self-consciously in a red dress, and was carrying an overnight bag. When she reached him, she took the beer and touched his bottle in a toast before taking a long, thirsty swallow.

With the sparkle returning to her eyes, she said, "If you also have food, you're the perfect man."

"How about tuna on toast with pickles?" Kaz took her bag and held the door, and she followed him into the kitchen.

"What did you think of the launch?" he asked as he made the sandwiches.

"We all said the countdown together," she told him with a grin, "and when that Saturn V blasted off—the rolling noise of it!" She shook her head, marveling. "It gave me an external heartbeat. And so bright—like seeing another sun!"

Kaz carried the sandwiches over to the table and sat down with her, delighting in her pure emotion. He'd been so wrapped up in the technical details, aware of all the dangers, and inside Launch Control, protected from the sound, that he felt he'd somehow missed what she'd seen. And a rare, shared experience. "I would have liked to have watched it with you," he said.

She looked at him, a half smile on her lips. "Well, you had important astronaut stuff to do. I was just a lunar geologist there for the fun of it." She took a big bite of her sandwich, then washed it down with the last of the beer. "You got another one of these?"

As he opened the fridge, she popped a pickle into her mouth, talking around it. "How's the mission going?"

He brought her the beer. As the lead geologist for the flight, she needed to know about Luke's death and also that a female cosmonaut was going to be landing on the Moon, but still he took a moment before he began to speak, wishing that he could sustain her feelings of wonder just a little longer.

Her eyes went round at the news. "Luke is dead, killed in space? I can't really take in how horrible that is. Are you okay?"

When Kaz shrugged and nodded, Laura said, "I guess we had this conversation the night after Tom died."

Her brow furrowed as she thought through the implications. "This means a whole new plan for surface ops." Her frown deepened. "Sounds like less science is going to get done."

Kaz nodded again. "You're right. We need to come up with a new timeline tomorrow. One that Chad can support on his own, with maybe minimal help from the cosmonaut, Svetlana."

"Well, that's something, anyway," Laura said. "The first woman on the Moon."

There was a moment's silence as they sat and pictured it, then Laura's mouth cracked open suddenly in a wide yawn. She blinked. "The day's catching up with me." She stood and carried her plate and half-finished beer to the sink. She turned to meet Kaz's eyes.

"I'm going to have a quick shower. How about you meet me when I come out?"

34

The Kremlin, Moscow

It wasn't often that Vitaly Kalugin went inside the Kremlin. Rarer still that he was called there for an urgent meeting.

The Kremlin wasn't physically far from his KGB office; just a 15-minute walk from Lubyanka, past the ornate, onion-domed St. Basil's Cathedral on the corner of Red Square and through the primary business entrance at Spasskaya Bashnya, the Savior Tower. But on this fine April morning, he made it in 12. It was an important meeting. He glanced up at the large clock on the tower: 11:40. He wouldn't be late.

Kremlin means "fortress," and its 15-foot-thick, red brick walls implacably reinforced the name. Vitaly walked up to the guard at the base of the clock tower, showed his KGB badge and was allowed to enter. He followed the footpath through the deep gate and turned right.

It always surprised him how pastoral this fortress was inside its walls. Spring flowers were in bloom, and the long grove of trees, each neatly dedicated with a small sign to a Soviet hero, was coming into early leaf. The noisy gray grind of the vast city seemed suddenly distant, and the immensity of Mother Russia herself, still thawing from winter, almost unimaginable.

Vitaly checked the time yet again as he neared Building 14, the four-story yellow-and-white-painted Presidium. *I need to calm myself!* He deliberately slowed his pace before entering through the broad wooden doors and climbing the stone steps towards the meeting room.

The files were in his briefcase, clasped firmly in his left hand.

For an enormous, paper-driven bureaucracy, word had traveled fast. The night admin team at Lubyanka had taken the phone call asking what the KGB had on a cosmonaut, Senior Lieutenant Svetlana Yevgenyevna Gromova, and on two American military astronauts, Lieutenant Michael Esdale and Major Chad Miller. The immense filing system had churned on the names, flip cards leading to file folders in labyrinthine underground storage halls. Photostats had been made, the designated case officers identified, and papers distributed. When Vitaly had arrived at his desk that morning, early as usual, the Miller file had been on top of the pile in his inbox. A red bookmark was stapled to the front with "Srochna" typed on it. Urgent.

Vitaly had read the cover note, considered his moves over his first cup of tea and then started a cascade of revealing phone calls. All leading to now.

The hallway door was open. After a small pause, he entered the conference room.

The far wall was all windows, stretching from the low bank of radiators to the ceiling, to let in the natural light. The impact was marred somewhat by the drab view of an identical room across a small inner courtyard. Spider plants sat on the radiator sill, adding a touch of natural green. A long table paralleled the window. Apart from a young pomozhnitsa placing water glasses and teacups in front of each chair, he was alone.

He resisted the urge to recheck his watch. He chose an unassuming far corner seat, set down his briefcase and went to stand by the window. The server set up a tea trolley along the wall by the door and quietly left.

Vitaly looked out at the sunshine, reviewing the details in his mind, realizing this might be a watershed day in his career. He felt his heart start to race, and he scowled. *Uspokoisya!* Quiet yourself!

He heard a rumble of deep voices in the hall, and three people came in, led by a tall, wide man in a gray suit, his hair combed straight back off a broad forehead, thick, wire-rimmed glasses magnifying his tired eyes.

Vitaly was stunned. Andropov! The head of the KGB himself. The rumor was that he was soon to become a full Politburo member. What was he doing here? On the phone they'd said there'd be senior representation at the meeting, but he'd never thought it would be Yuri Vladimirovich himself. *Bozha moy! Am I ready for this?*

Keeping his face a calm mask, he dipped his head in respect. "Dobry dyen, zasluzheni Predsedatel." Good day, honored Chairman.

Andropov peered at him through his glasses. "Kalugin, da?"

Vitaly nodded. "Da. Counterintelligence agent, Special Service II, Vitaly Dmitriyevich."

Andropov nodded. "Sadeetyes." Sit.

Vitaly sat.

The KGB Chairman took the chair at the head of the table, gesturing with his chin at the two other men. He spoke very clearly, pronouncing the names in an educated accent. "Vladimir Alexandrovich Kryuchkov. Vladimir Nikolayevich Chelomei." He rightly assumed Vitaly would know who they were.

Vitaly met the eyes of each man, and again nodded in respect. Kryuchkov was head of the KGB First Chief Directorate, responsible for all operations abroad, including Vitaly's department. Chelomei was a senior director in the Soviet space program.

Kryuchkov, as Vitaly's boss, took the lead. His round face with its high-domed forehead was marked by a squashed nose, broken badly at some point long ago.

"Vitaly Dmitriyevich, please brief us on the situation." He used the patronymic to ease the gap in seniority, which helped to put Vitaly at ease.

He took a steadying breath. These were smart, accomplished, powerful men. *Where to start?*

He quickly summarized the events that had transpired in orbit over the past 20 hours. While he spoke he glanced at Chelomei for confirmation that he had his facts right; the man's furrowed brow and pursed mouth gave away nothing. But he didn't contradict him, either. *So far, so good.*

Moving to more familiar ground, he gave a quick intelligence summary of the woman cosmonaut and the American astronaut, Esdale. Their records were clean, nothing suspicious in the files. No leverage there.

The three senior men listened, their faces impassive. They knew he was keeping the key information for last.

"The third person in space, American Air Force Major Chad Miller, gives us the greatest opportunity." Vitaly's heart rate slowed as he explained in detail, recounting how he'd fostered agents in the heart of the Russian Orthodox Church around the world, looking for angles and access routes to the West. He shared the details of Miller's file, starting with the boy's adoption in Berlin. Andropov nodded slowly as he heard how Vitaly had used an agent, the church interpreter, to send money to the pilot, ostensibly from his long-lost brother, eager to help with the young man's expenses when the adoptive parents, farmers apparently, had run low. And how Miller had never refused such handouts. The KGB chief looked at Kryuchkov, who nodded back.

"That gives us a position of strength. Spasiba, Vitaly Dmitriyevich. This Miller would not want the Americans to find out where that money actually came from."

Vitaly inwardly thrilled at Andropov using his name.

Andropov turned to Chelomei. "Vladimir Nikolay'ich, I know little of space. I commiserate with you on the loss of our Almaz space station, and the tragic death of cosmonaut Mitkov. These are blatant acts of American aggression, and help set our course of action." His old eyes blinked behind the thick lenses. "Nyet huda byez dobra"—there is no bad without good. "What other levers do we have here?" he asked.

"Respected Chairman, despite the tragedy of today's events, I have good news from the Soviet space program." Vladimir Chelomei's deliberately formal phrasing lent import to what he was saying.

"With what I have learned from Agent Kalugin here, and an important discovery made just yesterday by the Lunokhod team that is exploring the Moon's surface, I think we may have a rare opportunity."

Having gained the room's attention, he laid out his plan.

Kryuchkov had lifelong experience in diplomacy and subterfuge. He quickly evaluated the idea, considering the weaknesses as he rubbed his broken nose with his forefinger.

"We need communications with the cosmonaut—*private* communication. Can we get it?"

"Da, Vladimir Alexandrovich," Chelomei said. The two men worked in different fields, but were roughly equivalent in power. Chelomei had reached the same conclusion earlier that day, and had issued orders. "I've thought of a way to reach her."

Andropov stood. "I will take this to the Politburo, and to the General Secretary." As KGB chief and his longtime protégé, Andropov was Brezhnev's most trusted ally. "The Americans will be contacting us shortly, no doubt."

He looked at each of the three men.

"Let's make sure we're ready."

"Father Ilarion, I have unusual news." Alexander, the diocese interpreter, spoke quietly, knowing it was the best way to get the hieromonk's attention in the morning, after prayers and liturgy.

Ilarion was finishing his light breakfast, tapping the last crumbs of his toast off the small plate into his teacup, careful to waste nothing. "Good news, Sascha?" He looked up at the younger man curiously. "What is it?"

"The accomplishments of your brother have come to the attention of the Church in Moscow. One of my fellow interpreters there was working with the American Embassy church members, and he called me to let you know. They think it does you and your family great honor, and have been speaking with officials at the Soviet space program."

Ilarion's eyes widened.

"It seems the Church wants you to come to Moscow, and has obtained permission for you to go to Mission Control, where you will be able to talk directly with your brother while he's on the Moon. It's a rare honor indeed and will be a wonderful surprise for him."

Father Ilarion looked stunned by the prospect of a trip to Moscow and a chance to talk to his brother in space. He stroked his beard as he considered it, his eyes blinking rapidly behind his thick lenses.

"They say there is an Interflug flight from Schönefeld Airport direct to Moscow Sheremetyevo every day," Alexander urged. "The space program will cover all costs and accommodation."

The monk's face clouded. "But surely my brother won't want surprises to interrupt what he's doing. He'll be too busy."

Alexander nodded. His KGB handler had anticipated this, and provided some suggestions.

"They say that they often have family members speak directly with cosmonauts, who can be lonely so far from home. Contact with family is good for morale, for their mental calmness." He added a specific suggested phrase. "Your brother would be the most distant member of the flock you've ever had the chance to give solace to."

Father Ilarion turned his head away, eyes unfocused, trying to imagine what his brother was seeing. He nodded slowly. "You're right, Sascha. Earth must be very small for him now."

He turned back to Alexander with his brows furrowed. "But his Russian is rusty, and I have no English. I'm also not a traveler. Would you be coming with me?"

Alexander felt a rush of victory, but managed to keep his face calm, his expression helpful. "Yes, Father, the officials at Mission Control recognized the difficulty and asked that an interpreter accompany you. I'd be honored to help."

35

Mission Control, Houston

In the end, the Moscow-Houston communication had been surprisingly simple to set up.

Kaz stood at the CAPCOM console with the State Department translator next to him. The doctors confirmed that despite the staggered sleep schedule, the crew had gotten a reasonable night's rest. At least the astronauts had; the cosmonaut wasn't wired for heartbeat.

They had a mid-course correction coming up soon—a quick engine firing to change the ship's direction very slightly, based on careful tracking of *Pursuit*'s path. It saved fuel to do it early—to steer exactly towards perfectly entering orbit around the Moon.

"*Pursuit*, Houston, I have the burn numbers when you're ready."

"Roger, Kaz, I'm ready to copy." Michael had the flight plan floating in front of him, his pencil poised to write in the blank table.

"Okay, Michael, it'll be posigrade 10.5 fps, burn duration 0:02, perilune will be 53.1 . . ." Kaz went through the values carefully, the Mission Control specialists listening attentively to make sure he made no errors. When he finished, Michael read them back, verbatim.

"That all sounds good, Michael." A pause. "Is Chad listening?"

Michael glanced across at Chad, in the opposite seat. Svetlana was floating at a window, alternately looking at the Earth and the Moon.

"He's not on headset, but can be. What's up?"

Kaz answered carefully. "After the burn, we're going to patch Moscow through by phone to talk with the cosmonaut. We'll have sentence-by-sentence translation, to make sure it's all kosher, but wanted to give you a heads-up to think about it."

Michael passed the message to Chad, who frowned and donned his headset.

"Kaz, Chad here. I need this conversation to be controlled. Who's going to cut it off if we don't like how it's going?"

Kaz looked back at Gene, behind the Flight Director console. He and Gene had discussed just this.

"We agree, Chad. INCO will have his finger on the switch to stop comms at any moment. We recommend you do the same."

Chad looked at the switches on his comm panel. "Yeah, I'm gonna pull the plug on her the second I don't like what I hear."

"Sounds about right," Kaz said. "Mid-course burn is in three minutes, and we'll have someone from their Mission Control tied in shortly after that."

Chad glanced at Svetlana, who had turned to face him. "Copy."

When the KGB interpreter standing next to him relayed what Chad had just said, Chelomei grunted.

Eavesdropping on transmissions from the Apollo craft was nothing new. Since the start of the Apollo Moon landings, Russia had been listening in. The Soviet Central Committee had ordered Moscow Scientific Research Institute No. 885 to build the huge, 32-meter-wide TNA-400 satellite dish that towered over the Simferopol complex. It had required some clever reverse engineering; the Soviet technicians had experimented with the signals from the early Apollo flights, carefully demodulating the carrier and subcarrier frequencies until they could pick out voice and data, and even watch the fuzzy television images sent from the distant craft. They couldn't hear the transmissions going up to Apollo, but during the eight hours each day when the Russian side of the Earth was facing the Moon, they received everything the spaceship sent back.

It wasn't a total secret. The CIA had learned about the new antenna when an SR-71 spy plane had taken high-altitude photographs of it. The top-secret report summarized: *A 105-foot dish antenna such as this one would permit communications and telemetry reception at lunar distances. The antenna is operational.*

But Director Chelomei had just added a capability that no one at NASA or the CIA knew about. For it to work, he needed to discern some specific details during today's hastily arranged telephone link. And if both Houston and the crew were ready to pull the plug at the sound of anything they didn't like, he'd have to be subtle. He impatiently waited as they did their course correction burn.

Kaz said, "Looks like a good burn, Apollo. You're on your way."

Michael agreed as he safed the engine systems. "Copy, Kaz, thanks. And we've got all three of us on headsets now, whenever you're ready. The Commander's standing by at Panel 6."

Chad's finger and thumb were gripping the S-band transmit/receive switch.

Kaz glanced at Gene Kranz, who nodded.

"Moscow, this is Houston Mission Control, comm check."

The interpreter repeated what Kaz had said, in Russian.

An unfamiliar male voice crackled into Kaz's headset. "Zdyess Moskva, kak shlooshetye nas?"

The interpreter translated. "Moscow here, how do you hear us?"

Kaz realized he'd been holding his breath, and exhaled. "We have you loud and clear, Moscow. Stand by to speak with Apollo 18." He looked across at INCO, nodding, and got a thumbs-up.

"Apollo 18, this is Houston. Mission Control Moscow is on comms with us. Go ahead, Moscow."

Gene Kranz shook his head slowly. *Bloody Commies talking to his spaceship.*

The interpreter translated the first burst of Russian: "Senior Lieutenant Gromova, this is TsUP, how do you hear?"

Svetlana responded. "TsUP, I hear you well."

Chelomei, sitting at the flight director console in Moscow, held the phone receiver firmly. "Svetlana Yevgenyevna, this is Director Chelomei. We are very glad to hear your voice. How is your health?"

She began to respond immediately, but Chad slammed the transmit switch to receive only, holding up a hand. "You need to wait for translation." They listened as the interpreter repeated what Chelomei had said.

Chad looked hard at her. "Okay?" he queried.

"Da, okay."

He selected the switch back to transmit/receive.

"Tovarisch Director, it's an honor to speak with you. My health is fine, thank you."

The pauses for translation made the conversation awkward.

"They have found you a place to sleep on board the small vessel?" An innocuous question.

"Da. There is room in the capsule for two, comfortable, with one of them sleeping in the lander."

Come on, woman, give me more details! Chelomei urged silently.

"They alternate, and considerately leave me my own lounge chair in the capsule." She added a personal note. "I'm adjusting to the Houston time zone."

Chelomei nodded his head. *Excellent.* She was getting it.

He expressed his deep condolences on the death of her commander, Mitkov, and congratulated her on her resourcefulness and strength in getting aboard the Apollo ship.

She paused, waiting for the translation, and then thanked him, adding a question. "They used my suit to entomb the dead astronaut, and its PM-9 life-support system is now stowed. Please confirm that I'll be wearing their spacesuit from now on."

Chelomei smiled broadly. *Clever girl.* The PM-9 wasn't the life-support backpack; it was the model number of the weapon that had been on board the Almaz. She'd found a way to let them know she was secretly armed. He kept his tone matter-of-fact.

"Da, they have told us the sizing will work for you in their suit. And if you haven't heard yet, they are planning for you to wear it in the lunar lander, and to have the honor of being the first Soviet citizen to step onto the Moon."

Svetlana had suspected that was the new plan, but this was her first confirmation. She looked at Chad, who nodded, and was surprised at the surge of excitement that suddenly rushed through her. *I'm going to walk on the Moon!*

Her voice quavered. "That is wonderful, Tovarisch Director! I will do my best to make everyone proud."

Chelomei played back in his mind what they'd just said; nothing sounded suspicious, and the woman had demonstrated that she was aware of hidden meanings. Time to get Miller's attention.

"We are certain you will, Sveta. Your brother in Berlin is especially proud of you."

Chad squinted at her as the interpreter translated. *She had a brother in Berlin?* That was a strange coincidence. But why had Moscow mentioned that?

Svetlana's face revealed nothing. "I'm delighted to hear that. Please pass my best to my whole family."

Enough for now, Chelomei thought. Time for platitudes, plus one last hint.

"We will be in daily contact, Svetlana Yevgenyevna, and look forward to speaking with you. Your ears can look forward to hearing the Russian language so far from home."

"Spasiba, Tovarisch Director. Until next time."

Chelomei nodded, satisfied. "Doh sledusheva." He placed the handset in the cradle, ticking through his mental checklist. All messages sent. Time to move on to the next step.

What the hell had they meant? Chad thought. The conversation had felt fishy, somehow. *Do they know about my brother? How could they?* He stared hard at Svetlana as he stowed her headset, but she met his gaze impassively.

He thought further. *If they do, then they probably know I speak Russian.* He continued to stare at her, considering all that had been said.

But she doesn't know.

He took a deep breath and exhaled through his nose.

Good.

"Hey, Chad, I just noticed something." Michael's voice was relaxed, subdued. He'd borne the brunt of the sleep shift so they could continuously monitor the cosmonaut, and he was tired.

"What's that?" Chad was reviewing LM procedures, penciling in what he was going to do differently to land on the Moon without Luke to help.

"It says here in the flight plan that we just hit exactly halfway. Old Mother Earth and the Moon are both"—he checked the book—"107,229 miles away." He floated to the window next to Svetlana and twisted to look at one, and then the other. He made hand motions to try to explain the concept to her, defining a length, cutting it in half, and then pointing at the Moon and Earth.

She watched his hands and then looked at his face, quizzically.

"I don't think she gets it," Michael said. "What do they teach them in cosmonaut school?"

Chad kept reading, ignoring him.

Michael imitated Chad's voice. "I don't know, Michael, my guess is Soviet doctrine, invasion routes, whitewashed history and bad fashion sense. You know, Commie stuff."

He answered himself. "Thank you, Chad, for that keen insight. I think the Command Module Pilot is getting a little punchy. My turn for some sleep."

Chad looked up, hearing the last part. "You sleeping in the LM?"

Michael looked at him, bemused. "Yeah, as planned, if you're okay holding down the fort here."

Chad glanced at Svetlana and turned back to his page. "Yeah, we're set."

Michael gave Houston a heads-up so the doctors could track his rest, and then floated down the tunnel, emerging into the small cabin of the LM. He wrapped himself in the bag and hammock and glanced up in the darkness at Luke.

"I miss you, buddy," he murmured. "I'm sorry you've joined the dead." *What a long strange trip it's been.*

The night shift in TsUP, a minimal skeleton crew of two technicians and an interpreter, were listening carefully and heard Michael's call to Houston. Director Chelomei had left strict instructions to record all communications from the Apollo craft. He wanted to know who was sleeping, and when.

The interpreter translated, and the shift lead carefully wrote the Cyrillic characters next to the time in the large green ledger they had started for cosmonaut Gromova's flight to the Moon and back:

00:30 Moscow Standard Time	Esdale sleeping alone in the lunar module.
	Miller awake in command module.
	No word from Gromova.

Not very interesting. But hopefully useful.

36

Timber Cove, Houston

The house was a truncated A-frame bungalow with an attached garage, set on the brackish shore of Taylor Lake, 10 minutes east of the Manned Spacecraft Center. When Kaz and Al Shepard arrived, there was already an ugly brown Dodge Polara in the driveway. The double whip antennas and driver's side searchlight gave it away as an unmarked police car. The Harris County Sheriff's car, in fact.

With everything that had happened in the 36 hours since launch, Kaz had pushed the findings of the crash investigator into the back of his mind. But now that Apollo 18 was safely on its way to the Moon, he'd faced the fact that out of everyone who might have sabotaged Tom's helicopter, three of the suspects—only two of them still alive—were on board the spaceship. Al Shepard had alerted the sheriff and asked him for discretion, agreeing to help him look for evidence to quickly clear the three as potential suspects.

As Kaz pulled in and parked, two men got out of the Polara. The driver was in uniform, 30ish, with a crew cut. The passenger was a strongly built man in his 50s in a rumpled suit and tie, heavy-rimmed glasses below a combed-back wave of hair, graying at the temples.

Al walked up to him and they shook hands. "Hi, Jack, thanks for coming."

Jack Heard had been the Houston police chief for 20 years, and had recently been elected sheriff of Harris County, which included Ellington Field airport, the rural scene of the helicopter crash and this house. Chad Miller's house.

"I'm happy to serve NASA and a hero of the nation, Al," Heard said, and turned to Kaz, his sharp cop's eyes flicking across his face, missing nothing through the thick lenses. "You must be Lieutenant Commander Zemeckis. Sorry to hear about the death of your friend."

Kaz was startled. Luke's death in orbit hadn't been made public. Then he realized the sheriff meant Tom Hoffman. He said, "Thanks," and they shook hands.

Heard said, "That's Deputy Buddy Beauchamp," nodding at the uniform, who tipped his head.

Kaz led them all towards the front door, taking in the cedar shake siding and the multicolored entryway glass.

"Major Miller own this house?" Heard asked.

Al replied. "No, apparently it belongs to some dentist who rented it to Chad fully furnished."

Kaz unlocked and opened the door, turned on the light, and they stepped into another world.

The living room floor was paved with ocher tile. The walls were covered to shoulder height in gold shag carpeting. The fluorescent light fixture Kaz turned on alternated between red, yellow and blue light. The far wall was all glass, facing onto a swimming pool with Taylor Lake beyond it. A basket chair hung on a long chain from the ceiling, and a bulbous, shellacked rock chimney rose from the gas fireplace. Gaudy masks hung on the walls above the shag carpet.

"Quite the place," Sherriff Heard said. "A dentist, you say?"

Kaz had never been in Chad's house and was trying to reconcile the hippie-Playboy décor with the abrupt, judgmental military man he knew. It was a rental, but still.

There was a pool table to their left, with a low, wood-framed couch. The sheriff said, "You two have a seat while Buddy and I have a quick look around. We shouldn't be long."

Al and Kaz sat.

"I'm glad the Astronaut Clinic has their own dentists," Al said, making Kaz smile. After a moment, he asked, "You didn't see Michael out at Ellington that day, right?"

Kaz shook his head. "No, just Luke, who was flying the LLTV, and Chad, who was leaving since he'd just flown it. Michael was scheduled for a medical check that morning, so I think that pretty much clears him."

Al nodded, staring at the gargoyle masks on the wall. Both men were considering the unspoken. Motive.

Heard and his deputy came back through, heading for the open wooden staircase that led upstairs. Heard jerked his chin towards the back of the main floor, beyond the kitchen. He smiled slightly. "You might want to have a peek in the master bedroom."

Al shrugged, and they peeled themselves up and out of the low sofa. They walked past the stone counters of the kitchen, down a short hallway and through the doorless bedroom entrance.

Both men stopped. Three walls were tiled floor to ceiling with gold-tinted mirrors. The fourth wall faced the lake. It was all glass, and curtainless. Life-sized statues of topless mermaids flanked a king-sized bed that was suspended off the floor on heavy gold-colored chains. A recessed wall unit was lined with the same mirrored tile, each shelf adorned with a variety of nude female figurines.

Kaz walked past the bed to the closet. Pulling open the sliding doors, he was somewhat relieved to see familiar single-man's items on the hangers and shelves, shoes tidily aligned along the floor. There was a flight suit, along with a couple of jackets, trousers and crisply pressed shirts. He slid the doors closed and came back to Al, shaking his head. "This place would give me the creeps," he said.

They heard a voice echoing off the stone-tiled floors. "Hey, guys, c'mon back here."

They found the two cops standing at the foot of the staircase, and as soon as they reached them, the sheriff ushered them back out to Kaz's car, leaving his deputy by the front door. Heard said, "We found some things in the bedroom that Major Miller was using as his home office. Beyond the deviant dentist furniture, I mean."

He glanced back at the house. "I've called for a couple more deputies to help do a thorough search. We'll use an unmarked and guys out of uniform, to keep the profile low for as long as we can." He eyed the neighboring houses. "We can be thankful for small mercies that there's a media blackout on the mission."

He looked at Kaz. "I still need to have a quick look at the other crewmen's homes, if you can let me into them."

Kaz nodded. "Of course." He glanced at Al. "Have you briefed the sheriff on what's been going on?"

"Yeah, Jack knows about Luke, in strictest confidence." Al glanced at Beauchamp, standing mutely by the front door. "But nobody else."

"I know what you're thinking, Kaz," Heard said. "This is going to escalate. But my job is pretty clear. A civil-registered helicopter flying from a Harris County airport crashed on county land, the pilot died, and indications are that there was sabotage. So I'm investigating a murder. The fact that one suspect is dead and two others are off the planet doesn't bother me." He briefly stuck out his lower lip, considering. "In fact, it's better. I know exactly where they are, and when they'll be back."

But Kaz was thinking beyond the investigation. He was going to have to tell Sam Phillips that the man who was about to walk on the Moon, to find out what the Soviets were up to there, was now a viable suspect in a murder.

37

Mission Control, Houston

"FLIGHT, EECOM."

Gene looked over his console. "Go ahead."

"FLIGHT, my back room has been working the numbers, and we've got a revised status."

This was interesting. EECOM handled oxygen consumption. With the leak in Luke's umbilical at Almaz and the need to repair the hatch seal, Gene had been waiting to see whether and how much it would impact the planned mission.

"I'm listening, EECOM."

"Now that the tank temps have stabilized and we've got an update on current consumption with the LM hatch open, it looks like we lost considerably more O2 than we thought. It's very tight for full duration."

Oxygen wasn't just the sole gas used in the spaceships for breathing, it also fed the fuel cells to generate electricity.

"How tight?"

"It depends how much we take from the LM tanks. Assuming we're still protecting for multiple spacewalks with two crewmembers, it takes us well into the red."

Gene had already been thinking that the military would have to be happy with just one moonwalk. A short one.

"If you model for just one, five-hour lunar surface walk, how do the numbers look?"

EECOM countered with a question. "Both crewmembers working outside the whole time?" It would increase oxygen consumption.

Gene pictured Chad's and Svetlana's likely tasks on the surface. Better to assume worst case. "Yes."

EECOM had a quick side conversation with the technicians in his back room. "FLIGHT, with that revised plan, and if we start using oxygen from the *Bulldog* tanks now for cabin air, we have green margins through splashdown."

"Good to hear, EECOM, thanks."

Kaz spoke up quickly. "FLIGHT, Michael's just gone to sleep in the LM, and the repress valve in there makes a loud bang. If EECOM can wait, I recommend we delay tapping *Bulldog*'s oxygen until he wakes up."

Gene nodded. "SURGEON, how much beauty sleep will he need?"

JW answered. "My best guess is about four hours, FLIGHT."

EECOM piped in immediately. "We can wait that long."

Gene decided. "Sounds good. CAPCOM, plan to wake Lieutenant Esdale at"—he glanced at the digital timer at the front of the room—"thirty-seven hours mission elapsed time."

"Houston, 18, with a problem."

Well, that's not what I want to hear. Kaz set down his coffee next to the console ashtray. He deliberately made his voice calm to respond. As CAPCOM, he knew that the way he said things affected the psychology of both the crew on orbit and the team in Mission Control; being aware of his tone was especially important considering the parallel murder investigation. "Problems are what we're here for—go ahead, Michael."

"Hey, Kaz. Chad and I have both noticed that Luke's spacesuit is bulging. Looks like maybe his body is decomposing and the gas pressure is building up in there. We're not sure where the pressure relief valve is in the cosmonaut's spacesuit, but we sure don't want it burping nasty gases into *Bulldog*."

"Copy, agreed, checking."

Chad caught Michael's eye. "How about we ask Princess here to show us where the suit vents its overpressure?"

Michael nodded. "How good's your sign language?"

Svetlana, dozing on the right side of the cockpit, felt someone shaking her. Opening her eyes, she saw the commander pointing at the other astronaut disappearing into the tunnel to the lunar lander. He waved his hand for her to follow.

Shto? She followed the feet into the tunnel.

Michael had floated up against *Bulldog*'s ceiling next to Luke's body, and Chad moved to his designated position on the left, where he'd fly it. Svetlana took the open position on the right and looked at them questioningly.

Mikhail was speaking, moving his hands around her Yastreb spacesuit. She could see that the suit had ballooned. The astronaut suddenly opened his fingers and made a sharp hissing sound, and then raised his shoulders with a questioning look on his face. He was pointing at the oxygen and comm connections on the suit's front. She found all the English words distracting. *What does he mean?*

The other astronaut frowned disapprovingly. He impatiently repeated the bursting motion with his hand, and made a harsh "Pssssss" sound that he tailed off.

Ah. She got it. Floating up next to the suit, she pointed to two fist-sized protruding round knobs over the left rib cage, and mimed a twisting motion with her hand. She then reached up to the helmet and touched a gray butterfly valve under the left ear. She mimicked pinching and turning it, and made the same hissing noise the astronauts had made.

Michael looked closely where she'd pointed. "I think the two chest valves are pressure regulators. They've got some Russian writing on them, and arrows to show direction of turn." He switched his inspection to the helmet. "This looks like a simple purge valve."

Chad had been silently sounding out the Cyrillic writing on the two chest valves. One said "Unscrew all the way for flight" and the other said "Screw in all the way." He spoke as if he was making an educated guess. "I bet one's for overpressure, and the other's for underpressure." There were no labels on the helmet valve. He pointed at it. "That one looks like just a manual open/close."

Michael nodded. "Makes sense."

Both men pondered the information.

"But what do we do if the stink inside starts coming out of one of these?" Michael shook his head. "Even after death we have to deal with Luke's farting."

Chad ignored the humor. He had an idea. "We've got the small tap line here in *Bulldog* we can put on the egress hatch pressure valve. We could wrap it tight with tape directly to this helmet valve, and crack them both open very slightly to suck the extra pressure out to vacuum."

Michael evaluated. "Yeah, that should work." He smiled. "It'll put us in the running for the duct tape hall of fame."

Chad donned the LM headset and pushed Transmit.

"Houston, we think we have a solution." He described what the cosmonaut had shown them, and his plan.

Kaz replied, "Roger, *Bulldog*, sounds like it might well work. Let us think about it."

Gene Kranz spoke. "EECOM, I want you to use the interpreter and get on the horn ASAP with whoever the suit specialists are in Moscow. Make sure we're understanding the valve function properly and get their input into the crew's manual vent idea."

Kaz waved the interpreter to the EECOM console. Gene spoke again.

"Meanwhile, CAPCOM, tell them to start building the setup on board. We can't wait too long."

They moved the suit cautiously, like a fragile balloon, down towards the floor of the lunar lander, strapping it into place. Chad screwed a metal tube onto the pressure valve on the square hatch while Michael peeled sections of tape off a large roll, carefully wrapping the tube to join the helmet purge valve.

Svetlana pictured the Yastreb suit schematics. *If they keep the flow rate low, it ought to work.* She looked around the cockpit. They'd been keeping her in the other part of the ship, and this was her first chance to see the lander in detail.

I'm going to land on the Moon in this!

The thought thrilled her. She'd graduated top of her class from the Moscow State Aviation Institute, and became an aerobatic instructor pilot as well as a test pilot at the Gromov School outside Moscow. Her father had been a decorated fighter pilot in the Great Patriotic War, and his influence had been key in her cosmonaut selection.

Papa will be so proud!

While the men were distracted, she looked closely at the lander's controls, picturing herself flying it. *That must be the rotational controller on the right, to turn the vehicle.* It looked like a joystick, similar to what she'd trained on in the Almaz return capsule. She looked on the left for the thrust controller, which would move the vehicle up and down and left and right. *That's it, no doubt.* It resembled a palm-sized drawer handle, mounted on a short, pivoting stick to move in all directions. She reached out to touch it.

"Hey, what are you doing! Get away from that!" Chad's face was a mask of rage. He pointed at her. "Don't touch nothin'!"

His meaning was clear, and she floated back to beyond arm's length. Both men watched her suspiciously.

No matter. I'd feel the same if these Americans were in my ship.

She continued her visual inspection. In front of both crew stations were familiar artificial horizons, the gray-and-black balls recessed into the instrument panel. They were surrounded by gauges. *Must be speed, height, systems pressures*, she reasoned. All flying machines were essentially the same; you just had to figure out how to get them started and how they wanted to kill you.

She realized that the triangular windows were mounted low, like in a helicopter, so they could look down while landing. She glanced around for seats, and couldn't even see fixtures on the floor where seats might be mounted. *We must fly this thing standing up!* A reasonable compromise for low lunar gravity, she acknowledged, but still it would be strange.

She looked at the commander. *Tschad.* He'd most likely be the one flying this lander with her. She doubted they'd trust a Black man to do it. *Mikhail. No, Michael.* She moved her lips, trying the English pronunciation.

Chad's voice came into the headsets in Mission Control. "Houston, *Bulldog*, we have the suit strapped down securely on the floor and the helmet purge sealed against the hatch line. Just let us know when we can open the valves."

Kaz glanced over at the EECOM console, where the tech and the interpreter were engrossed in a laborious technical conversation with TsUP.

"Roger, *Bulldog*. We're talking with the Moscow specialists now, and should have word shortly."

"Copy, Houston, but regardless what Moscow says, we're gonna take care of this. This suit is bulging, and we're the ones at risk here."

Kaz could hear him thinking, *You morons!*

"Roger, Chad. We'll get you that ASAP."

As soon as possible—the phrase echoed in Kaz's head. The whole idea of "possible" had changed in a hurry.

—

Five minutes later Kaz pushed the comm button. "18, Houston, Moscow has described the suit valving to us, and we're good here. You have a GO to vent Luke's suit to vacuum."

"Thanks, Kaz," Michael responded. "Here goes nothin'."

Michael cautiously turned the vent valve handle on the side of the white helmet, the large red CCCP letters at the edge of his vision. He heard a slight hissing sound as pressure equalized into the vent hose, and then quiet. He sniffed for leaks, wrinkling his nose, but smelled nothing.

He glanced at Chad. "All set, Boss?"

Svetlana was curiously observing the men messing with her old suit.

"Yep. But close it immediately if something isn't going right."

"Agreed."

Michael reached around the vent hose and began turning the knob on the Cabin Relief and Dump Valve test port. Houston had said it would take a full turn to start flow, and he carefully rotated it between his thumb and forefingers, like a safecracker. A hissing began, barely audible above the noise of *Bulldog*'s air recirculation fans. He stopped turning, and all three of them turned to watch Luke's suit.

At first, nothing. Then, gradually, like an air mattress deflating, the tension eased on the fabric, and the seams looked less distended. Michael was relieved to see the needle dropping in the pressure gauge on the suit's right wrist.

"Looks like it's working, Houston." He tapped the gauge to make sure it wasn't sticking. "As soon as the pressure gauge shows zero differential, I'll close the valves." He poked at the suit's cloth; it was no longer quite as stiff.

"Copy, Michael," he heard Kaz say. "Reminder to close the helmet valve first, then the hatch valve." That would suck any extra odors out of the vent hose and keep them from getting into the cabin.

Michael didn't want to take it too far or the suit's negative pressure relief valve would suck open and start pulling in cabin air. He increased the speed of his tapping on the pressure gauge, watching the needle slowly bounce towards zero.

"Looks like we're there." He closed the helmet valve, and then quickly reached and spun the hatch valve tightly closed.

Svetlana squeezed the suit lightly, near the elbow, where there was no internal bracing. "Prekrasna," she nodded. Excellent.

Chad spoke to Houston. "Kaz, that's complete, suit looks good now, but we're going to leave Luke connected to the hose, just in case we need to vent him again. It's Michael's turn to get some shut-eye. The cosmonaut and I are heading back into *Pursuit*."

"Copy, Chad, sounds good. Nice work, and sweet dreams, Michael."

In Moscow, Chelomei turned to his flight director.

"Listen to them for any word of Michael Esdale waking up."

The Moscow Electronics Research Institute engineers had initially told Chelomei that his request was impossible; there were too many unknowns, there wasn't time, and there was no way to test that it would work properly. But he had been unrelenting. "Just build the equipment!" he had yelled. He hated the inbuilt Soviet caution about running afoul of interdepartmental politics; it had allowed the Americans to beat them to the Moon.

The engineers in the end had hastily installed their thrown-together 13-cm S-band modulating uplink hardware alongside the huge TNA-400 antenna's listening gear. The modification would interweave TsUP's voice transmissions with the strong carrier frequency that it blasted skyward in a beam of electromagnetic energy, tightly focused towards the Moon by the towering dish antenna. It was like an invisible searchlight in the night, looking for the four small, circular receiving antennas sticking out of the aft section of *Pursuit*.

With luck, the processors inside the American ship would treat it as just another arriving signal to deal with. If the frequency and modulation matched closely enough to the American transmissions, it would pass through the filters, and the radio wave would be transformed into an electric signal that passed to a speaker—in this case the small one built into the commander's headset, over his left ear.

When the flight director reported that he was certain that the other astronaut was asleep, Chelomei pushed his mic button and spoke. Hoping it was only Commander Miller, but uncertain of who else might be listening, he chose his words carefully.

"Transmission test, transmission test, how do you hear me?" he said in a deliberately flat and bored tone, like an uninterested radio operator. He wasn't sure if the signal would be retransmitted by the spaceship back to Houston somehow, and didn't want to alert anyone.

Chad, who had been thumbing through the checklist for tomorrow's entry into lunar orbit, bolted upright, startled to hear the Russian language in his ear. It didn't repeat, and he snuck a glance at Svetlana, who was looking out the window at the growing Moon. Had he imagined it?

Chelomei repeated himself. "Transmission test, transmission test, how do you hear me?" He wondered whether Cosmonaut Gromova would also hear him, or only Miller. He checked the clock at the front of the room. Still 30 minutes of comms remaining until the Earth turned too far for his satellite dish to see the spacecraft.

Be patient, he counseled himself. *Miller needs time to decide what to do*.

Chad pictured the ship's comm system in his head, and rechecked the switch config. *What the fuck?* This wasn't just stray VHF radio delivering typical, unregulated noise from Earth; this was coming to him on their designated S-band frequency. To get through to his headset, it had to be a specifically modulated signal. The realization hit him. *Someone in Russia is calling us on purpose!*

But who? He kept his face calm, in case Svetlana looked at him.

Chelomei upped the stakes.

"Transmission test, transmission test. If you can hear me, respond with two microphone clicks."

Standing in TsUP, Chelomei listened intently. One click, by itself, could be anything; two would be deliberate. Three could make Houston wonder what was going on.

He waited.

Chad's Russian was rusty, but he was pretty sure he'd understood. Whoever was calling wanted two chirps on the mic.

A thought struck him, and he looked out the window at Earth. The Atlantic Ocean was facing him, but he could see from the western edge of Russia to the eastern edge of America. Someone in that part of the world had chosen this moment to contact him. He could just barely see where Moscow was in the darkness on the eastern side of the ball. *Had they known Michael was asleep and wouldn't be listening? Who would know that?*

He decided. Reaching for the transmit switch, he toggled it twice. Then listened.

In Houston, Kaz heard the clicks and perked up his ears since the noise of the mic always preceded a transmission from the ship. When no one spoke, he shrugged. *Just static.*

On the other side of the world, Chelomei heard the two clicks and was exultant. *I've made direct contact with the* Apollo *crew! They can hear me!* His eyes burned in triumph. Time to raise the stakes again.

"I hear your two clicks. And so does your brother. Don't reply. Listen for more in"—he glanced at the clock on the screen—"eighteen hours. After 16:30 Moscow time." He released the mic.

Chelomei reviewed what he'd said and nodded to himself. *That will give him food for thought.*

Chad was dumbfounded. "*And so does your brother*"?

That was the second time the Russians had mentioned him. It was obviously a threat of some kind, but what were they going to do? Chad pictured Oleg—Father Ilarion, he corrected himself—at his church in East Berlin, and looked out the window again, searching for Germany under the northern European clouds. *Why would they threaten me with my brother?*

What do they want?

The voice had said 16:30 Moscow time. Chad pictured the Earth turning, and realized the person communicating with him had to wait until the Earth spun enough to bring it back around. At least the next 18 hours would give him time to think.

He flicked through his flight plan and made a small mark at the designated time, noting that it was about when he was scheduled to wake from his next nap. Right, they wouldn't call while Michael was listening. That would be too hard to explain. He thought back. *They must have heard me telling Houston that Michael was going to sleep.*

He considered how to use this new information. He pictured his brother under threat, and took a long look at Svetlana, who was still engrossed with the view of the Moon. Eventually he nodded his head.

That must be it.

But what exactly do they know?

38

Into Lunar Orbit

"Good morning, *Pursuit*, this is Houston," Kaz said. "Sorry to wake some of you a little early, but it's Moon arrival day, and I have your LOI data anytime it's convenient."

LOI was Lunar Orbit Insertion, the firing of *Pursuit*'s main rocket engine to slow the ship down, allowing it to be captured by the Moon's gravity into a stable orbit.

They'd decided to have Svetlana sleep at the same time as Chad in *Bulldog*, so Michael had been solo, staring at the rapidly growing Moon and looking back at the tiny Earth, relishing having *Pursuit* to himself. The curve of the lunar surface's stark, ancient scars and deep shadows mesmerized him as they drew near, vastly more rugged and beautiful than the pictures he'd studied. It filled him with awe, knowing what they were about to do. "Morning, Kaz, the Moon is getting huge in my window. I've got my pencil poised, ready to copy."

"Roger. CM mass 62161, delta V 2911, ignition 75:49:50, burn duration 6 minutes, 2 seconds . . ."

As Michael scribbled the numbers in the table, he glanced at the clock. The burn was three hours away, just 180 minutes until they committed to staying at the Moon. Everything counting on the one engine to work perfectly.

He read the numbers carefully back to Kaz.

"That's a good copy, Michael. You'll make a fine stenographer someday."

"Roger that, Kaz. Good to have a fallback if this astronaut thing doesn't work out."

Floating in his hammock in *Bulldog*, Chad had his headset on, listening to the conversation. Svetlana was still asleep, floating below him, with Luke's body strapped to the floor.

He hadn't been able to sleep much, restless with wild dreams and uncertain thoughts. He looked at his watch, the Omega's hands glowing in the darkness, and added nine hours for Moscow time. *They're listening again now.*

It suddenly occurred to him that *he* was in control of this situation, no matter how it felt. Moscow could only transmit to them when he confirmed that Michael wasn't listening. No one would hear what they said except him. And *he* could choose when to respond with mic clicks. They wouldn't dare escalate and reveal their clandestine communications to Houston—they wanted this kept secret from the United States.

He looked down in the dimness at the sleeping cosmonaut, a blob of spit floating weightlessly from the corner of her mouth. Once she got on headset for them to head down to the surface, the game would change. He'd have to think about how to manage that. But for now, Moscow was his to manipulate.

He could hear Michael's voice calling through the tunnel. "Hey, sleepyheads, rise and shine. I've got breakfast ready, and we've got us a Moon to catch!"

As he took a bite of his cereal bar, Michael raised a topic he'd been brooding over. "What exactly are we going to do with Luke's body on the Moon?"

Chad was eating a sausage patty, and popped the last bite into his mouth. "Yeah, I have a few questions about that too."

Both he and Michael were wearing their headsets. Chad flicked the transmit switch on. "Houston, *Pursuit*."

"Go ahead, we're listening," Kaz replied.

"How are the fuel margins for carrying Luke's extra weight during landing, and where exactly do you want his body?"

"They've run the numbers here multiple times, and we're good on fuel, right through landing and abort scenarios. And the current plan is to have his body strapped down behind you, over the engine mount, for center of gravity."

Chad visualized how much space that would take up. He looked at the cosmonaut, who was sipping tea, watching them both. "When it's time to move him outside, is the woman staying inside *Bulldog*, or does Washington want her to get some surface time too?"

Kaz smiled slightly. Chad had his quirks and lived in a weird house, but he surely wasn't stupid. "Good question. We've been talking with the powers that be, and they think getting her feet onto the surface is important." It had been a heated discussion here at Mission Control, but the leverage it gave America to have enabled a Soviet to walk on the Moon was too important to pass up. Sam Phillips had said that Kissinger was insistent.

"She can help you move the body, and we're looking at regolith burial options. You'll see details of that in the new procedures. For now, though, we need you to resize Luke's suit to fit her. TELMU's standing by with expertise, and the interpreter's here. Let us know if you need help."

Chad looked at his watch again, picturing Moscow listening to what he'd said. *So far, so good*. "We have time before the LOI burn; we'll get at that as soon as she cleans up the breakfast dishes." He smiled. *This is fun*.

The inner long underwear with built-in cooling tubes fit reasonably well, Svetlana thought. The arms were a little long, but it was made of a stretchy material and clung to her everywhere else. Michael had turned his back as she changed, but the commander had blatantly watched her.

Tupitsa. He hasn't met Russian men.

The spacesuit was similar enough to the Soviet design that getting into it wasn't a problem. She thought the long pressure seal up her back was overly complicated and prone to leakage, but obviously it worked. The shoulders were a bit wide, and the two astronauts adjusted the sleeves, pulling internal tensioning strings and straps to shorten them to fit.

She'd worn many flight suits and spacesuits; they were always designed for men and fit poorly. She felt around inside: the boots were too big, the crotch was a little high, the hips a little narrow. It wasn't much worse than her Yastreb suit had been.

Michael got the interpreter to help, and walked her through the simple controls and purge on the front, the pressure gauge on her wrist and the backpack plumbing connections. She raised a hand in front of her face and wiggled the fingers, admiring the dexterity they had built into the design. *Better than our clumsy mittens.*

Michael asked her to flex her arms, moving his own to demonstrate. "Okay?"

She stretched both arms out straight, and then pulled them in to reach the controls on her chest. Her fingers slid back in the gloves, making it a bit clumsy, but she judged she could make them work. "Da, okay." Michael gave her a thumbs-up, and she returned the gesture with her gloved hand, a small smile on her face. A *trustworthy man.*

He undid the long zipper up her back, and she squirmed out of the suit, butt first, sliding her arms and legs out. As her head popped free, she caught Chad looking at her speculatively. She held his gaze for a moment, and then helped Michael bundle the suit. It reaffirmed her impression. *I need to watch out for that one.*

Both men suddenly looked slightly unfocused, and she realized they were listening to Houston. Michael handed her Luke's headset, and she slipped it back on, immediately hearing English chatter followed by the interpreter's Russian.

"Svetlana, please confirm you can hear clearly."

"Da, slushayu." *What's up now?*

She heard the CAPCOM's voice, and then the interpreter's.

"Chad, Michael, Svetlana, we're going to run through changes to tomorrow's timeline with serial translation, as all three of you will be involved. Let us know if you have any questions as we go. It's going to take a while, but I think we can get it in well before the LOI burn."

Chad's mind was racing on a parallel track, and he glanced out the window to confirm what his wristwatch had told him. Moscow was in sight, and would be listening to the crew's transmissions. He needed to clarify something.

"Hey, Kaz, just a thought, no need to translate, but in case the cosmonaut has a question, is Moscow on the phone as part of this briefing?"

Kaz waved a finger at the translator to not repeat in Russian. "No, we decided there's no need to let them listen in to our internal operations."

"Roger, makes sense, thanks." *I'm going to have to repeat the key info.* "We're ready to copy."

Kaz's voice. "Okay, great. I'm in the Lunar Surface Checklist, page 2-5. Chad, you'll be doing all the LMP actions here, with the interpreter ready for anything that only Svetlana can reach on her side of the cockpit." Kaz methodically read out the changes page by page, the interpreter repeating the gist in Russian, Chad and Michael penciling them in as he went.

"Kaz, confirm *Bulldog* undock time is 08:43?" Chad said. It was important for Moscow to know when they could call. Michael, in *Pursuit*, would be orbiting overhead every two hours; while he was behind the Moon, with his transmissions from Earth blocked, only *Bulldog* would hear Moscow.

"That's right, Chad, 08:43 central, Mission Elapsed Time of 97:12."

"Copy, thanks." They continued amending the checklist.

In TsUP, it was suppertime, but no one was eating. Chelomei was listening intently to the tone of the crew's responses and the translation by his interpreter, gathering information, trying to gauge the situation.

He nodded slowly as he heard Commander Miller clarify the time. *That is for us. Good boy.* He watched as the flight director wrote the undock time on the mission schedule sheet they had built. His trajectory team had already roughly calculated the orbiting ship's periods of communications blockage behind the Moon; they'd refine it once the decelerating burn was complete.

He thought ahead. There was key information he needed to get to the cosmonaut. And he needed to use the clergyman to apply pressure to the astronaut. But he had to be sure of the Americans' plan.

Glancing at the clock, he tried to will the voice in his ear to tell him what he needed to know. Not being able to hear what Houston was reading up to the crew was frustrating.

He heard Miller speak again, and then the translation came. "Copy, Kaz, I'll read back expected touchdown time and location."

This is it! He leaned over the console and grabbed a piece of paper and pen to ensure he copied down the key information as it was translated.

"*Bulldog* landing 11:17 Central, 99:45:40 MET, location 25.47 North, 30.56 East, next to a straight rille near the southeast rim of Le Monnier Crater."

Chelomei read the words and numbers he had written down, then pulled his notebook out of his breast pocket and quickly flipped the pages with his thumb, looking for what the technicians in Simferopol had told him over the phone. He found his page of notes and held it next to the sheet on the console.

He cross-checked the numbers. The location was identical.

The Americans were going to land Apollo 18 right beside the Lunokhod rover.

Excellent.

Pursuit's rocket engine was twice as big as it needed to be. The design had been decided well before anyone at NASA knew for sure how much thrust they'd need, and by then it was too expensive to change. But extra margin was a good thing, because if the engine failed, the crew died. It was one throw of the dice. One solitary engine to slow the spaceship into orbit around the Moon and, a few days later, to get them going fast enough again to escape for Earth.

The engine's name was beyond mundane—the Service Propulsion System. But the SPS was about to fire, and the crew was on their own.

Svetlana was staring out the window at the surface of the Moon rolling past them, 50 miles below. The Sun was setting, and she held up her hand to block it as they raced into the darkness of the Moon's shadow. The low Sun angles exaggerated the shadows of the ridges and craters, making the strange sight even more bizarre.

"Bozhe moi!" she murmured, reverently. My God. *Can this be real?*

She glanced up into the blackness of the sky, seeing for herself that Earth was no longer visible; the Moon was in the way. That also meant all radio signals were blocked.

"Three minutes until ignition," Michael said. He was loosely strapped in his seat, checklist Velcroed to the panel, eyes intent on the instruments.

"Temps and pressures look good," Chad responded from the other seat. Without Houston to help monitor, it was up to the two of them to be ready to react to everything.

One of the problems the rocket engineers had to solve had been how to get the fuel out of the tank and into the motor in weightlessness; pumps don't work without gravity holding the liquid at the pump intake. They'd decided to pressurize the tanks with helium in order to squeeze the fuel through the lines to the motor—175 pounds per square inch, pushing the fuel against the valves, waiting for ignition time to snap open.

They also had to choose fuel that could be relied upon to burn: aerozine 50, a highly flammable, fishy-smelling clear liquid. The oxygen to burn it was waiting in the other tank, in a faintly orange-brown liquid called nitrogen tetroxide. When the two liquids touched each other they instantly exploded into flame. This hypergolic reaction meant they didn't need the added weight of spark plugs and electrics. As soon as the two mixed, *BOOM*, the engine would ignite.

Michael tugged on Svetlana's pantleg and mimed holding on to something. He didn't want her to be surprised by the acceleration and come tumbling onto them. She nodded and grabbed a handhold.

Chad was watching the clock. "Thirty seconds."

Michael typed in the command to enable ignition. Both astronauts' eyes were glued to the gauges, hands clutching emergency checklists, ready to respond instantly if the engine didn't behave.

The time on the digital clock hit zero. The valves clicked open, the aerozine and nitrogen tetroxide swirled together into the combustion chamber, burst into expanding flame and raced out the exhaust nozzle.

"Ignition!" The urgency of concentration was clear in Michael's voice.

Floating beside him, Svetlana silently mouthed "Pusk," the Russian equivalent. She was holding on tightly, but the acceleration was smaller than she expected, like drifting in a gentle, unseen current. She peered out the window and saw the glow of the flame reflected off the flat surfaces of the lunar lander. "Lem," she said quietly, the sound of the word foreign in her mouth.

"Chamber pressure's ninety, looks like it's running smooth." Chad's voice was clinical.

Michael was watching the digital displays. "Data looks good. Still in the tight limits."

Flame poured out the back of the oversized bell nozzle at the back of the ship, the two fluids burning a bright orange, an engine pushing backwards on a capsule with a lander mounted on its nose, slowing gradually to orbital speed around the Moon.

The computers sensed tiny changes in movement and made precise adjustments to the gimbals on the motor, pointing it in exactly the right direction, constantly recalculating speeds. Michael checked the clock.

"Four minutes to go."

He'd spent the past year learning everything about this ship, this *Pursuit*. It was his to fly, but it all hinged on this motor. *Burn, baby, burn*.

If the SPS failed, he'd have to use the engine on the lunar lander to somehow straighten things out and get them safely headed directly back towards Earth. That's what they'd done on Apollo 13 after the oxygen tank explosion, but they'd barely made it.

Pay attention!

"I show ninety seconds, Chad."

"Agreed." Chad had relaxed. In his experience, once an engine lit it would normally keep going. They just had to be sure it shut down on time, and then he could focus on what he was really here for. Getting to the surface of the Moon. He glanced up and shook his head. *With her.*

"Five, four, three, two, one and . . . cut-off."

Michael's eyes flicked anxiously across the gauges, confirming that the engine had shut down properly. He read the digital display carefully. "Looks like small residuals, no correction needed." In the simulator, as the engine thrust tailed off, it often left some small, undesirable residual rates, and he'd had to manually null them. His fingers threw the switches to safe the system, a grin spreading across his face.

"We're here!" He held up a hand, and Chad high-fived it.

"Well, that's just our superior cunning and skill, boy," Chad said. "And now we can really get down to business."

Svetlana caught Michael's eye and held up a thumb, nodding slightly, her eyebrows raised for confirmation.

He laughed with relief. "Da, we made it. We're in orbit around the Moon!"

"Atleechna," she told him. Excellent.

Now she needed to hear from Moscow. She'd listened to the translated briefing from the Americans, but she wanted to hear it directly from her bosses. She was certain they had separate plans for her, and it was going to take all her wits to understand what they wanted without letting on to the others what the interpreted words actually meant.

But they were *here*! Somehow she'd become the first Soviet to get to the Moon, and tomorrow, she was going to step onto the lunar surface!

A rush of excitement went through her. She'd watched the near-deification of Gagarin, the way he'd become one of the legendary figures of Russian history. That was going to happen to her!

But not yet. As it had been her whole life, especially as a woman, first she had to perform. This time was perhaps the hardest of all: on a strange ship, in an unfamiliar suit, surrounded by a language she didn't understand.

What was it the first American who'd walked here below her had said? One small step?

She nodded to herself. *I can do this thing.* It was just one more step.

But first she needed to hear from Moscow.

39

Moscow

They were an odd-looking pair as they emerged into the Arrivals hall at Moscow's Sheremetyevo Airport. The bearded monk wore all black, a long, buttoned vest over his floor-length robes, simple black leather shoes visible as he walked, a black veil trailing from his tall kamilavka headdress. Laboring slightly beside him with a suitcase in each hand, the church interpreter was in a two-piece brown suit, square-toed shoes and a thigh-length tan trench coat cinched around his waist. It was always colder in Moscow than Berlin, and the April weather could still bite.

Father Ilarion had been quiet and thoughtful throughout the flight, observant of the newness of everything. Alexander had made sure to give him the window seat on the Interflug Tu-134. It had been noisy, seated just ahead of the engines, but Ilarion's face stayed glued to the round porthole window, watching East Germany give way to Poland, peering down at the Baltic Sea by Gdansk. His face filled with wonder as the view opened on the edge of the empty vastness of the Soviet Union.

When Moscow finally appeared, with the low gray shades of human history crowding on the switchback bends of the Moskva River, Alexander had leaned next to Father Ilarion to see the city, encircled by the early green of new leaves and grasses. The MKAD ring road surrounding Moscow in a near-perfect oval was a demarcation line separating natural from urban. The two men stared at the vast ranks of identical apartment blocks, the hulking cooling towers of the power plants and the concentric inner road patterns making a bullseye of Red Square and the Kremlin.

"Kremel, Sascha!" the monk had said, pointing for Alexander to see. The red of the high fortress walls stood out clearly against the dark pavement of Red Square and the glinting river. Neither man mentioned the enormous public swimming pool just to the west, built on the site where Stalin had torn down the Cathedral of Christ the Saviour—the pre-revolution home of the Orthodox Patriarchate.

No need to dwell on the past. This trip was about the future.

The driver was waiting for them in Arrivals, easily spotting the monk. He waved a hand, took the bags from Alexander and led them out to a squatty light-blue Moskvitch station wagon. He took care to set the bags down and solicitously open the rear door for the clergyman, politely lowering his head. He'd been told to make the monk feel important.

Traffic was light on the MKAD, and Father Ilarion's eyes darted in all directions, staring out the noisy little car's windows at the reality of Moscow, reading the overhead street signs as they flicked past. The driver took the Yaroslavl Highway to the right, towards the city center. In the distance, the Ostankino TV Tower dominated the skyline, its tapered silver bulges distinctive—the tallest tower in the world, a visual affirmation of Soviet pride and technical prowess.

As they neared Ostankino's base, a second tower appeared—a sweeping silver scimitar with a stylized rocket at its tip. Without being asked, the driver pulled the car into the adjoining parking lot and leaned forward to look up at the sight. "Pamyatnik pokorítelyam cosmosa," he said, simply. Monument to the conquerors of space.

"Would you like to have a look, Father?" Alexander asked.

"Da!" Ilarion craned his neck to look up through the side window. "My brother is now one of those conquerors," he said as he climbed out of the car's back seat.

The long, pyramid-like rectangular base of the monument was emblazoned with bold Soviet heroic figures in bas-relief, their muscular arms and stalwart male and female faces all pointing towards a cosmonaut in his spacesuit, climbing steps towards the heavens.

"Yuri Alekseyevich Gagarin. First man in space," Alexander said, pointing to the cosmonaut.

The monk stared at Gagarin's sculpted face, and then followed the majestic sweep of the titanium statue towards the sky. He blinked at the brightness.

"It's magnificent." He turned to look at the interpreter. "Sascha, I'm excited to talk to my brother. Do we know yet when it will happen?"

"Tomorrow, Father." Alexander explained that they needed to wait until the Moon was visible in the sky, so the signal would be able to get there and back from the Russian antennas. And tomorrow was also the day his brother would walk on the Moon. Tonight they would stay in quarters near TsUP Mission Control.

Tomorrow would be the biggest of days.

48

Office of the Chief Designer, Moscow

"Allo? Allo?"

Chelomei scowled, holding the receiver against his ear. *We can fly in space, but why can't we Soviets make phones that work?*

A series of static-filled clicks came through the line.

The information that Major Miller had transmitted down from Apollo had confirmed what he'd suspected. Somehow the Americans had precise information on the Lunokhod rover's location on the Moon, and had made it their landing target. The clear purpose of this US military lunar landing was glaringly revealed.

The question was why. They couldn't know about the lunar geology team's discoveries. They were too recent; the American ship's trajectory had to have been set several weeks in advance for crew training and launch timing. But they had intercepted Almaz with sabotage weapons in hand. Clearly this was the same thing: they wanted to see anything Lunokhod might have discovered, inspect the rover up close and then disable it. To stop Soviet progress on the Moon's surface.

The briefing he'd received on the most recent discovery significantly upped the stakes. It wasn't just lunar knowledge and Soviet technology they could now steal. A naturally occurring radioactive source on the Moon—if it was the right kind—meant many things, including power, and heat. It could enable the fundamental technology that would spur lunar settlement. And the knowledge had to remain the Soviet Union's alone.

He needed to protect what Lunokhod had found. Having a cosmonaut on the surface added tremendous leverage, and options. But he urgently needed details from the rover operations team in Simferopol, which is why he waited so impatiently on the phone.

Finally, a thin voice sounded in his earpiece. "Simferopol Luna Ops Command. Allo?"

"Director Chelomei here. Who is this?"

Gabdul sat bolt upright, stammering slightly. "S-S-Senior Lieutenant Gabdulkhai Latypov, Director. I'm the shift lead currently on console, primary Lunokhod operator, seconded from the Soviet Air Forces." *Stop babbling!* "And lead of the team that installed the Apollo uplink voice capability." Credentials were important. With his technical communications background, he'd been key in making the uplink voice work.

"Latypov, good." Chelomei had heard the name during the antenna modifications. "I have new information, and I need your team to be ready."

He quickly summarized the Apollo landing details, leaving out the fact that there would be a cosmonaut on the surface too. No need to overburden the rover drivers. "They'll be on the surface within twenty-four hours. How can Lunokhod best protect itself and what it has found?"

Gabdul was dumfounded that the director was asking his advice. His mind whirled as he considered options.

"Comrade Director, we have made fresh tracks all around Ugol—that's what we have named the rock. It will be obvious that we've been investigating it. Perhaps we could bury it with one of the probes? Or maybe push it into the nearby rille? Also, we need to protect Lunokhod itself."

An idea struck him and he quickly explained it.

Chelomei considered, and decided the plan was good for a couple of reasons. "Make ready to do it, Lieutenant Latypov. TsUP will be working closely with you tomorrow while the Americans are on the surface."

As Chelomei hung up, he glanced at his watch. The American, Esdale, should be going to sleep soon. He needed to brief Miller and Gromova, but he knew from the transmissions that they weren't keeping her on headset.

He closed his eyes and rubbed his forehead with his thumb and middle finger, his head aching with all the moving pieces and the lack of sleep. He stood and left his office, headed for TsUP.

I'll sleep when this is over.

"Transmission test, transmission test, how do you hear me?"

It was after midnight, and the Moscow Mission Control team was tired. Michael Esdale was finally napping, now that he had safely gotten his craft into lunar orbit. Despite the late hour, Chelomei had insisted on patience to ensure that Esdale was truly asleep, so he could send a message that would be heard by Miller alone. Out of extra caution, he'd decided to use the same innocuous call, and repeated it in deliberately bored Russian.

"Transmission test, transmission test, how do you hear me?" He listened for any response and glanced at the timer on the front screen. Just two minutes left before the ship would disappear behind the Moon. He decided it was worth the risk to assume Major Miller was hearing him and say what needed to be said.

"Listen to me carefully. We have your brother, Ilarion, here, and want him to remain safe. You will hear his voice tomorrow. Once you are on the Moon, we will brief you and Gromova with the exact details of what is needed." Chelomei had reasoned that she would have to be listening while they were in their spacesuits.

"If you understand, click your mic twice." The clock showed one minute before they lost signal.

Long seconds ticked by. Nothing.

Finally, *click, click.*

A slow, Cheshire cat smile spread on Chelomei's face. "We hear your response, and will talk to you tomorrow." He decided to dig in the knife slightly. "Sleep well."

In Houston, Kaz frowned. *That's the second time I've heard that.* He decided to check.

"18, Houston, did you call?"

Chad responded with palpable irritation. "No, we didn't call. We're trying to stay quiet, to let Michael sleep."

"Copy, apologies." Kaz kept his tone contrite, but he looked back at Gene Kranz and shrugged. They'd both heard the clicks.

"INCO, any idea where that sound came from?" Gene asked.

The communications operator was studying his displays. "Looks like from *Pursuit*, FLIGHT. Maybe they just bumped the switch." It was lame, but he couldn't see any other explanation.

"Copy, but let's keep an ear out for any recurrence," Gene said. "We don't need any more surprises in the comm system."

Kaz nodded along with INCO, but he was bothered. Clicking the mic twice was something pilots only did on purpose. But Chad had denied it. Was Michael awake and trying to get Kaz's attention? Why would he do that? Was it the cosmonaut? Or was there something going on with Chad?

In TsUP, the interpreter had translated Miller's irritated response to Houston.

Good boy, Chelomei thought. But he was going to have to be extra careful. He didn't want to make the Americans suspicious, at least not until after he had achieved his aim.

An idea popped into his head, and he smiled, tiredly. He had a better plan for next time.

41

Mission Control, Houston

"Everyone listen up, this is the Flight Director."

Conversations ceased in Mission Control, and faces turned to look at Gene Kranz, standing behind his console.

"Another excellent day, people. We're in lunar orbit with healthy spaceships, and have the landing and moonwalk tomorrow."

His eyes sought out each console operator as he spoke: "The crew needs to get some rest now, but so do you. After you all hand over to the night shift, I want you to head home and get a well-deserved sleep. I need you at the top of your game tomorrow. Sweet dreams, and see you in the morning."

Kaz leaned back to catch JW's eye. "U-Joint for a burger, Doc?"

JW smiled. "Outstanding plan."

Kaz had already called Laura, and spotted her Beetle as he drove into the bar's parking lot. Despite Gene Kranz's urging that they all have a quiet night, the lot was filling rapidly. As he walked through the swinging doors, he saw her waving, two fresh bottles of beer and a coffee on the table in front of her.

"Well, aren't you a sight for sore eye," Kaz joked as he sat.

She laughed and handed him his beer, raising hers in a toast, then shut one of her own eyes, appraising. "You look good too, in mono or stereo."

He rubbed his head and took a long, appreciative swig. "I look like a guy who was ready for this beer."

"I ordered us burgers." She spotted JW coming through the doors and waved him over. "One for the doc too."

"And they say cosmochemists aren't empathetic."

JW sat with a tired sigh. He nodded thanks for the coffee and took a sip, cradling the mug in his hands. "We three have a big day tomorrow," he said.

Laura nodded. "Enough of you boys flying spaceships and counting heartbeats, it's time to get down to what we're really here for. Extraterrestrial geology!"

Kaz pulled his chair closer and leaned in. The total blackout on news had been holding, and he didn't want to be overheard.

"Are the two of you ready for everything that could happen tomorrow?"

Laura frowned. "What don't I know, Kaz?"

"The thing is, we're not really sure." He began listing what was on his mind. "We're hoping to land within easy walking distance of the Soviet rover, to see what's been interesting them, but it might be a hike, depending where Chad touches down. And Chad is going to have to spend extra time ensuring the cosmonaut stays safe—she's had no training for a moonwalk. The Russians have asked for some senior politico to talk to her while she's on the surface, so that will tie up comms for a while. We've set schedule aside to place Luke's body on the surface, and have tried it out in the sim here, but we're not really sure how long it will take. And a lot of what we say is going to have to be repeated via the interpreter, which will also slow things down."

He looked at JW. "What did I miss?"

The doctor set his coffee down. "You're talking best case. We're gambling that Chad will find a way to work with Svetlana under stress. He's the only one who can fly the ship, or fix things when they break."

He looked at Kaz. "And we both know Chad's a . . . perfectionist."

And maybe something a lot worse, Kaz couldn't help but think, then cautioned himself to keep his mind open. Just because the sheriff had wanted to dig deeper didn't mean he had to jump to conclusions. He turned to Laura.

"I'm sorry, but all of this will steal potential science time. We're really gonna have to prioritize. What's your best guess about the terrain Chad'll be walking across?"

Laura stared back at him for a long, sober moment as she processed yet another change in the mission. She said, "It's in the corner of an old crater called Le Monnier that got inundated with lava at some point long ago. It doesn't have too many meteor craters in it, so the lava's fairly young, and flat. There's likely an even layer of dust on everything, with scattered rocks from more recent impacts. Should be okay for both landing and walking."

She took a drink of her beer. "Our orbital photos aren't great, but the most interesting thing we've seen nearby is a rille—a long, straight arroyo in the lava plain, just to the west."

JW asked, "How did it get there?"

"Likely as the lava cooled it contracted. Like mud when it dries out, it sometimes leaves straight cracks."

Kaz had been thinking. "Any further guesses on one of your holes in the Moon being close by?"

She nodded. "Yes, we've been looking at formation models. They're not common, but there's a fair chance that there might be some. If so, they've been too small to see from orbital cameras."

He nodded. Chad had been in on those briefings, so if he encountered such a hole it wouldn't be a surprise. Maybe worth warning the cosmonaut about, though.

"How steep are the sides likely to be?" JW was picturing potential injuries.

"The rille could be quite steep, since it's more of a crack than a valley, but it's likely been drifted in along the edges with millions of years of dust and rock. But if there's a hole, it's a pure vertical drop, like a well, or a Florida sinkhole. And we have no idea how stable the edges might be. Better to stay clear."

JW looked at Kaz. "With all the items they removed to save weight, how good will our camera views be?"

Kaz shrugged. "There's just the color TV camera, deployed on the side to watch them climb down the ladder. It'll be up to Chad to move that onto a tripod once they're both outside."

Laura, imagining how little of the science she hoped for might get done, was looking for options. "How long are you going to let them stay outside?"

JW answered. "That's determined by how fast they use up their oxygen, and exhale CO2 for the suit to scrub. We have lots of data on Chad, but none on Svetlana, and she may have to work harder since it's not her own suit. Also, she might not get her biomed sensors attached correctly, so we could be guessing a bit."

Laura frowned. That wasn't an answer. "So, how long?"

They both looked at Kaz.

"Original plan with Chad and Luke was seven and a half hours, as you know. Now it's five hours." He saw her face fall, and said, "We might extend, depending on how they're doing, but I wouldn't count on it."

Another thought had been niggling at the back of Laura's mind. "Maybe you can't tell me, Kaz, but does Chad have military objectives that the geologists haven't been told about?"

Kaz looked around, then said, "That will depend on what we see when they land. It could end up being purely geology." *Not likely, though.*

She glanced at JW, who was carefully keeping his face impassive.

"I should play poker with you two. I'd clean you out." She smiled and shook her head as Janie arrived, balancing the three plates.

42

Bulldog, Lunar Orbit

Chad had been seething since the Russian call. His anger had made him restless all night, pouring through him in waves that invaded his dreams and kept cresting, right at the edge of his control.

He was the one who had qualified to command this spaceship. Who was this Soviet trying to tell *him* what to do? And to bring his brother into it? Floating in his hammock, he wanted to scream. He'd made his own life, taken his own actions to get to where he was supposed to be. He'd been the top test pilot in the US Air Force, and now at long last he was about to walk on the Moon. The small-thinking idiocy of that smug voice echoed in his head, the man trying to direct his actions like he was a puppet. "Sleep well," the arrogant bastard had said. How dare he!

When Chad finally had slept, he'd dreamt of Berlin. And it wasn't the first time for this dream—it was one he feared.

The colors in it were oddly faded, like he was inside an old newsreel. He was running, trying to keep up with his brother, as buildings burned and collapsed around them. He could hear the cries of a woman, but couldn't tell if she was behind or ahead of them. Were they running towards her, or away? Where was his brother leading him? The faster they ran, the less sure the footing became. He could hear his own labored breathing over the female cries, and feel the blood pounding in his temples.

Suddenly they were on a narrow track, running along the surviving ramparts of the burning buildings. It became a balancing act to keep up, to not put a foot wrong, yet still move so fast. The world around him receded, and the narrow ridge of masonry that now supported them was impossibly high in the sky, starkly lit in anti-aircraft lights, with smoky haze far below.

He *had* to keep up! Every step treacherous, he pushed himself, calling to Oleg, "Medlenneya!"—Slow down! Please let me catch up. Please don't leave me alone. He pushed his muscles to the limit, pounding frantically along the thin, wobbling path until, finally, it collapsed underneath him and he tumbled. Helpless. Weightless. Lost.

And, as he always did at this point in the dream, he forced his eyes open through sheer willpower. He couldn't allow himself to hit the ground, and he didn't. Floating there, his heart still racing, he could feel the sweat on his forehead. His awareness had saved him, again, pulling him out of the terror.

But this time he wasn't alone. Someone was shaking him.

"Chad, Chad."

He felt the cold of the LM's air on his damp face.

"Chad, time to wake up, man," Michael was saying. "Houston's calling. Time to go make history."

The list of actions to ready the LM for undock and landing was long. As Chad and Svetlana ate a hurried breakfast, Michael helped them get suited. He made sure Svetlana got her heartbeat and breathing sensors properly stuck to her skin, and pantomimed again the key controls on the suit. She watched him carefully, then nodded, saying "Da," clearly familiar with the type of equipment.

While the two finished suiting up, Michael set as many switches in

Bulldog as he could—Houston had decided that he would take Luke's role in activating the LM's system up to the point where he had to close the hatch for undock. He strapped Luke's body into place over the engine housing, relieved to see that no more gases had built up in the Soviet suit.

He was trying not to worry about Chad. When he'd woken him up, Chad had been thrashing in a nightmare. As he came to consciousness, his eyes had been wild, staring in raw, scowling fury at whatever he'd been dreaming. When he finally recognized Michael, Chad had thanked him and quickly gotten down to work. But what had upset Chad so much? Michael knew very little about what made the man tick, he realized, and that worried him too. He heard Chad and Svetlana coming down the tunnel, their bulky suits scraping the sides, and made himself small against the ceiling so they could get into position.

Michael started a small stopwatch, counting down to undock, and Velcroed it on the panel in front of them. It read 30 minutes—plenty of time for him to clear out and close the hatch. He helped them don their helmets and gloves, got a thumbs-up from each and backed his way out of the LM, carefully tending his loose items and comm cable. He attached the bulky probe-and-drogue metal apparatus that would allow *Bulldog* to redock onto the hatch when they returned from the Moon. He methodically wiped the rubber seal to make sure it was clean, closed the hatch and released the manual docking latches that had kept the vehicles securely joined.

As he turned to face into the capsule, he realized he was suddenly truly alone. The Command Module, *Pursuit*, named by him, was his to fly. A grin spread on his face as he imagined what the folks in Bronzeville, South Chicago, might be thinking, how proud his family would be. All he needed to do was to get *Bulldog* safely undocked, and he, Michael Henry Esdale, would be solo master and commander of his own ship, in orbit around the Moon.

He rechecked his flight plan and began setting *Pursuit*'s switches.

"Apollo 18, Houston," Kaz's voice intervened. "I have good news before you disappear behind the Moon. You are GO for undocking.

Also, we observed your rendezvous radar test—no issues. *Bulldog*, we have not seen you reset the digital autopilot."

"Thanks, Kaz, doing that now. I show myself"—Chad checked the timer—"fourteen minutes from undock. Talk to you when I come back around."

"Roger that, *Bulldog*."

Svetlana was standing next to Chad, the two of them held lightly in place on their feet by restraint cables clipped to rings on their hips. She'd wondered how they were going to stay in position without seats, and was impressed with the simplicity of the American solution. She found herself alternately watching Chad's hands moving switches and staring through the triangular window at the Moon racing by. They were just coming into sunset, and the lengthening shadows were mesmerizing. Especially given that soon she was going to be down there, walking on the surface.

Michael called, "Chad, when you're ready, I'll start extending the probe."

Undocking was controlled from *Pursuit*. Michael would be the one to extend the docking probe, release the latches and set *Bulldog* free. It would then be up to him to fire small thrusters and move safely clear.

"I'm all set here, Michael. You can let us go."

The phrasing caught Michael's ear, and he found himself suddenly humming "Let My People Go" as he threw the probe extend switch. His mother loved Paul Robeson's deep, mournful version of the song, but he preferred Louis Armstrong's upbeat take. As the gears of the mechanism were grinding, slowly pushing *Bulldog* away, Satchmo's words were playing in his head.

Go down, Moses, way down in Egypt land
Tell old Pharaoh to let my people go.

The mechanical sound stopped, and Michael peered hard through the window at *Bulldog*, relieved to see it moving slightly, independent of *Pursuit*. He pushed heavily on the extend switch to be sure, and pulled on the hand controller for three seconds to back away. He released both controls and watched with satisfaction as his ship separated cleanly from the LM. *Just like in the sim.*

"*Bulldog*, you are *free*."

"Looks like a good sep, Michael," Chad said. "Starting my yaw and pitch now." He carefully moved his right joystick to pivot *Bulldog* around so Michael could inspect the exterior.

Michael stared through the dark windows, *Pursuit*'s interior light reflecting off the metal surfaces of *Bulldog*. "You look clean, Chad—all four legs extended, antennas pointing correctly."

"Good to hear. Checking the rendezvous radar now. Your transponder on?"

"Sure is. Ping away."

Chad reached down and selected Auto Track, and immediately saw the signal needle jump. He confirmed the tracking display bars were moving and the digital range was updating. They'd need that radar to find each other when *Bulldog* was returning from the lunar surface. "Good return, good tracking, showing range of point three miles." He looked out the window at *Pursuit* slowly moving away. "Matches what I see with my Mark One Eyeball."

"Agreed, Chad."

Michael looked ahead to the horizon, where the first light of sunrise was appearing. "We should have Houston back pretty soon. I'll be ready for landing landmark tracking."

Knowing exactly where to land was the most critical piece of information for the navigation computers. As *Pursuit* passed directly over the planned landing spot, one orbit before the landing, Michael would measure exact angles with a tracking telescope. The information would be added to data from the rendezvous radar and Earth antenna tracking, and fed back into the computer in *Bulldog*. That would give *Bulldog* the best possible information to begin descent.

Svetlana, looking ahead to the sunrise glowing on the Moon's far horizon, felt a bump on her arm. The astronaut had taken his gloves off and was removing his helmet. He gestured for her to do the same.

Now that undocking was done, it made sense. They could enjoy the unencumbered comfort for a while, then put them back on for landing. She watched how Chad stowed his gloves inside the helmet behind himself, bungeed to the floor, and did the same.

She stole a quick glance at his face, then stared for a moment longer when she realized he was completely focused on the instruments. He could have been any of the boys she had grown up with—the same round face, high cheekbones, deep-set eyes. *Where did your family come from, American?* She couldn't recall his family name.

Chad turned suddenly, holding her gaze. He looked pointedly at the NASA comm cap on her head and Luke's US flag on her shoulder. "Don't worry, toots," he said. "I won't forget who and what you are." She frowned, not understanding the words but not liking the tone.

Chad gave a short, derisive chuckle. "You just sit back and enjoy the ride. Watch how the best in the world do it."

He considered slipping a Russian word in to unsettle her further, but decided against it. *Cards are best kept close to the chest*, he reminded himself. And he might still need the extra leverage he gained by secretly knowing what the Russians were saying.

In Mission Control, Kaz was watching the timer count down to when *Pursuit* and *Bulldog* would pop out from behind the Moon. He glanced at the flight plan: they just had the tracking update and systems checks during this pass. When *Bulldog* went back behind the Moon, it would fire its engine to start descent. He read the expected time: touchdown at 11:17 a.m. Central. Lunchtime in Washington, 8:17 p.m. in Moscow. The Soviets would have to stay up late to talk to their cosmonaut on the surface.

It was time. "Apollo 18, Houston here, you should be seeing your home planet again now. How do you hear us?"

Michael answered first. "*Pursuit* has you loud and clear, Kaz. Happy to report we had a good undock."

"*Bulldog* has you five by five, Houston." Five out of five for strength of signal, and also for clarity of voice, Chad's standard military assessment of radio communications.

"We have you both the same. You'll be over the landing site in sixteen minutes if you want to have a good look, and *Bulldog*, we're ready to read you your DOI data." DOI was Descent Orbit Insertion—the engine burn that would lower *Bulldog* from 60 miles above the surface down to 6, setting up for the final descent.

Chad unclipped his checklist from the instrument panel and grabbed the pencil that floated with it, tethered by a string.

"*Bulldog*'s ready to copy."

Kaz carefully read the long sequence of numbers specifying time of engine firing, vehicle orientation, plus abort information. The guidance engineers in Mission Control listened critically to Chad's response, and quickly responded when he finished. "FLIGHT, CONTROL, good readback."

Gene Kranz raised his thumb at Kaz.

"Good readback, *Bulldog*. We'd like to do a comm check with the cosmonaut, when you're ready."

Chad glanced at her. "She's listening."

Kaz nodded to the interpreter and began. "Senior Lieutenant Gromova, this is Houston, how do you read?"

Svetlana's head came up as she heard the Russian in her headset. Chad showed her the switch to throw on her control panel.

"Slishu vam yasna," she responded.

Kaz nodded at the translation. "Svetlana, we hear you clearly as well. We have the interpreter standing by at all times if you have questions. And once you're out on the surface, we'll be patching you through to Moscow for an official call of congratulations."

She listened to the interpreter. "Ponyala," she answered. "Understood." She'd been a pilot her entire adult life and didn't like chattiness on the radio. Or in normal conversation, for that matter.

Chad had been looking at her as she spoke. "What an ugly language," he said, shaking his head.

She squinted, uncertain what he disapproved of. "Shto?"

He snorted and turned away. Out his window he was starting to see the familiar landmarks leading up to the landing site they'd trained for. There was a grid painted on the layers of the tempered glass so he could visually cross-check with what the computer was telling him. He lined up his head with the references and watched the craters roll past at nearly a mile per second.

"Houston, *Bulldog*, I'm seeing the reference craters on the horizon. Looks a lot like the sim."

"*Pursuit*'s seeing them as well, Kaz," Michael piped in. "Getting set here to update the computers."

"Houston copies both." Kaz looked across at JW. "Doc, you getting their heartbeats?"

JW decided it was good information for the whole room to know. "FLIGHT, SURGEON, we've got solid cardio and breathing telemetry from both crew in *Bulldog*."

"Let me know if you see anything unexpected," Gene replied.

Might be really important today, Kaz thought.

Michael had *Pursuit*'s alignment telescope and sextant set up, ready to mark the data when he spotted the distinct features of the crater and the rille. He was hoping he might get lucky and see the Soviet rover as well. It would be critical info for Chad to use for manual landing.

As *Pursuit* flew closer, Michael took marks for the computer while looking unblinkingly through the eyepiece. When he passed overhead, he briefly saw glinting tracks in the area and a flash of silver dead center in the target zone. *Excellent!*

"Houston and *Bulldog*, *Pursuit* here. Landing landmark tracking complete, and happy to report that Lunokhod looks like it's right at the bullseye."

"Copy, Michael, good to hear. Hopefully won't be too long a walk for Chad."

"*Bulldog* here. I didn't spot anything through my window, but I'll set her down as close to Lunokhod as I can, next time we come around."

Svetlana was listening intently to the exchange. She could have sworn she'd heard them say "Lunokhod" twice, the familiar Russian sounds sticking out amongst the English. Could that be right? Was that their destination? Why were the Americans landing by the Soviet rover?

She scanned her memory for details of the Soviet Luna program, but she didn't remember much. Focused on her own mission, she'd paid only idle attention to robotic lunar geology research. In the translated planning meeting they'd had the night before, no one had said anything about Lunokhod. Could she have misheard?

She puzzled further. The astronaut in the suit she was now wearing had been carrying bolt cutters when he'd been outside at Almaz. That had shown hostile intent. Was this the second half of that same mission? To damage not only the Soviet orbital station, but also their vehicle on the Moon? She looked around inside the lander. Were those bolt cutters stowed in here? She couldn't see them, but with the stiffness of the suit, she couldn't turn her head properly to look everywhere.

She pictured what was going to happen after they landed. They'd said she would descend the ladder and stand on the surface while talking to someone in Moscow. But what would she do if Lunokhod was in sight and the astronaut started heading towards it?

Chad glanced at her and frowned. *Why are you looking so intent all of a sudden?* He saw her notice his scrutiny and immediately relax her face into its usual impassive mask.

He played back the past minute in his head. *Did you understand what we just said?* Maybe she spoke English after all, and was just playing dumb. He went through the instructions he'd received about the Soviet rover, then turned back to look through his window at the Moon's surface below, picturing exactly how it would go.

He was fine, he decided; she couldn't know his intentions. Even if she realized what was happening, she was weaker—there was no way she was going to stop him.

If there was a battle on the Moon, he would win.

—

It was a long, gradual descent begun in the shadowed silence of the far side of the Moon, the engine slowing *Bulldog* down, the gentle force of it pushing up through Chad's and Svetlana's feet.

Without Luke to assist, Houston had suggested that Chad relay his progress to Michael overhead so someone could double-check every needed action and help with emergencies.

Chad's voice was clipped and clinical. "H-dot's a little high. We're about 2 percent low on fuel."

Michael thought about it. "Yeah, I undocked you when we were a tad high, so that descent speed makes sense, and matches the burn rate."

"Concur."

"How does nav and guidance look?"

"PGNS and AGS compare." Chad pronounced the navigation acronyms "pings" and "ags."

"Copy. Looking good, Chad."

On *Bulldog*'s instrument panel, two small lights stopped glowing.

"I see the Altitude and Velocity lights are out now, showing a 3,400 delta-H. What do you think?"

Michael was following along in his checklist. "Sounds like the landing radar's got a good lock on height. I think you can accept the updated 3,400-foot difference it's giving you."

"Agreed. Accept. It's going in." Chad pushed the keyboard button.

This is happening! I'm going to land on the Moon!

Chad heard static in his headset, and then Kaz's voice from Mission Control, 250,000 miles away.

"*Bulldog*, Houston. You're GO at five, and your fuel quantity looks good here."

Five minutes since they'd started descent. Kaz checked the clock. Seven minutes to go.

In the front row of consoles, the engineers were having an urgent discussion with the experts in their back room over signs of a steadily building navigation error. The Flight Dynamics Officer spoke his concern. "FLIGHT, FDO. Tracking shows they're going to land 3,000 feet south of track."

Damn! Gene Kranz cursed. *We can't afford to be that far off!* "CAPCOM, give them a heads-up they'll need to steer that out manually."

Kaz agreed. "*Bulldog*, guidance is taking you half a mile left into the foothills."

Chad had been looking ahead at the planned landmarks and had noticed the trend as well. "Yeah, the mountains aren't quite where I expected. I'll redesignate."

In training he had repeatedly flown a robotic camera over a 15-by-15-foot model of the Moon, built by the US Geological Survey. It was a relief how familiar the actual view out the window looked. Carefully rotating his hand controller, he set the roll angle that would align the window marks with the correct reference craters. He watched to confirm the computer had accepted the update, and snapped his eyes back outside.

Show the world how to fly this thing!

Kaz was watching the downlinked data closely, picturing what Luke would have been telling Chad. "*Bulldog*, we see the update, and show 5,000 feet, engine at 41." A mile above the surface, engine at 41 percent power.

"Copy."

Kaz decided to just give key information to avoid being a distraction. "Two thousand feet, 42."

"Copy."

The Flight Director polled the room and heard no objections. All systems GO. Kaz relayed the vital bit of information.

"*Bulldog*, Houston, you're GO for landing."

"Copy, GO for landing." Chad could feel his heart pounding, even as he kept his fingers light on the controls.

At the SURGEON console, JW smiled. *That raised his heartbeat.*

"Five hundred feet, eighteen down." Just 500 feet up now, descending at 18 feet per second. Kaz spoke calmly, clearly.

"Copy."

"Two hundred fifty feet, eleven, 9 percent fuel remaining, all okay."

"Copy."

Svetlana was entranced by the practiced complexity of what was happening. She loved the wonderfully precise demands of the manual task. *I wish I were flying this!* She could see brown dust starting to blow in all directions below them, pushed away by the engine's down thrust. Through the hurtling bits, she caught sight of something silver ahead of them.

Chad's voice had a hint of triumph. "I have the rover in sight."

"Good to hear. A hundred feet, five."

The blowing dust was now streaming away below *Bulldog*, partially obscuring Lunokhod and the horizon. Chad snapped his focus inside the cockpit, eyes flicking across the instruments to keep control and hold the steady descent. He rapidly cross-checked outside, straining to see rocks through the dust storm, evaluating height and forward speed.

Kaz figured he had time for one last transmission. "Fifteen feet, one down, 6 percent fuel."

No response.

Fifteen long seconds ticked by.

Bam! The violence of the impact startled Svetlana. She'd been staring at the instruments, watching the artificial horizon and radar altitude, and was jolted by the sudden force up through her feet. She heard everything rattling in the ship, even through her helmet. She held her breath, waiting for alarms or for the vehicle to tip on a broken leg.

Nothing. Dead quiet. *Bulldog* sat solidly level. The astronaut was reaching and throwing switches. She leaned to look at his face through his visor. His mouth was curled in a smile, his eyes blazing.

"Houston, *Bulldog* is on the Moon."

SEA OF

SERENITY

43

Simferopol, Soviet Ukraine

The group was clustered around Gabdul's workstation, all trying to get a good view of his small black-and-white monitor. The vista had been largely unchanged for months: the flat plain of the lava flow in Le Monnier crater, the occasional rock, small craters, the gray of the lunar dust.

Spot, drive, look, repeat. It had become a routine—the geologists seeing something, the drivers maneuvering close, and then the sensors gleaning what information they could. Excellent, methodical science, but not a spectacle everyone would gather excitedly to watch.

Today was different.

With a little luck, they were going to see a spaceship land. Even the cook and waitress from their small canteen were shyly observing from the back.

The group peppered Gabdul with questions.

"Where will we first see it?"

He didn't know for sure, but said likely they would spot it against the blackness of the lunar sky while it was still flying.

"How did you know which direction to point?"

He said he had made an educated guess, based on the trajectory information they'd sent him from Mission Control in Moscow. When the crowd heard that Gabdul had been talking directly with Moscow, there was a small hush of awe.

"What if it lands behind Lunokhod?"

"Well, then I'll turn around," Gabdul answered wryly.

"Why does it take so long to refresh your TV screen?"

"Because it's not really TV," he explained. "It's just still images, and it takes a while to send all the little ones and zeroes across the four hundred thousand kilometers from the Moon to their big dish, outside."

"When will we see it?"

Good question. Gabdul rechecked the clock and turned up the volume from their Apollo audio receiver. Right on cue, a voice crackled through the speaker on his desk. "Copy, GO for landing."

One of the geologists who spoke some English had been designated as the group interpreter. The voice from the Moon had been scratchy, but she understood the last word. "Skazali prizemlyayutsya!" They said they're landing!

A murmur went through the gathering, and they refocused on the monitor. Gabdul's hand shot out, pointing. "There!" His finger indicated a small blob of light that had appeared on the screen. Everyone leaned forward.

Gabdul mentally counted the 10 seconds until the screen refreshed. When it did, the blob had moved higher in the image, becoming marginally bigger. Each successive refresh made it clearer, until he could start to pick out the shape of the craft. He was closest to the screen, and leaned in.

"Looks like a fat spider," he said. They heard the radio voice say something else, and waited for the translator, who was struggling with the poor audio quality and the unfamiliar jargon.

"I think he said he has seen something." She repeated the English sounds in her head, grasping for the words. Suddenly it clicked. "The rover, the rover, that's us! The astronauts see Lunokhod!"

Wow, Gabdul marveled. *We're looking at each other on the Moon.*

The next image was fuzzy, the lunar lander less distinct against the black. The following image was even worse.

"What's happening?" the interpreter asked.

Gabdul shook his head. He'd feared this. "It's dust, blown at us by their engine." He pushed a button to send a command he'd prepared, and the next image was black.

He turned and looked at the faces, all now frowning at him. "I've closed the covers over our cameras to protect them from the sharp bits of flying dust. Lunokhod is tough, but I don't want our lenses to get scratched." Heads nodded. That made sense. "As soon as we hear they've landed, we'll look again."

The English voice kept repeating one word, and the geologist interpreted. "He's just saying 'Copy,' over and over."

There was a long pause, finally broken by a terse statement in English. The geologist spoke excitedly. "Gabdul, open the lens covers! They've landed on the Moon!"

Gabdul made a small, fervent wish as he sent the command. *I hope we're pointed the right way!*

The signal traveled from his console outside to the enormous dish, sped across the void to the Moon in just over a second and worked its way through Lunokhod's logic circuitry. Two small motors began spinning, and the circular lens covers slowly pivoted down, out of the way. The camera's photo receptors gathered the light and sent the digitized raster scan, line by line, back to his console in Simferopol. Once it was assembled, the new image blinked onto his screen.

Everyone in the room made a noise. Some praised God and a couple said "Look at that!" But most just exhaled in wonder.

Gabdul hadn't guessed perfectly, but on the right-hand side of the screen, where there had been nothing but a flat, monotonous plain, there now stood a spaceship, glittering metallically in the sunlight.

He peered closely at the static image on the screen. It was going to take a while for the Americans to safe their ship, open the hatch and climb outside. So he made a suggestion. "Let's take a smoke break and go look at the Moon!" The group laughed, but many took his advice to head outside. It was 8:20 on a fine Crimean night, and the Moon was near full. A great way for them to reflect on what had just happened.

But as Gabdul lit a cigarette, stepped outside and looked up, he was mulling a new problem. There had been far more dust than he'd expected, and he needed to check Lunokhod's systems for damage. More importantly, though, some of the dust might have landed on top of his rover, where the solar arrays gathered the power that kept it alive and the radiator allowed the internal heat to escape. If there was too much dust, the vehicle could both overheat and run out of power. He stared at the Moon for a few seconds, thinking of ways to clear the dust.

But first, they had to deal with the Americans. The astronauts would soon be climbing down the ladder and walking towards his rover.

Let them come. He took a long drag, the harsh tobacco raw in his throat, the moonlight on his face. *I'm ready.*

44

Mission Control, Houston

The celebration in Mission Control had been enthusiastic but brief. Raised fists, a small roar of relief and hurrahs after the pent-up tension, followed by a few handshakes. Then back to work: make sure *Bulldog* was healthy and get the crew fully dressed and ready to go outside. The real point of the mission, just begun.

Kaz picked up the console phone to call Washington, as directed. He heard two rings, and then the clunking noise of a handset being picked up.

"National Security Agency, General Phillips's office."

"Hi, Jan, Kaz Zemeckis here. Is the General available?"

"He sure is, Lieutenant Commander Zemeckis. Just a second."

A click, followed by Phillips's calm, warm voice.

"Kaz! Good news, I hope?"

"Yes, sir, they're safely on the Moon as of 12:17 Eastern Time, just getting into preparation for their moonwalk now. Best guess is Chad will head down the ladder in about three hours."

"How close did they get to the Soviet rover?"

"We're not sure of the exact distance yet, but Chad landed within sight."

"Excellent! Like Pete did on Apollo 12." In November 1969, just after Phillips had left NASA, the second manned lunar landing had touched down 538 feet from an American probe called Surveyor 3, and the crew had retrieved pieces of it during their spacewalks.

"Yes, sir, a good piece of flying."

"Kaz, I booked the meeting with the Security Council for 15:30. Does that timing sound about right?"

Kaz looked at the flight plan. "Should be good, sir. We'll get an out-the-window description from Chad soon, and that will help set priorities. And we have the Soviet call to the cosmonaut booked for 16:30, to congratulate her once she's standing on the surface."

"Sounds good. How about once you reset the priorities you call me with an update?"

"Will do, sir."

"And Kaz—well done."

It had been a long, unsettled day for Father Ilarion.

He'd missed the chanting of the bell ringer that usually woke him, but his eyes had opened by habit at five a.m., in time for morning prayers. He'd read from his liturgical text in his room until seven. It was nearing the end of the 40-day Lenten fast leading up to Palm Sunday; as always by now, his hunger felt deeply purifying.

He had forgotten about the time zones, though, and was surprised when Alexander arrived at his door to say it was actually nine, time to leave for Ivanteevsky Deanery, the Orthodox church he'd arranged for them to visit before they had to go to Mission Control that night.

The seminarians had quietly welcomed Father Ilarion for prayers, followed by time for reflection and then conversation over a meager lunch. Afterwards, Alexander had made their excuses. They'd walked back to their quarters and, at his interpreter's urging, the monk had tried unsuccessfully to nap in preparation for what would be a late night. Eventually he had risen to observe Vespers and Matins in his room, feeling somehow inadequate conducting the ritual alone, and so far from home.

As suppertime approached, Alexander again knocked on his door. It was time to go.

As they arrived at TsUP, Ilarion leaned against his car window, peering up while they drove the length of the massive, four-story stone-and-glass building and pulled to a stop at the columned entrance.

"Are we here?" There was wonder in his voice. "It's huge, Sascha!"

"Yes, we are here, Father."

The sign over the double doors read Glory to the Soviet Conquest of Space. Underneath it, a man wearing no coat was smoking. He spotted the car, flicked his cigarette to the side and strode across to open the back door.

"Welcome to Mission Control, Father Ilarion. We've been eagerly awaiting you."

The monk's eyes went wide as he followed the man down a long, broad corridor, looking at the portraits on the walls of Director Korolyov, of cosmonauts Gagarin, Tereshkova and Leonov, and a parade of color views of the Earth from high above. *Our world from the heavens*, he marveled.

They rounded a corner, where their escort waved them into a small room with chairs and a sofa set around a low table with food, the dark paneling harshly lit by flickering fluorescent ceiling bulbs.

"Please be comfortable. Someone will be here shortly to bring you to TsUP." He turned and exited, closing the door behind him.

"What time is it, Sascha?" Ilarion asked. He'd lost track again.

"It is nearly 8:30, Father, well past time for supper. I suggest we eat a little and observe Compline before they come for us."

The table was laden with bread, cheese, sliced meat, tomatoes, parsley and cucumbers. Alex prepared two small plates, handing one to the monk, and poured them each a glass of water.

"Sascha," the monk asked, "is my brother already on the Moon?"

Alexander checked his watch. "He should be landing very soon, Father. Perhaps we will be able to watch it."

A boyish smile spread across Ilarion's face. "I would like that very much." He set his plate down and took just a small sip of water. "In truth, I am too excited to eat."

He closed his eyes and calmed himself by quietly chanting a prayer. It was Friday of Great Lent, and he included the memorized verses of the Penitential Office. At the end, he offered a special thanks for the privilege of the day, and a wish for the health and success of his brother.

As the monk opened his eyes, there was a knock on the door. It opened abruptly. The two of them stood as a strong-looking man in a suit entered, wearing an air of unmistakable authority and urgency. He flicked his eyes dismissively past Alexander to rest on the hieromonk.

"Father Ilarion, I am Director Chelomei, Vladimir Nikolayevich. Thank you for traveling all this way. It is an honor to have you in Mission Control."

The monk bowed his head, his high kamilavka and veil magnifying the motion.

"I am glad to tell you that your brother is safely on the Moon."

Ilarion's heart fell that he would not see it, but he gave no sign.

"Soon you will have a chance to speak with him directly. Would you come along with me now?"

The monk nodded and followed Chelomei, with Alexander trailing. They walked down another long corridor, this one ending at a set of wooden doors, where Chelomei stopped, turned and spoke formally. "Welcome to the Center for Control of Soviet Manned Spaceflight." He turned the knob, pushed the door open and gestured for the monk to enter first. The black-robed figure said "Spasiba" quietly and stepped into the heart of the Soviet space program.

It was much bigger than he had expected. *Like a cathedral.* There were rows of consoles to his left, each manned despite the late hour, and a sweeping semicircle of observers' chairs to his right, where a handful of people were seated. Terse, sporadic English came through a loudspeaker. Chelomei led them to the viewing chairs and asked the monk to sit.

"Please be comfortable, Father. Very soon you will speak with your brother." He flicked his finger for the interpreter to follow him, turned and walked quickly towards the center console. Ilarion sat, his gaze probing the strangeness of his surroundings.

The front of the room was dominated by a large, dark screen, showing a map of the Earth with several digital timers above it. An inset TV screen showed a grainy image of what he guessed to be the Moon's surface. The rows of consoles below it glowed green, silhouetting the operators. He noticed Director Chelomei and Alexander, now standing in the middle of the row, talking intently. Chelomei gestured with his hands, one fist forming a ball as the fingertip of the other circled it. The interpreter nodded his head and walked back to Ilarion.

"Father, it's time to talk with your brother. Unfortunately, the radio link is limited, so he won't be able to respond. But he will definitely be able to hear you. Director Chelomei thinks that after his long and dangerous voyage, your voice will be a great comfort to him, giving him strength before he steps outside to walk on the Moon."

The monk's brow furrowed in disappointment. "He won't be able to talk to me?"

Alex shook his head gently. "The Moon is so far away, Father, and he is in an American spaceship, which complicates communication. This is a rare privilege, just barely technically possible." Alexander turned and pointed at the TV screen. "You can just see his ship there—that shiny metal spider on the lunar surface."

Ilarion peered closely at the distant glowing image with eyes weakened from decades of reading in low light, barely making out a glint of reflection standing on the horizon. Suddenly he felt uncertain as to why he had come all this way.

"Are you ready, Father?" Alexander said, interrupting his bleak thoughts. "It will be such a wonderful surprise!"

The monk took a breath, setting his shoulders under the cassock, and nodded. "I am ready."

I did it! The triumph that coursed through Chad felt like fire. Under all the layers of his spacesuit, he could feel that he had an erection. He turned to Svetlana. "We're here!"

She abruptly turned her head and looked outside, uncomfortable with the intensity of his stare. *This is not a nice man. But a very skilled pilot.* She reached down surreptitiously and felt for the angular metal shape she'd transferred to the suit's leg pocket, just in case.

The dust had settled around the ship far more quickly than she'd expected. *Must be because there's no air.* She bounced a little on the balls of her feet inside the roominess of the suit. The strangeness of the low gravity was surprisingly unfamiliar, especially after her weeks in weightlessness. She felt clumsy in it.

Her gaze went to Lunokhod, silhouetted against the blackness of the horizon, harshly shadowed in the blazing sunlight. Chad was looking that way too, and pointed. "Lunokhod!" He pronounced it properly, the guttural sound of the "kho" very familiar in her ears. *Who taught you to say that?*

She turned to the window again and noticed glinting on the Moon's surface. She realized it was crisscrossing tire tracks surrounding the silver rover and trailing off into the distance. *They've been busy here.*

Kaz's voice broke into her thoughts. "*Bulldog*, you'll be glad to hear we've polled the room, and you're Stay for T-1."

Each Mission Control technician had verified that their systems had survived the landing and that they were safe to stay on the Moon for the first orbit of *Pursuit*, high above their heads.

Michael's voice came from *Pursuit*. "Good to hear. Stay there a while! I finally just got the place to myself, stretching my legs a bit."

Svetlana listened as Chad talked with Houston, obviously verifying pressures and throwing switches. He reached back and unlatched something behind her, pulling a water gun on its hose into view. He inserted it through the adapter on the side of his helmet, turned the red valve and took a long drink. Pulling it out, he offered it to her, and she mimicked what he had done, grateful for the liquid, suddenly aware of how thirsty breathing the dry oxygen in the suit had made her. She traced the hose back and restowed it.

"Cenk yu," she said. Chad ignored her, focused on working procedures with Houston. She looked back outside.

Why had they landed so near Lunokhod? In the briefing, the interpreter had said there was going to be just one moonwalk, so landing here must serve the main purpose of the mission. But the astronaut's death and her being on board had been a huge modification to their original plans. So was this new plan somehow related to her being there? She'd already reasoned that even though she was unfamiliar with the American equipment, they wouldn't have risked sending Chad to the surface alone; if he fell or had suit problems, they needed someone to assist him. But the only thing they'd told her that she was going to do was to climb down the ladder, stand on the Moon, talk to Moscow and go back inside *Bulldog*. Typical window dressing! What were they really doing here?

Once she was down the ladder, she realized, no one could stop her from moving around. She'd definitely walk the distance to Lunokhod and have a detailed look. The Soviet engineers would appreciate her description of what the months on the Moon had done to it. She also wanted to figure out the reason for all the tracks. She'd look for what the rover was looking for.

Michael's voice came through her headset. "Hey, *Bulldog* and Houston, *Pursuit*'s about to go behind the Moon. I'll be back with you in forty-five minutes or so."

Kaz responded. "Copy, *Pursuit*, enjoy the solitude. See you at 101:19 mission time—that'll be 12:40, lunchtime here in Houston."

Michael clicked his mic twice in response.

Chelomei smiled at the sound. Almost time. As soon as the orbiting ship was blocked by the Moon, he'd be able to talk to the crew on the surface. He'd been thinking carefully about what to say and how best to use the monk. He looked up to see the interpreter and the black-robed figure making their way towards his console, and glanced at the TsUP clock. He decided to wait another five minutes, just to be sure. He raised an open hand for the pair to stay back, out of earshot.

In *Bulldog,* Chad heard Michael's call and thought about what that meant. He reached across and switched both him and Svetlana off hot mic. To respond, they'd need to push a transmit switch. He needed to be able to control what the cosmonaut said.

He checked the cabin pressure and began removing his gloves and helmet, gesturing for her to do the same. They'd need to eat, and then attach all the extra equipment to their suits before going outside. As he temp-stowed the gear, he went over the moonwalk plan in his head. *It's all on me.* This was why he'd loved flying single-seat fighters. Only his decisions mattered. His skills, his ideas, his actions. Every one of those nobodies in Houston—hell, in Moscow too—needed *him.* The power of it was exquisite. Only he had the whole picture, and everyone else had to ask him for what they wanted.

He looked at the cosmonaut as she lifted the helmet off her head. Especially her. *She's mine to control.*

They both heard the Russian voice simultaneously.

"Transmission test, transmission test, how do you hear me?" Chelomei paused briefly, and then said, "If you can hear me, call Houston for a comm check."

Svetlana's head whipped around to look at Chad.

He was looking directly at her, smiling oddly, as if he had anticipated her reaction. His eyes narrowed slightly, and he said one word to her. "Podozhdi!" The command for an underling to wait.

She was shocked. Had he just said a Russian word? She had to repeat it again in her head in order to believe it. He *had,* clearly, with no accent!

He held up his hand with a finger raised, staring at her intently—the clear signal to wait for him to do something.

Without breaking eye contact, he pushed the mic button on the control stick. "Houston, *Bulldog,* comm check."

Kaz answered by reflex. "Loud and clear, how us?"

Chad sneered, just a little, his eyes boring into hers. "Five by, thanks, just checking."

They waited. The voice spoke again in Russian.

"Thank you. Senior Lieutenant Gromova, if you can hear this transmission, cough twice."

Chad thought about it, then pointed at her and pushed the mic button.

Svetlana was confused, but coughed as requested, her mind reeling.

Chad released her mic and toggled his own. "Sorry, Houston, she's just coughing a bit in *Bulldog*'s dry air."

"Copy, Chad, let us know if it's a problem," Kaz responded. "SURGEON is standing by."

Chelomei was pleased—the astronaut was cooperating—but knew he had to keep it short. "Listen to me," he said. "You'll see we have parked Lunokhod in a very specific location. Just under the front of the rover, you'll find a good-sized stone. You will retrieve it without telling Houston, and stow it separately in your ship, so you know which one it is. Click your mic twice if you understand."

Chad pushed the mic button twice.

In Houston, Kaz heard the double click and a puzzled expression crossed his face. *Someone bumped the mic button again? What the hell?*

The Russian voice continued in Chad's and Svetlana's headsets. "We have your brother here, Major Miller. He is fine, but we hold him in our palm, like a dove."

Svetlana saw Chad's eyes narrow. *What the hell is going on?*

Chelomei waved for the cleric and interpreter to come closer. "Here is your brother," he said. He held the microphone up to the monk's mouth, pushed the button and nodded.

Ilarion was nervous, and Alexander quietly prompted him. "Speak to your brother, Father, he needs you."

Oddly, the monk felt like crying as he spoke. "Yuri? Yuri, they say you can hear me but cannot answer. That is okay." He felt the need to reassure his little brother as best he could.

Svetlana's eyes widened even further. *Yuri?* This new voice had called Chad by the name of Yuri. Was this American astronaut Russian?

"Yuri, I am so proud of you," the voice continued, full of emotion. "What you are doing is magnificent, and for all of mankind. You have taken great risks and traveled so far, and done our family honor, but also I will be so glad to see you safely back here on Earth."

Chelomei frowned slightly and made a spinning motion with one finger. Wrap it up.

The monk grew flustered. "Um, there was something I wanted to say to you, Yuri. Ah yes—you will need much strength to complete your voyage. Know that you have it from me, and more importantly, if our blessed mother were still alive, her pride would be pouring over you."

Alexander spoke softly. "Time to finish, Father."

"I bless you, and God is watching over you to make a safe return, my dear brother. Glory to the Father and to the Son and to the Holy Spirit, now and ever and forever. Amen."

Chelomei released the mic button and nodded at the interpreter, satisfied. That would do. He waved them back towards their seats, then pushed the mic button again. "You'll hear from us again officially via Houston while you're outside." He quickly reviewed whether he'd said all he wanted.

Enough. "Vsyo," he transmitted.

—

Chad was holding her gaze, his face unreadable.

She was incredulous. "Ti—ti gavorisch pa russki!" You—you speak Russian!

He gave no response, and his expression didn't change. He picked up his checklist, turned away and went back to working procedures.

Svetlana felt like she was falling. *What just happened?* She was sure the first voice she'd heard had been Director Chelomei's. How had he contacted them, and why couldn't they respond?

Was this astronaut a spy? If he was, then why were they threatening him with his brother?

Treat this like any emergency, she told herself. *I'm a test pilot, dammit! What do I know, and what should my actions be?*

She pictured how the comm system must work, imagining what her people must have built to intercept it. She glanced through the overhead window at the Earth to confirm that Russia was facing them—it was, just turning out of sight on the darkened side of the planet. She realized that they could listen to Moscow, but could not reply directly or the Americans would overhear them.

The small solution calmed her. She was gaining some control.

But how did Chad come to speak Russian? Had they taught him that in America? Not likely, given that he had a pious Russian brother who had called him Yuri.

He was still ignoring her, behaving as if nothing had happened, unclipping from his restraint cable and methodically retrieving items to get ready for the moonwalk. It was clear that he wasn't going to explain himself. That meant she had to find a path through this alone. Not giving away Chelomei's secrets, and scheming a way to do what he had just asked. Svetlana unclipped from her own restraint cable and looked around the unfamiliar landing ship, sizing up her options.

She was going to have to count on this astronaut. But she'd been right not to trust him.

—

Kaz took a sip of coffee. Years as a fighter test pilot had taught him to pay attention to the smallest, most insignificant breaks in any routine or expected course of action. Why had he heard a double click again? Michael was behind the Moon, so it wasn't him bumping the mic. It had to be coming from *Bulldog* on the surface. Could the cosmonaut be trying to get their attention? Did Soviets double-click? If it was Chad, why would he do that?

He squinted to moisten his eye; the air-conditioned air was so dry his eyelid was sticking. As he blinked to clear it, he looked up at the timer: two hours until hatch opening. The Security Council would meet shortly after that. He put down his cup and picked up the checklist. *Forget mic clicks for now. I need to be prepared.*

He glanced up as JW passed him, heading for the Flight Director console, and he stood to listen in. JW spoke quietly to the two of them. "A few minutes ago, for no reason I could see, both Chad's and Svetlana's heart rates spiked. Like something happened that surprised them both. Hers, especially—I saw a hundred and forty beats per minute. Yet per the timeline and after checking with other consoles, they were just standing there, doing a comm check with us, setting switches."

Gene took a deep pull on his cigarette, considering, and then stubbed it out in the full ashtray on his console. "Struggling to take their helmets off, maybe?"

JW shook his head. "We compared to previous flights, and it doesn't match. Plus, it was simultaneous. Like they both suddenly saw or heard something they weren't expecting." He paused. "We did hear the cosmonaut cough, but Chad called down about that."

Gene picked up his copy of the checklist, running his nicotine-stained finger down the timeline, finding nothing. He looked at Kaz. "Any ideas?"

"I wasn't going to mention it, but I also heard a double click from them around that time. I assumed one of them bumped the switch."

Gene paused, thinking. "How do their heart rates look now, Doc?"

"Hers is higher than it was, but acceptable. Chad's is back to normal."

"What do you recommend?"

"Nothing for now, FLIGHT. There's probably some simple answer. But it was out of the ordinary and I thought you should know."

JW looked at Kaz and raised his eyebrows. Kaz shrugged in agreement. Not serious enough to be alarming, and not enough info to respond in any way.

Gene decided. "Thanks, Doc. Keep watching them closely, especially the cosmonaut. Once they head outside, we need to be ready to order her back in if you don't like what you see. I don't want either of them anywhere near the cooling limits of the suit."

45

Bulldog

Having Luke's corpse in the way made their moonwalk suit-up awkward. As Chad retrieved the needed items, one by one, talking with Houston, it felt like he had to move the bulky, suited body every time. But at least, in one-sixth gravity, it was light.

Throughout, he was aware of Svetlana watching him, her face intense and wary, right beside him in the tiny space. He occasionally handed her an item and pantomimed what to do with it—which pocket it went into or how it mounted on her suit.

"Obyasni po russki!" she demanded. Explain in Russian!

He ignored her. She could figure it out, and no way was he admitting anything that gave her an advantage. *Control is everything.*

When he got to tool prep, he paused, considering. She'd seen Luke with the bolt cutters at Almaz, and she knew he'd landed *Bulldog* next to the Soviet rover on purpose. No doubt she'd already put two and two together, and might do something stupid. He decided to leave the cutters stowed until he figured out a way to get them outside without alerting her.

Chad meticulously checked their outsized backpacks. On the moonwalk all their life support would be contained in them, with no link to the mother ship. When he finished, he got her to assist him with donning his, and then he helped her with hers.

"Houston, we're putting the PLSSes on, and I'm about to start connecting the plumbing, if you can talk me through the procedures." He pronounced it "plisses"—the prosaically named Portable Life Support System.

"Will do, Chad. We're with you on page 2-6. Let's start with the O2 hoses." As Kaz read the checklist, Chad confirmed each connection and double-checked function.

The interpreter's voice came through in Russian. "Svetlana, how do you hear Houston?"

Chad pressed her mic button so she could reply. "I hear you well, how me?"

"Houston hears you well. Let us know if you have questions."

Hearing the Russian words finally broke Svetlana's composure. She grabbed Chad's shoulder and turned him so they were face to face. "This is stupid! Your brother said your name is Yuri! You speak Russian. Why are you pretending you don't?" Her Russian was rapid fire as she spit out the words.

Chad shrugged out from under her grip and squinted at her in apparent incomprehension. "What are you babbling about, toots?" He pointed to the US flag on her shoulder. "This is an American ship. A-mer-i-can." He pronounced each syllable. "Speak English!"

She exhaled in frustration. She was certain he'd said some Russian words to her and, more importantly, that he had understood Chelomei and the person Chelomei said was his brother. She took several deep breaths, calming herself, puzzling it out. Chad was ignoring it, but Chelomei must have something on him, and had chosen his moment carefully for leverage and so their interchange would stay a secret. Also, she realized, knowing that Chad spoke Russian might work to her advantage.

I'll play this game, she resolved. *For now.*

Chad was holding her helmet up, motioning that it was time to put it on. She guided it into place, the mechanism making a loud click as it locked into the suit's neck ring. Chad attached the visor assembly to it, and then donned his own. He handed gloves to her, and she put them on.

He moved switches on *Bulldog*'s control panel and on the suits, and she felt cooling water flowing and heard the steady hiss of continuous communication, listening to the conversation between Chad and Houston in her helmet.

Chad grabbed her arm to check that her gloves were attached properly, and then reached for more switches. She felt air moving in the suit as it pressurized, and cleared her ears. *Feels just like our suits.*

Kaz's voice came into their headsets, verifying that the specialists in Houston who had been watching the suit data had verified no leaks. "Chad, both suits look tight at 3.8 psi delta."

Chad tugged on Svetlana's sleeve again and pointed to the pressure gauge on her wrist, nodding and holding up three fingers, then eight. "Roger, Kaz, both look steady here."

"*Bulldog*, you'll be glad to know you are GO for depress." Permission to vent the ship's oxygen out into the vacuum of space, in final preparation for the moonwalk.

"Copy, here it comes." Chad reached down between the two of them and rotated the hatch pressure handle to Open.

"*Bulldog*, we see pressure dropping. Rates look good."

Svetlana's suit was stiff, like a balloon. She wiggled her fingers, looking at them, marveling at the dexterity. *They have a better design.*

It took three minutes for the cabin pressure to go to zero. Chad tapped the gauge with his fingertip, watching the needle settle.

"Houston, I show nothing on the gauge. Opening the hatch now."

"Copy, *Bulldog*."

He turned the handle, pulled hard to overcome the tiny bit of remaining air pressure and rotated the hatch inwards, pushing Svetlana out of the way to get it fully open. Sunlight streamed in around their booted feet.

He stood back up and turned the cooling system on for both suits—a water sprayer that instantly evaporated into the nothingness, like sweat, taking away heat.

"Sublimator waters are open, Houston."

JW had been watching Chad's heart rate with all the extra activity. "FLIGHT, Chad's heart is up around one-forty. Suggest he take a short break."

Gene Kranz nodded, and Kaz spoke. "Chad, just hold a second while we instruct Svetlana." Two birds. He nodded for the interpreter.

"Svetlana, Houston. Chad is about to exit and set up preliminary gear. We want you to stay where you are until instructed. If you get too cold or hot, let us know. Eventually, we'll have you come down the ladder. The entire moonwalk will be five hours max. Do you understand?"

"Ponyala."

Svetlana had squeezed back against the dead body, trying to make room as Chad turned and got down on his hands and knees to back out. His voice was labored with the effort.

"Houston, I'm climbing out now."

Kaz looked across at JW, who gave him a thumbs-up. "Copy, Chad, the doc's okay with your heart rate. Let us know as you deploy the MESA." The Modular Equipment Stowage Assembly would pivot down from the exterior of the lander when released, opening access to needed tools and uncovering the video camera that would transmit live Apollo 18 images from the Moon's surface.

Chad answered. "Okay, Kaz. Pulling the D-ring now." A short pause, with just his breathing audible. "There she goes."

Gene Kranz spoke. "INCO, let's get that TV image up ASAP."

"In work, FLIGHT."

All eyes turned to the front screen as the blank video image suddenly resolved into a familiar scene, the grainy white of the ladder angling down from the dark LM to the gray lunar surface. The bulk of Chad's white-suited legs were visible, his feet on the rungs.

In their back room, Laura and the geology team all leaned close to their monitors to see this first video image. As she figured out exactly where they had landed and what was on the surrounding terrain, Laura felt a wave of exhilaration course through her. *All right! We're here!*

A white object suddenly arced down through the scene, followed by another, falling slowly.

"Houston, I've chucked the equipment bags out. Climbing down to the surface now."

"Copy, Chad, we're all watching you through the MESA camera."

Chad paused a moment to take a deep breath, reveling. They *were* all watching. Watching *him*! He squeezed hard on the rung, through his glove. Feeling it, exulting in the reality of it. He turned his head inside the helmet, looking around to absorb the moment. *I'm about to step onto the fucking Moon!*

He bounced slightly in the weak gravity, his feet feeling for the last rung, and hopped down onto the circular foot of the LM's landing leg. Letting go with one hand, he turned, got his balance and stepped out onto the surface.

"Houston, this blue-eyed American boy is standing on the Moon."

His lips curled in triumph. All it had taken was a lifetime of hard work and the strategic loosening of one nut.

In DC, all eyes around the table were staring at the television in the corner.

Nixon rasped, "What's he doing now?"

Sam Phillips, the National Security Council meeting's space expert after his years leading Apollo at NASA, answered. "Major Miller has set up the TV camera, and he's now doing a visual survey around the lander. Shortly he'll start a traverse to the Soviet rover. He'll gather as many rocks as possible along the way to bring back for the geologists to analyze." Best to give the boss context.

"And the woman cosmonaut is waiting inside?"

"Yes, sir, until we're ready for the call from Russia, then she'll climb down the ladder to the surface." He checked his watch. "That's in about an hour from now. Miller will get the US flag set up in the meantime, and make sure the Soviet rover isn't in the shot, so we can rebroadcast it later."

Kissinger's bassoon voice rumbled. "You should talk to Miller first, Mr. President, and separately, to clearly show American preeminence."

Bob Haldeman piped in, "That's the way we have it set up, sir."

Nixon nodded. "What do we have to decide here today?"

Sam Phillips was the one to reply. "We don't like the Soviets gaining any advantage in discoveries on the Moon, and this new rover of theirs is far more capable than any that NASA has landed. It could work for months or even years, surviving the cold of lunar nights with its polonium-210 internal heater. Once Miller has had a close look at what it's doing and taken detailed pictures, we think he should disable it in a way that allows deniability. That needs to be done off camera and without the cosmonaut seeing. It needs to look like it was disabled by the blast of the *Bulldog*'s engine, for instance, rather than by deliberate action."

He was looking into the eyes of each of the men around the table. "The Soviets are only in contact with their rover when their big antenna in Simferopol is facing the Moon, and that ends in about an hour. Miller has bolt cutters on board, and we have some other ideas that might work as well. But with this Council's approval, Mr. President, by the time Apollo 18 blasts off the Moon tomorrow, Lunokhod will be dying, or dead."

Nixon didn't move, waiting for any dissenting voices. Silence.

He lifted his head to take a long look at Phillips, and then he nodded. "If you take no risks, you win no victories. Do it."

Inside *Bulldog*, Svetlana was bending as far as the suit would allow so she could watch what Chad was doing outside through the window.

The voice from Houston had instructed her to wait, but Moscow had given clear instructions about retrieving a specific rock from Lunokhod.

She stared at the rover on the horizon. How long would it take to walk that far? Could she trust the American to do what Moscow had asked?

No.

She'd studied how he'd climbed down the ladder. The hatch was wide open. But how would Houston react to her leaving the lander? If she could stay out of sight of the camera, how would they even know?

A thought occurred to her, and she studied the switches and circuit breakers in the cockpit. Her English was rudimentary, but a far-thinking high school teacher had forced her to learn the alphabet. She silently thanked her now as she sounded out the printed names, hunting for two specific letters and hoping their engineers had kept the labeling simple.

"Chyort!" she muttered. So many! Why hadn't she paid closer attention to the switches he'd moved before going outside? She paused to picture exactly where his hands had moved.

She found a row labeled Comm and sounded it out. English was so confusing; was the "C" hard or soft? She tried saying both, and suddenly realized that it was probably short for "communications," a technical English word she knew. Excitedly, she checked each of the breakers' names in the sub-row below it.

And there it was, the last one on the right side. Exactly like she'd hoped.

TV.

"Televizor" in Russian. He *had* reached for that one. She rapidly checked the rest of the panels to be sure it was the only circuit breaker labeled that way. She looked back at it closely. It was a standard design, meaning she'd just have to squeeze it between her thumb and two forefingers and pull. It would pop out, unpowering the TV camera. Houston wouldn't see her coming down the ladder.

But when to do it?

She looked back out the window, not seeing him. *Blyad!* Had he already headed for Lunokhod?

She twisted further and spotted movement on the far left. Chad was still near, unstowing something beside one of the lander's legs. It had two dinner-plate-sized, fat rubber tires on it, and he was unfolding long, parallel handles out and locking them into place.

Tachka, she decided. A wheelbarrow. For carrying things like tools. And rocks. That meant he was almost ready.

She touched the gun in her pocket. So was she.

At his console in Simferopol, Gabdul moved his hand controller carefully. Director Chelomei in Moscow was watching Lunokhod's video feed, and had demanded the best view he could give him; Gabdul was precisely turning the rover so its cameras were facing the Apollo lander, but without damaging the Ugol rock underneath.

There! That ought to do it. He stopped and looked at the slowly refreshing black-and-white still image to see if he'd gotten it right.

The metallic glint of the NASA ship was centered in the frame. "Otlichna," he muttered in satisfaction. Perfect.

He leaned close to the screen. He could just make out a white blob by the legs of the lander. As each new image processed, the blob was in a different place. *Spacewalker*, he concluded. He watched several successive frames. The blob was slowly getting clearer and larger. One of the images caught a reflective glint off the helmet's reflective coating. *And now he's headed our way*.

Chelomei's harsh voice came through the squawk box.

"I see the astronaut. Are you ready?"

"Da, Glavni Director. We are ready." Gabdul rubbed his palms on his legs to wipe off the sweat.

He quickly double checked his command selections, watching the spacewalker get bigger with each image.

Not spacewalker, he corrected himself wryly. *Moonwalker*. "Lunokhod" in Russian. *Same as us*.

—

"Houston, Chad here, you'll want to see this." His voice was breathy with physical exertion.

Kaz looked intently at the front screen, watching the white of Chad's spacesuit against the moonscape as he bulkily walked towards Lunokhod, hauling the small handcart behind him.

"See what, Chad?"

The figure had stopped and was pointing off to the right.

"There's a really dark spot flush with the surface over there. Maybe a couple hundred feet away, hard to tell. Want me to go have a closer look?"

Kaz ran through possible explanations and mission priorities in his head.

"Chad, are there any rover tracks near what you're seeing?"

"Nope. Pristine Moon dirt. I mean, regolith."

Kaz nodded. If the Soviets hadn't investigated it, they likely hadn't seen it. He glanced at the Flight Director for a decision.

Gene said, "CAPCOM, Lunokhod survey is priority for now. Geology can wait a few more minutes—the rocks aren't going anywhere. Tell him we'll have him swing by it on the way back."

When Kaz passed the word, Chad shrugged. He'd been trying out different ways to walk, balancing the stiff bulk of the suit with the strange lightness of one-sixth gravity. Like the moonwalkers before him, he settled on a two-footed loping, hopping motion.

Kaz pushed a button on his comm panel to talk to the geology back room. "Laura, I'm sure you heard what Chad said."

Her excitement came through his headset. "Sure did! We think we see a smudge where he pointed, but need to get a closer look to know for sure. Can Michael zoom in and see anything when he passes overhead in *Pursuit*?"

"Good idea. He's just back on our side of the Moon again now. I'll ask him."

Kaz reset his comm switches. "*Pursuit*, Houston, welcome back Earthside. How was the view around back?"

The delight in Michael's voice was palpable. "Kaz, you can tell Pink Floyd I have *Dark Side of the Moon* playing full blast on cassette up here!"

Kaz smiled. "I'm just glad I don't have to hear you singing along. Meanwhile, you probably overheard Chad, but we'd like you to look closely at the landing site with the sextant telescope. Let us know if you see anything worth investigating."

"Already on it, wilco."

Michael floated down to the Nav panel, carefully grabbing the small joystick with his fingertips to point the telescope.

Kaz had an idea. "Svetlana, Houston, how are you doing?" The State Department interpreter translated.

"Normalna." Fine.

Kaz nodded for the interpreter to describe to her where to look. Svetlana leaned towards the window and peered hard off to the right of Lunokhod as directed, squinting against the harsh contrast of the light.

"There are dusty rolling hills and lots of small rocks," she said. "The Sun is not too high, so the shadows are fairly long." *Be methodical!* She followed the line of Chad's new footprints and deliberately searched to the right.

"I see one odd shadow, like a low spot. Maybe a small crater."

The interpreter translated for the room, and Kaz nodded thoughtfully. "Copy, thanks."

Svetlana looked back at Chad. *Time to do something.*

Chelomei had been listening intently. *What are the Americans seeing?* He looked at the timer: 40 minutes until the big dish in Simferopol could no longer see the Moon and they lost direct comms. On the screen, the astronaut was almost at Lunokhod. He heard him speak.

"Houston, I'm approaching the rover and starting to take pictures."

Chad turned his whole body to point the chest-mounted Hasselblad motor-drive camera, reaching underneath to squeeze the pistol grip trigger.

Kaz watched the distant figure shuffling slowly around the silver rover, small on the screen. "Copy, Chad. Those photos will be of great interest to our intel folks here."

"Kaz, it looks a lot like we expected: an eight-wheeled silver bathtub with a solar array lid open, a bunch of instruments dangling on arms out front." Chad completed his circuit and looked closely. "Three cameras on the front, and looks like a few wide-angle camera lenses on the side and back." He glanced up at the Earth. "They're probably looking at me right now."

Chelomei listened through his interpreter and nodded. Would this astronaut comply? Had the threat of harming his brother been enough? *Get the rock, and don't say anything!*

On the screen at the front of Mission Control, the TV video from *Bulldog* suddenly went blank.

From long experience, Gene Kranz gave it 30 seconds, allowing for a possible handover between ground antennas. When it persisted, he asked. "INCO, why'd we lose video?"

"FLIGHT, we're checking. Looks like it lost power."

Gene visualized the circuitry in his head. "Any other systems down?"

INCO was listening through his headset to the sudden blare of technical chatter in his back room, trying to filter out relevant information. "Don't think so. Electrical current drop matches just the camera power-down."

Gene rubbed his chin, frowning. During Apollo 12, Al Bean had inadvertently pointed the camera at the Sun while setting it up, and burned out the internal sensor. Doing the rest of the moonwalks blind had been a nightmare.

But doable.

"Okay, let me know what our troubleshooting options are. CAPCOM, let the EVA crew know. Everybody watch their data closely to make sure we don't have any cascading anomalies."

Kaz summarized the info to Chad and had the interpreter tell Svetlana, noting that it might affect her media event later.

After a short pause, JW spoke. "FLIGHT, SURGEON, I do have one other thing, probably unrelated. A few minutes ago, we lost the cosmonaut's biomed data. We've seen that happen before on other flights, and I wasn't too confident she'd get her sensors applied properly."

Gene frowned. "TELMU, is there any way we have a common cause between those two systems?"

Bulldog's electrical specialist shook his head. "No, FLIGHT, they're totally separate. Must be coincidence."

Gene Kranz scowled. He hated coincidences.

Michael's voice crackled from lunar orbit. "Houston, *Pursuit*, I just finished the overhead pass and am ready with observations."

Kaz thought they could use some good news. "Go ahead, *Pursuit*."

"It was easy to spot the long, straight line of the rille though the scope, and Lunokhod's tire tracks catch the light differently, so they helped as well. Pointing the sextant, I could just make out *Bulldog* on the surface." There was distinct pride in his voice. It had been finicky work. Some of the other Command Module pilots hadn't been able to do it.

"Nice work. You've got eyes like a hawk!"

"I looked where I think Chad meant and saw a few shadows. But one of them looked blacker and more distinct. Sort of crescent-shaped."

"Copy. Where is it relative to the LM?"

Michael pictured the long rille valley and the speck of *Bulldog*. "About halfway to the rille, and a bit north. Maybe have Chad aim thirty degrees or so left of *Bulldog* when he's walking back."

"Thanks, Michael, excellent intel, wilco."

Chad retrieved a long set of tongs from the handcart. With the video camera down, Houston was no longer watching him.

Too easy!

He walked around in front of Lunokhod, bent down in front of the lobster-like camera eyes and waved. He was confident that the tiny antenna on top couldn't be giving Moscow real-time video; they'd just be seeing fuzzy stills. He held his free hand up long enough for them to get an image.

Keep them guessing.

The rock they were interested in was supposed to be under the front end. He crouched as far as the suit would let him and reached in with the tongs. He probed a few times, pushing into the gritty resistance of the abrasive soil, feeling around until there was a hard stop. When he bent to try to see what he was running into, Lunokhod suddenly moved. Chad spasmed back clumsily in surprise, dropping the tongs, as all eight wheels spun and the rover lurched backwards for a yard or so. Then it stopped.

Shit!

"FLIGHT, SURGEON, we just saw a spike in Chad's heart rate. Without video, we recommend a check-in with him."

Gene nodded at Kaz.

"Hey, Chad, Kaz here, how's it going?"

Chad felt his heart pounding in his chest and guessed why they'd called. He deliberately calmed his voice. "All fine here on the Moon, thanks, Kaz. Just dropped the damned tool and tripped as I was retrieving rocks."

"Copy, no sweat. Since we've lost video, the Lunar Geology back room requests that you narrate as you go so they can track where each sample came from."

"Wilco, starting now."

He dropped into the patter they'd practiced in the sim, keeping it going as he looked back at the rover to see what its move had revealed. "The soil around Lunokhod is fine-grained, and much darker where the tracks have churned it up . . ."

An angular black rock was now sitting clear of Lunokhod's nose, jutting up out of the disturbed powdery regolith.

He pivoted his whole torso, the stiffness of the suit making it hard to see straight down, and finally spotted where the tongs had fallen. Other astronauts had warned him that picking things up off the surface was hard, and he didn't want to fall over. He bent his knees as far as he could, blindly reaching, and grabbed the metal shaft just as he started to topple over frontwards. He let the pressure of the suit bounce him back up and took a couple of steps to regain his balance.

"Whooee, Houston, just getting my balance here."

"Copy, Chad." Kaz looked at the timeline. "We're right on track. Once you've gathered enough samples so we can figure out what Lunokhod's been looking at, we'll have you start back towards *Bulldog*."

"Roger that. I'm going to start gathering local rocks with the tongs now." He squeezed the handle with both hands to open the tongs all the way, swung it into place over the rock and released, letting the springs clamp down. Lifting carefully, he turned and released it into the handcart.

It didn't look like much. He picked it up, turning it in the sunlight, startled by how light it felt. Sunlight glinted off internal crystals, and it had a dark, layered appearance, somewhere between deep red and black.

He looked around for similar rocks, but saw none.

How did you get here? And why are the Russkies so interested in you?

He pulled a plastic sample bag out of the larger duffel, carefully slid the rock in and rolled and twisted the wire top to seal it. He'd brought two collection bags, to make sure he kept this rock separate. Only he'd know which bag contained what.

He grabbed a collection rake from the cart and started gathering more samples, once more describing what he was seeing.

In Moscow, Chelomei had been watching the slow-motion sequence unfold, one still image at a time. He'd yelled at the technician in Simferopol to back Lunokhod up, and was gratified to see the result.

"Otlichna!" His plan had worked! The stone had been retrieved and was sitting there in the cart now on the first leg of its long journey back to Earth.

He glanced at the clock, seeing with surprise that it was already past midnight. He yawned hugely, suddenly aware of his exhaustion.

Kvatit. Enough. He gave the order to send the monk and his interpreter back to the hotel, since the American astronaut was behaving.

He just had time for a quick rest in his office before the joint press event with NASA. He nodded at the flight director, and turned to leave, thinking ahead to his next steps.

Gabdul's voice stopped him, sounding tinny through the squawk box on the Moscow flight director console.

"We see the second astronaut climbing down the ladder now."

What? Chelomei whipped around to face the image on the monitor. In the distance, beyond the nearby American and his handcart, there was a distinct blob of white against the angular shape of the lander.

He urgently queried the flight director. "Are we still hearing the astronaut?"

"Da, Comrade Director." He turned the volume up on the sound of the male voice steadily speaking.

The interpreter clarified. "He's talking about the geology of the samples he's gathering."

"Did the astronaut tell Lieutenant Gromova to come outside? Has she said anything recently?" It was frustrating not to be hearing what Houston had transmitted to the crew.

A headshake. "Nyet, Director."

What is she up to? He watched as the still images showed her leave the ladder and start walking. Towards Lunokhod.

46

Le Monnier Crater

Svetlana moved her head carefully, looking around the blocky structure of the LM up into the blackness of the sky, gauging the turn of the Earth. The western edge of Russia was still visible; she figured Moscow could see and hear them for another hour or so.

Good.

By squirming inside the suit, she'd dislodged the stick-on sensor from her ribs to hide her heart rate, and she was glad she had, given that she'd staggered when she'd let go of the ladder. She hadn't walked in weeks, and the oversized suit made her balance even worse. She'd grabbed the ladder again and held on until the dizziness passed.

Carefully, she let go and moved away from the LM, taking small steps. *Like a toddler learning to walk. I even have a diaper on!*

She cautiously followed the single line of tracks and twin wheel marks towards Lunokhod, feeling the blistering heat of the Sun through the fabric of her suit. *Take it easy, Sveta,* she counseled herself. She hoped the constant chatter between Chad and Houston would mask any extra breathing noises from her.

She kept her eyes on Chad in the distance. He was holding a long tool, alternately digging and working at the handcart, paying attention to Lunokhod and the soil around it. *Has he retrieved the rock?* She was able to move faster as she adapted, mimicking the gait she'd watched him use to move across the surface, willing him to keep his back turned.

She moved with purpose. Moscow had given orders. She was there to make sure he carried them out.

"FLIGHT, we're seeing odd data from Svetlana's EMU." The puzzlement in TELMU's voice was reflected on his face as he turned to look across the consoles at Gene Kranz. "Without her heart rate it's hard to tell, but it looks like she's moving around or something, breathing more, using more oxygen." His voice tailed off.

Gene's response was crisp. "Anything out of limits?"

The specific question got him back on secure ground. "No, FLIGHT, the suit is fine, all well within norms."

Gene pictured her in the LM, alone. She should be just standing there. What was she up to?

"CAPCOM, have the interpreter check in with the cosmonaut."

Kaz gave quick instructions, waiting for a gap in Chad's geology reporting, and the Russian language request went up.

"Svetlana, Houston. How are you doing?"

Svetlana abruptly stopped walking. Hearing Russian out here, unexpectedly, it felt like she'd been caught.

Why are they asking? Maybe they were seeing something in her suit data and she just needed to give them a reason for it.

"Normalna. I've been moving my arms and legs around to keep from falling asleep."

Kaz and the interpreter glanced at TELMU, who shrugged and nodded his head.

"Copy, thanks. The event with Moscow Mission Control will be in about an hour."

She made herself sound bored. "Gatova, spasiba." I'm ready, thanks.

She'd kept her eye on Chad during the exchange, but he'd been preoccupied with lifting a new sample and was still facing away. She started moving again and picked up the pace.

To Chelomei, it sounded like Houston was somehow okay with the cosmonaut being outside. *Can they not see her?* He watched the Lunokhod camera image as she began moving again.

He checked one of the timers at the front of the room; the orbiting capsule would be on the Earth side of the Moon for another 30 minutes. If he called now, that astronaut, the *Pursuit* pilot, would hear. He did the math. There'd be a half hour or so after *Pursuit* went behind the Moon when he could call. That was an ace up his sleeve, to be played if he needed it.

Patience, he told himself. But he hadn't gotten this far by being a patient man.

"There are many small crystalline rocks in this sample, an admixture of basaltic and anorthositic, up to maybe an inch across, maximum. Color and morphology appear to confirm they are largely made of the same material as the regolith." Chad continued his description as he tipped the collector on the rake into a bag.

"Copy, Chad," Kaz said in a monotone.

No wonder, Chad thought. *Geology is fucking boring.*

As he sealed the sample bag, he paused to look around at where he was. He turned his head deliberately, left and then right, like a male lion. Top of the food chain. He peered out onto the flat, gray-brown terrain and the perfect blackness of the lunar sky above. No one else had ever been here, in all of history, to see this. The power of that, the realization that it was only *him*, felt like a hit of narcotic. Victory running through his veins.

He twisted his neck inside the helmet, turning to look at the Earth. Of all those losers, only *he* had made it here.

Then he saw movement.

Another moonwalker, 50 feet away, coming towards him.

What the? How did she get outside? He ran the recent conversation with Houston back in his mind. They thought she was still in *Bulldog*!

He took a breath and opened his mouth to challenge her, but stopped. Secrets were good.

He raised both hands waist-high, palms up. *What are you doing?*

She continued towards him, raising one finger to her visor. The sign for silence.

He reached up and rotated the gold visor off his face, squinting hard against the glare. She watched, and did the same. Now they could read each other's facial expressions.

She gestured with her chin at Lunokhod and pantomimed scooping something solid up with her hand. She raised her eyebrows.

He stared at her, his face impassive. *No reason to make it easy for her.*

She held his gaze for a moment, and then looked away towards the rover, her lips tight with frustration. She reached past him to grab the tongs from the handcart, and walked towards Lunokhod, trying to read the disturbed soil and tracks. His footprints were all over, but the underlying wheel tracks showed where it had recently driven forward and backed up again.

Why?

As she was watching, the rover lurched into motion. It rolled straight towards her, slowly, and then stopped. She glanced at Chad, who stood watching her.

They're signaling me, she decided. As she watched, a slender arm pivoted down, touching the lunar surface in a darker, hollowed-out area, as if it were pointing. After 10 seconds the arm rotated back up, and the rover retreated again.

Svetlana nodded. She moved closer and probed at the disturbed soil with the tongs, grasping and releasing, finding only loose dust.

He had the stone.

She turned to him and pointed at the handcart with the tongs, jerking her chin for him to clarify, looking hard into his eyes.

He smiled broadly, shrugged and stared back at her as he spoke.

"Houston, I've got a pretty good sampling of everything in this area. How about I head back to *Bulldog* and start setting up the flag for the Rooskie press event?" He emphasized and pronounced the word carefully; in America, Rooskie was a derogative, but when said with a rolled "R" and the right weight, it was the word for "Russian" in her language.

A frown flashed across her face. She'd heard it, amongst the incomprehensible English. *Perfect.*

"Copy, Chad, sounds good. On the way back we'd like you to check out that darker spot you saw. Our best guess is about thirty degrees left of *Bulldog*."

"Will do, just tying down the samples now."

Svetlana watched as he pulled the bungees across the bags and tools in the handcart, wondering what he had said. She'd clearly heard the Russian word, and he'd moved his head as he'd said it, to be sure she'd notice. What did he tell them? *Can't ask without giving myself away.*

He looked directly at her, reached up and rotated his gold visor back down over his face. He turned, grabbed the handle of the cart and started walking away.

She glanced at Lunokhod, motionless, still pointed at her. She walked around it, looking closely so she would be able to describe its status to Moscow when she got back. *Dusty, but all there.* Still holding the tongs, she turned and hustled clumsily after the astronaut.

Behind her, unobserved, Lunokhod's eight wheels began turning together. It picked up speed and followed them, like an oversized, lumbering pet chasing its master.

Or a wild animal tracking its prey.

"Houston, I'm keeping *Bulldog* at about one o'clock as I track back, but haven't seen anything yet." Chad was walking slowly; he didn't want any of the samples he'd gathered to bounce past the bungees and out of his cart. Especially the bag with the rock.

"That heading sounds about right, Chad." Kaz made a "V" with his hands, picturing what Chad was doing, remembering how long the traverse to Lunokhod had taken. "You should be coming up on it soon."

Laura was next to him at the console. He'd asked her to come sit in the front room to make it easier to discuss whatever geology Chad ran into, especially with the TV camera down.

"Okay, Houston, I'm seeing something now." Chad's voice tailed off.

Laura had both hands up on the console, her fists clenched in anticipation. As the seconds ticked by, her fingers slowly extended, palms up, and she turned to Kaz impatiently, eyes questioning.

He nodded and asked, "What are you seeing, Chad?"

"Uh, it's weird. Like a big sunken acne pockmark in the Moon. There's a downslope all around, and then what looks like a rocky round edge to it. Inside that I'm just seeing black. I think it's one of those holes the geologists were talking about."

A smile of triumph spread across Laura's face.

"Copy, Chad, that's the first one of those anybody's seen up close. Just hold position for a sec while we talk about it."

He stood up and gestured for Laura to do the same, turning to the flight director console.

Gene spoke: "What risks are we facing here, GEOLOGY?"

Laura fumbled for her mic switch, but then spoke confidently. "FLIGHT, from Chad's description, it sounds similar to the four holes we've got pictures of from lunar orbit. We hadn't spotted this specific one, but best guess is it's an old lava tube like we've studied in Hawaii, with a collapsed section where it's thin on top. It likely has sloping sides, not sure how steep."

Gene considered that. This could be one of the most important discoveries of the whole Apollo program. Access below the surface of the Moon, providing potential shelter from the temperature extremes and radiation on the exposed surface, might be a key to eventual lunar settlement. Also to understanding the geology of the Moon itself. But not enough to risk the crew. Especially with only one person outside. A trade-off, like everything in spaceflight. Purpose versus risk.

"What info would be most useful to you?"

Holy cow! Laura thought. Gene Kranz was asking her directly what to prioritize. She worked hard to keep her tone professional.

"Characteristics of the hole: size, surrounding debris differences, angles of repose, exposed bedrock. A look directly down inside would be the ultimate, to understand the interior lower wall structure—smooth or rough. If possible."

Gene put her on the spot. "How close would you walk to the edge?"

Laura swallowed, realizing that this was a pivotal moment in her life. All the years of study, the fieldwork, staring at photographs, writing endless grants and reports. All was in preparation for this.

"I recommend caution, FLIGHT. Nothing has disturbed that regolith in maybe a billion years. It's probably compacted and solid, but it could be ready for a landslide. Chad will be fine on the flat, but if it were me, I'd stay clear of where the slope gets at all steep."

Would I really? she wondered. Probably not. Geologists were explorers.

Gene nodded and looked at Kaz. "Let the crew know."

Close, but not too close, Chad summarized in his head. Typical. Everyone sitting in comfortable chairs, sipping coffee, congratulating themselves on their good judgment. Leaving the real risk to someone else.

To me.

He let go of the handcart and took a step forward, describing as he went, hyper-aware that everyone was hanging on his every word.

"Hard to judge distances, but the hole looks to be about fifty feet across and maybe fifteen feet below the surrounding plain. The slope steepens as it gets closer to the hole, interrupted by small ridgelines of bedrock sticking up. I'm going to walk along one of those outcroppings as they stay level closer to the edge."

"Okay, Chad, understood, but err on the side of caution. Where you are now is already giving us info we've never had before."

No shit. "I'm taking pictures as I go. The surface color is unchanged, and there's no perceptible difference in the soil surrounding the hole. Same mix of dust and stones."

He walked to his left, following a higher ridgeline that led towards the hole.

"Okay, I'm seeing deeper down into it now." He stretched in his suit, craning his neck. "I can see the far rim of the hole in the bedrock. The rim is thin—maybe a yard or so—and it's just black below."

Gene Kranz said, "Tell him that's far enough, CAPCOM."

Kaz transmitted, "Chad, hold there while we talk about it." He turned to Laura. "What do you think?"

"With the angle of the sunlight, he won't see the bottom unless he gets right to the edge." She left the implied decision to Kaz.

He held her gaze as he pushed the button. "Chad, once you're done taking photos, we'd like you to back away and head back to *Bulldog*. We'll have you come back to collect samples later if there's time."

Chad took a step closer, and then another, which brought him near enough to see the end of the harder rock that held up the narrow ridge he was on.

"Copy, Kaz."

He took another step, feeling a rush of exhilaration. This was the same as flying a jet close to the ground at high speed, away from where any prying eyes or radar could stop him. Feeling the danger of the trees and rocks whipping past, the risks all supremely controlled by him, and him alone. His skill. His decisions. He took another step.

Svetlana was watching, alarmed, and rapidly decided the risk of speaking was worth it. She'd known pilots like this, and they often crashed. She calculated that Houston would think she was watching out the windows of the lander.

"Ostorozhna!"

The female Russian voice cut through Chad's reverie. Still, he stayed where he was, defiantly, and decided to take one more step forward, to just a few yards from the edge. The ground was angling away from him now.

The translator clarified for the room. "She said, 'Be careful.'"

Kaz pictured her watching from the distance, seeing Chad doing something dangerous. He had no idea yet as to how Chad was going to achieve the new military aim of disabling Lunokhod discreetly with the cosmonaut there as a witness. Calmly, he instructed, "Chad, as you're walking back, please describe for the geologists what you saw."

Enough, Chad thought, his face breaking into a triumphant smile. *No one has ever done that!* He retraced his steps, turning when he had enough room. Ignoring Svetlana, he grabbed the cart's handle and started towards *Bulldog*. He said, "At my closest approach I could just see deep enough to catch sight of sunlight on the inner wall of the hole. It looked smooth and curved."

Svetlana followed him, shaking her head. When would he have stopped? *I'm on the Moon with a crazy man*. As she walked, she felt the reassuring weight of the pistol moving in her leg pocket.

Both of them were focused on the traverse back towards *Bulldog*, immersed in thought. Neither looked back to notice Lunokhod, starting and stopping with successive commands, moving in 10-second increments.

Following them.

In Simferopol, Gabdul glanced worriedly at the clock. Thirty minutes until they lost signal. It was helpful to have footprints to follow, as the team didn't have to analyze each image as it came down before sending another command to move. He just verified he was on track, adjusted direction, rolled forward for 10 seconds and then stopped. Repeat.

He wanted to get to whatever the astronauts had been looking at before the radio link dropped out. To give him time to think about it and maybe pass on a request to them while they were still on the Moon.

Part of the problem of building a tough, compact rover was that the topmost camera didn't stick up very high. The Moon was small enough that the horizon dropped away rapidly, and he couldn't see very far into the distance. It was like driving at night with the headlights on low beams, and it made him uncomfortable when he had to hurry.

But Chelomei had ordered him to do it. And this was what he had trained for. His quick responses had helped the astronaut find the Ugol rock, and he'd even moved the magnetometer to show the other astronaut where to dig around for any more fragments. Decisiveness and finesse.

He jammed the stick forward again, counting *raz, dva, tree* in his head, and on up to ten, and then released, waiting for the refreshed image.

This one showed something odd, though. Only one set of footprints now, and a low darkness beyond them. Better to move with more caution. He decided on five seconds forward, not ten. He eased ahead on the stick, counted carefully and released.

He glanced up at the clock. Twenty minutes. Get a suite of images, and some scientific samples. Then they'd have to wait until the Earth brought them around again.

Until moonrise in Simferopol.

47

Le Monnier Crater

"Chad, we need you to check on the power to the TV camera, and then get the flag set up for the joint event with Washington and Moscow."

"Copy, Kaz." Chad glanced at Svetlana, who'd just arrived beside him at the lander. "You want me to bring the cosmonaut down the ladder first to make more room up there?"

Kaz looked at Gene. "We talked about it, Chad, and we'd prefer her to come down the ladder at the start of the joint event. So please leave her inside for now."

Chad shrugged. *People playing games.* "Copy."

He pointed at Svetlana and swung his finger around and up the ladder, towards the cockpit of *Bulldog*. She couldn't already be on the surface when he got the TV camera working again.

The interpreter's voice came into Svetlana's headset from Houston. "Lieutenant Gromova, the astronaut will be coming back up into the lander now to check on the TV system, and we'll have you come down to the surface to speak with Director Chelomei in about ten minutes."

Ah, that's why he's pointing.

"Ponyala," she said. She walked past Chad to climb the ladder, crawling on her hands and knees through the hatch.

Chad walked around the camera on its tripod, checking for loose connections. "Houston, all looks normal with the camera itself. I'm headed up the ladder now."

Svetlana stood and turned inside *Bulldog*, raising her gold visor and looking at the pulled TV circuit breaker. *Best to show ignorance*, she decided. She shuffled back and pressed into the dead body, making way as Chad crawled in and stood up.

He ran his fingers across the panels, quickly narrowing in on the black-and-white stripes of the protruding breaker. He turned deliberately, raised his visor and looked accusingly at her. She met his gaze steadily.

"Houston, I see the TV breaker is out. Did you see any overcurrents? My guess is the cosmonaut bumped it or snagged it somehow, being clumsy in here."

Kaz had already confirmed with the electrical back room. "No, Chad, no abnormal signatures, so we agree with you. You have permission for a reset."

"Copy, on my mark, three, two, one, mark." He pushed with his thumb and felt it click back into place.

Instant response. "Chad, we're seeing current flow and camera bootup signal. Should have good video by the time you get back outside. We're about ten minutes from the Washington-Moscow event, if you can get the flag in place, please."

Five o'clock in Washington was 1:00 a.m. in Moscow. The lateness of the hour and the America-centric nature of the event had dissuaded any politicians from traveling from the Kremlin to TsUP. They'd delegated the task to Chelomei, and to the long-serving Soviet ambassador in Washington, Anatoly Dobrynin.

That suited Dobrynin fine. The press blackout meant that only a sanitized version of events would be made public, and even that wouldn't be released until after splashdown. He'd talked at length via secure phone with Andropov, the KGB head, and had clear direction from Brezhnev. They would create a triumphant way to present this in future. For now, they just needed a few key images and video recordings from the Moon.

And the always necessary calm of diplomacy.

Waiting for Dobrynin in the Oval Office was Henry Kissinger. The two had worked back-channel issues on behalf of their bosses for years together, and today was no different—protect national interests, maintain their deep, respectful friendship and make Nixon and Brezhnev look good.

"Anatoly Fyodorovich," Kissinger rumbled, his warmth genuine. "It is a pleasure to see you, especially on such an historic occasion."

Nixon got up from behind his broad, polished desk to greet the ambassador.

Dobrynin bowed his head with respect. "Mr. President, Mr. Kissinger, it is an honor to be invited here today." He'd been the ambassador since the Cuban Missile Crisis, and his Russian-accented English was flawless. He shook both men's hands, and Nixon waved him to sit in the gold chair at the corner of his desk. Kissinger took his accustomed place at the other corner.

The Oval Office had a formal, masculine feel. Nixon had hated the pale, limpid drapes that his predecessor, Johnson, had favored, and had replaced them with thick gold brocade curtains that matched his new deep-blue carpeting. Seated again in his black leather chair, he was flanked by US and Presidential flags, with a bust of Lincoln and a large photo of his family on the window table behind him. He preferred a clean desk. All that was in front of him was a neat briefing book, a penholder, his daily calendar and a black phone. One of its small lower buttons was blinking.

As the men chatted comfortably, Haldeman came through a side door, nodded at Dobrynin and walked around behind Nixon. He pushed the blinking button and adjusted the volume on the small speaker box. He'd wheeled a television in earlier, and he turned it on, getting the feed linked through from NASA. The image showed an astronaut standing on the Moon, flanked by the lunar lander on one side and the Stars and Stripes on the other. Haldeman leaned close and spoke in Nixon's ear, pointing to some writing in the briefing book. Nixon nodded, and Haldeman stepped back.

Kaz's voice came through the squawk box. "White House and Moscow Mission Control, this is Houston. Stand by for the event."

Kissinger and Dobrynin shifted in their chairs to be able to see the TV screen.

In Moscow, Chelomei checked his watch.

"Apollo 18, Houston, voice check."

Chad was facing the camera, his gold visor up so his face was visible, squinting in the bright sunlight. "18 has you loud and clear, Houston."

Kaz looked at the script the White House had sent. Nixon first.

"Mr. President, the comm is yours."

Nixon checked his briefing book. "Major Miller, this is President Nixon, your Commander in Chief. I can't tell you how proud I am, as an American, to be speaking with you, there on the Moon. Especially with the colors of the US flag so clear and bright next to you."

Chad's voice was scratchy through all the connections. "Mr. President, I am honored by the privilege of speaking with you, sir."

Nixon continued. "Chad, I know this mission you are commanding has been arduous, and has involved regrettable loss of life. Such is the cost of voyaging into the unknown. The nation and I offer you both our condolences and our gratitude as you work in the name of scientific discovery, and of peace."

Haldeman had written the words in consultation with Kissinger, knowing the Soviets would be listening.

"I am very pleased that we have found a way to use space exploration not just for technical human understanding, but also now for international cooperation. The world needs symbols of how we can work together, and you and NASA are leading the way. I have some Soviet representatives on the line who are eagerly looking forward to speaking with one of their own, there with you." He double-checked his script. "On their behalf I invite you now to welcome Senior Lieutenant Gromova, a female cosmonaut, to descend from the American lander onto the surface of the Moon."

In Moscow, Chelomei had been waiting for this moment. He spoke urgently via the squawk box to Gabdul, poised at his console in Simferopol, 1,200 kilometers to the south. "Now!"

Gabdul slammed his control stick forward and held it. Not the time for caution.

In Houston, the interpreter next to Kaz called for Svetlana to exit the lander. Her white form came into view on the screen as she smoothly backed down the rungs. She turned and strode over to stand on the opposite side of Chad from the flag. She glanced at him and raised her visor to match.

Nixon nodded at Dobrynin, who quietly said, "Mr. President, as this is so important a day for my country, with your permission I'm going to speak to the cosmonaut in Russian, and then in English."

Perfect, Haldeman thought, watching Nixon nod. *No doubt as to who is in charge.*

Behind the astronauts, a silver shape was slowly entering camera range. Kaz spotted it and spoke rapidly. "FLIGHT, their rover's approaching *Bulldog*!"

Gene Kranz's jaw was thrust forward, his eyes narrow. "I see it, CAPCOM." The Soviets were doing this on purpose. His mind clicked through possible dangers and potential reactions.

Dobrynin turned towards the screen and raised his voice for the speakerphone.

"Major Svetlana Yevgenyevna Gromova, this is Ambassador Dobrynin. I bring you the greatest of congratulations and honors from General Secretary Leonid Brezhnev, supreme leader of the Soviet Union. Your sacrifices, skills and accomplishments are already legendary, and will be a permanent source of pride for all of history. We salute you—the first Soviet citizen to walk on the Moon."

Major? I just got promoted two ranks. She responded formally.

"Thank you, Ambassador. I am deeply honored and forever grateful to be the fortunate first Soviet to be here, in this rare place, today."

In Simferopol, Gabdul had been counting aloud. As he hit "treedsit-shest," thirty-six, he released the hand controller. At full speed the rover should have traveled 20 meters. He looked to the screen for the updated still image, and said a quick prayer.

Dobrynin was still speaking. "Secretary Brezhnev asked me specifically to say he is greatly looking forward to welcoming you to the Kremlin on your safe return."

"Thank you, Ambassador," Svetlana said once more.

Dobrynin turned to Nixon. Neither man had been paying enough attention to the TV screen to notice the silver vehicle in the background. Haldeman had, though. He strode up closer to the television, frowning.

The Ambassador noticed Haldeman, but he was used to staying on topic while underlings dealt with distractions. "Mr. President, our nation celebrates with you in this shared cooperation, as we lead the world in space exploration. The support team in Moscow would also like to say a few words to Major Gromova."

Lunokhod was now squarely in the center of the TV image.

There were several clicking sounds as the phone lines were patched through, and then Chelomei's voice came clearly through the static. The Houston interpreter translated quickly as they spoke.

"Cosmonaut Major Gromova, this is Director Chelomei in TsUP. We salute your bravery, our first human explorer of the Moon, a true Soviet pathfinder and example to us all."

"Thank you, Tovarisch Director."

Haldeman turned to face the president. "Sir, they've driven their rover into the picture." Disgust at having been taken advantage of was thick in his voice. The three men around the desk leaned closer to the screen to see.

Chelomei delivered his coup de grace. "With your historic landing at this Soviet discovery site, with Lunokhod, which has already been exploring for three months, directly behind you, your name will forever join the ranks of Gagarin, Tereshkova and Leonov. Pozdravlyayem!"

Chad whipped around to look, startled to see Lunokhod now just 15 feet away, centered behind them. Svetlana had turned as well, and nodded at the tactic. *Smart move.*

She spoke in response. "It is with great pride that I follow such heroes of the Soviet Union, and in the tracks of Lunokhod. I thank you and every member of the support team, Director Chelomei. It is a great honor to be here on behalf of you all."

There was a pause. Kaz sensed the uncertainty as to who would speak next and stepped in. "Mr. President, back to you, sir."

Haldeman stepped forward quickly and whispered in Nixon's ear.

The President decided to ignore the rover. People were what mattered, not machinery. "The United States adds their congratulations, Major Gromova, on your historic human achievement. Major Miller, I'd personally like to thank you for skilfully piloting your ship to the surface and bringing another nation to the new world of the Moon."

Leave no doubt as to who did what.

"America wishes you and your crew a successful completion of tasks on the surface and a safe return home to Earth. We'll see you soon here at the White House."

"Thank you, Mr. President," Chad responded. "I look forward to it."

Kaz counted to five in case anyone had last things to say. Radio silence.

"Thank you, Mr. President, Ambassador Dobrynin and Director Chelomei. Apollo 18, Houston adds their congratulations, and that concludes the event."

In the Oval Office, Kissinger shook Dobrynin's hand, saying, "I'm certain you would have told us if you'd known they were going to drive the rover into view, Anatoly Fyodorovich." The men had many battles left yet to fight together. Not worth magnifying this one.

Dobrynin recognized the opening and spoke smoothly but loudly enough for Nixon to hear as well. "Yes, my apologies for the overzealous driving of our rover team. Even though they stayed at a safe distance, it seems they wanted some of the spotlight." He nodded to the president as he moved towards the door. "Secretary Brezhnev and I thank you again for the historic opportunity."

Nixon nodded back, but did not offer to shake the Ambassador's hand. He truly detested surprises.

In Moscow, despite the long day and the late hour, Chelomei wore an uncharacteristic smile, the seldom-used muscles squeezing his tired eyes nearly closed. It had worked!

His rocket, his rover, his ingenuity and tenacity had shown the Americans—the entire world—the true extent of Soviet capability. He had put a cosmonaut on the Moon. And a woman, something the Americans had never done! Forever there, recorded next to Soviet technology the Americans couldn't match, for all to see. A triumphant day for the Soviet Union!

He watched as the timer clicked over, signaling the relentless turn of the Earth's face away from the Moon and the end of the day's communications through his giant antenna in the Crimea. He nodded at the flight director, thanking him, and turned, walking out of TsUP.

As his steps echoed in the long hallway back to his office, he focused his weary thoughts forward. Lunokhod had discovered something valuable on the Moon, and he, Vladimir Chelomei, had found a way to get the Americans to unknowingly carry it back to Earth.

Still many problems to overcome. But he had more ideas up his sleeve.

With the press event over, Al Shepard walked up to Kaz's console in Mission Control and spoke quietly. "Got a minute?" He tipped his head towards the exit.

Kaz temporarily handed over to the evening shift CAPCOM, who had arrived early. He followed the Chief Astronaut to an empty briefing room. Al came straight to the point.

"How well do you know Chad?"

Kaz shrugged. He'd been expecting this. "We met during Test Pilot School nearly a decade ago, and then crossed paths again during MOL selection and training. But he's not really my kind of guy, and we didn't socialize much."

Al nodded slowly. The creases were deeply shadowed down both sides of his mouth. "He ever tell you anything about his childhood?"

Kaz looked away and down, recalling what he knew. "Not much. He's a Wisconsin redneck farm boy, went to the State U, I think, ROTC directly into the Air Force, pretty standard. First time I met his folks was at the launch, and they seemed just what you'd expect. No brothers or sisters. Chad never married, and I've never met a girlfriend. Bit of a loner." Kaz paused for a moment, then said, "Now that you ask, Al, I don't really know him that well at all."

"Yeah, me neither." Al looked into Kaz's good eye. "You know if he speaks any other languages?"

"I don't think so. Chad's an all-American type. Very Wisconsin, not too . . . nuanced, if you know what I mean."

Al nodded again. "One other question—any idea about his finances?"

Kaz shook his head. "He never seemed to buy anything flashy, and he paid for the round when it was his turn. I never heard him talk about money." As liaison, Kaz had gathered the necessary legal paperwork from all three crewmembers. "The will that he turned in before flight was just the standard fill-in-the-blanks military form, dead simple. He left everything to his folks."

Kaz decided to ask a question back. "Is there anything you know that will affect how I should be thinking for the rest of the flight?"

Al chewed his inner lip. "It's partly why I didn't ask Gene or the doc to join us. Crew concerns are *mine* to protect and solve, and the last thing I want to do is raise a red flag that distracts everyone from the mission. But the sheriff's investigation has brought a few things to light about Chad. Nothing conclusive yet, but we may well need to let some other folks in on the information soon. For now, I want you to watch what's happening with Apollo 18 extra closely."

Kaz nodded, suddenly thinking about the double clicks on the radio.

As Al turned to head back to Mission Control, Kaz asked him to wait. The recent discovery on the Moon had made him think of something else, and he quickly outlined his plan.

Al blinked several times, considering, and then nodded decisively. "Good idea, Kaz. Just need to call Vice Chief Mo Weisner, get his blessing from the Joint Chiefs. I'll do that, and you talk to FLIGHT and the EVA team."

48

Le Monnier Crater

As Chad climbed *Bulldog*'s ladder, moving the two bags of geology samples up into the cabin, the conversation with the White House was playing over and over in his head. The president of the United States had called him by his first name and invited him to the White House! A *long way from the Wisconsin farm. Even farther from Berlin.* So what if the Soviets had driven their rover into the shot. Having it nearby just gave him more opportunity to disable it, and then they could blame any damage on the rocket blast at liftoff. *Idiots.* The Russians had played right into his hands.

He put the rock he'd retrieved from under Lunokhod by itself in a bag normally used for in-cabin tools, clipped into place under the computer entry panel. No one but him knew it was there. Then he moved the two duffels to the racks in the back, transferring the samples into hard-sided vacuum-sealed sample containers. He wedged the bolt cutters inside one of the empty duffels, happy that they just fit. He zipped the bag closed, checked that the cosmonaut was clear below and chucked it out onto the surface.

Now for Luke, and the new plan.

Houston had offered some suggestions for getting the body down to the surface, but Chad had decided to keep it simple. In the lighter Soviet suit, Luke only weighed 30 pounds on the Moon. Like picking up a medium-sized dog. No sweat.

But he didn't want Houston to watch.

He shifted the body forward along the floor until his feet were sticking out through the hatch, then reached up and pulled the TV circuit breaker. He bent and pushed Luke through, tucking the arms in and watching as the body slipped over the edge and fell, guided somewhat by the ladder. He quickly climbed down himself, finding Luke doubled over in a heap at the base. Svetlana watched as he straightened the body out and then climbed the ladder again, pushing the breaker back in.

Gene Kranz frowned as the TV image dropped out again. He waited for the team to diagnose the problem and tell him about it, and was about to push the button to ask, when the camera signal came back. As the image reappeared, he could see two suited figures standing beside a large bag on the ground. It took him a few seconds to recognize it as Luke's body, in the Soviet suit.

"FLIGHT, INCO, we had another TV camera dropout, but you can see it's back now. All indications normal, no action recommended."

"Copy, INCO, glad it didn't happen during the event with the President."

Kaz, seated at the console, quietly guessed what had actually happened. In Chad's place, he wouldn't have wanted a video record of the body tumbling down the ladder either.

Surprised, Svetlana had watched the astronaut push the body in her old spacesuit through the hatch, and had stayed clear as it had tumbled in slow motion down the ladder. Maybe Americans were less prissy than she'd thought.

Chad was now beckoning her towards the body. She glanced up at the Earth; the Soviet Union had rotated out of view.

She was on her own. *Might as well help.*

She joined him, and together they reached underneath the body, lifting, shuffling sideways and centering it crossways, face up, on the handcart.

Chad tapped on Svetlana's suit and pointed to Luke's feet, dangling almost to the ground. He motioned her to grab them, and walked around to the handle. He lifted it in one hand, glanced back and started walking. Past Lunokhod.

Towards the hole. Where the Americans now wanted their dead astronaut buried.

Standing by the door of Mission Control, the Navy officer's dark-blue dress uniform stood out, the heavy brass buttons glinting in the fluorescent light. His escort waited until the Flight Director waved them in, and then walked him up to Kaz at the CAPCOM console.

"Commander Zemeckis, this is Navy Chaplain Lieutenant Parham, serving with the Galveston Coast Guard." Duty complete, the escort nodded, turned and retreated.

The chaplain smiled apologetically, holding his white flattop hat under his arm. "Lieutenant junior grade, actually, sir," pointing at the thick and thin bars with the stylized cross on his sleeve.

Kaz smiled an acknowledgment. "That's okay, I'm only a lieutenant commander. And call me Kaz. Thanks for coming on short notice. Did they brief you on what we're doing?"

Parham nodded. "I'm honored to assist." JW had rolled an extra chair over from the SURGEON console for him, and Kaz waved for the chaplain to sit, plugging in a headset for him.

Kaz looked at the clock and the TV image of the two suited figures receding into the distance. "We'll get started in a couple minutes. We'd like you to keep it short, please, but by the book."

The chaplain nodded again, pulling folded papers from his breast pocket and smoothing them on the console. "Understood."

"Houston, we're almost at the rim, will get set up." Chad's voice sounded labored in their headsets. Wheeling the suited body had been more cumbersome than he'd expected, and they'd had to stop a few times to recenter it on the cart.

"Copy, Chad, let us know when you're ready." INCO zoomed the TV camera in as far as it would go; they could just see the two small, toy-like figures moving against the horizon.

Chad set the handle down, letting the cart's two front legs stabilize the weight, balanced just at the point where the slope steepened towards the pit. He reached into one of the cart's stowage bins and retrieved a thick white bundle with two heavy locking hooks. He attached one to a fabric tether ring on the Russian suit's hip, and the other to the attachment bracket on the front of his own suit. Reaching under the body, he pulled out the flag and unrolled it, laying it across Luke's chest. He leaned left and right, looking at the slope and visualizing his actions.

"Houston, Luke's in position, and we're ready."

Kaz gestured to the chaplain and they stood together, the rest of Mission Control following suit. The comm loops went quiet.

Kaz pressed his mic button and spoke, his voice reaching into all back rooms, and to Chad and Svetlana on the Moon. The orbiting *Pursuit* ship had just reappeared from around the far side, and Michael was quiet and listening as well.

"All hands bury the dead." The traditional call for ships to stop engines, and to lower flags to half-mast.

Chaplain Parham took his cue and read from Scripture. "I am the resurrection and the life, saith the Lord: he that believeth in me, though he were dead, yet shall he live: and whosoever liveth and believeth in me shall never die."

He paused and looked up at the TV image of the lonely figures on the Moon. He'd decided to change the traditional prayer's words slightly.

"We therefore commit Captain Luke Hemming's body to the depths of space, to be turned into corruption, looking for the resurrection of the body, when the Universe shall give up her dead, and the life of worlds to come, through our Lord Jesus Christ. Who at his coming shall change our vile body, that it may be like his glorious body, according to the mighty working, whereby he is able to subdue all things to himself."

His quiet "Amen" was echoed by voices throughout Mission Control, and 240,000 miles away by Chad and Michael. Svetlana silently mouthed her own amen, thinking of her crewmate, Andrei Mitkov, his body all alone, orbiting the world next to Almaz.

Kaz spoke as if on parade. "Atten—shun." He paused to give the moment its significance, then said, "Chad, you can commit Luke's body to the deep."

Chad lifted the flag off the body, handed it to Svetlana and with a quick two-handed motion tipped the cart abruptly to push Luke towards the pit, careful to keep his tethered line clear. The body arced several feet through the vacuum and fell to the surface halfway to the rim, rolling to a stop. Chad followed his previous footsteps out towards the promontory, unclipping the line from his suit, holding it clear in both hands. He turned to get good leverage and gave a sharp upwards tug. The body lifted and tumbled several more feet down the slope and stopped just short of the edge.

Chad eyed the footing and the angles, and walked back to the cart. He took two tethers out of a pocket, clipped them together lengthwise and attached one end to himself. He turned and quickly clipped the other end to the metal loop on Svetlana's suit. He beckoned for her to follow and started walking back towards the edge.

She held her ground, jerking him to a stop. She raised her visor and shook her head vehemently no.

Chad grabbed the tether in both hands and yanked, pulling her off balance, making her stumble towards him. He followed his tracks, tugging her onward to keep her from getting her feet set. She deliberately took a large hopping step and landed with one foot forward, the other behind her for stability, and stopped moving.

How crazy is he? She shook her head at him again. *Bad enough that he falls into the pit, but to drag me too?*

Chad looked at her, and again at Luke, lying in the dirt just beyond his reach. He lunged towards her, both hands up as if to strike, and as she took a reflexive step back, he dug in a foot and reversed direction, hard. Even though they were light in the lunar gravity, mass was still mass. The tether between them pulled taut, and she stumbled two more steps towards the hole before she caught herself.

It was far enough. He bent and picked up the line to the body, wrapping it around the thickness of his left glove so it wouldn't slip. He braced his feet, stabilized by the tight tether to Svetlana.

He saw her glancing at the hook releases and began counting backwards in Russian to unnerve her. "Tree, dva, udeen, nul!" He twisted and pulled with all his strength.

Luke's body jerked up off the surface and flew the remaining short distance towards the hole's edge, bouncing once and landing in a sitting position right at the rim. The arms continued the motion, flailing towards the yawning darkness. Slowly the body overbalanced, toppling towards the pit, accelerating as it leaned. Suddenly it was gone, leaving a fresh dark streak in the dirt where it had disturbed an eternity of meteorite dust.

But Chad had misjudged his balance. As he'd heaved, one foot had slipped out from under him. He fell on his side and bounced twice down the slope. The bulk of his suit kicked up a small cloud of dust, and the regolith shifted with him, pushed downhill for the first time in millennia. A small one-man landslide, momentarily jerked to a stop by the countering pull of the linked tethers to Svetlana.

Out of sight over the rim, Luke's body accelerated down slowly, free-falling in the one-sixth gravity. On Earth, after one second, it would have already dropped 16 feet, well out of sight, but on the Moon it had gone less than 3. Chad's tug, combined with his fall down the slope, had put an extra 6 feet of slack in the line.

Newton's laws of motion were universal. In 1.5 seconds, the slack was fully taken up by Luke's falling body. The line, still wrapped around Chad's hand, snapped straight and pulled tight.

Chad was just sorting out how he was going to climb back up the slope when the yank on the line pulled his left arm straight. He opened and spun his hand wildly, relieved to see the line unravel and whip clear, accelerate down the slope and with a flip of the end, disappear from sight.

But the damage was done. The unexpected jolt had pulsed through the tether and jerked Svetlana forward, and now she was scrabbling to get her feet back under her in the bulky, ill-fitting suit.

In Houston, Kaz was staring intently, trying to figure out what was happening to the small figures on the screen. Luke was no longer on the cart, but one of the suits was out of sight. He'd heard someone—Chad?—saying what sounded like a countdown, but in Russian. With the minister standing next to him, he needed to be respectful. *But what the fuck is going on?*

"Durok!" Svetlana grunted. Idiot! She twisted and planted her left foot into the sloping dirt, leaning away hard to counter the tether's pull. Chad was on his back, arms and legs splayed to try to stabilize. The shards of dust, rock and lunar sand under him caught and held in their new position at the pit's rim.

Motion stopped.

Just beyond the edge, the body accelerated as it fell, the cord snaking, into the shadowed darkness. In absolute silence, with no air friction to slow it, the fall took 11 seconds. Luke's body landed near the center of the pile of rubble that had fallen when the roof of the hole had caved in, at impact, his lifeless form was going 40 miles per hour, straight down. It bounced high once, turning, and then landed forever on its back, the Yastreb suit's tough plastic visor unbroken. Luke's sightless eyes stared upwards towards the small skylight in the blackness, shining with the eternity of the stars.

Chad pushed carefully with his left hand, rolling himself uphill onto his side. He dug his right shoulder in and bent his knees as far as the suit would allow. It gave a bit of slack in the tether, and Svetlana eased back to hold the tension.

Moving cautiously, Chad swung his left arm over and got onto his hands and knees. He tipped his head back hard inside the helmet and was just able to see the taut tether leading away towards the cosmonaut. Experimenting, he moved his left leg and right arm forward, and found the leverage to pry himself slightly up the hill. With the extra pulling from Svetlana, it worked. He shifted his weight and moved the other arm/leg, repeating the process, gaining a few more inches. A clumsy sniper crawl wearing a pressure suit.

Frowning, Kaz ran out of patience. "Chad, Houston, how's it going?"

Straining, Chad spoke. "Doing okay, Houston, just tripped and fell. Luke is on his way." As he alligatored his way up the slope, Svetlana moved back, keeping the line taut.

Kaz nodded at the chaplain to give the final benediction, and bowed his head.

"O God, by whose mercy the faithful departed find rest, send your holy Angel to watch over this distant grave," the chaplain said. "Through Christ our Lord. Amen."

Ceremony complete, Kaz shook hands with Parham and thanked him. The chaplain turned to shake hands with Gene Kranz and the doctor, and carefully walked down the steps and out the door.

Kaz squinted again at the front screen, seeing one figure standing and the other rocking to get up off their hands and knees.

"Apollo 18, the final step is the folding of the flag. Per protocol request from the Joint Chiefs, we'll be asking you to bring it back with you to be given to Luke's parents."

Chad shifted forward onto his hands, and then abruptly moved his weight back, bouncing to his feet, staggering a couple steps as he regained his balance. Svetlana unclipped the tether from her suit and threw it dismissively towards him, then turned her back.

The flag was lying where she'd dropped it. Chad coiled and stowed the tethers, picked up the flag and held it high as he folded it so the TV camera could see.

No need for them to know what just happened.

"Houston, we lowered Luke's body carefully over the edge and into the deep. I've folded his flag and am stowing it now."

"Copy, Chad, thanks. Geology would like you both to retrieve as many samples from around the hole as possible, to verify their theories on how it formed. Please take multiple images too." Kaz turned to the interpreter, who repeated the plan for Svetlana.

"Roger, Houston, in work." Chad looked down at the camera mounted on his chest, glad to see it was still in place, and brushed the dirt off. He handed the cosmonaut a soil collection bag and a scoop, and started his narration.

"The soil around the hole looks quite similar to the surrounding terrain, with no visible ejecta or ridges indicating impact." He took the rake and starting filling a bag, turning and clicking pictures as he moved. Collecting the rocks reminded him of being a kid on the farm, picking the stones the winter's frost had brought to the surface and moving them to the fencerows. *Less back-breaking on the Moon, though.*

As he worked, he realized that after this was done, there was only one task remaining on the surface.

He had to admit the sudden tumble towards the pit had startled him. But he'd anticipated it might happen, hooking the linked tether to the woman just in case. His own ingenuity had saved the day, as usual. Houston hadn't had any real plan to get Luke's body into the pit; they'd all counted on him to solve it. And, as usual, he had.

He glanced at *Bulldog* and the Soviet rover, and then at the cosmonaut, filling a bag with her scoop. He looked up to the Earth—Russia had rotated out of sight—and glanced at his wristwatch, strapped around the bulk of his pressurized sleeve. *Still lots of time.*

Time for him to do what they'd really come for.

49

Le Monnier Crater

The Soviet engineers had built Lunokhod to survive the Moon's temperature extremes. All the important and sensitive gear was protected like vital organs, safely nestled within the pressurized, insulated magnesium-alloy body. During the glaring sunlight of lunar day, a small fan blew cooling air up under a flat radiator at the top. With the protective lid and solar array pivoted open, the excess heat was shed to space. At nightfall, the lid swung closed over the radiator to keep the heat within, like a flower closing its petals. Inside, a small lump of radioactive polonium-210 provided warmth, the way a hot-water bottle warmed a bed. Awaiting the dawn.

Engineers at the RAND Corporation in Santa Monica had prepared a summary of Lunokhod systems that the DoD had analyzed for vulnerabilities. As Chad walked back towards *Bulldog*, trailing the handcart laden with bagged samples, he weighed the options they'd given him for disabling it. But really, it was up to him to figure it out. With a damned female cosmonaut watching over his shoulder.

While she'd been collecting the samples near the hole, he'd taken the bolt cutters out of the bag and strapped them down out of sight. Now, eyeing Lunokhod, another idea for disabling it occurred to him.

He turned around and waved at the cosmonaut. When he got her attention, he pointed up the ladder into *Bulldog*. He then motioned with both hands as if he was lifting the bag of rocks.

Svetlana considered. Helping to collect samples had made sense, because it gave her practical scientific experience to bring back to the cosmonaut program. She also figured that if she helped, the Soviet Union would have some leverage to demand a share of the lunar rocks and dirt.

Now he was asking her to help get them up the ladder. She shrugged. *Might as well.* She climbed, turned and faced him, reaching down as far as she could. As he hoisted the bulging bag up, she lunged for the straps, caught one and lifted.

Heavy, even here. She swung it back and forth, higher and higher, like a pendulum, and gave a good heave to get it up onto the platform. Climbing up the rungs, she pushed the sliding bag through the hatch and turned to look back at the astronaut. He pointed for her to enter, and then at himself, indicating he would follow.

In Houston, Kaz spoke. "*Bulldog*, we see you transferring the samples. We have about an hour max left on the surface, and show you doing well to finish on time." He had the interpreter translate. Svetlana saw that Chad was climbing the ladder behind her, so she turned and crawled through the hatch.

She pushed the bag all the way to the back and stood, lifting it with both hands onto the raised platform. She felt the astronaut bump into her from behind, and moved all the way up beside the bag. He pointed to a hard-sided, suitcase-like container in the narrow space.

He spoke evenly. "Houston, can you have the interpreter tell the cosmonaut to transfer the samples into the case while I do final button-up outside?" Svetlana listened to the Russian instructions, looked at the confined working quarters and nodded her acceptance. It would also give her a quick chance to look for the Lunokhod rock. She picked up the bag and wedged it into place as Chad turned to exit.

On the front screen in Mission Control, for the third time, the TV image went blank.

Chad backed out and down the ladder and walked to the handcart, glancing up at *Bulldog*'s windows. He wheeled it a few feet around the corner, so he was out of sight in case she took time to watch him, and released the bungee holding the bolt cutters. He also grabbed the scoop tool. With one last glance up the ladder and at the unpowered TV camera, he loped quickly towards Lunokhod.

The recommendations from the military brass had been simple: don't cut any cable that might be carrying high voltage, but be sure to permanently kill the ability of the rover to function.

He decided to go with the simplest option first, the one he'd thought of while walking back to *Bulldog*. He bent and filled the scoop with the fine dust of the top surface layer and carefully poured it onto the flat of the rover's radiator. He was pleased to see how well it matched the color of the dust that had collected already, and added another scoopful, smoothing it evenly with his hand.

He took a pace back to survey his work. The thick layer of dust would stop the radiator from functioning properly, trapping the heat inside. With the Sun beating down and nowhere for the heat to go, the interior electronic components would cook. Hard to tell how fast, but a good first step. And when he turned the TV back on, nobody would be able to tell he'd done anything.

He stepped around the front of Lunokhod. There were thin, telescoping metal rods, like whiskers, slanting down from each of the four corners. *Too small for high-data transmission*, he reasoned, and left them alone. No sense dulling the bolt cutters on those.

He spotted several electronic devices, flush-mounted in multiple locations, and looked closely at each. He decided they were scientific sensors and discounted them as targets. *Looks like the intel was pretty accurate.*

Mounted high and clear on the front was a cone-shaped device, like a small silver Christmas tree. Beside it, pointing towards Earth, was a long, scalloped cylinder, resembling a kebab loaded with marshmallows. *Omni and high-gain communications antennas*, he recognized. He traced the wires leading to them, finding a location where he could slip the cutters under a protruding loop. He dropped the scoop and raised the bolt cutters, positioning his suited arms for leverage.

"Stop!" a voice loudly commanded. And then, "Smotri!" Look at me!

He turned. Standing between him and *Bulldog* was the cosmonaut. Glinting darkly in her hand was the distinctive angular black barrel of a snub-nosed pistol, pointed at him. The fatness of her gloved finger was wedged inside the guard, on the trigger.

"Nyet!" she said, pronouncing every letter.

His first thought was, *Where the hell did she get a pistol?*

His second was, *No way will she shoot me*. She didn't know how to fly *Bulldog*. To injure or kill him would be to sign her own death warrant. He raised his gold visor so she could see his face. Staring straight at her, he shook his head, a mocking smile spreading across his lips.

Kaz heard the urgent words from Svetlana and was puzzled when Chad didn't answer. The interpreter quickly translated what she'd said, but it didn't help him figure out what was going on. The lack of TV coverage didn't help. He gave it several seconds and then called.

"18, Houston, did you call?"

Svetlana took two paces forward, aimed carefully and pulled the trigger.

The Makarov Pistol was a proven Soviet design, standard military issue, and had been included in the Almaz return capsule's survival pack in case of off-target landings. It was modeled on the German Walther PP, but it was heavier, all steel, ruggedized with fewer moving parts for simplicity. As Svetlana pulled the trigger, the connecting rod released the spring-loaded hammer, driving the pointed firing pin hard into the center of the 9.27 mm cartridge loaded in the chamber. The impact ignited the mercury fulminate primer, sending a shower of sparks into the gunpowder, explosively burning it, the expanding gases pushing the round-nosed steel bullet up the short, rifled barrel. As it exited at the tip, the small, six-gram metal-jacketed projectile was traveling at just under 1,000 feet per second.

The explosion pushed the sliding bolt against a blowback spring, ejecting the empty casing and allowing the eight-round magazine inside the pistol's handle to push a fresh bullet up into the chamber. The heavy spring yanked the bolt forward, and the new round snicked home into place, ready for a second shot. Svetlana had trained on the firing range in Star City, and had squeezed her gloved fist tightly against the recoil. The gun kicked up, but by the time the new round was in the barrel, she was lowering it to aim again.

The small ejected empty steel casing arced high to Svetlana's right and behind her, glinting in the sunlight as it tumbled, finally raising a small cloud of dust as it hit the surface 120 feet away.

Chad saw the muzzle flash and instinctively jerked back. The bullet flashed past him, falling slowly in the light gravity with no air to slow it, eventually plowing a short furrow and creating a small new crater 1,300 feet behind him.

Svetlana had intended to miss. She wanted him to see that she was willing to shoot—to let him know that the pistol worked.

"Seriozna," she said, her voice flat. I'm serious.

JW spoke on the Mission Control internal loop. "FLIGHT, SURGEON, we just saw a big jump in Chad's heart rate."

Kaz nodded, and asked again, "18, did you call?"

Chad's thoughts were reeling. *Holy shit! That bullet barely missed!* He stayed still to reassure her, thinking fast, weighing the options. He couldn't tell Houston what was going on: there were too many secrets, and some of them the cosmonaut knew. He forced his voice to sound normal. "Hey, Houston, we're just working on something here. Disregard."

Kaz looked across at JW, who shrugged.

Svetlana waved twice with the pistol, gesturing for Chad to move away from Lunokhod, then aimed again at his head. She watched him step clear and decided it was time for her to take control.

Through the interpreter, she said, "Houston, this is Major Gromova. The lunar soil samples are stowed in their carrying case, and the astronaut and I are both back outside. How can I best help complete the moonwalk?" She beckoned with her free hand, pointing for Chad to hand her the bolt cutters.

Kaz turned to talk directly to Gene Kranz. "FLIGHT, I don't know if Chad disabled Lunokhod or not, and I'm still not sure how much English the cosmonaut understands."

Gene rubbed his hand over the back of his head, feeling the brush cut. "He should have had enough time while she was inside, and we need to keep deniability." He rubbed harder, then said, "He knows the priorities. Let's let him choose his moment."

Kaz nodded, and pushed his mic button. "Major Gromova, Houston, we copy, and will have tasks for you shortly." He held up a finger so the interpreter wouldn't translate what he said next. "Chad, just a reminder to complete mission priorities, and we're standing by with clean-up items when you're ready." *Innocuous enough.*

"Copy," Chad responded, watching the cosmonaut intently, trying to guess her mental state. She still had her gold visor down, which made the steady, aimed pistol seem more menacing. She gestured with her free hand again, more insistently.

Fine. There's still time.

He threw the cutters at her feet, warily, and walked past her. She bent awkwardly to pick them up, still aiming the pistol. As soon as she had them securely in hand, she reached down and slid the gun into her leg pocket.

Chad climbed the ladder to push the TV circuit breaker back in. "Houston, all priorities are complete, and I'm ready to start final cleanup."

She'll have to set those cutters down at some point. And she can't watch me the whole time.

Svolich! She shook her head, watching him climb the ladder. You bastard! Giving her a menial task while he went outside to damage Lunokhod—the arrogance!

She looked at the bolt cutters in her hand. Quickly she walked out of sight of the windows and dug in hard with her heel in an area of kicked-up soil to make a small trench. She dropped the cutters in and kicked loose dirt over top, stomping repeatedly across the area to camouflage it. She stepped back to look; just tracks in the dust, the same as those all around the lander. She glanced back at the ladder; Chad still hadn't descended.

She walked to the front of Lunokhod and bent to look closely at the area Chad had been studying. She traced the antenna wires carefully, seeing nothing disturbed or dangling. She stepped back and did one full circuit, checking the side power cables and wheels for damage, seeing none. He hadn't had that long; she'd hurried down the ladder when she'd spotted him by the rover, and had stopped him in the act.

She saw a scoop lying next to Lunokhod, and she grabbed it and walked back towards *Bulldog*, satisfied for now. But she'd have to remain vigilant. He'd try again, no doubt.

She weighed what she could do. Having watched him fly and land the LM, she was certain she couldn't operate it herself, even with verbal instruction from Houston. If he died, she died.

Was protecting Lunokhod worth her life? She was a soldier, and had sworn fealty to the Soviet Air Forces. Her childhood heroines, Lydia Litvyak and Yekaterina Budanova, both Great Patriotic War fighter aces, had died in battle. *How is this any different?* She looked around at the barren landscape and the low, rolling hills, the empty desolation. *But to die here?* They'd already retrieved the rock Moscow was interested in. Lunokhod had been exploring for three months already. *What would my death accomplish?*

He had come back outside and was stowing equipment. She scanned his spacesuit. Maybe she could damage his life-support backpack, which would force him to hurry inside the lander and connect to its umbilicals. Shooting the backpack might work, but it just as well might cut a vital line or rupture a pressure tank, or pass through and kill him instantly.

She looked up at the lander itself, seeking a vulnerability to exploit that would hasten their departure. *But what?* The legs and lower section had all been built just for landing and were here to stay; only the upper section would take off, and all its antennas and cables were far out of reach.

She thought back to the design of her own Yastreb spacesuit, which had an emergency oxygen tank to provide extra reserves in case the suit developed a leak. The American suit must have one too. Their engineers would have needed a solution to the same problem. But how to start a survivable leak in his suit? She looked at the scoop in her hand. Where could she find a sharp edge?

A Russian voice broke into her thoughts. "Major Gromova, Houston, we see you with the scoop and would like you to pass that to Major Miller to stow, please. And then we have some more actions, as requested, when you're ready."

"Ponyala, minutichkoo." Understood, just a minute.

He'd turned to face her, reaching a hand out for the scoop. She inspected the hoses on his chest as she passed it to him; they were a jumble of covered connectors. No way he'd let her get close enough to disconnect anything. She stepped back and told the interpreter to go ahead.

She was on the Moon with a man who had much to hide and who still had time to do damage.

50

Mission Control, Houston

Kaz rested his forehead in his left hand, his elbow propped on the console. He'd found that rubbing the outer edge of his left eye socket with the tip of his thumb helped ease the burning in his fake eye. He blinked several times to clear the grittiness; it had been a long day. They just needed to get the moonwalk cleaned up, the crew inside and the hatch closed. Then they could all take a break. Crew included.

He opened both eyes wide, like he was stretching them, and refocused, running his finger down the checklist items. There were only a few left.

"Chad, we just need you now to reposition the TV camera to a launch observation location, and then we should be good for the two of you to head inside."

"Copy, Kaz."

Chad turned, walked the length of the snaking white cable out to the TV camera and picked up its tripod. He backed up slowly until the cable was nearly taut, to give maximum clearance from the rocket blast. Looking down the lens at the LM and Lunokhod, he had a thought. He took several paces sideways, the cable dragging across the dust, ascribing an arc around *Bulldog*. He set the tripod down again and rechecked.

"Houston, that look okay to you?"

Kaz had been watching the camera bouncing wildly with the reposition. Now *Bulldog* was centered and Lunokhod was no longer in the frame, out of sight. No matter the suspicions swirling around Chad, the man was sharp.

"Looks good, 18, nice and square to watch your liftoff. Suggest one last look-around for any loose items, and then we think you're done on the surface."

"Wilco."

Chad started back. Svetlana was facing him by the base of the ladder. *Where did she hide the bolt cutters?* He'd looked everywhere during the close-out, even into the distance in case she'd thrown them. *Sneaky bitch!* It left him with only one option

He turned abruptly, taking long, hopping strides towards Lunokhod. He'd looked at the angles; no way she could physically intercept him in time. And she wouldn't actually shoot him. It'd be sealing her own death warrant. Without him, she'd die badly, slowly suffocating as her oxygen ran out.

Svetlana didn't have much time to react. She took several fast steps towards Lunokhod to cut him off while he was still moving, and as he reached for Lunokhod, she braced herself with feet apart and carefully fired at the thickest part of the target. His intent was obvious, and she was a good shot; it was worth the risk.

The 9 mm bullet entered his life-support backpack from the left side. It went through the cloth covering and missed the aluminum frame entirely, penetrating the stainless-steel oxygen tank, rupturing it and instantly releasing the remaining 600 pounds per square inch into the vacuum of space with a brief burst of flame. The thin walls of the tank barely slowed the bullet, which tumbled on destructively through the plastic and wires of the power distribution bus, eventually slowing and stopping as it shattered into the multiple thick layers of the silver-zinc battery.

The force of the bullet and the explosively escaping oxygen pushed the backpack hard to the right, but Chad managed to correct the imbalance with his next stride, planting his right foot farther out, already slowing himself. He heard the warbling tone of a suit malfunction, and glanced down at the indicators on the top of the control unit on his chest; he saw he had low oxygen flow. *What the hell?*

First things first. He grabbed the rover's long, bulbous antenna in his right hand and the low, conical one in his left, and squeezed them together, like he was doing a chest press in the gym. He felt them both give way, the antennas and their mounting structures bending. He kept squeezing until they were pointed at each other, nearly touching. *Enough!*

In Houston, Kaz could only see *Bulldog*. Chad had headed out of frame to the right, and then he'd seen Svetlana move quickly in the same direction. Towards Lunokhod.

A voice broke urgently into the Mission Control loops. "FLIGHT, there are problems with Miller's suit. Looked like there was a sudden drop of tank pressure, and then we lost all signal. No data at all from it now."

Gene Kranz's jaw thrust forward. This was serious, especially with no visual on the crew. "CAPCOM, let's get a voice check ASAP."

Kaz pushed his mic button. "18, we're seeing a data dropout from Chad's suit. Comm check."

The tone had stopped sounding in Chad's headset, and he glanced at the pressure gauge on his right wrist; it showed only 3.4 psi, almost into the danger section. He turned towards the lander and saw Svetlana holding the pistol, and realized what had happened. *The slut shot me!* He mentally surveyed his body to see if he was injured. *No pain.*

"Easy, toots," he said, raising both hands, but he didn't hear his voice in his headset. He realized he couldn't hear his breathing either. His comms had died. He looked closely down at the control unit; his oxygen tank pressure was zero. *Shit!* He needed to open the emergency tanks on the top of his backpack before he breathed the last of the oxygen in his helmet. The steps were instinctive: he raised the lever on the control unit on the right side of his chest and slammed it into emergency position, and quickly reached across his body over his left rib cage and popped open the red purge valve. That let waste air escape, allowing the emergency oxygen to flow into his helmet, flushing the carbon dioxide buildup from his exhaled breath. He now had 30 minutes to get plugged into the lander's oxygen system. Less, if the suit itself was leaking. He started moving towards *Bulldog*.

Kaz pointed at the interpreter to repeat his comm check in Russian, and was relieved to hear Svetlana's voice in reply. "I hear you fine, Houston." She sounded angry.

"We hear you fine also. Chad, how do you copy?"

No response.

Kaz worked through the interpreter. "Major Gromova, we've lost comm with Major Miller. Can you apprise us of his status?"

Svetlana was at the front of Lunokhod, surveying the damage. *Dermo!* Shit! She hadn't protected the rover and she'd done unknown harm to the only person who could get them off this rock.

She glanced back at him. Maybe he was okay. "He's moving towards the lander, but I don't hear him saying anything."

Kaz assessed possibilities. Had Chad somehow damaged his suit while sabotaging Lunokhod? She must have seen what he was doing. Had she caused the suit problem? How best to handle it?

"Thank you, Major Gromova. We'd like you both to end the moonwalk now and return to the Lunar Lander for ingress. We need to get him plugged into the ship's systems to restore comms."

"Ponyala," she said, grunting as she grabbed the long antenna and heaved it back, trying to restore its original shape. The metal of its support mount twisted, and she pulled and looked up to align it with

Earth. She bent the smaller antenna as well, until it was near vertical. *Hopefully enough!*

She turned and saw that Miller was almost back at the lander. She glanced at the distant TV camera, pocketed the gun and loped after him.

There was an audible sigh of relief in Mission Control as Chad came into view. *Maybe just a data dropout*, Kaz thought. They watched as he went straight to the base of the ladder and began climbing, Svetlana following. The moving images were blurred, but they could see the white of Chad's suit disappearing as he crawled through the hatch. The cosmonaut was on the ladder, following.

Chad's anger roared in his ears. *You goddamned whore!* He got up off his hands and knees, turned inside *Bulldog*, reached down and closed and locked the hatch.

As soon as he could get oxygen flowing into *Bulldog*, the climbing cabin pressure would push against the wide, square surface of the hatch, holding it even more firmly in place. She could turn the handle on the outside, but no matter how hard she pushed against the pressure, soon she wouldn't be able to budge it.

Svetlana was trapped outside.

Her helmeted head was just clearing the top of the ladder when she saw the hatch swing closed. *Nyet!* She pulled hard on the railings with both hands and pivoted her body up onto the small porch, reaching to push the hatch back open, but it was already securely in place.

She leaned back to try to look up through the windows, but the space was too confined. *Would he actually leave me out here?*

She studied the bare metal face of the hatch. On the left there was a semicircle of gold foil and on the right a larger brown semicircle of bare fiberglass. There was writing across the center of the hatch, with what looked like instructions. *Instructions mean options. Think, girl!*

By the right half circle there were two orange lines painted like clock positions and words in block capitals. She puzzled out the English letters: Lock and Unlock. *Must be otkrit and zakrit*, open and close. There had to be an external control. She scrabbled at a rectangle inset into the fiberglass, and a Velcroed cover peeled off, revealing a metal handle. It was pivoted down, aligned with Lock. She grabbed it and twisted, but it didn't move.

She leaned hard forward and worked her fingers behind it until it was securely in her palm, and pivoted with her whole upper body, pulling with all her strength. It released, turning through the short arc, and with a push the hatch swung away from her. *I'm in!*

Chad was reaching up to turn the oxygen control rotary switch when he felt the opening hatch bump into his legs. He looked down in irritation. *Fuck!* He urgently needed to solve his suit problem.

He stepped clear so she could open the hatch all the way, and he grabbed and yanked on her backpack to get her through faster. Moving around her as she got to her feet, he bent and relatched the hatch closed, reached up to his right and pushed the Cabin Repress circuit breaker in. An unseen valve clicked open, and oxygen from *Bulldog*'s tanks started flowing.

"FLIGHT, they've started cabin repress." The calm voice of the Systems Officer belied the release of tension in the room. The small interior size of *Bulldog* meant the crew would have breathable atmosphere in just over a minute, and could take off their helmets.

Chad watched as the cabin pressure climbed. When it hit 2.5 psi, he moved the lever on his suit to Off, and as it stabilized at 4.3, he started taking off his gloves.

Watching from the back of the cabin, Svetlana warily copied his actions. Had he really just tried to kill her? Or was closing the hatch his way of showing her who was boss? Her hands ached after the hours fighting the pressure in the ill-fitting gloves, and it was a relief to get them off and stow them in her left leg pocket.

He was hooking his suit up to the ship's hoses, his hands moving confidently as he bypassed the failed systems of his damaged backpack. Turning, he beckoned her closer, pointing at her hoses, reaching out.

They'd both raised their gold visors, and she watched his face as he worked. It was curiously expressionless, giving her no hint of what he was thinking.

He turned and threw some panel switches, and suddenly she could hear him breathing again.

"Houston, *Bulldog*, we're back inside, hooked up to the ship." He stared at her. "Not sure what happened with my suit comms, but we got everything done outside and are putting things away in here now. Both of us in good shape, ready for the rest period before we head up to dock with *Pursuit*."

Kaz nodded and then summarized, waiting as each sentence got translated. "The team here congratulates the two of you and thanks you for your teamwork during your historic moonwalk. The plan now is for a well-deserved eight hours sleep, with liftoff to redock tomorrow at 11:54 Houston time. Major Gromova, we have an interpreter here at all times, so call if you have any questions."

Svetlana looked at the watch on her suit, adding the nine hours for Moscow. "Ponyala, spaciba bolshoi." Copy, thanks very much.

She was planning ahead as she watched the astronaut taking off his helmet, ticking off the key items in her mind. Find the rock he'd taken from Lunokhod. Get launched, dock, fire the engine to head home and make it through re-entry. And somehow get herself and the rock back to Russia.

Transit time back to Earth would be three days—lots of opportunity to sort out a plan.

For now, though, she was locked inside this small place with a man she couldn't trust. A man she'd fired her gun at twice, and who'd latched the door with her outside.

First step was to survive this night, on the surface of the Moon.

51

Bulldog

"Help me," Chad said. He pointed at the buckles on the backpack straps. He'd wedged himself into the aft of the cabin, the weight of the backpack supported on the engine cover.

She looked at the attachments, reached in and popped them free. He stepped clear, flipped the backpack around and peeled back the thermal covering to survey the damage the bullet had caused.

A small neat hole had been punched on the left side where the round had entered the oxygen tank. On the opposing side, the metal had torn outwards with the escaping pressure, leaving an oval opening and sharp edges. Broken bits of plastic fell from the shattered circuit board and battery casing, tumbling slowly to the floor of the LM.

He raised his gaze to meet Svetlana's, shaking his head slightly.

"Bad girl."

He stuffed the backpack down beside the engine mount and turned to release the clips on hers, stowing it as well. He moved to the front of the cabin and connected black tubing to a connector on his suit. He had a condom-like cuff on his penis, and his urine had been collecting in a bag inside the suit all day. He turned a valve, and it was sucked out by partial vacuum into a LM storage tank.

He knew Svetlana was wearing a diaper under her suit. He looked at her as his urine transferred. "You can just keep pissing yourself," he said.

She replied rapidly in her native tongue. "I know you speak Russian. Why are you prattling on to me in English? It's stupid!"

He made an exaggerated face of not understanding. "Russia didn't get you to the Moon, toots. America did." He pointed to himself. "I did."

Svetlana exhaled loudly, watching as he turned to organize the stowage. He handed her a food packet and squirted water into his mouth from the dispensing gun. She realized she was hungry and stood chewing on the dried food as he unpacked the hammocks, bumping her out of the way, clipping them into place for the night.

The sample container where she'd stowed the bags of rocks and dust had been empty when she'd started; the Lunokhod rock hadn't been in it. There was a second hard-sided case on the aft shelf; it must be in there. She decided to just ask.

"Where did you stow the rock that Russia asked for?"

He ignored her.

"I know they have your brother in Moscow. And the Americans don't know about him, or the rock. Or that you speak Russian. Or that Moscow is talking to us secretly."

He kept his back to her.

"Stop!" she commanded in English, loudly. He turned and looked at her, his eyebrows exaggeratedly up. She continued in Russian. "You need me to keep your secrets. To get that rock to Russia, where it belongs." She suddenly realized the leverage she had, and the extra danger it put her in.

He nodded and replied, in English, "That puts you in a tough spot, doesn't it, sweet cheeks. You need me to get you home, and I'm the only one who actually has the whole picture."

A small smile curled the corners of his lips as he leaned his face towards hers and said one word, distinctly, in Russian. "Ostorozhna."

Be careful.

The unrelenting sunlight was shining directly on the metal hull of Lunokhod, parked next to *Bulldog* on the Moon's surface, and reflecting up off the ground around it on all sides. If there had been a thermometer touching the rover's exposed magnesium-alloy skin, it would have read 242 degrees Fahrenheit. The metal was conducting that heat through to the inside, where the energy from the lump of polonium and the quiescent electronics added to it. The small ventilation fan was earnestly doing its best, pulling the nitrogen air past all the warm surfaces and blowing it hopefully up to the radiator to cool.

Like a blanket, though, the layer of dirt that Chad had spread on the radiator's surface was holding the heat in. The bottom of the radiator was starting to get warm to the touch. Instead of cold air flowing back down from the top, with each passing minute the return air was getting hotter. A cycle feeding on itself, where even the small heat from the fan motor was making things worse.

Yet most of its systems were still asleep, patiently waiting for the big antenna on the far side of the Earth to rotate back into view. As soon as it did, small timers would go off, the high-gain antenna would move to point exactly to the planned angles, and Lunokhod would come fully to life, everything on, awaiting its next command.

As soon as that happened, the problem was going to get rapidly worse, turning the rover into a forced-air oven on the Moon, baking all its delicate circuits to death. Unless the team in Simferopol could recognize the problem and figure out a way to solve it.

A race with a thermometer.

Kaz was beat. He'd driven right past the U-Joint, headed for home and a much-needed night on his own.

He pulled the fridge door open and opted for what he saw; bacon, eggs, toast and beer. The sound and smell of the bacon starting to fry in the pan set his mouth watering; his first gulp of cold beer from the bottle cut through it perfectly. He broke two eggs in next to the bacon and pushed two slices of bread down in the toaster.

He looked out the window absently as he waited for the toast to pop, reviewing the day. It had been an unprecedented one, but the crew was safe and Luke's body had been buried with honor. He raised his beer before taking another swig and toasted him. *Here's to you, buddy*. He picked up the frying pan and swirled it slightly, freeing the still-runny eggs from sticking, then set it back down. He realized he felt deeply uneasy, the inner voice he'd learned to listen to as a pilot, the one that paid attention to subtleties and tried to make patterns out of the seeming randomness sending off various alarms.

What have I missed? He took another pull on the beer, deliberately letting his mind relax.

The recurring double clicks popped into his head. If that happened again, he was going to pounce on it and worry it until it was solved.

But the obvious major problem was Chad. Could he really have done such a wicked thing? How was it possible that he'd made it this far, with all the hoops he'd had to jump through, and still kept himself so secret? And why would he kill Tom? The only reason he could come up with was that Chad had been desperate to get on this mission. How did that even make sense? It wasn't as if the whole program was over. There'd still have been chances for an astronaut as technically gifted as Chad to get to space.

The toast popped as he tilted the bottle up and drained the last of the beer; he got the butter and another bottle out of the fridge. As he slid the bacon and eggs onto a plate, he realized how hungry he was, and ate rapidly until he was mopping up the last of the egg with the second piece of toast. He slid the plate and cutlery into open slots in the dishwasher and took the remaining half beer into the living room.

He picked up the Gretsch, letting his hands play whatever chords they chose as he looked out into the darkness. He recognized a couple of sad songs and exhaled, deeply, twice, feeling the exhaustion.

The last of the beer suddenly lost its appeal, and he set it down, put the guitar back into its stand and took himself to bed.

52

Simferopol, Soviet Ukraine

Sitting at his console in Simferopol, waiting for moonrise, Gabdul allowed himself to feel proud. It had been his idea to drive Lunokhod in a max-speed dash across the lunar dust to get close to the American lander. He'd pictured how the iconic photo would look: the first cosmonaut descending the ladder to the Moon, with Lunokhod posed heroically in the background. The established presence of Soviet technology as a perfect counterpoint to the American ship newly on the surface; a seasoned Russian explorer there to greet it. He just wished someone had thought to paint a large red hammer and sickle on the side of the rover.

Outside his operations building, the huge dish antenna was tipped up on its edge, pointed at the exact place on the southeastern horizon where the Moon was about to appear. As the three-quarter crescent wavered into view through the Earth's atmosphere, the first set of commands pulsed out through the amplifiers, bounced off the huge parabolic dish and raced to the Moon. Just 1.35 seconds later, the faint signal washed over Lunokhod's receiving antennas.

The long, bulbous high-gain receiving antenna missed it completely. Even with Svetlana's attempt to bend it back, the tightly focused receptor was no longer pointing in the right direction. But the smaller omni antenna turned out to be sturdier. It dutifully collected and passed on the commands from Earth, and Lunokhod came to life, the mechanical beast readying for its day's work.

Sitting at her console behind Gabdul, the antenna operator frowned. There was no systems signal coming back from the steerable high-gain antenna. It had been working perfectly the day before. She sent a test command for it to go through a search cycle, but nothing. Without the high-gain, they could only get limited, low-rate data back.

Beside her, the specialist engineer felt growing alarm as well. As the new data populated in the systems table on his screen, he saw that the temperatures were far higher than they should have been, with a couple already approaching limits. Both technicians spoke at the same time, summarizing what they were seeing.

Gabdul listened, his concern increasing. How could they have lost the high-gain and thermal control at the same time? Had his bouncing race across the surface broken something? The team rapidly pulled out schematic drawings, hunting for a common link. More importantly, looking for a solution. The internal temperatures were climbing alarmingly.

The systems engineer, looking closely at the data, recognized the pattern, but it made no sense. "It's as if the solar panel is closed over the radiator—we're getting near-zero cooling. But we're getting power from the array, which shows open, so that's not it." He looked at Gabdul. "Maybe the Americans already blasted off and covered us in dust?"

"They're not supposed to take off for a few more hours," Gabdul said, then asked the question that worried him. "Could our high-speed run or their moonwalking have kicked up enough dust to cause this?"

"Unlikely, but possible." The tech studied his data. "But if we don't do something soon, we're going to start losing systems."

Gabdul stared at his TV monitor. The small omni antenna had a very low data rate, and images were going to process very slowly. Whatever he did, it was going to have to be mostly blind. He made a decision and quickly briefed the team. He got reluctant nods from everyone; his proposed course of action was risky, but worth it, given the reality of what was happening.

Gabdul put his hand on the controller and began.

Chad kept his eyes closed after he woke up, listening for a minute to the reassuring mechanical sounds of the LM—the fans and pumps that were cycling the life-support systems, keeping him alive in this little bubble of air on the Moon. *Like I'm in a womb, listening to my mother's heartbeat.*

As he'd slept in the hammock, comfortably slung in the low gravity, he'd been dreaming of his mother, a familiar dream that he both longed for and hated. Oleg, his brother, pushing to do something, his mother in faded colors, her voice conveying more of an emotion than actual words. The three of them had been in a room somewhere in Berlin, Oleg demanding, their mother quietly urging caution. Even now, as he opened his eyes, he could feel the soothing effect of her loving voice. And the jagged unfairness of losing her.

And Oleg. What had happened to the tough, decisive older brother he remembered and dreamed of? The war and loss had somehow changed him, made him soft, turned him into this monk, Father Ilarion. Who was now being threatened by the Russians, and used as a lever against him.

He glanced at his watch. Time to get up.

He rolled onto his shoulder and reached to peel back the covering on his triangular window, letting harsh sunlight blast into the cabin. He leaned to look at the nearby horizon. *Strangest place I've ever woken up.* He glanced at the cosmonaut, crosswise below him, blinking in the bright light. *And with a woman, no less. Though not one I'd pick.*

Movement outside caught his eye. Lunokhod was rolling forward. As he watched, it abruptly stopped, as if they'd slammed on the brakes. It reversed, then immediately halted again. A small cloud of dust shook loose and fell.

He snorted. *Clever Russians.* Somehow they still had comms with their machine and were trying to shake the dirt off the radiator, like a cow shaking off flies. He watched it change direction jerkily a few more times, but very little dust was coming off now. *Driving all those motors will be heating it up even faster.* He was satisfied that he'd done his job and more. Hell, he'd gotten shot in the process.

So many secrets now. A fistful of cards held tight against his chest. And three days' ride home to decide how to play them.

He rolled out of the hammock, stretching against the suit as he stood. Yesterday's work had left bruises on his knees, shoulders and back, and his body protested the movement. But he didn't feel much different than he had as a teenager, the day after a wrestling tournament. Pain was just a reminder of victory.

"FLIGHT, Chad's awake." JW had been watching his console data for the change of heartbeat.

"Copy, SURGEON. CAPCOM, let's get them into the checklist ASAP, and headed towards launch."

Kaz nodded. "Good morning, *Bulldog*, we trust you had a good sleep, and when you're ready, we'd like an IMU Power-Up, on page 7-9 of the Surface book."

Chad acknowledged and threw the switches. *Time for me to do what I'm best at. Time to fly this thing.*

In Moscow, Chelomei had heard Miller's voice and waited impatiently for the orbiting vessel to disappear behind the Moon so the other astronaut—Esdale—wouldn't hear him. As soon as the TsUP flight director nodded, he pressed his mic button.

"Major Miller, listen to me carefully. I have a plan for your splashdown when you return to Earth." He quickly explained the key points of what he had set up with his contacts at the KGB and the Kremlin.

Chad had ceased moving, holding perfectly still, listening, rapidly weighing Chelomei's plan. Svetlana was watching him, listening as well.

Chelomei said, "I need you to be ready and make it happen. If you do not, we will reveal to your masters where all the money you thought your brother was sending you actually came from." He paused to let that new threat sink in, and then said, "If you understand, Major Miller, use the word 'Russia' in your next call to Houston."

All these years, you've been using my brother as a means to compromise me? Anger roared through him. *You asshole!* He pounded his clenched, gloved fists on the flat of the instrument panel.

I need to win this! He wrestled his thoughts back under control, his mind clicking into overdrive; yes, there was still a way to come out on top. In fact, this new demand gave him even more power over the course of events. He looked at the cosmonaut, warily staring back at him.

"Houston," Chad said, "it's been great here on the Moon, Russia and America working together like never before."

Kaz looked up, frowning. *Odd thing for Chad to say*. "Copy, Chad."

On the other side of the world, Chelomei smiled.

Svetlana stood on Chad's right in the cockpit, watching him go through the pages of checklist steps before launch, listening to the technical chatter with Houston. She pictured what the geometry would look like for them to blast off, rendezvous and dock. They'd offered translation, but she'd declined it as unnecessary. Better to just watch, listen and beware. She glanced at her watch—still over an hour to go.

She'd slept poorly, fully expecting that Chad would try to take the gun from her during the night. When she'd finally dozed off, she'd been clutching the pistol inside her leg pocket. But when he'd opened the window cover, waking her up, the hard metal was still there under her hand. It was an important win; once they docked, she'd have the other astronaut, Mikhail, always present as a witness, which would decrease the constant threat. Just three more days and nights to go.

Chad looked sharp and well rested, as if he'd had an untroubled sleep. Even with what Chelomei had said. *Psychopath*, she decided.

During a lull in the chatter with Houston, a Russian voice broke in. Chelomei again, from Moscow.

"Major Miller, we know you can hear this, no need to respond. We think your normal procedures have you opening the hatch once more to jettison unneeded items. When that happens, we need one of you to walk quickly to Lunokhod and brush the dust off the radiator. We just got word that it's overheating. This is critical."

Svetlana saw that Chad's hands stopped moving while Chelomei spoke, but his expression didn't change.

Dust on the radiator! She leaned to get a clear view of the rover. So that's why it had been moving around! But how had anything gotten on the upper surface? She thought back to her close inspection for damage. Had there been dust on top?

Chyort! She couldn't remember! *Did he put it there?*

She turned and looked at the pile of items on the floor behind them: a couple of duffle bags full of trash and their two backpacks. It made sense to throw them out so their engine didn't have to lift useless weight off the Moon. But neither of them could go outside now. Their hoses were plugged into the ship.

The astronaut hadn't reacted to Chelomei's demand and was back talking to Houston in English as if it had never happened. She looked again at Lunokhod in the distance, visualizing what it would be like at liftoff. She spoke quickly, before Chad shut off her mic.

"Houston, will our launch blast blow dust onto Lunokhod?"

Chad's arm shot out and flicked off the transmit switch, his face a mask of fury. "Don't you talk!" he yelled. She saw a spray of spit fog the lower part of his visor. But he'd been too slow.

The interpreter answered, translating what Kaz told him. "Major Gromova, the analysts here have looked at it, and they think the local blast from the upper stage motor will be mostly horizontal near Lunokhod, so should pose no dust threat."

Excellent, she thought, defiantly looking into Chad's eyes. Their launch would blow dust off the rover. *If Chelomei and his team read between the lines, they'll move it even closer!*

Chad was reaching to re-enable voice transmission when they heard Chelomei again.

"Thank you, Major Gromova, we understand. And if—"

The Russian voice cut off abruptly as Chad shut off all external communications. He spoke on intercom, his eyes blazing at Svetlana. "You try that again, I'll kill you!" His hand came up fast and punched her helmet, and her head banged into a handrail. She focused quickly to see if the plastic visor had broken, but saw only a new deep scratch on the outer surface.

"Ponyala?" he demanded.

She eyed him warily. "Da."

He turned back and threw the comm switches. "The cosmonaut's nodding, Houston, sorry for the interruption. I'm ready when you are for the depress and trash jettison."

She got out of his way as he opened the hatch and pushed the items out, watching through the windows to see if Moscow had understood her. With satisfaction, she saw that the rover was still moving in short bursts, each pulse getting it closer to the LM.

She smiled tightly.

There was no doubt that he was in charge. But she'd won another battle.

By design, *Bulldog* had just one chance to leave the Moon, a solitary rocket engine to lift the upper half clear of its heavy landing legs, get it going fast enough to catch up with *Pursuit* in orbit and dock.

Many things had to happen perfectly, in sequence. If any one of them failed, Chad and Svetlana would stay on the surface forever. Or perhaps worse, crash back into it. Either way, Michael would be flying his ship back to Earth alone.

It began with two bangs, as battery power ignited explosive charges. The larger of them shattered threaded nuts and drove a guillotine that severed all mechanical connections with the landing section. They were free. The smaller one then opened valves, letting high-pressure helium rush through small tubes connected to the propellant tanks. The helium squeezed the volatile liquids down into the engine, where they mixed and instantly exploded.

With a shower of sparks the engine fired, pushing *Bulldog* up and away from the surface of the Moon.

"I see pitch-over, Houston." Chad's voice was calm as 16 small steering thrusters pulsed, turning *Bulldog* from the pure vertical liftoff to aim towards *Pursuit*.

On Earth, Kaz was watching the data closely on his console monitor, listening to the technical confirmation on the comm loops. "You have good thrust, *Bulldog*."

The sudden ignition of the motor had pushed Svetlana down into the floor with double her weight. *Like standing on Earth again.*

She leaned forward, looking down through her window to try to see what effect the rocket blast had had on Lunokhod, but couldn't tell. Within seconds the bottom half of the lander had disappeared from sight and they were accelerating towards rendezvous.

Chad was running his finger along a checklist table that showed altitude, attitude and climb speed, double-checking the steering computer. "*Bulldog*'s on track, Houston." The radio filled with static.

Kaz called *Pursuit*. "Michael, looks like our signal's getting messed up by their exhaust plume, as expected. Please relay that all numbers look good."

Michael had been staring at the Moon's surface, camera in hand, hoping to see the liftoff. "Will do, Kaz. I don't see them yet." He repeated Kaz's message to Chad.

Chad was watching his instruments. "Thanks, Michael, I have a solid radar lock on you. Guidance looks good. Engine shutdown time looks as planned at 7:18."

"I'm looking forward to the company! It's been quiet up here. Nice view, though."

"Copy that." Chad looked at the timeline. "We'll be docked in a couple of hours."

"I'll make some fresh coffee."

Ignoring the chatter, Svetlana was looking at the strange battered roughness of the Moon's surface falling away below them. As they accelerated towards the sunset, the shadows got longer, exaggerating the jagged peaks and smooth craters beneath her. *I'm like a fly over a skull*, she thought, trying to imprint the image into her memory. She twisted and looked up at Earth, the improbable blue orb suspended as if by magic in the blackness.

Her spaceflight was ending. She'd launched expecting to be on Almaz for months, yet now she'd be back in three days. A sudden pang of loss for her crewmate, Andrei, rushed through her. To command that spaceflight had been his life's dream.

She glanced at Chad, his eyes focused on the engine parameters and navigation instruments.

One thing at a time. First, they needed to get docked.

53

Moscow

Father Ilarion was troubled. His expectations for speaking with and honoring his brother, Yuri, had been so high, yet the day had been so strange. They'd gotten back to their quarters very late, and as he wearily rose for Matins, he had much to think on. And pray over.

Alexander was quieter than normal when he brought him breakfast. Ilarion asked if they would speak with Yuri again, and the interpreter said he didn't know, but that they needed to spend a few more days in Moscow, depending on how the space mission went.

"But why, Sascha?"

Alexander looked at the cleric. His kind face was creased with uncertainty, his discomfort with the disruption of his normal life evident in the deep cleft between his eyebrows. He decided the best course was to reassure.

"We have traveled so far to be here, Father. Director Chelomei thinks your presence could be very important for Yuri if he experiences any troubles during the remainder of the flight. He has requested that we stay for the sake of the mission."

Ilarion's face cleared. If he could help, he had purpose. Meanwhile, he could keep Yuri and his crewmates' success foremost in his prayers. He nodded slowly as he picked up the dry toast.

Bowing slightly, Alexander excused himself and stepped into the corridor, closing the door. There he stood up straight and took a deep breath. Chelomei had made it plain that he still needed the lever of threat against the cleric to get the American astronaut to do what was required.

He decided he needed to talk to his handler at Lubyanka to update him on the importance of *his* influence on what was happening on the Moon, and for the American's return. This was his chance to be recognized by the KGB for his work. His longtime loyalty and cleverness.

Alexander liked Father Ilarion. He hoped nothing bad would happen to him here. But this was his chance.

"Okay, Michael, I'm stopped, a hundred feet away. You're cleared to give *Pursuit* a spin."

"Copy, Chad, in work."

Michael had watched as *Bulldog* approached, a metallic insect rising from the surface of the Moon. He moved *Pursuit*'s hand controller to the side, gently rolling the ship like it was on a slow-motion barbecue spit. That would give Chad a chance to inspect the exterior for any micrometeorite damage before they fired the engine and headed across open space back towards Earth.

Svetlana watched *Pursuit* turn in front of them: the pointed, wide cone of the capsule at the front, the squatty silver cylinder of the main body, and the fat brown curve of the engine's exhaust nozzle at the rear. *Strannaya reeba*. What a strange fish.

"Looks clean as a whistle, Michael. Just hold her there, and I'll come in and dock."

"Good to hear." Michael nulled rates and re-engaged the autopilot to hold attitude. "You're cleared in."

Chad smiled as he began moving *Bulldog*'s controls. There was no one anywhere doing what he was doing now—docking his spaceship in orbit around the Moon. He pushed forward, closing the gap between the two vehicles.

Svetlana watched, appreciating the astronaut's ability, deeply disliking the man. She evaluated as he corrected the small misalignments, predicting his inputs, comparing them to what she would do.

On the outside of *Bulldog*, above her head, there was a cone-shaped indentation. Sticking out of *Pursuit* was an extended probe on a tripod; Chad was staring at a visual target to align the two. She heard Mikhail on the radio and recognized the words for numbers.

"Twenty-five feet, Chad."

"Copy."

"Twenty feet, rates look good."

"Agreed."

Pursuit grew in the LM's window like a flower blossoming as they neared.

"Ten feet, good alignment."

"Roger."

A pause as Chad made a last few inputs. Svetlana listened for the sound of metal on metal, hearing the scrape and thunk as they docked.

"Contact and capture!" Michael said. "Nice flying, Commander!"

"Thanks." It had been perfect. Chad safed the control system as he listened to the probe retraction mechanism pull the two ships together.

The specialists in Mission Control had all been watching closely, but Kaz had stayed radio silent, letting the crew do their work to get docked, one of the last major critical events.

"Congratulations, Apollo 18," he said. "Glad to see you reunited. If you look below you, you're just passing overhead your landing site at Le Monnier Crater. To let you know, we're planning to put a request in to the International Astronomical Union to name that local valley Hemming Rille, in honor of Luke." It had been Laura's idea, and Kaz had thought it fitting.

"Copy, Houston," Michael said. "He was a good man."

There was a moment's silence.

"Now let's get the hatch open and start heading for home."

Michael had cleaned house for their arrival. He'd gathered all the unneeded items and trash into one large transfer bag to leave in *Bulldog*, and had opened up *Pursuit*'s lower lockers, ready to receive the all-important lunar rock and soil samples for return to Earth. The stowage was below the seats, to keep the added weight in a secure place for the high forces they'd face while re-entering Earth's atmosphere, and for stable floating in the ocean after splashdown.

In contrast, *Bulldog* was filthy, everything coated with the gritty lunar dust they'd brought in on their suits. Weightlessness was making it worse, as movement filled the cabin with the tiny, sharp, floating shards of countless meteorite impacts.

Previous crews had identified a need to clean the dust off items before transferring them out of the LM, and NASA engineers had rigged up a portable vacuum cleaner using a suit hose, fan and filter. Chad plugged it in, dragged it on its power cable through into *Bulldog* and held it out it to Svetlana.

"Here's where you turn it on, toots." He pointed to the silver switch on its side, and then at the walls and floor of *Bulldog*. "Now get cleaning."

He wants me to vacuum?

Instantly irritated, she crossed her arms. But she needed a reason to be in the LM, to watch every item being transferred. She realized that this would give her an excuse.

"Spasiba," she said, with a small nod, and reached out to take it. *Play his game*. She turned it on and the motor whirred tinnily to life.

Chad smirked. "Make sure you get into all the corners."

He turned and yelled down the tunnel. "Michael, you ready for transfer items?" A muffled voice called back affirmative, and he began collecting suit hardware, cameras and vacuum-sealed sample boxes to float through the hatch to *Pursuit*. Prior to transferring each one, he held it up for Svetlana to once-over with the vacuum.

"Look at us, a model of international cooperation," he said over the noise.

She ignored him, concentrating on the task. From the size of the hole in front of Lunokhod, the rock had not been big. She was certain the astronaut would have stowed it separately from the other samples. As she vacuumed, she considered possibilities. She now had the pistol tucked into the waistband of her underwear; maybe he'd done something similar with the rock? She looked at the white flight suit he'd put on; no obvious bulges. Their moonwalking suits were still bundled bulkily under bungees at the back of the LM; he'd have to pull them out for transfer, as they'd need to wear them again for re-entry.

In between cleaning transfer items, she vacuumed the cabin itself to keep the floating dust to a minimum. *Where else might he have put it?* The main stowage area was in the back; the front of the cockpit was spartan and functional. She looked along the edges of the instrument panel for any recesses, and her eyes settled on a small white bag clipped below the data entry panel. *Is that big enough? It's here somewhere, and he's going to try to bring it into the other ship without my knowing.* She just needed to be patient. And observant.

"Houston, *Pursuit*, I show us in LM jettison attitude: Roll 014, Pitch 038 and Yaw 344."

Kaz glanced to confirm the data on his console screen. "Looks good, Michael, you're GO for Pyro Arm. We show separation in thirty seconds."

Michael threw the switch and kept his hands floating near the controls. As soon as the pyrotechnic charges fired, the bit of air pressure they'd left in the tunnel would help to push *Bulldog* away, like a gust of wind on a sail. To be safe, he'd also fire *Pursuit*'s thrusters to get clear.

The digital timer hit zero, and there was a metallic bang as the docking mechanism and tunnel released.

"*Bulldog*'s away, Houston." Michael pulled back smoothly on the controller, hearing his maneuvering thrusters fire, watching through the window as the LM slowly receded. He released the knob, satisfied.

"Copy, *Pursuit*." Kaz left a small pause. "She was a good ship."

Chad was at his window, watching *Bulldog* against the blackness. "Sure was, Houston. You drive her gentle now."

The specialists in Mission Control were uplinking commands, ready to fire the small thrusters on *Bulldog* to steer it deliberately towards a controlled crash into the Moon. The force of the impact would echo through the solid rock and be picked up by seismic sensors installed during previous Apollo missions, mapping the shape of the inner mantle and core of the Moon.

Svetlana watched the two men as they stared out the windows, *They're so different*. She smiled wryly to herself. *Like black and white*.

She had vacuumed the spacesuits as Chad held them out for transfer, but had felt nothing in his suit's pockets. He'd sent her out of the LM before he finished collecting the last items, and had brought them all in one larger transfer bag, stowing it in a locker under the headrest of the left seat. *The rock has to be in there*.

She heard the voice from Houston again.

"*Pursuit*, when you're ready, I've got your coming-home PAD to read up to you."

Both men pulled themselves reluctantly from the window and peeled checklists off of Velcro, grabbing their floating tethered pencils.

Pursuit was Michael's ship, but Chad wanted to re-establish who was in command now that *Bulldog* was no longer attached. He was the one to respond. "Go ahead, Houston, *Pursuit* is ready to copy."

Kaz took a breath. "Okay, it's TEI-74, SPS G&N, weight 35768, plus 0.57, plus 0.88 . . ." As he carefully voiced the data, he pictured what each word meant, making sure it made sense to him. A mistake of even one digit or decimal place could be fatal. *Pursuit* was going to orbit back around behind the Moon, and, out of communication with Earth, the crew was going to point the ship in exactly the right direction for the big engine to fire. At precisely the right moment it would ignite and burn for 141 seconds; without the weight of the LM, that's all it would take to escape the Moon's gravity. By the time *Pursuit* reappeared, it would already be arcing high above the lunar surface, racing home.

He finished calling up the numbers. "Standing by for the readback, over."

Chad motioned with his chin at Michael to respond, and floated back to look out the window. *Bulldog* was rapidly becoming too small to see, soon to be just another memory, another vehicle that he had piloted well. Another event in his past.

He glanced up at the Earth. The past didn't matter. His future was three days away.

He felt a surge of confidence course through him. He just had to play his cards right. And he had a winning hand.

EARTHBOUND

54

Pursuit

Michael was looking forward out the windows at the Earth as *Pursuit* slowly turned in the sunlight. Svetlana was dozing, loosely strapped to her couch.

"Hey, Boss."

"What?" Chad looked up from the emergency entry procedures he was reading. The pages were pale red, highlighting their criticality.

"Did you ever think that since we fired *Pursuit*'s engine for the Trans-Earth Injection, we've really just been falling? Like a rock dropped from an enormous height, accelerating as Earth's gravity sucks us in, closer and closer?" There was awe in his voice.

Chad looked at him. "Nope."

Michael shrugged. "I just think it's cool."

Chad went back to his checklist. *Really? That's what he's thinking about?*

Kaz's voice crackled in his headset. "*Pursuit*, I've got your mid-course numbers when you're ready."

The huge antennas at Goldstone had been precisely tracking the spaceship, calculating exactly where it would enter the Earth's atmosphere; now the engineers in Houston wanted a small engine firing to adjust the trajectory a tiny bit.

Chad peeled Michael's headset off the console and held it out to him. "Houston's calling with mid-course data."

Michael grabbed a checklist and pushed the mic button. "Go ahead, Houston." Kaz read up the information, and Michael eased himself into the center seat to type in the data.

Kaz continued. "While I've got you, Michael, we'd like an updated stowage inventory so the guys here can finalize your center of mass for entry."

Michael stopped typing to respond. "Copy, Kaz, I'll get at it after the correction burn." Boring task, but an important one. Their capsule was going to hit the top of the Earth's atmosphere going just under 25,000 miles per hour, and had to fly itself through the thickening air, using friction to slow down. The only way to steer was to have the center of mass offset a foot or two so the capsule flew slightly crooked; that gave it a little bit of lift. By rolling the capsule left and right, the autopilot would be able to control where that lift was pointed and how fast they fell, which would determine how much g they pulled and where exactly they would splash down. If the computers failed, there was a backup system to manually roll the ship using just time and g-load. But it was all dependent on knowing where the crew had stowed the added weight of the moonrocks.

After the burn was complete, Michael dug around under the seats, opening lockers one by one. He was being methodical. The flight home was long. There was no sense rushing.

"Okay, Kaz, in locker A2 we've got"—he pulled the items out individually—"two sample return boxes and several bags." He hooked his toes under footloops to brace his body, and swung the first box left and right, estimating the mass by how much it resisted his motion and twisted his upper body. "My guess is the furthest forward-stowed box weighs fifty or sixty pounds." Not exact, but the best he could do.

The scientists were also interested in the characteristics of what the crew was bringing home. Per their request, Michael unclipped a thick silver tube from its bracket on a side panel, and twisted the upper section to turn it on. It resembled a foot-long flashlight, but in fact was a radiation-survey meter. He held the protruding rounded end close to the sample box and peered closely at the device's dial.

"Houston, the Geiger counter shows just background radiation levels." He checked each sample as he went, confirming what he'd been briefed to expect. The Moon's surface had been absorbing cosmic rays for billions of years, and they'd anticipated that it would have slightly elevated readings compared to Earth.

Svetlana saw that Michael's hands were full with multiple boxes and the sensor, and floated over.

"Pomotch?" she asked. Can I help? She snagged a bag that was floating free and held it for him to check for radioactivity.

Michael looked up in happy surprise. "Thanks!" Inventory was easier with two.

Feigning disinterest, Chad kept his head tilted towards his checklist while closely watching what they were doing out of the corner of his eye. He didn't want to highlight where he'd hidden the rock, and was confident that Michael's inventory would miss it. But he had a plan, just in case.

In Moscow, Chelomei was listening to the transmissions to Houston with rising concern. Their intelligence hadn't included the fact that the Americans had a portable radiation detector on board. He'd deliberately not told Miller and Gromova that the rock was radioactive when he'd ordered them to retrieve it, knowing they might overreact to having it inside their ship; now there was sudden, grave risk that the third crewmember, Esdale, would discover it and tell Houston.

His options were limited. If he transmitted a warning, Esdale would hear his voice—unacceptable. And even if he did, what could he say?

He pictured the sequence of possible events at splashdown, evaluating the different American actions if they knew it was on board. Slowly, his worry subsided. Their plan was robust enough.

Al Shepard walked down two levels from his management console in the rear of Mission Control and grabbed an empty seat between CAPCOM and SURGEON. He waved Kaz and JW closer.

"You two ready to go to Hawaii tomorrow?"

They nodded. "What time's the C-141 leave?" JW asked.

"Wheels up at six a.m. I'll be at Ellington by five thirty."

"Ouch," Kaz said.

Al nodded. "Yeah, I hear you. I'm planning to mostly sleep en route, plus we get four extra hours with the time difference. We'll land at Hickam around ten a.m. local, and then a Navy helo will take us out to the *New Orleans*."

"Any surprise passengers coming from DC?" Kaz asked.

"Yeah. The Soviets are insisting they need a rep at splashdown to greet the cosmonaut, so they're sending an attaché from their consular staff." Al rolled his eyes. "I promised the Joint Chiefs we'll take good care of him, but Bob Carius, the skipper of the *New Orleans*, is gonna be just thrilled to have a spy on board."

JW frowned. "Any change to normal recovery ops as a result?"

"Nah, we'll do it by the book, Doc. As Crew Surgeon you'll be on the prime helo with the Navy divers and med techs as usual. Kaz and I will stay on the ship with the attaché, getting ready to grip and grin with the crew for the *Stars and Stripes* cameras. The *New Orleans* will bring us back into Pearl Harbor, and then we'll all fly back here Tuesday, including the attaché and the cosmonaut." He rubbed the side of his face, grimacing like he had a headache. "We still have to inform Luke's family, and then the media, and sort out military protocols to honor Luke, plus how to debrief lessons learned from the cosmonaut herself. But we still have a few days to set all that up."

JW smiled. "That's why they pay you the big bucks, Admiral."

"Yeah, right," Al said. "This'll be the last Moon mission, and the end of my time at NASA. A chance to go make some real money after thirty-two years with the government."

He tipped his head at Kaz and said, "Could you excuse us a minute, Doc?" JW nodded and wheeled his chair back over to his console.

Al moved closer to Kaz, speaking quietly below the hum of the room. "I wanted to update you on what Sheriff Heard's found. Stuff the Air Force should have caught a long time ago. You might know that Chad was adopted, a war orphan from Germany, raised by the ex-soldier who brought him out, on their family farm in Wisconsin. But at some point, sheriff's not sure when, it seems Chad was contacted by a surviving brother in East Berlin. Russian-born, it turns out, and a monk with the Orthodox Church there. He's been sending him money for years. And judging by Chad's bank accounts and the cash at his house, quite a bit more money recently."

He paused and looked at Kaz. "You ever play poker with Chad?"

Kaz shook his head. "No, I'm not a gambler."

"Yeah, me neither. But Chad's been playing some, locally, back room stuff. Quite a bit of money changes hands, apparently. Makes him vulnerable."

Kaz said nothing, thinking about what that meant.

"Bottom line, though, Heard has found no clear evidence tying Chad to the helo crash, or of him being involved in anything illegal. But several people are going to want to talk to him when he gets back. Including the Defense Intelligence Agency."

Kaz looked around the room, his eye pausing briefly on Gene Kranz. "Anyone here know this?"

"No. I need us to focus on getting Chad and the crew safely into the Pacific and then back here. The wheels of justice can wait until then."

55

Pacific Ocean

The radio signal began on the muddy banks of the springtime-swollen Amur River, just across from the eastern Soviet military-industrial city of Khabarovsk. The message had been coded for transmission at the Red Banner Pacific Fleet Intelligence Center just downriver, and now the pulsing electricity was traveling up 30 connected antenna towers, each nearly 800 feet tall. Like an entire orchestra of bass fiddles, the antennas throbbed deeply in unison, each vibrating, sending a low-frequency signal out into the surrounding air.

Very low.

The radio waves flowed out through the atmosphere, reflecting off the surrounding flatlands of the Amur River delta and 100 miles up to the electrically charged ionosphere, where their long wavelength bounced back down again. Trapped between the earth and sky, the Very Low Frequency signal followed the curve of the horizon across Sakhalin Island and the Sea of Okhotsk, and out over the Pacific Ocean.

Coded information, headed out to sea.

Most ships' antennas were far too short to pick up the signal and missed it as it passed by. But 50 feet below the water's surface, more than 6,000 kilometers away, a long trailing wire received it loud and clear. The electrical impulse passed through the deployed underwater antenna and into the ship, all the way forward to the communications chief's station. When he saw his yellow message light come on and the VLF needle jumping on the small screen, he turned to watch as the printer chugged to life, slowly tapping out the long, decoded message onto the thin roll of paper. He scanned the Cyrillic letters as they appeared.

New orders. He sighed. The Captain would not be pleased. They were already past due returning to their home port in Vladivostok, and a quick scan of the densely worded message looked like it would add at least another week at sea, maybe two.

But it was definitely not his job to scrutinize messages for Captain Serdyukov. He waited until the printer stopped, then carefully tore the paper off the machine just under End of Message and clipped it inside a folder marked Captain's Eyes Only. Locking the radio room hatch door, he turned up the narrow corridor towards the central post, in search of the captain of the nuclear-powered submarine K-252.

It was a Nalim-type sub, what the American Navy called Yankee class, 420 feet long, with a crew of 114 men, nuclear-powered, armed with 16 R-21 vertically launched ballistic missiles and 18 Type 53-65M wake-homing torpedoes. K-252 was a new ship; she'd been built two years previously just down the Amur River from Khabarovsk, and this was her second extended Pacific deployment. Captain Vasily Antonovich Serdyukov had commanded both.

As he was most hours of the day and night, Captain Serdyukov was seated in his brown leather swivel command chair, surrounded on all sides by the flat yellow panels of gauges and levers that gave him insight into and control over all systems of the sub. At the moment, they were moving quietly under the Pacific at 16 knots, 400 miles northeast of Hawaii, headed west. Towards home.

The comms chief stopped behind Serdyukov's right shoulder, checking if the Captain was busy, or perhaps dozing. The leather seat had a padded headrest for the relentless hours of work, and it was a mistake to waken Serdyukov if he was grabbing a nap during a quiet moment. He leaned forward to see if the Captain's eyes were closed.

They were. He looked closer at the face—the droopy eyelids, long nose and protruding chin of a tall man. Unusual in the submarine service, where the high hatches and low ceilings banged heads and knees mercilessly.

He decided the message's importance required him to clear his throat. The Captain's eyes instantly opened, flicking immediately across the gauges and digital readouts.

"Da, Pavel?" Captain Serdyukov's voice was deep.

The comms chief started in surprise. *How did he know it was me?* He stepped forward and handed over the message folder, nodded and returned immediately to his post, not wanting to be there when the Captain read the bad news.

Serdyukov opened the folder, scanned the message and then read it again, methodically. He leaned his head back to think. *This is a surprise*. The months of ballistic missile patrol up and down the American and Canadian coast had been successful, but also uneventful and monotonous. His ship had done well, but in essence, nothing had happened. Communications with the outside world had been rare, and the crew had turned inwards, busy with work and, in their highly regulated off-hours, making their own entertainment within the very limited confines of the ship. Except through the periscope, they hadn't seen another vessel, or any other people, since they'd left port. Food stores were getting low, and it was becoming increasingly harder to give the crew something to look forward to in the repetitive days. Arrival at home had been the next anticipated event.

He pictured what this message was going to mean for the ship. He would need to task his men to do things they had only practiced in drills and training exercises. Doing something very different, and with definite risk and potential consequences. Something clandestine and important. A smile curled his lips. The very essence of a submariner's purpose.

He reread the last lines of the message, which said further details would be sent shortly. But for now they had a specific destination, rough timing and expected actions. He began making a mental list of the skill sets of his men and the exercises they'd need to practice over the coming days. This was a chance for K-752 to distinguish herself as an outstanding ship of the Pacific Fleet, and for his crew to return to port with something to their credit besides bland reports of quiet patrols.

Captain Serdyukov was realistic; this had been his second command tour on the same boat. He knew there wouldn't be a third, and he was still only a captain of second rank. Successfully doing what the message described would go a long way to getting him promoted to full captain, able to wear the single thick bar and three stars on his shoulder that told everyone he was on his way to becoming an admiral. He nodded to himself. They needed to get this right.

He called the navigator over and gave him the updated coordinates. He watched as the information was typed into the inertial nav system, and felt the change of motion as the sub began to turn.

He'd have to brief his executive officer and the four department heads, and find some surface time for the specialist crewmen to practice operations. Their new orders were going to require patience, pinpoint accuracy and swift action.

He needed to get his men ready.

The sheltered harbors of the Hawaiian island of Oahu are a natural wonder. The inlets and bays reach deep inland, giving the islanders access to fresh water flowing down the steep slopes of the Koʻolau Range and protection from the ocean's storms. Food is abundant on the lush surrounding land, and under the bays' clear, still waters are pearl-producing oysters. Since before written history, Pacific sailors had found sanctuary in what the ancient Hawaiians called Wai Momi, the Waters of Pearl.

The harbor's entrance had been dredged and widened as ships got bigger, and the USS *New Orleans*, a flat-topped amphibious assault ship, required at least 30 feet of depth. As she exited Pearl Harbor and cleared Hammer Point, headed out to sea, she came left to exactly 154 degrees to stay in the center of the 1,000-foot-wide channel. Captain Bob Carius, standing by the forward windows of the conning tower, was relieved to see the depth sounder fall away rapidly, from 50 to 100, and then to over 1,000 feet as they cleared the island's shore. The brief stay at Pearl had been pleasant for the crew after a nine-month cruise, helping with Philippine flood relief and de-mining the coastal waters of North Vietnam as the last American combat troops were finally leaving. But he was looking forward to the tasking they'd received.

The *New Orleans* was sailing to recover the Apollo 18 crew.

Captain Carius wasn't sure what the post-Vietnam era was going to mean for the Pacific Fleet, but the *New Orleans* had acquitted herself well, and helping to bring the Apollo astronauts home was a definite feather in their cap. He'd even heard that Al Shepard, the first American in space and a Navy Rear Admiral, was going to be aboard to see the splashdown.

They passed the red and green harbor entrance buoys, and he relaxed, walking around the bridge, looking out at his ship. Most of the 700 crewmen had come up onto the large, flat deck as they'd left port, and he'd had the Apollo rescue helicopters proudly positioned on the bow to let everyone know where they were going. The maintainers had made sure that the Sikorsky SH-3A Sea Kings were freshly painted bright white, and the crews of Helicopter Sea Combat Squadron SIX had been practicing recovery procedures for several weeks.

They'd been waiting at Pearl for the exact location of the splashdown, and now NASA had given the Navy the coordinates: 300 miles north and a bit west of Oahu. An easy sail out, a little over a day to do final preparations on station, and they'd be ready.

Fun, really. Deploy the helos as soon as the capsule was under parachute, drop divers into the water next to it at splashdown, attach the flotation ring and help the crew into the rescue raft, hoist them aboard the *New Orleans* and welcome them back to Earth.

Unless something went wrong. He'd gotten a detailed briefing while in port, and he'd been running over his crew's readiness for multiple scenarios. There'd been storms in Apollo 11's planned landing area, and the rescue ship had to steam full-speed to meet the capsule hundreds of miles downrange. The Apollo 12 capsule had hit a wave hard at splashdown and an internal camera had broken loose; it hit an astronaut in the head, knocking him out. The ship's doctor had to give him six stitches. Apollo 15 had vented caustic hypergolic fuel that had melted parachute lines, collapsing one of its three canopies. And several capsules had landed upside down in the water, and the crew needed to quickly inflate emergency flotation balls to right them. From the briefing it was clear that Apollo 18 had had its share of serious trouble already, but he was confident that his ship and crew could deliver. They'd proven themselves on this cruise, in both war and peacetime, and they still had a couple of days for final polish. No matter what NASA threw at them, they'd be ready.

Carius leaned forward and looked up at the blue Hawaiian sky. This one should be a piece of cake.

Under the hot Sun on the surface of the Moon, Lunokhod was dying. Like a child with an uncontrollable fever, it was slowly shutting down internally, less and less capable to survive its own rising body heat.

Gabdul had worked frantically to try to save it just before the Apollo craft had lifted off. He'd alternated between driving and braking as violently as he could, trying to dislodge the layer of dust on the radiator, all while moving as close to the lander as possible, hoping its rocket blast might scour the flat surface clean. The team had talked quickly about the risk of debris damage, but it didn't matter. If they couldn't clear the dust, their mission was over.

They'd sent commands to close the camera covers just before liftoff, squinting their rover's eyes against the sandblast. But the light upper stage had left the surface so fast that it had blown only a little of the sand off; the rate of heating had slowed, but it hadn't stopped.

Gabdul had announced one last idea hurriedly, and had clicked the eyes back open while mashing the hand controller to full speed. His team had mapped a small, steep-sided crater a couple hundred meters away that they'd steered around on the way to the landing site. Now he was driving directly at it.

"I need the best timing countdown you can give me. Start at ten!" he urgently told his navigator. They needed to guess exactly right as they watched the new images slowly process, blurred with the bouncing motion, delayed by the enormous distance.

The navigator did his best, using every clue he could gather: forward speed readout, their nav map, the heading data and the latest looks at the lunar surface on the screen.

"Ten!" he said decisively. Then "Nine!"

He'd play the cadence right to the last, based on everything he saw. He said eight, seven and six quickly, and then five, four and three in an even rhythm. He could feel his heart racing, knowing this was all or nothing, based on too much guesswork.

"Dva . . . raz! Now, Gabdul, brake!"

Gabdul reversed hard, held it for two seconds and released his hand completely, listening to the small springs make a quick thocking sound as the hand controller returned itself to center. All eyes were glued to the screen.

His plan had been to bound over the edge at full speed and then lurch to a stop, driving the eight wheels backwards, encouraging the sand to slide off the top as Lunokhod came to rest on a steep angle.

The image resolved itself, drawing line by line from top to bottom on the monitor. All they could see was a screenful of lunar regolith, no horizon visible.

"We're in!" Gabdul turned to look at the rover's attitude sensor—a bit tipped left, but steeply nose-down. He read the number aloud, triumphant: "Thirty-five degrees!" That was basically the physical limit for a slope of loose regolith. They couldn't have done it any better. No one knew if they'd be able to drive out, but they'd done all they could.

Gabdul turned to the vehicle systems operator and asked the question on behalf of everyone. "Are we still getting hotter?"

The internal temperature readout was steady for many seconds. Longer than they'd seen during the race across the surface. Hopes rose. Then it clicked up by a tenth of a degree. And then another. And, as they all watched, by yet another.

It hadn't worked. The jolt hadn't shifted enough of the blanket of dust.

After three months of exploration, thousands of images and data points, and discovery of concentrated radioactivity on the Moon, the mission was over.

Lunokhod was in its grave.

Outside their building, the huge antenna that had brought the team the bad news pivoted, almost imperceptibly, its focused commands and patient listening circuits searching for a new signal. As soon as it found it, the self-tracking mechanism locked on and began following, steering precisely. The processors analyzed the timing and frequency shifts of the signals, and started doing the math. As it continued to track, the accuracy got better and better, until it had a solution threshold that could be trusted.

A second computer took that information and ran it through equations that included the mass and exact positions of the Moon and the spinning Earth, and used models of the friction that the atmosphere and shock waves would cause. It added the known characteristics of how previous missions had steered themselves, and how much g they had pulled as they descended.

In less than two minutes it had a result, and automatically transmitted it to the flight dynamics officer at his console in TsUP in Moscow. He looked at the screen with its table of flickering numbers, watching them update and become even more accurate with each passing second.

He leaned back and turned, waving to get the attention of the flight director. They now knew exactly where Apollo 18 was going to splash down.

56

Hickam Air Force Base, Hawaii

Kaz stretched and yawned as he stepped out of the dark interior of the C-141 transport plane, blinking at the bright Hawaiian sunshine, looking around the ramp and spotting the white Sea King helicopter waiting for them. He'd slept, but his lower back was aching; Air Force seats were built for troop transport, not comfort. As he stiffly walked down the airstairs, he could feel the heat reflecting up off the tarmac, his shirt starting to stick to him in the humid ocean air. Behind him, JW was noisily descending. A seaman met them at the bottom and took their hand luggage to transfer to the helo.

Al Shepard had gotten off first and was already taking the salute from the Sea King crew. Behind Al, waiting his turn, was the Soviet attaché, tall in a dark suit. In Houston, he'd introduced himself briefly as Roman Stepanov, his English good but thickly accented. He'd kept to himself during the flight, reading papers from his briefcase and dozing like the rest of them, even though each of the three Americans had moved to an empty seat in the Soviet's row during the flight to make conversation. Kaz had held out his hand across the seats. "Hi, I'm Kaz

Zemeckis, crew liaison. Been working in Mission Control throughout the flight." Stepanov, broad-shouldered and fit, had returned the handshake with a firm, dry grip and said, "Hello." The remaining hair on his prematurely bald head was neatly trimmed, his thick eyebrows were arched, and his small ears were a poor match for his large, hooked nose. His pale-gray eyes and thin mouth were expressionless. A thoughtful face.

"So did they brief you on what to expect during splashdown?"

"Yes." Stepanov held up a sheaf of papers on NASA letterhead.

A pause.

Kaz tried a different tack. "Been to Hawaii before?"

"No." Not unfriendly, just a clear vibe that he'd been doing something worthwhile and was politely waiting for Kaz to leave so he could get back to it. Like an interrupted professor.

"Okay, well, let me know if I can help."

The Russian had nodded and thanked him.

Not a chatterbox.

Kaz and the doctor climbed up into the helicopter and took their seats, opposite Al and the Russian, on the simple green webbing on metal frames that ran the length of the crew cabin. The crew chief gave them a short briefing on emergencies and handed them uninflated life jackets and earplugs as the five big rotor blades started turning above their heads.

The attaché listened attentively, then comfortably donned the safety equipment and did up the heavy shoulder and waist straps unaided.

Not Stepanov's first rodeo.

The Sea King lurched up off the pavement, pivoted in place, tipped forward and accelerated out to sea.

Chad looked out the window of *Pursuit*. The Moon behind him had shrunk to the size of a dime against the blackness. Ahead, what had been a thumbnail-sized marble, blue with white and green-brown highlights, was growing and resolving itself rapidly into the easily recognizable coastlines and country shapes of Earth; it felt like he was walking towards a lit globe on a darkened shelf.

He'd steered the ship to skim exactly against the side of that ball, where it would just brush the upper tendrils of the atmosphere. The ultimate high-stakes billiards shot: miss wide and they'd carom off into space with not enough oxygen to last until they could make it back. Hit with just a bit too much angle and the ship would dig in, disintegrating into flames under the violent deceleration.

He smiled at his reflection, repeating in the multilayered glass. He'd done everything perfectly. Been up for every challenge they'd thrown at him. And with the final test still coming, he was ready.

He glanced at Michael and Svetlana, thinking about the incomplete picture they each held in their heads, shaping their predictable choices and actions. He looked at Earth again, his smile growing wider. The Soviets thought they were directing what was going on—that they could control him! The Americans had arrogantly set the mission's parameters, yet needed someone who could actually do it.

I was chosen for this!

His life, from childhood until this exact moment, was like a movie script where he'd been the inevitable action hero.

Action hero. The words echoed in his head. He hadn't thought of himself that way before. But that's who he was. It was perfect. At every turn he'd taken the right action, moved forward, left the others behind—before they even knew what was happening.

And he was about to do it again. He had a plan that would achieve all the goals, and then some. He'd used this return trip, these two days when everyone else had just dozed and twiddled their thumbs, to dig into the details and come up with the right actions. His crew would be helpless to stop him.

He half closed his eyes and pictured it, his hands subtly performing the motions as if he were a conductor directing an orchestra. Reach here, move that, see this, say those words. A symphony of his own making, the ship responding, his actions setting the course of history.

A small thought popped into his reverie, unbidden. His smile faded and he frowned, picturing what it meant. He walked through the plan, seeing how it would unfold with this unwanted input, clicking through if/then statements, churning the wheel, checking the readout, then changing assumptions and rerunning it. Repeating until he had a way to make it work. As he saw the solution, his smile returned.

He checked his watch—enough time before tomorrow's main event.

One last look at himself in the window, the growing brightness of Earth highlighting his face, the endless darkness behind.

Action hero.

First nights on ships always kept Kaz awake. He wasn't sure why. Maybe it was the new sounds, the different motions of this particular hull in the water, the hardness of the thin Navy-issue mattress on the berth. From experience he knew it would be better the second night, and after a few days he'd sleep soundly. But for now, he was restless in the darkness of his small cabin aboard the USS *New Orleans*. He opened his eyes wide. *Weird*, he thought, not for the first time. An inner room on a ship with watertight closed hatches made for total darkness. He could feel that his eyelids were open, but his eye could see absolutely nothing.

A *good place to think*.

The sheriff hadn't found any proof that Chad had sabotaged Tom's helo, but the other information was troubling. Why had Chad never admitted to anyone that he was born into a Russian family, or that he'd retained enough of the language to stay in touch with this newly uncovered brother of his?

Kaz had learned that sometimes, to solve a problem, you had to take it back to basics and repicture it as if it were an exam question on a page. He tried phrasing it that way to himself.

A lander with two crew, American and Russian, is on the Moon. Above them, a spaceship with an American aboard is orbiting every 2 hours. Earth is a quarter million miles away, turning every 24 hours. Mission Control is in Houston, but has satellite dishes spaced around the globe to talk continuously to the crew. Once in a while, Houston hears the crew click their mic twice. Why?

Kaz blinked several times and turned his head against the hard pillow. He could feel the stiff crispness of the pillowcase, no doubt high-temp-washed and rough-pressed by a seaman somewhere in the industrial bowels of the ship.

Nothing.

He tried another entry point. Why had the Soviets sent a KGB officer? The way the guy was so quiet and calculating and the muscular bulk under the lousy suit were giveaways. Why wouldn't they send a political, maybe the deputy ambassador, someone who they could publicly identify in the PR pictures so they could wave the Soviet flag in everyone's face? He recalled Stepanov's face—this guy wasn't here for protocol. So what *was* he here for?

The cosmonaut was supposed to still be on Almaz, dutifully orbiting and photographing secret things around the planet, dropping film to Earth in canisters. No one had planned on her being part of this mission. So Stepanov was part of the reaction on their part, another attempt to turn the situation to their advantage. But what did they have control over, and what leverage could they use?

He stretched out on his back and scrunched the pillow under his neck for support. The berth was just long enough that the top of his head and his feet didn't touch the bulkheads. He closed his eyes and exhaled to relax.

His eyes snapped open in the darkness. *Could that be it?*

He tried to remember the exact timing, reviewing when he'd been on shift, mapping it out. He realized that it fit.

Christ!

The Soviets had been talking to the crew.

And the crew had responded.

57

Re-entry

Chad glanced at his small computer screen: 36,165 feet per second. He did the math. *Holy crap! I'm flying seven miles every second. Thirty-two times the speed of sound. Take THAT, Chuck Yeager!*

He leaned forward in his seat to look across at Michael, strapped in beside him, and the cosmonaut on the far right. "Get ready for the finest seven minutes of your life, kids."

The three of them had re-donned their spacesuits. NASA had learned that a Soviet crew of three had perished when re-entry vibrations and g-loads caused a cabin leak, and had added the safety measure for Apollo 18.

Pursuit was 75 miles high, just beginning to touch the outer atmosphere. Chad punched in the program code to check landing location, and compared it to the latitude and longitude Houston had given them. Identical. They were headed to an empty spot in the ocean, just a couple miles short of the USS *New Orleans*.

On the outside of the capsule, bad things were starting to happen. *Pursuit* was slamming into the rarefied air molecules with so much energy that it was ripping electrons free and tearing at its belly shield, burning off the outer layer. The mix of ionized gases clung to *Pursuit*'s skin in a sheath of blowtorch flames; an electric plasma field, glowing yellow and orange and red, enveloped the ship in a hypersonic fireball.

"My God, look at that!" Michael was watching the flames lick and dance across the windows, the shadows flickering inside the capsule. "We're flying through a blast furnace!"

Svetlana let the chatter wash over her, probing how her body felt in anticipation of what was about to happen. She'd studied re-entry in detail at Star City, and had practiced repeatedly in the centrifuge trainer; to pass her cosmonaut flight qualification, she'd had to take over from the ship's computers and fly the simulated capsule by hand, all the way down to parachute opening. On an early training run she'd misjudged it, dug in too deeply and failed, pulling 14 g—beyond the limits of the simulator, barely survivable in real life. She knew how thin the margins were.

She looked at the horizon line in the overhead windows, judging their entry angle; it made sense to her. They were coming in belly first, slightly tipped up and rolled to the right, the computer ready to play the roll angle to control the g force. She nodded. *Just like I'd do it.*

Chad watched his entry monitoring panel, the large black arrow showing roll angle, the small digital readouts showing g and distance to go. He ran his thumb down the checklist and warned, "Here it comes!"

The sudden onslaught of force was vicious. In just 15 seconds the g slammed from zero to seven times their normal weight, pinning their heads hard back inside their helmets, forcing their arms down onto their chests, crushing them into their seats.

Svetlana could feel the skin of her face being pulled backwards, the strained tautness across her cheeks, her eyes watering to try to fight the brutality.

Michael gasped. "Hhhard to breathe!" he grunted. Pulling oxygen into his lungs felt like weight-lifting; he had to deliberately force his chest to expand, pushing his ribs forward.

Yet as soon as it was there it was gone, backing off to just 3 g as the capsule pulled out of its initial steep dive, settling into a shallower angle, racing and falling through the air. Chad knew the profile. "A couple minutes here, then we'll peak again."

They were on their own. The communications failure they'd had after launch had returned as soon as they'd jettisoned the lower Service Module, as expected. And even if the radios had been working, the glowing plasma field was blocking the antennas.

Pursuit was a fireball, plummeting earthward with the first step complete, now rolling precisely in readiness for the second g-spike.

Ever since the Apollo craft's launch day, the *Cosmonaut Yuri Gagarin* communications relay ship had been steaming northwards across the Pacific to be in position to observe splashdown. She was now just over the horizon from the USS *New Orleans*, her huge twin tracking antennas pointed along the expected entry trajectory. As the capsule emerged from the heavy g-load, still 170,000 feet up and racing towards the waiting ships, the *Gagarin*'s systems found it and locked on.

The antenna operator said, "We have it, Captain. Exactly on track."

The Captain nodded and pointed at his communications officer. "Let them know." The lieutenant typed rapidly, and the coded message left the ship, relaying up through distant satellites and back down on the other side of the world to TsUp in Moscow. There, the flight director waved for Chelomei's attention and pointed to his screen.

Chelomei read the text and nodded. *Pa paryadkeh*. So far, so good.

A hundred miles to the northeast of the *Gagarin*, Kaz was on the bridge of the *New Orleans*, standing beside Al Shepard and the attaché, Stepanov. He checked his watch and glanced at the timings in his notebook, providing a running commentary for Captain Carius. "They're six hundred miles out now, sir, with the second g-spike to go, expecting drogue chute opening in just under six minutes."

Carius nodded. "And how long until splashdown?"

"The drogue will pull out the three main parachutes, and then they'll be under those for another five minutes, so into the water in about ten minutes." With no radio communication, Kaz was just guessing, using predicted times. The *New Orleans* would receive the capsule's homing beacon as soon as the deploying parachutes triggered it. Then they'd know for sure.

Carius turned to his executive officer. "XO, what's 501's status?"

"She cleared the deck ten minutes ago with our team and the NASA doc on board, and is on station." The XO pointed forward and left of the bow, where the white of the Sea King helicopter was just visible above the blue horizon. Carius raised his binoculars and could make out the large 501 painted on her tail.

"The helo crew's reporting pretty choppy seas, Boss, five-foot swells."

Shepard gave a low whistle. "That's worse than it was for my crew, Bob. More like what they saw on Apollo 12." He grimaced. "Poor suckers're gonna puke."

Bob Carius smiled. "That's what you get when you fly Air Force astronauts, Admiral."

The Captain had one more question. "XO, we seeing anyone else in the area?"

The XO deliberately didn't look at Stepanov, who'd been listening, stone-faced. "We've got the Soviet comm relay ship, the *Gagarin*, just over a hundred miles out along the entry track. Normal enough, and to be expected with a cosmonaut on board this time." He didn't mention what the captain already knew: they'd deployed several sonobuoys but had heard no sounds of any submarine activity. No sub had ever shadowed a previous splashdown, but the *New Orleans* was an anti-sub ship, and the XO was just being thorough.

Carius smiled. "So apart from maybe needing some sick bags, I think the good ship *New Orleans* is ready to pipe aboard three new crewmembers."

—

Chad watched the g-meter carefully for the critical moment. He had to time this just right: early enough to have the desired effect, but too late for Michael to diagnose what was happening and take countering action. He could feel the capsule lofting slightly under him, the force letting up slightly prior to falling into thicker air and starting the second g-load.

Now!

He reached out with his left hand and flicked the switch to take spacecraft control away from the guidance computer. He was holding the hand controller in his right, and he rocked it hard sideways, towards his leg, commanding a turn. Small thrusters on the hull fired in response, and the capsule began to spin up to the left, like a slow-turning top.

Michael was alarmed. "What are you seeing?"

Chad put incredulity into his voice. "Did you miss it? Our beta was building rapidly! I've taken over for now, getting ready to go to Program 66 for ballistic."

Michael stared at the displays. *Our sideslip built up? Shit! How did I miss that?* He flipped the page in his checklist to the backup ballistic procedures. "Okay, I'm with you, Chad, on 2-6." He quickly thought about it. "With bad beta, though, I recommend against program ballistic, and that puts us in the starred block for manual EMS."

As Chad had expected, Michael was reacting just like they'd trained. "Copy, but let's try Program 66, to give the computer another chance. If no joy, I'll just take over manually again."

Michael weighed the odds. "Okay, agreed. I'm watching."

Chad released the hand controller and steadied his arm under the g-load as his finger poked at the small keyboard. Michael confirmed—"I see P66"—and Chad pushed the Proceed button. Their eyes locked onto the Entry Monitoring Systems panel.

Michael rapidly thought ahead. The ship was slowly rolling now, no longer generating continuous lift along its flight path; it had gone from flying under control like an airplane to just falling, arcing downwards like a thrown baseball.

"Hold on!" he shouted, and waved a hand near Svetlana to make sure she realized there was a serious problem. They were about to fall steeper into the thicker air and endure a lot more g than planned. As they fell faster, that air was going to slow their forward speed even more as well. There was nothing he could do.

Pursuit was going to land short.

At Kaena Point, on a high, windy ridge at the western tip of Oahu, an Air Force domed radar tracking antenna detected the subtle change in *Pursuit*'s motion. The data was automatically sent via undersea cable to Mission Control in Houston, appearing as numbers on the screen at the re-entry Guidance Officer's console.

"FLIGHT, GUIDO, the capsule's off trajectory." He watched for several seconds, listening to the rapid analysis in his headset from the experts in his back room. "We think it's gone to ballistic mode."

Damn! Gene Krantz thought. The weather briefer had talked about the rough sea state, and this meant the crew would be in the water longer than planned. "Copy, GUIDO, let me know when you have an updated splashdown location." He turned to his communications officer. "INCO, let's get the *New Orleans* that info ASAP."

Ninety seconds later the teletype machine began clacking in the communications cabin of the *New Orleans*. The Petty Officer tore off the page while reading it and hustled to hand it to the XO. He silently read it and handed it to the Captain, who frowned.

"This is from your boys in Houston," he said to the small group. "The capsule has gone into something called a backup ballistic mode, and is going to land short, apparently." He turned to the helmsman and handed him the paper. "Make for those new coordinates, full speed."

"How far short?" Kaz asked, evaluating causes for the unexpected change, already guessing the answer.

"About a hundred miles. We'll be there in four hours. The helo will take about an hour or so." He thought quickly. "XO, I don't think they'll have enough fuel now. Bring them aboard for a hot pit."

The Captain turned to Al Shepard. "Admiral, this just escalated. The new splashdown site is way too near that Soviet ship. I'm going to send two helos so we can have a few extra personnel on-site until the *New Orleans* can get there. Who from your team do you want to go?"

"The doc, of course, and Kaz. We'll need somebody on scene familiar with crew ops."

Stepanov spoke for the first time that morning. "I must go too."

The XO immediately shook his head and looked straight at the captain. "No way, Boss. We've already got all the skills we need, and Kaz is Navy-familiar. I don't need an embassy bureaucrat getting in the way." He glanced at Stepanov. "No offense."

Stepanov's expression said he took none. He spoke calmly. "Major Gromova doesn't speak English, and might be injured because of this new situation. There is no question. I must go also."

The Captain looked at his XO. "He's got a point, and our orders are clear that we provide full support to the cosmonaut. Put him on the same helo as Kaz, keep him out of trouble."

The XO started to speak, thought better of it and nodded. "Aye aye, sir." He nodded at the two men and headed rapidly towards the ladder leading down to the deck. "You come with me. We'll get you outfitted fast and on your way. We've got a lost space capsule to catch."

Kaz looked around inside the Sea King as it throbbed noisily, powering nose-low through the air at max speed towards the southwest. He was relieved that this wasn't a typical Apollo recovery crew, with safety divers and medicos. Filling the seats around Stepanov and himself were six large men, all wearing coveralls and heavy boots, each cradling an MP5 submachine gun on a shoulder strap, with a Colt M1911 pistol clipped on their webbed belt. The XO had decided that with the Soviet ship nearby there was potential for military action, and these men were the masters-at-arms of the *New Orleans*—the cross-trained sailors responsible for law enforcement at sea.

Sitting to Kaz's left was a black-haired man with a wide black mustache, the senior rate in the group. He'd shouted instructions as they'd hurried aboard the helo, and Kaz leaned close now to make himself heard through the earplugs, above the din.

"I'm Lieutenant Commander Kaz Zameckis, detailed with NASA. What briefing did your team get?"

"Petty Officer First Class Colombo, sir. We didn't get much of a briefing; the XO said the Apollo capsule has two astronauts and a cosmonaut aboard, be nearby for a show of force and take action only if needed." He looked at his men. "We had some pretty hairy times up the Vietnam coast and in the P.I., and have been training together this whole cruise. We're ready if something happens."

Kaz nodded. "Some of you may have to go into the water."

"Yep, we've got gear." He pointed at several large duffel bags inside the aft loading ramp. "I'll get the guys dressed when we're closer. No use overheating for now."

Kaz leaned farther, talking directly into the man's ear so he wouldn't be overheard. "If the XO didn't tell you, the guy with me is a Soviet attaché, likely military. Need to keep an eye on him."

Colombo nodded without looking and said, "My men can handle it."

Kaz sat back, satisfied. Stepanov was sitting motionless, staring straight ahead. Kaz thought back: the Russian had shown no surprise when they'd learned the capsule was landing short. Then again, he hadn't yet shown any emotion. *Did he somehow expect it?* Kaz had spent another full hour of the night in his bunk thinking through possibilities before finally falling asleep, and had briefed Al Shepard over breakfast. They'd agreed direct crew communication from Moscow might have been possible; this event only heightened the concern.

He turned back to the mustached Colombo.

"I'd like a gun as well."

Colombo turned and spoke into Kaz's ear. "We have extra in the bag. I'll get you one at a good moment."

58

Splashdown Zone

The g-load came on even more suddenly this time, like a skipping stone badly thrown into a pond; instead of skimming into the water at an angle, *Pursuit* was falling, nearly vertical, into the rapidly thickening air below. Michael called out the readings on the digital display, grunting more and more as the weight increased.

"There's five. Now six." He strained to take a quick breath. "Seven, eight . . . there's nine!" The flames on the other side of the glass deepened to an intense yellow, the cockpit glowing like it was on fire. On *Pursuit*'s belly, the three-inch-thick protective plate of fiberglass and epoxy resin took the brunt of it, burning off and vaporizing in the 5,000-degree, friction-driven heat. Through the windows the three of them watched the roiling sheets of flame and continuous sparks of burnt resin whipping past.

And then they were through. The crushing force disappeared like someone had just lifted it off them, and the windows filled with the blue of the sky. The capsule was now simply a skydiver plummeting straight down at 250 miles an hour, 5 miles above the Pacific, waiting for her parachute to open.

Bang! The noise of small explosives came through their helmets as a metal cover blew off the top of *Pursuit* and two small drogue chutes mortared out behind it. The beyond-hurricane-force wind caught the fabric and snapped the unreefing chutes fully open, yanking the lines taut, pushing the crew hard down into their seats.

A brief new normal now, a momentary calm, as they fell in a 120-mile-per-hour vertical dive, waiting for the final event.

At 11,000 feet a small pressure sensor sent the command to cut the drogue lines and explosively fire three small parachutes; they caught the air and dragged out the big main chutes, which blossomed and filled the sky above their heads with red and white.

Michael raised two gloved fists, relief clear in his voice. "I see three good chutes!"

"Slava Bogu," Sveltana said quietly. Thank God.

On the top of *Pursuit*, a small VHF antenna pivoted clear and began transmitting the good news, a triumphant beacon signal for the rescue forces to home in. But the two helicopters were still beyond the horizon, 70 miles away, and missed it.

On the bridge of the *Gagarin*, the signal came clearly through the loudspeakers. The radio operator had been tracking the re-entry and quickly narrowed in on the exact location: "Bearing 037, Captain, range twelve kilometers." All heads turned to scan the bright sky, the Captain raising powerful binoculars to his eyes. "Vizhu," he said with satisfaction. I see it.

He turned back to the radio operator and nodded once. "Let them know."

The impact with the water was violent; *Pursuit*'s broad, flat underside made for a resounding belly flop, like squarely driving into a wall at 22 miles per hour.

"Christ!" Michael swore. "What a car crash!"

Pursuit plunged deeply, the salt water curling up around her in an enveloping wave. Then, like a cork, she bobbed immediately back up and tipped, yanked sideways by the parachutes caught in the wind.

The Apollo designers had recognized from the beginning that the capsule could function as a boat, but not very well. Ideally it would float upright, with the crew lying in their seats; they named that orientation Stable One. But in testing they'd also identified that the capsule could easily float inverted. They called that Stable Two.

Pursuit came to rest in the water upside down, swaying in the heavy waves. The crew hung in their straps as checklists fell to the top of the cockpit, banging against the metal of the tunnel hatch.

"Stable Two!" Michael called.

Chad threw the switches to cut the parachute lines. "Yeah, I see that. I'll get the float bags." He pushed in several circuit breakers and listened as two small compressors spun into life, pumping air into three inflatable bags attached to the top of *Pursuit*. They were designed to give the capsule added flotation and flip it upright.

What the engineers hadn't considered was the relentless effect of truly heavy seas. Waves kept breaking over the exposed flat bottom of *Pursuit*, flooding the compressor air inlets, overloading the built-in drains. The bags filled too slowly, getting pulled back and forth with each wave, the forces prying them against their mountings.

Perhaps if they'd filled fast enough the design would have worked and popped *Pursuit* up to Stable One. But the partially filled and still floppy bags were worked mercilessly back and forth by the powerful surges. Stressed to the limit, first the center bag tore, followed within seconds by the other two. The compressors kept running, futilely pumping air into the water next to the flapping remnants of the bags, the stream of bubbles rising around the sloped sides of the ship, popping on the surface between the waves.

Pursuit was going to stay upside down. And her rescue divers were still sitting in their Sea King helicopter, 65 miles away.

—

"Shit! This is taking too long." Chad's anger grew as he looked at the timer and then through the dark of the underwater windows, trying to spot the yellow of the filling bags. He double-checked his switches: no mistake.

"Yeah, the bags aren't working," Michael said. "And with the ballistic entry, help's gonna be a while getting here. I'm thinking we should get outside by ourselves." They were swaying left and right as the capsule rocked in the waves, their heads hanging down and their arms and legs dangling back and forth. After a week of weightlessness, he felt dizzy and disoriented, and had already had a twinge of nausea.

Fuck! Chad thought. *I flew this perfectly, and the stupid engineers can't design three balloons that work?* The motion was getting to him as well, and he shook his head to clear it. "Okay, I'm starting into unaided egress. I'll get the hatch and the raft, and you take care of her." He disconnected his suit hoses and comm line and twisted around to drag the survival raft kit out of its locker, dropping it down by the hatch. The motion made his head spin, and he blinked hard until things stabilized. He released his harness buckle and immediately flipped down towards the hatch, landing hard on his hands and knees. The air in the cockpit was getting warm and humid, and his visor was fogging, his body banging left and right with the wave motion. As he reached to open the hatch, he felt the first surge of nausea, and swallowed hard. Just as the hatch popped free and water rushed in around its edge seals, Chad vomited. Focused projectile vomiting, filling his visor in front of his face, splashing back into his nose and eyes, the gastric acid blinding him.

"Fuck!" he yelled, the "k" ending in a wet, retching cough and a second spasm. He grabbed blindly for his neck ring and released it, yanking the fouled helmet off his head, rubbing his eyes clear. He rotated the hatch out of the way, grabbed the survival kit, took a breath and rocked forward through the hatch, headfirst into the black water.

Behind him, Michael was vomiting as well. He'd peeled his helmet off when he'd felt it coming, and was using it as a bucket to throw up into while disconnecting himself and Svetlana. As soon as he saw Chad go out the hatch, he released his harness and reached up to release hers.

Svetlana still had her helmet on, and watched as Michael waved her urgently towards the water-filled hatch. *Weak Americans! Why are both these men sick?* She'd trained for emergency water egress in an inverted capsule in the Black Sea, and moved easily, grabbing the sides of the hatch with both hands, and thrusting herself through, feet-first. Behind her, Michael had one last look around, grabbed his survival kit, took a deep breath and pushed himself into the hatch.

All three of them were in the sea.

As Chad floated rapidly up, bareheaded, the tight rubber seal around his neck kept the water out of his spacesuit. Clutching the bulky survival kit tightly under his left arm, he pushed repeatedly with his right to fend off the sloping side of the capsule.

His lungs were screaming as he burst into the sunshine; instinctively he gulped for a huge breath just as a wave hit, slapping him in the face with a five-foot-high wall of water, smashing him into *Pursuit*'s hard, curved edge. He raised his hands to protect his head, and the survival kit bounced out of his grasp, skittering across the belly of the capsule.

Shit! He coughed and retched up seawater, blinking his eyes against the saltiness, scrabbling for a handhold on the smooth, wet underside of the capsule. His gloved fingers blindly found a bolt hole and he pulled hard, sliding himself towards the floating kit. The next wave picked him up and slammed him again into *Pursuit*, the impact making him gasp. He swam clumsily through the surging water, kicking inside the stiffness of the suit, trying to focus and time it right. Just as a third wave hit, he reached hard with his right hand and felt his fingers close around the survival kit's handle. The crashing water tumbled them both clear of the capsule as he fumbled at the long zipper to open the bag and deploy the raft.

Svetlana's helmeted head bobbed up behind him, and she looked around, assessing, treading water hard to stay clear of the capsule. The trapped oxygen inside her suit would only be good for a few more breaths, and soon she'd have to take off her helmet. She spotted Chad 10 meters away and started swimming hard towards him, letting each wave push her as she stroked and kicked. She watched as he reached inside an oblong bag and pulled; a yellow raft started inflating, rapidly filling, unfolding itself into a long rectangle. Chad was pulling on its handles as it reached full-size, twisting and timing the waves to try to yank it under himself, and finally he flopped facedown into the center.

She kicked hard and found a strap trailing in the water. As soon as the next wave rolled past she grabbed the raft with both hands and pulled herself up and in, landing on top of Chad's legs. Both of them flailed to get on their backs in the center, to stabilize and not capsize in the heaving seas.

As Michael's bare head burst to the surface, he spun, spotted them and started side-stroking hard, his elbow crooked through the end strap of his kit bag. But the raft was floating on the surface, the wind blowing it along the foaming tops of the waves. Michael stole glances each time he crested the top of a wave, gauging his progress, and realized he was losing the race; the kit was dragging him down. "Hey!" he yelled as loudly as he could, trying to get their attention above the noise of the wind and water.

Svetlana was getting dizzy with the buildup of carbon dioxide in her suit. As she popped off her helmet, she heard Michael's voice. She raised her head over the bulbous side of the raft and spotted him splashing towards them, 10 meters away.

"Morskoy yakor?" she shouted at Chad. Is there a sea anchor? He looked at her uncomprehendingly, dazed with the nausea and his repeated hard impacts with *Pursuit*. *Useless!* She probed under him, searching for a bundle on a thick strap that had been in every raft she'd ever trained on. When she found it, she tore the package open and hurled it overboard, letting the jellyfish-shaped cloth anchor unfurl and start dragging. Immediately she felt a tug and then the entire raft pivoted, stabilizing and slowing against the wind and the waves.

She propped herself up on an elbow again to see Michael, and spotted him struggling, seemingly farther away. "Syudah!" she yelled twice, as loudly as she could. Over here! She waved her hand high, back and forth.

Christ, I'm not going to make it! Michael thought. Every time he'd caught a glimpse of the raft it was getting away from him. He decided to let go of his kit just as he heard the female voice scream, and changed his mind, keeping the strap inside his elbow. He strained again to look, and saw a hand waving. Kicking harder, he pulled as strongly as he could with his free arm, cupping his gloved hand to get the most out of every stroke. He stole another glance and the raft seemed slightly closer.

He heard her voice yelling again—"Da, Da!"—and kept pulling, timing his strokes with each wave, clumsily trying to bodysurf with the kit in between crests. He thought her calls were getting louder, and craned his head up, relieved to see the raft just 10 feet away. "Syudah!" she shouted again, with one of her arms over the side, reaching for him. He gave a final maximum-effort stroke and found her hand, their gloved fingers locking together. She reached over the edge with her other hand and grabbed the kit as he twisted to find a handrail. Kicking and heaving with the last of his strength, with Svetlana pulling on the back of his neck ring, he got his upper torso onto the inflated curve of the raft, and with one final kick, tumbled in against Chad and Svetlana.

A jumble of bodies crammed into a pitching three-man raft, being blown steadily away from their spacecraft towards the open, empty, windswept Pacific.

Michael spoke first, in heaving breaths, to Svetlana. "Thank you! How do you say it? Spasiba?"

"Nyeh za shto," she responded. It was nothing. She handed him the kit, anticipating what was inside.

Michael took a breath to gather himself. He unzipped the package, pulling out two heavy, army-green metal blocks. He held them up to her. "Radio!"

Svetlana nodded. "Znayoo." I know.

Michael twisted his wrist rings to release his gloves from the sleeves of the suit, and peeled the heavy wet fabric off his hands. He tucked them into his leg pockets, and with bare fingers slid the cylindrical battery into the radio, twisted the cap into place and clicked the thumbwheel to turn it on. Immediately there was an audible hiss of static, and he screwed on the whip antenna. He knew from training that they were now transmitting an emergency beacon signal, and that by pushing the button on the side, they could talk.

"Give me that," Chad said. "I'll call in the helos." He held out his hand.

Michael looked at him across the length of the raft, paused for a second and then shrugged. "You're the boss." He leaned forward, handing it over. Svetlana, watching the exchange, understood what had just happened. *Tipeechny*. Typical.

Chad held the radio up to his ear and pushed the button. "Rescue Forces, this is the Apollo 18 crew. We've exited the spacecraft and are secure in the raft." He looked back at *Pursuit* in the distance as the waves bobbed them up and down, and up at the Sun. "We've been blown about a hundred yards downwind, to the northeast, and are continuing to drift, with sea anchor deployed. Crew is fine, and so is the cosmonaut." He released the button and turned the thumbwheel up until he could clearly hear the static, waiting for a response.

There was none.

He was bringing the radio to his mouth to transmit again, when he saw the sea begin erupting between them and *Pursuit*. Michael and Svetlana had been watching his face as he talked; when they saw his change of expression, they whipped around to look.

It seemed like the waves were calming somehow, and then as if they were parting. The dark water went suddenly clear in the sunlight, weirdly distorting up and over some unseen shape, the waves turning white as they broke alongside it.

Emerging from the depths, the broad, jet-black hull of an enormous submarine crested out of the water. All three of them looked back along its length to the upthrust conning tower, its diving planes protruding out like stubby wings. There were no markings on the glistening black hull; it was like a monstrous metal whale, unexpectedly there beside them.

A head appeared over the edge of the conning tower, and a megaphone appeared. They heard a brief squeal and then a male voice hailed them in Russian, the sound distinct above the wind and the waves.

"Major Gromova, welcome back to Earth. We are launching a rescue boat. Stand by to be brought aboard."

"Holy shit!" Michael yelled. "Chad, I don't know what he just said, but we need Navy helo support ASAP!" As they watched, a hatch pivoted open on the submarine's forward deck, and men started climbing out onto the wet flat surface.

Chad nodded, his mind racing. He pushed the button again on the radio. "Rescue Forces, this is the Apollo 18 crew. A submarine has surfaced and they're taking the cosmonaut. Need assistance immediately."

Twenty-five miles away, the Sea King flight engineer hurried back from the cockpit, stopping in front of Kaz.

"Commander, we just got contact with the Apollo crew." He tilted his head towards the cockpit. "You're the senior officer, and the pilot needs you on the radio now, sir." He looked at Colombo. "You too, PO."

They followed him to the cockpit, where he handed Kaz headphones and showed him where the transmit button was. Colombo donned a second pair to listen.

"Apollo 18, Apollo 18, Kaz here, how do you read me?" Kaz spoke loudly above the helo's noise, holding one earphone tight against his head.

Chad's voice came back, crackling with static. "Kaz! We're in the raft, and there's a Commie submarine here! They're launching a boat to come take the cosmonaut."

Shit! Kaz turned and yelled to the pilot. "How long to get there?"

"We're twenty-four miles out—nine minutes."

Kaz pushed the mic button. "Copy, Chad, we'll be there in nine minutes. Two helos, one with . . ." He stopped himself, realizing that the Russian sub would be listening to their communications. He looked out the side window at the other chopper and turned to the flight engineer. "Is that helo on this freq?"

A nod.

"Helo 501, get Dr. McKinley on the radio." As he waited, Kaz talked urgently with the pilot and flight engineer, briefing possible options.

JW's voice was in the headsets. "Dr. McKinley's listening."

Kaz updated him on the situation and what he wanted them to do.

JW's voice was crisp. "Copy, Kaz, I'll let this crew know."

All eyes strained forward, trying to spot the splashdown site. The flight engineer tapped the pilot's shoulder, pointing slightly left. "There it is!"

Low in the water, barely visible on the horizon, the long black shape of the submarine glinted in the sunlight, its conning tower jutting squarely up. Just visible was the splash of yellow of the raft. Kaz talked hurriedly with Colombo, who went back to brief his men.

In the raft, Chad held the radio out to Michael. "You direct them in."

Michael took it, puzzled, as Chad grabbed the open survival kit and dragged it forward. Kaz's voice rattled loudly in Michael's hand. "We're seven minutes out. Sitrep."

Michael looked across at the sub. "They have a black Zodiac on deck, and it looks like two frogmen are getting in to head this way." He squinted, trying to see detail. "Looks like they're armed, Kaz!"

As Michael was speaking, Chad turned away from Svetlana, his suit blocking her view. He dug into the survival kit bag, found what he was looking for and slid it into his leg pocket. As he turned, she spoke to him in Russian.

"Where is it?"

He looked at her. "What?"

She spoke rapid-fire. "I know you understand me! Stop being an idiot. The stone! Where is Lunokhod's stone?"

Chad frowned, shaking his head. "Don't understand you, toots." He glanced at Michael. "Any idea what she wants?"

Michael shrugged. "Beats me." He looked across at the Soviet Zodiac, now in the water. "How do you want to handle this?"

They heard the outboard motor sputter to life and saw a white curl start under the Zodiac's bow. Chad yelled, "If that helo doesn't get here in time, then there's not much we can do. She belongs to them, and they came all this way to get her."

Svetlana looked back and forth at the two men, and then at the Zodiac. Time to act. She reached down, unzipped her leg pocket, pulled out the pistol and pointed it at Chad.

"We are out of time. Give me the stone. Now!"

Michael stared, incredulous, and pushed the transmit button on the radio as he yelled, "Chad, she's got a gun!"

"I see that." Chad's voice was calm as he looked directly at her, shaking his head slowly. "Whatever you want, girly, I don't have it." He pointed across the prow of the sub at *Pursuit*. "Did you forget something in the spaceship?" He pointed again. "Makeup, or something common?" He accented the last word.

Svetlana frowned. *Did he just say "kahmen"?* The Russian word for stone. She snorted in frustration and shouted at him again. "Stop playing games! Is the stone inside the capsule?"

Chad nodded yes. "That's right, toots, you keep babbling. Your cavalry's almost here to rescue you."

Michael felt paralyzed. *Where the fuck did she get a gun? And what does she want?* He kept his thumb on the mic button, holding it down.

The outboard motor whine of the submarine's inflatable Zodiac was loud now, pulsing as it neared, rising and falling with the waves. Svetlana kept the pistol trained on Chad as the boat pulled alongside. The large, wet-suited submariner in the bow looked at the scene in the raft and turned laughing to his only crewmate. In Russian he said, "Looks like she doesn't need our help." His smile was broad as they reached and grabbed for the handles on the raft. "Major Gromova, we're here to rescue you."

She unleashed a torrent of Russian at him. His smile disappeared. He looked back at the capsule in the distance, and then at the sky to the northeast. He reached down with his free hand and lifted a Kalashnikov submachine gun, cradling it, waving it urgently at Michael and Chad. He spoke in thickly accented English. "Get een!"

Michael looked to Chad, who raised his palms. The Soviet reached across and took the radio, handing it to the helmsman by the motor, then grabbed Michael's arm and tumbled him onto the Zodiac's plank floor.

Svetlana was still pointing her pistol, and she ordered Chad in Russian: "You next." Chad shrugged and climbed across, the sailor grabbing him by his suit's neck ring and pushing him into place next to Michael.

Svetlana pocketed her pistol, stood to haul in the sea anchor line with both hands and passed the end to the Russian. Timing it carefully with the surging waves, she stepped neatly between the boats. The helmsman revved the outboard, and with the raft now trailing, steered hard towards the bow of the submarine and the capsule beyond.

Thinking about what Svetlana had shouted at him, the lead sailor put his face close to Chad's, his large, black-suited body menacing. "Vere is it?"

Michael was watching. *Where is what? What's going on?*

Chad had a strange smile on his face. *Excellent! This one speaks English! That'll make it simple!* He glanced at Michael. "I think they want some of our moonrocks." He turned and looked into the sailor's face. "Never had any of their own, and now I guess they think they deserve some." He looked up at the Navy helicopters, just visible in the distance. "But it looks like we're gonna capture the flag, Ivan. What are you going to do about it?"

This is going to work, just like I figured! The Soviets could have their precious cosmonaftka back, but the US would get the real prize. And all because of him.

The slap was sudden and totally unexpected, making the impact feel worse; the sailor's full-handed blow rocked Chad's head violently to the side. The sailor spoke again, his accent thick. "I ask once more. Vere is the radioactivni kahmen—the radioactive stone?"

"Hey, you can't do that!" Michael protested. The sailor twisted and shoved him violently towards the bow, and the helmsman raised his Kalashnikov to hold him there. Chad was shaking his head slowly, his hand going to the spreading red mark on his cheek.

Svetlana looked sharply at the submariner. "Did you say the stone is radioactive?"

He nodded. "That's what Moscow told us."

She growled in frustration. *Idiots! Why didn't they tell me!*

She moved rapidly towards Chad and frisked his suit, probing forcefully for a distinctive rounded shape. She turned to the sailor. "Not there. It must still be in the capsule." She looked across at the helicopters, and down at the scuba tanks strapped to the floor next to her. *There's still time!* She spoke quickly, and the sailor began rapidly assembling and donning equipment.

She turned back to Chad. "If you don't answer right now, he's going to hit you again and then force you underwater to show him. Where did you hide the stone?"

Chad was still blinking to clear his head, and Michael answered for him. "He doesn't understand Russian, Svetlana! Leave him alone!"

She yelled at him. "Molchi!" Be silent! She turned back to Chad. "Last chance!"

He stared at her, dazed and defiant.

"Bah!" she said in frustration, and turned to the sailor. "He's yours. And hurry, before the Americans can get into the water!"

The two crewmen forced straps over Chad's arms, tightened the waist belt and mashed the rubber regulator against his lips. Chad kept his teeth closed, and the lead sailor shrugged. *He'll want to breathe eventually*. He pulled a long, sharp knife from his leg holster and reached in by Chad's neck, puncturing the airtight rubber seal, and then the two men lifted Chad up and threw him into the sea. The submariner had on his tank and flippers; he pulled on a mask, sat on the inflated edge and neatly pivoted over the side. Grabbing Chad by the neck ring, he dragged him underwater and started swimming hard, descending towards the inverted capsule.

JW's voice crackled into Kaz's ear. "Kaz, did you copy that?"

The voices had faded in and out during the long transmission from the Apollo 18 crew. "I heard something, Doc, but couldn't make it out."

"I think I heard Michael say something about a gun!"

Kaz nodded. "Yeah, it's no surprise that the Soviets are armed. We're ready here too."

"Copy." JW paused. "Be safe."

"Wilco."

Kaz took a final look out the forward windows of the Sea King. The pilot had slowed, approaching the situation cautiously. Behind him, Kaz heard the big side cargo door sliding open, and could feel the buffeting air from the rotors. He leaned forward to the pilot. "All set?"

The pilot nodded, focusing on positioning where they'd briefed. Kaz moved aft and yelled to Colombo, "The crew's all in the Soviet Zodiac now, and they're headed towards the capsule. Your men ready?" He glanced at the wet-suited figures, all standing, holding on to the overhead straps with one hand, their weapons with the other.

"Yep, all set." A large block was on the floor by the open door. The helo's flight engineer leaned out the side, talking on headset with the pilot, guiding him into position. As the Sea King slowed and then settled its belly into the water, he kicked the block out and tugged on its line. It released a large raft, which began rapidly inflating.

Kaz felt a tap on his shoulder and turned to see Stepanov standing next to him, shouting above the noise. "Commander Zemeckis, I need to be in that raft to assist my countrywoman."

Kaz shook his head. "No way."

Stepanov was intent. "Think. You will need translation."

Kaz quickly pictured what was likely to happen. *Shit, he's right, and the Captain had insisted.* He looked at the size of the Navy men. *Worth the risk.* He nodded reluctantly and held up an open hand. *Wait.*

Colombo was loading his team and their gear into the six-sided raft as it bounced up and down in the rough seas. He turned to Kaz, who indicated Stepanov and yelled "Translator!" and pointed out the door. Colombo shrugged and guided the Russian into waiting hands in the raft.

"You're next, sir!" he shouted. Kaz felt in his leg pocket for the Navy-issue Colt pistol the PO had given him, and stepped out into the raft, dropping to the floor for stability. Colombo followed immediately. The noise from the helicopter increased as its blades dug in and lifted it, dripping, out of the water. The downwash covered them with spray as the pilot maneuvered clear.

The first crewman into the raft had attached lines to *Pursuit*, and they pitched and heaved in the waves next to it.

Step one, Kaz thought. *Capsule upside down, but secured.* He turned to look downwind. The Zodiac had stopped 50 feet away, holding position using the little outboard, the yellow raft trailing, the sub in the distance. But something was wrong. He looked closely, frowning, counting: There weren't enough white and black suits! Where did the others go? *Shit!* What had he missed while they were boarding their raft?

He turned to Colombo. "I need to get inside the capsule. Now!"

With no mask on, Chad was blinded by the salt water. His lungs were starting to burn, demanding air, and he reached down and back, grabbing the scuba tank hose. He thrust the regulator into his mouth, exhaled sharply to clear the water out and then took a welcome deep breath, hearing the familiar ringing sound of compressed air feeding from the tank on his back.

He let himself be pulled along. *Might as well let this Russian tire himself out, doing all the work.* He patted down his suited leg, feeling for what he'd put into the pocket. *Good. Still there.*

With the cut rubber neck seal, water was flowing into his suit, bubbles working their way up past his face, making him heavy in the water. *Need to be careful. The bottom of this pool is a long way down.*

The sailor stopped pulling. Blinking his eyes, Chad could make out the shape of *Pursuit* silhouetted against the light from the surface. He felt strong hands pushing him, and suddenly his head was through the hatch and into the air still trapped inside the capsule. He spit out the regulator and raised himself up into the familiar cockpit.

Didn't think I'd be back here so soon.

He felt bumping from behind and squirmed himself to the side as the sailor emerged through the hatch, pulling off his mask. He reached down towards his fins, and when his hand came back up it was holding his long, curved diving knife. He held it close to Chad's face.

"Vere is the stone?"

Chad turned and pointed above the Russian. "In a bag up there, behind the R2 panel." When the sailor turned to look, Chad opened his pocket and slid his hand inside.

"Vere? You show me!"

"I will," Chad said. His hand arced up fast, clenching the machete he'd taken from the survival kit. With all his strength he twisted and slashed, aiming just below the Russian's chin into the exposed softness of his neck.

The submariner's instant, primal reaction was to lash back at the sudden pain and shock of being wounded. Taking Chad by surprise, he drove his diving knife hard forward, a spasm driven by a surge of adrenaline. The tip plunged through the layers of the white spacesuit, past the liquid cooling garment and deep into the flesh, muscle and gut of Chad's belly.

Blood spurted from both men's wounds and they fell back, stunned. Each did a fast internal assessment. *Is this it? Am I fatally hurt?* And then, *How will I know?* Chad's hands went slack and the machete fell, clattering onto the metal below.

In that brief frozen moment, bubbles appeared in the water at the hatch. A head came up through the surface, and when Svetlana raised her mask, she stared in disbelief. Blood was spurting from the severed artery in the sailor's neck, around the fist he had pushed into it, trying to staunch the flow. Chad was lying back on the instrument panel, his hands clutching at the handle of a knife buried in his stomach.

"You morons!" she screamed.

She pulled herself up next to the sailor and slapped his fumbling hand away, reaching in to see if she could apply direct pressure to stop the bleeding, but immediately saw there was no use. The cut was wide and deep; there were foaming pink bubbles and exposed meat and tendons where the knife had sliced through his trachea and jugular. Each gush of blood as his heart pumped was weaker. His eyes were wide, looking at her in disbelief. He tried to speak, but was unable, his air whistling out through the mortal wound.

She twisted in the small space to look at Chad, who was staring down with a concerned expression at the knife in his guts.

"How badly are you hurt?"

He looked up at her, saying nothing. The body of the sailor spasmed and slumped.

"Where is the stone?" she hissed.

Chad looked back down at the knife handle, puzzled, ignoring her.

After the two men had left the Zodiac she'd realized there was a better way to search for the stone. She spun now and reached up along the side of the instrument panel over her head, feeling for the tool Michael had used. Her fingers closed around the metal cylinder, and she pulled it down, twisting and turning it on. She looked at the dial of the Geiger counter, hearing it begin to click. She rapidly started moving from locker to locker, throwing open doors and reaching in, listening for a reaction.

She stopped as a better thought struck her. She turned and looked at Chad, who lay motionless, his eyes following her as she moved towards him. She touched the rounded end of the tube to the fabric of his suit, starting by his feet and moving up his legs, swinging it left and right.

As she passed his knees she heard extra clicks. Sweeping up his thighs the clicking increased, the noise becoming a continuous chatter. She kept going, up his torso, but the sound decreased, so she moved it back down until she got maximum signal.

The bastard had hidden the stone in his crotch. He looked at her, his skin ashen, and managed to smile. "Right by the family jewels."

How to get it out? The spacesuit's long zipper was in the back, clumsy to get at, and time was short.

She looked at the knife in his belly. It sickened her to think of pulling it out. *But how did he cut the sailor? There must be a second knife!* She glanced around below Chad and spotted the machete.

She pulled the cloth of Chad's suit taut and hurriedly began cutting. She hacked through the white outer cloth and the layers of metal-coated plastic. Her fingers dug in, making an opening as she sliced into the airtight rubberized nylon.

Chad tried to push her away. She grabbed the knife handle sticking out of his belly with her other hand, and twisted. He screamed, and she kept cutting.

The innermost layer was the toughest, with hundreds of plastic cooling tubes sewn into a tight mesh against his skin, but once she cut a small hole in the woven fabric it parted, and she was through. She saw fresh blood; she'd cut his upper leg. *No matter.*

She reached into the slit with both hands, opening it as wide as she could, and then slid one hand between his legs. She felt the cloth of a bag with a hardness inside it, and worked her fingers underneath, prying it out. Like extracting the head of a newborn, she squeezed it through the layers, and with a final yank, the bag came clear. She grabbed the Geiger counter and held it close to the blood-smeared surface; the clicking went crazy.

As she turned to stuff the bag into a leg pocket, Chad grabbed onto the neck ring of her spacesuit. "Dye minyeh!" His voice was strained, but his Russian was clear. "Give it to me!" In his free hand he held the machete she'd set down while extracting the bag.

She reached for the knife in his belly, but he slashed at her hand, cutting across her knuckles. "No, no, toots," he gasped. "I'm planning to live through this." He beckoned with his free hand and repeated his demand. "Dye minyeh!"

She twisted away from him in the confined space, reaching deeper into the leg pocket. Turning back, she raised the pistol and pointed it at him. "Nyet!"

A voice spoke loudly from below them. "Don't move!"

Kaz climbed into the cockpit, his pistol rock-steady, aiming at Svetlana's head.

59

Pursuit

"Well, isn't this a pretty little Mexican standoff," Chad grunted. "Or should I say Russian?" He smiled at his own joke, and grimaced.

Keeping his gun on Svetlana, Kaz flicked his gaze around the cockpit, taking in the bloodied wet-suited body and the knife in Chad's belly.

"You okay, Chad?"

"Never better, buddy." His voice was raspy.

"I know you speak Russian. Ask her what she wants."

"I do *what*, Kaz? How would I know how to speak Russian?"

Svetlana kept her gun trained on Chad, listening to the men.

"Chad, it's no longer a secret. We know you've been in contact with your brother in East Berlin for years, and that you've been communicating with the Soviets, even while you were on the Moon. Dammit, you speak Russian. Ask her!"

Chad's voice was slurring now. "I don't need to ask her anything, Kaz. She's already got what she wants. She just stuffed it into her pocket!"

Svetlana pivoted fast and fired point blank at Kaz; as he saw her move he squeezed his trigger. The two shots sounded in rapid succession, the noise deafening in the small space. Her bullet had spun Kaz, a sudden slam on his left side. She pushed forward past him, straightened her body and fell through the open hatch into the water.

He looked down, fearing the worst, seeing blood on his left upper arm. No pain yet. *Fuck!*

Colombo's head popped up through the hatch. "I just saw someone in a spacesuit swim out, and I heard shots! You okay, Commander?" He looked around the capsule, his eyes widening. "Holy shit!"

"Yeah, I just got dinged. But Chad needs a doctor ASAP, and I need to stop the cosmonaut. Go topside and call the other helo for medical help, now!"

"Aye aye, sir." Colombo disappeared.

Kaz looked at Chad, speaking rapidly. "We haven't got the proof yet, but we know you're guilty of Tom's helo sabotage, and that you've been taking money from the Soviets. Time to get your story straight, Chad. It's not going to be pretty."

He clumsily pulled his mask back on one-handed, shoved his regulator into his mouth and slid down through the hatch.

Guilty! Is that what Kaz said?

The word echoed in Chad's head, and he moaned. He wasn't guilty! He was a hero! He alone had found what the damned Russians wanted and had been bringing it back to the good guys. He looked at the bloody body on the other side of the cockpit. *Shit, I was stabbed defending it.*

He looked down at the handle of the knife protruding from his belly. A wave of pain surged through him, a burning agony like the center of his body was on fire. As it subsided he reached into the hole the cosmonaut had cut in his suit, then pulled his hand out, wiggling his wet fingers, looking at the dripping red of fresh blood. Realizing what it meant. Realizing what Kaz had said about sabotage and money, and what would happen to him now that they knew.

Get my story straight! He closed his eyes against another wave of pain, and everything went searingly, blindingly white in his head. It took longer to pass.

I'm an action hero! He visualized the words, like they were floating in front of him on the cover of a comic book. He nodded, a smile curling his lips. *I need to keep it that way.*

Time to take one more action.

He reached up and unlatched the locker near his head, pulling out the strap that was attached to one of the vacuum-sealed containers of moon-rocks. He clipped the free end to the ring on his suit, then reached up again. The pain of pulling the heavy box out made him scream. He worked it past the edge, the agony a cascading roar in his head, until the box over-balanced, tumbling and banging violently past him, towards the hatch.

The tether yanked tight, hauling him after the box. The handle of the knife banged on metal as he was pulled through the hatch into the water; he shouted with the added pain, emptying his lungs. The weight dragged him clear of *Pursuit*, the white of his suit and red of his blood catching the fading light as he fell straight down into the blackness of the deep.

As consciousness faded, Chad reached up with his fingertips, feeling through the heavy cloth around his neck, finding the small, comforting lump of the silver pendant against his chest. His final thought before the world went black was of the gentle, loving smile of his mother.

In the raft beside the inverted capsule, the Soviet attaché had been watching and listening. He'd kicked his shoes off and worked his way around next to the jumble of diving equipment. As Colombo burst to the surface yelling urgently for a radio, Stepanov took advantage of the confusion. With all eyes turned away, he smoothly grabbed a tank, mask and fins, and rolled over the side. Easily donning the equipment under-water, he cleared his mask and looked around. Spotting what he was looking for, he pulled his switchblade from his pocket, flicked it open and swam hard in pursuit.

—

Kaz was kicking his fins as urgently as he could, pulling with his good arm, holding the pistol in his other hand, breathing heavily through the regulator. The salt water stung sharply in his wound. He'd glanced up to see the capsule and raft against the light, getting his bearings, and hoped he had the direction towards the Zodiac right. *She'll have done the same thing,* he reasoned. He strained his eyes forward, trying to spot her motion ahead of him.

How could my bullet have missed? She was right there! But she'd moved sideways as they shot, so it was possible. He hoped he'd at least winged her. Slowed her down.

He saw a flash of white ahead of him, and then another, and could see he was gaining on her. They'd chosen the same depth, about 15 feet down, just deep enough to not be easily seen from the surface. Both of them were swimming hard, but the bulk of her suit was slowing her. He listened to his labored breathing, the air squealing through the scuba valves as his lungs demanded continuous deep breaths, each stroke getting him nearer.

Kaz felt a sudden hard pull on his leg from behind, a strong hand grabbing and holding his calf. *What the fuck?* He spun in the water and recognized the gleaming bald head of Stepanov. One of his hands was gripping Kaz's leg, and the other was holding something that glinted in the watery light.

Kaz jackknifed hard, twisting and kicking violently, trying to free his leg from the attaché's grasp. Stepanov's arm arced towards Kaz's belly, a long, silver knife held firmly in his fist, the motion slowed by the resistance of the water. Kaz had to get inside the knife's trajectory; he grabbed Stepanov's shoulder strap and pulled violently, the pain searing in his arm. As their upper bodies slammed into each other, the knife curved in behind him and clanged hard into his tank.

Stepanov's grunt was audible through his mouthpiece. He released Kaz's thrashing leg and grabbed his webbed waist belt, stabilizing and then twisting his upper body. With the improved leverage, the knife once more came slashing through the water. Kaz was bashing at Stepanov's head with the pistol, knocking his mask off, but it had no effect. The slicing blade was going to make contact. Out of options, Kaz turned the pistol's hard metal nose against Stepanov's head and pulled the trigger.

The explosion blew the water out the end of the barrel in an intense high-speed blast wave that rocked the attaché's head sideways, away from the muzzle. But the 45-caliber bullet behind the wave was still going near normal exit speed, and it slammed into his skull at 750 feet per second, tearing through bone and brain. Stepanov's body went instantly limp, and the knife fell from his fingers, down into the abyss.

Kaz's heart was pounding. *Holy Christ!* He pushed Stepanov away and turned to look for the cosmonaut, spotting the white of her suit. She'd turned and was looking back at him. *Must have heard the gun-shot*, he realized. Hoping he wasn't too late, he swam hard towards her.

He stopped far enough away to be mindful of the pistol in her hand, and held his up as well. Bullets didn't travel far underwater, but surfacing would be a different game. A hard game to win.

He saw that Svetlana was now fumbling with her leg pocket. *Shit!* he yelled, the word unrecognizable through his mouthpiece. He thrust forward, kicking and pulling to swim below the cosmonaut, diving deeper, looking up. As he watched, she let go of something white and then started swimming hard for the surface.

The object was falling fast. He swam as hard as he could, willing himself to intercept it, dropping the pistol and pulling the water with both hands, ignoring the pain in his arm. His lungs couldn't draw enough air out of the tank, and he was seeing red as the heavy object fell past his depth. He gave one last pulsing heave with his arms and legs, stretched out to his maximum reach, and grabbed for it, feeling his fingers close on a cloth bag, heavy with weight.

Dazed with the effort and pain, Kaz just floated, suspended, inhaling deeply. As he regained his breath, he carefully squeezed the bulky bag into his coverall leg pocket with his good hand, listening to the distinctive underwater whine of an outboard motor above. Looking straight up, he could see Svetlana splashing at the surface. And coming in fast from his right, the pointed black silhouette of the Zodiac.

He kicked hard, blowing excess air from his lungs as he ascended, watching as the boat coasted to a stop. Looking up, he saw the white-suited figure disappear out of the water and then oddly reappear, splayed and splashing, as if thrown back in. Just as he breached the surface, he heard the motor crank back up to full speed, and saw the boat turn abruptly and speed away.

Kaz swam through the waves towards the person in the water and was unsurprised to see that it was Michael, his suit over-buoyant, spread-eagling him faceup on the roiling surface. Kaz looked towards the sound of the Zodiac and spotted it pounding away through the crests towards the submarine.

"Michael, you okay?" His voice sounded odd to him, the words taken away by the wind.

"I'm fine, Kaz. So good to see you—that was nuts!"

Kaz's arm was screaming with pain in the motion of the waves. Holding on to the buoyancy of Michael's suit, he felt a surge of dizziness, dimming his vision. He heard the sound of a helicopter, and then some loud splashes next to him.

"Geez, Kaz, I leave you alone for ten minutes and look what happens!" JW was next to him in the water, supporting him, sliding a life jacket over his good arm. Two Navy divers were next to Michael. The Sea King dropped more divers and a raft; experienced hands grabbed Kaz under the arms and lifted him cleanly in, propping him against the inflated side, next to Michael. JW appeared beside him with scissors, neatly cutting off the sleeve of his coveralls at the shoulder and frowning at the bullet hole through his bicep.

He soaked the wound liberally with disinfectant, the added pain clearing Kaz's head, and quickly wrapped it in gauze and bandage and pulled it into a sling. He looked critically at his work. "That'll do for now."

Kaz fumbled for his leg pocket with his good hand, trying to pull out the white bag.

"Let me do that!" JW scolded. He worked it free and held it up, the weight swinging with the boat's motion.

"What's in there?" Michael asked.

"A good question," Kaz said. "Open it, Doc."

JW slid the zipper open, looked inside and glanced quizzically at Kaz. Frowning, he carefully reached in and pulled out a Soviet pistol by the tip of the barrel.

"Where did you find this?"

Kaz blinked twice, then scrambled to sit tall to see over the edge of the raft, turning to look at the submarine. The Zodiac was already stowed, and there were a few submariners working to close the forward hatch, the big boat beginning to move forward. A smaller, white-suited figure was standing facing him. She saluted suddenly, waved once and disappeared into the submarine.

Kaz watched for several long seconds after she'd gone, then raised his fingertips to the corner of his good eyebrow. He held them there for a moment, then lifted his hand and waved back.

60

Galveston Beach, Texas

"Hold my hand?"

It was evening, and the sun was just disappearing, the rich red light reflecting off the crests of the low, curling waves. Kaz had driven them out past the western edge of Galveston, beyond the lights, to where there was nothing but tall grass dunes, the flat of the coarse brown sand, and the endless Gulf of Mexico to the south. Small, stiff-legged birds hurried along the waterline, hunting for one last morsel before dark.

Laura slipped her hand into his, and they walked on the hard sand in silence, enjoying the quiet. Thankful for it.

Kaz looked up, and stopped. The Moon had waned to a delicate, thin arc, a sliver catching the sunlight. In the darkening sky he could barely make out the ghostly shadows of the flooded lava plains, and squinted to try to see the small circle of Mare Serenitatis. Luke's resting place.

Laura followed his gaze. "How did it go this morning?"

Kaz sighed. "I hate funerals," he said. "Arlington Cemetery is such a sad, beautiful place. But it was nice for the families. The Vice President came, and Sam Phillips. Michael gave a good speech at the graveside to honor his crewmates." Kaz looked bleakly at Laura. "Luke's parents just sat there in their seats, trying to understand what had happened to their boy. Admiral Weisner presented them with Luke's medals, including the Navy Cross." He paused. "Posthumous."

He could see tears welling in Laura's eyes. "Chad's folks were sitting beside them. Such nice people. So proud to be honoring their son, but forever sad that it had to be at Arlington." He started walking again. The military had decided to honor both men there, near where the other fallen astronauts had been buried. He and Al Shepard had reluctantly agreed.

"Much media there?" Laura asked.

Kaz shook his head. "No, none of the details of what happened have been released yet, and they asked to keep it just for family. They're calling the deaths 'classified under investigation' for now. As soon as Nixon and Brezhnev have a chance to meet, they'll make a formal announcement about Svetlana on the Moon, and find a way to spin it all so both sides look good." He shook his head. "So the two of *them* look good."

He glanced at Laura. "Have you had a look at the container of moonrocks that made it back yet?"

She nodded, excitement creeping into her voice. "Sure have. We got the samples that were near Lunokhod, and mostly it's what we expected to see. But there were two small fragments that were a total surprise. A whole different type of morphology, like they were both broken off of one larger piece. And incredibly, when we checked closely, they're highly radioactive!" She shook her head. "As soon as we found that out, the military took charge, and everything's hush-hush until they decide what to do with the information."

Kaz kept walking, staring to the west, thinking. A small smile on his face.

Laura asked the question that everyone in the Lunar Receiving Lab had wanted to know. "Think this discovery will mean there'll be another Moon mission?"

Kaz nodded slowly. "Yes, I expect so. Maybe not another Apollo, but having a potential power source on the Moon will be too hard for the DoD to pass up. And with Lunokhod having originally found it, the Soviets will be hustling for a better look as well." He smiled at her. "Should be a bonanza for lunar geologists."

The last glow of the sunset was fading, and stars were starting to appear. Laura looked across at Kaz's sling as they turned to retrace their steps.

"How's the arm?"

"Healing fine. Clean in and out." He lifted his elbow, and grimaced slightly. "Still hurts a bit, but JW says I should have the sling off in a few days."

Laura shook her head. "Whenever they let you, you'll have to tell me everything that happened at splashdown."

"I will," he promised.

They were walking east now, and Laura suddenly raised her arm, pointing just above the horizon. "Look, Kaz! Mars!" The wavering light of the distant planet shone redly in the darkness. "From what the Mariner orbiters have been showing us, that'll be a *real* geologists' bonanza. And NASA's building a Mars lander they're calling Viking, to be there in a couple years!"

"But by then you'll be too busy training as a Space Shuttle astronaut," he reminded her.

"I sure hope so." She looked closely at him in the near-darkness, the distant lights of Galveston on his face. "What are *your* plans, mister?" She'd been thinking about it, but asked the question lightly.

"Funny you should ask. Sam Phillips talked to me this morning about a new project starting up out west, in Nevada. And he and NASA want me to stay here to support any future Moon flights and Skylab." He smiled, looking squarely at her. "Lots of good reasons to be here."

As they walked, the events of the morning rolled back into Kaz's head, like a newsreel. He quietly described it to her. "After the bugler played 'Taps,' the Blue Angels did the flypast. Six F-4 Phantoms, my old jet, tight in formation, low across the graveyard.

"Just as they passed overhead, one of the wingmen pulled hard up and away to honor Luke and Chad, leaving a hole in the formation for the missing man." He shook his head. "It breaks my heart every time."

He glanced back up at the Moon. The funeral had made him think of a small orphan boy, alone and afraid long ago. And an aging monk on the other side of the Berlin Wall, trying to make sense of it all.

He squeezed Laura's hand tightly and led them up off the beach, two joined figures in the darkness under the endless, star-filled sky.

AUTHOR'S NOTE

The Reality Behind The Apollo Murders

As I suggested at the outset of this novel, many of the characters, events and things in *The Apollo Murders* are real. Their inclusion made writing the book great fun, and a complex challenge. Here's a quick summary, to save you googling.

REAL CHARACTERS

Andropov, Yuri. Chairman of the KGB, went on to be General Secretary/ leader of the Soviet Union

Bean, Al. Apollo 12 and Skylab astronaut, painter

Carius, Bob. Captain of the USS *New Orleans*

Chauvin, C.A. "Skip." NASA Apollo Spacecraft Test Conductor at Kennedy Space Center

Chelomei, Vladimir. Chief Designer and Director of spacecraft factory OKB-52 for the Proton rocket and Almaz

Dobrynin, Anatoly. Soviet Ambassador to the US, 1962–86

Haldeman, Bob. White House Chief of Staff, 1969–73

Heard, Jack. Harris County Sheriff, 1973–1984

Kissinger, Henry. US National Security Advisor, 1969–75
Kraft, Chris. Manned Spacecraft Center Director, 1972-82
Kranz, Gene. Flight Director, NASA, 1962–94
Latypov, Gabdulkhai "Gabdul." Soviet Air Forces Senior Lieutenant, Lunokhod driver
Nixon, Richard. US President, 1969–74
Phillips, Sam. USAF General, Apollo Program Director, 1964–69, National Security Agency Director, 1972–73
Schlesinger, James. Central Intelligence Agency Director, 1973
Serdyukov, Vasily. Captain of the Soviet submarine K-252
Shepard, Al. USN Admiral, test pilot, first American astronaut
Slayton, Deke. NASA Director of Flight Crew Operations, astronaut
Weisner, Maurice "Mo." USN Admiral, Vice Chief of Naval Operations, 1972–73

ALMAZ SPACE STATION The Soviet spy space station in the story was real, including the fact that it was armed with a Kartech R-23 machine gun. It launched, unmanned, on 3 April 1973, but was fatally damaged after two weeks by an explosion, and depressurized into a trail of debris before a crew could be launched to dock with it. Its orbit decayed until it burned up in the atmosphere on 28 May 1973. A subsequent Almaz station was also armed with the R-23 gun, which was fired once in a successful test.

APOLLO 18 The US originally planned to launch Apollo 18 and 19, and built most of the hardware, including the rockets, for both missions. President Nixon canceled them both due to budgetary and other pressures after the near-disaster of Apollo 13.

AREA 51 A secret center for stealth technology development and testing captured Soviet fighter aircraft in Nevada.

FEMALE COSMONAUTS The first woman in space was Valentina Tereshkova, who flew solo on Vostok 6 for nearly three days in 1963.

The next was Svetlana Savitskaya, a test pilot and 1970 world aerobatic champion. She flew in space twice in the early 1980s, including doing a spacewalk, and eventually retired from the Russian Air Force with the rank of major.

LUNOKHOD The Soviets landed several unmanned probes on the Moon. The Lunokhod rover in the story is real. It touched down in the Sea of Serenity on 15 January 1973, exploring and sending back extensive data. It accidentally brushed a crater wall on 9 May 1973, knocking moondust onto its radiator. It overheated and died two days later.

MANNED ORBITAL LABORATORY The US had a military spy space station program, and selected and trained test pilots for it, but it never flew, and was canceled in June 1969. Several of the MOL astronauts flew as part of the NASA astronaut corps. One of them would have been Major Robert H. Lawrence Jr., the first African-American astronaut, if he had not been killed in a USAF flying accident in 1967.

POLLY RANCH A real suburban Houston community based around a private runway, with houses and hangars combined. Several astronauts have lived there.

RADIOACTIVITY ON THE MOON The geology of the Moon as we understand it makes anything beyond low-level radioactive rock highly unlikely. Mars, though, with its immense Olympus Mons volcano and water processes, could well have concentrated radioactivity; we have found nearly 300 Martian meteorites on Earth, so some have very likely landed on the Moon.

RUSSIAN ORTHODOX CHURCH AND SPYING The KGB recruited translators inside the church in the 1970s in an attempt to entrap people of interest by maneuvering them into compromising situations.

SVETLANA'S PISTOL The Makarov Pistol was the Soviet Union's standard military and police sidearm for decades, and it was carried in the survival kit of their space capsules. In 1986 cosmonauts were issued a specially designed triple-barreled pistol called the TP-82 instead, with two 40-gauge shot and one 5.45 mm bullet. That's the weapon I trained with as a Soyuz pilot.

THE U-JOINT Fort Terry's Universal Joint was a favorite hangout during the Apollo era. During the Space Shuttle years, it became the Outpost. I spent many an evening there, and my picture joined the hundreds on the walls. It closed in 2009, and the building burned to the ground in 2010. I don't know where the swinging doors ended up.

TSUP MOSCOW MISSION CONTROL Soviet Mission Control, known by its acronym TsUP (ЦУП), is located in the Moscow suburb of Korolyov (Kaliningrad at the time of this book). It has been in operation since 1960, with an adjunct NASA office therein to support joint missions. I worked there multiple times.

YASTREB SPACEWALKING SUIT The suit that Svetlana and Andrei wore outside was real, developed at the time of the Almaz program. It was only used in space once, in 1969.

REFUGEE CHILD ADOPTIONS IN THE UNITED STATES Eleanor Roosevelt helped form USCOM, the United States Committee for the Care of European Children, which in conjunction with the Displaced Persons Act brought nearly 5,000 children orphaned in the Second World War to America.

ACKNOWLEDGMENTS

Writing this book took a daunting amount of research, often demanding expertise I'll never have. I want and need to thank each of these friends for their insights, help, ideas and corrections, and for earnestly trying to set me straight.

Shannon Abbott—schedule
Syd Burrows—the original one-eyed fighter pilot
Lindy Elkins-Tanton—planetary scientist
Paul Fjeld—artist and Apollo sage
David Forster—Polly Rancher
Tim Gregory—cosmochemist
Kata Hadfield—beloved daughter and trusted reader
Kristin Hadfield—beloved daughter and trusted reader
Walter Heneghan—helicopter pilot
Cheryl-Ann Horrocks—trusted reader
Alla Jiguirej—Star City oracle
Heather MacDonald—assistant
Mildred McElya—longtime Polly Rancher and
Astronaut Office secretary
Leland Melvin—astronaut
Aaron Murphy—finance
Destin Sandlin—explainer of things
Rusty Schweickart—Apollo astronaut

Alex Shifrin—trusted reader
Judy Tanenbaum—trusted reader
Anatoly Zak—Russian Space Web

Most of all, enormous thanks and hugs to Jon Butler for the idea and the confidence, Rick Broadhead for his endless patience and attention to detail, and Anne Collins for her tenacity of clear purpose and enduring, unflagging support.

COLONEL CHRIS HADFIELD is one of the most seasoned and accomplished astronauts in the world. A multiple *New York Times* bestselling author, his books have sold over a million copies worldwide. He was the top test pilot in both the US Air Force and the US Navy, and a Cold War fighter pilot intercepting armed Soviet bombers in North American airspace. A veteran of three spaceflights, he crewed the US Space Shuttle twice, piloted the Russian Soyuz, helped build the space station Mir, conducted two space walks, and served as commander of the International Space Station. He was also NASA's director of operations in Russia. Chris is the co-creator and host of the BBC series *Astronauts: Do You Have What It Takes?* and helped create and host, along with actor Will Smith, the National Geographic series *One Strange Rock*. Hadfield's zero-gravity version of David Bowie's *Space Oddity*—the first music video recorded in space—has more than 50 million views, and his TED talk on fear over 10 million. He advises SpaceX, Virgin Galactic, and other space companies, chairs the board of the Open Lunar Foundation, leads the CDL-Space international tech incubator, and teaches a MasterClass on space exploration.